FRAY ÍÑIGO DE MENDOZA Y SUS "COPLAS DE VITA CHRISTI"

BIBLIOTECA ROMÁNICA HISPÁNICA

Dirigida por DÁMASO ALONSO

IV. TEXTOS

JULIO RODRÍGUEZ - PUÉRTOLAS

FRAY ÍÑIGO DE MENDOZA Y SUS "COPLAS DE VITA CHRISTI"

© JULIO RODRÍGUEZ-PUÉRTOLAS, 1968.

EDITORIAL GREDOS, S. A.
Sánchez Pacheco, 83, Madrid. España.

Depósito Legal: M. 13826 - 1968.

Gráficas Cóndor, S. A., Sánchez Pacheco, 83. Madrid, 1968. — 3044.

A Dámaso Alonso, mi maestro

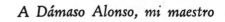

NOTA PRELIMINAR

Desde 1963, año en que fue terminado este trabajo, hasta hoy, en que sale a la luz, el tiempo no ha pasado en vano. Es muy posible que redactado hoy no fuera el mismo. Durante estos años, nuevas aportaciones de la investigación y de la crítica han permitido ahondar y poner al día lo aquí tratado. Y, ya en prensa, el descubrimiento fundamental de un texto de la *Vita Christi* que se creía perdido, contenido en el llamado *Cancionero de Oñate-Castañeda*, ofrece la posibilidad de estudiar directamente la primera versión del poema. Desgraciadamente, la negativa del actual poseedor del manuscrito, el profesor Edwin Binney, de la Universidad de Harvard, me ha impedido llevar a cabo dicho estudio. Esfuerzos generosos de personas amigas no han hecho cambiar de actitud al Sr. Binney, actitud verdaderamente lamentable en el mundo académico y de la investigación literaria.

Para la mejor comprensión de ciertos aspectos del libro es preciso consultar el capítulo III, donde explico convenientemente el significado de las siglas utilizadas para la denominación de manuscritos y ediciones de la *Vita Christi*. En la transcripción de textos he seguido, aunque no siempre a la letra, las *Normas* del Consejo Superior de Investigaciones Científicas, Madrid, 1944. He corregido evidentes errores de códices y ediciones, malas lecturas que hacían rimas o versos imperfectos. En la segunda parte, la edición crítica del poema de Mendoza, coloco la versión de A (es decir, la tercera e impresa) en la primera columna; la de b1 (segunda versión) y a1 y a2 (primera versión), en la segunda columna. En la transcripción de la primera versión, un guión (—) al pie de una copla y ante la sigla a1 indica variante en este texto de París, así como que la lectura de la copla a que se refiere es ecléctica entre a1 y a2. Puntos suspensivos (...) en un verso de la primera versión indican que la continuación del mismo es exacta en la copla equivalente de la posterior versión. En las notas a pie de página, un asterisco (*) indica importante detalle textual. Dos o más asteriscos suponen la existencia de dos o más detalles importantes. Un asterisco junto al número de copla indica que hay comentario a la misma en las notas al texto.

Agradezco a los profesores Dámaso Alonso (Universidad de Madrid), Francisco Márquez Villanueva (Rutgers University), Antonio Rodríguez-Moñino (University of California, Berkeley), Dorothy Severin (Harvard University), Gordon R. Silber (State University of New York at Buffalo), Robert B. Tate (University of Nottingham) y Keith Whinnom (University of Exeter), los consejos y ayuda prestados para diferentes aspectos de este libro. Mi agradecimiento también al *Publications Committee* de la Universidad del Estado de Nueva York en Buffalo, que ha hecho posible la publicación del libro.

La primera parte de este estudio obtuvo la calificación de Sobresaliente *cum laude* el día 27 de junio de 1963 ante el tribunal de Doctorado de la Facultad de Filosofía y Letras, Sección de Filología Románica, de la Universidad de Madrid. Dicho tribunal estuvo formado por los señores Dámaso Alonso, Joaquín Arce, Rafael de Balbín, Rafael Lapesa y Luis Morales Oliver. Posteriormente (25 de mayo de 1964), ese mismo trabajo fue galardonado con el Premio Extraordinario de Doctorado.

PRIMERA PARTE

Capítulo primero

BIOGRAFÍA DE FRAY ÍÑIGO DE MENDOZA

NOTA PRELIMINAR

En el mosaico histórico y social del siglo XV castellano, básico para el desarrollo posterior de España, destacan especialmente dos grandes y poderosas familias, muy desemejantes una de otra, pero ambas protagonistas principales de los hechos de la época: los Cartagena y los Mendoza. Judíos conversos los primeros, especialmente hombres de cultura y de iglesia —Pablo de Santa María, Teresa de Cartagena...—, aunque no faltasen miembros que intervinieron en las luchas civiles del siglo directa y violentamente, como Pedro de Cartagena, llenan con sus nombres las páginas de la erudición prerrenacentista española y del saber cortesano de su momento histórico: "puede afirmarse que no hubo aspecto notable de la vida civil, religiosa, literaria, militar, política, diplomática o económica de esos siglos que no fuese ilustrado por algún miembro de esta egregia familia burgalesa"[1]. Los Mendoza, por su parte, constituyen un viejo linaje participante en todos los hechos de armas de alguna importancia —recordemos el ejemplo más sobresaliente del almirante Diego Hurtado de Mendoza— y, gracias a sus prolíficos enlaces, extendida en poco tiempo desde Vizcaya a Andalucía, lo que hizo escribir a Luis Zapata en su *Carlo famoso:*

---

[1] F. Cantera Burgos, *Álvar García de Santa María. Historia de la judería de Burgos y de sus conversos más egregios*, Madrid, 1952, pág. 6.

Ni hay de árbol como aqueste de gran fama
en España con fructo tanta rama [2],

formando un bien avenido y poderoso clan, árbitro muchas veces de
la política castellana —como sucedió con Juan Hurtado de Mendoza
en los primeros tiempos del reinado de Juan II—, que no estuvo
ajeno tampoco a las preocupaciones intelectuales, como en el caso del
primer marqués de Santillana, entre otros de menor importancia.

Cartagenas y Mendozas, por lo tanto, son nombres clave en la
historia de Castilla, cada uno en su peculiar aspecto. En un suceso
típicamente medieval, una justa caballeresca, hallamos el origen de
la unión de ambas familias, siquiera sea a través de la rama segundona. De este enlace nació Fr. Íñigo de Mendoza. Pero esto lo veremos más adelante.

LOS CARTAGENA

El tema ha sido tratado extensamente por el P. Luciano Serrano
y, sobre todo, por F. Cantera Burgos en obras de gran utilidad para
mi trabajo [3]. Me limitaré, por lo tanto, a anotar rápidamente los datos más imprescindibles para situar convenientemente a los ascendien-
tes maternos de Fr. Íñigo de Mendoza.

El carácter converso de los Cartagena arranca, como es sabido, del
Rabí Salomón, el cual pertenecía "al tribu de Leví" por la rama
paterna y a la familia de los Ben Beniste por la materna [4]; bautizóse

---

[2] Canto XXV, *Carlo famoso*, Valencia, 1566, fol. 136v. Cf. C. Arteaga y
Falguera, *La Casa del Infantado, cabeza de los Mendoza*, I, Madrid, 1940, página 7.

[3] Respectivamente, en *Los conversos D. Pablo de Santa María y D. Alfonso de Cartagena*, Madrid, 1942, y *Álvar García de Santa María*, ya citada.
En esta parte del capítulo haré numerosas referencias a tan valioso libro.

[4] *Memorial para el Rey Nuestro Señor de el linage y oficios de el patriarca D. Pablo de Santa María. De los de sus descendientes y hermanos. Las
fundaciones que hicieron y con los que emparentaron y de los servizios echos
a los Reyes y Reynos y a la Cristiandad*, ms. de la B. N. de Madrid, 18192,
fol. 252. Otra copia de este *Memorial* existe también en la B. N., ms. 2821,
fols. 252-256v.

el rabí cristianamente a los cuarenta años de edad [5] con toda su familia, llamándose desde entonces Pablo de Santa María. La ceremonia, *en masse,* tuvo lugar el 21 de julio de 1390 [6]. Es muy posible que la conversión de los Santa María de Burgos tuviera como causa remota el temor a las persecuciones y *pogroms,* que, efectivamente, estallaron poco después del bautismo de los mismos en 1391, y de las que fueron prólogo las de 1360 y 1366. Sin embargo, aunque puede pensarse en esta posibilidad [7], el cristianismo de los nuevos conversos fue totalmente sincero: "jamás ninguno de sus descendientes ni de los que convirtió [el Obispo don Pablo] faltó en la santa Fee Católica" [8], pues como dice más contemporáneamente al suceso el cronista de don Álvaro de Luna, "son buena casta de conversos los de aquel linaje" [9]. Se incorpora así a la comunidad nacional un personaje valiosísimo intelectualmente que arrastra consigo a otros de su misma familia y raza y que alcanza puestos importantes en el ambiente oficial castellano, consiguiendo los honores de una cuasi hidalguía extraoficial durante algún tiempo, pero pronto englobada, como es conocido y veremos luego, dentro de las filas de la nobleza castellana por medio de enlaces matrimoniales. Así, los Cartagena, validos de su orgullo genealógico —se decían descendientes de la Virgen María— llegaron a tener escudo de armas, las cuales eran "una flor de lis blanca en canpo verde en memoria de la descendencia del linaje de Nuestra Señora, y que está en el colegio de San Gregorio de Valladolid en la Librería, en el árbol segundo de los linajes de los Hidalgos de España, con una orla alrededor que dice estas letras:

---

[5] *Vida de D. Pablo de Cartagena, Obispo de Burgos,* ms. de la B. N. de Madrid, núm. 18996, fol. 16.

[6] Cf. sobre este asunto F. Cantera Burgos, *La conversión del célebre talmudista Salomón Leví (Pablo de Burgos),* Santander, 1933, además de las obras citadas en la nota 1.

[7] Cf. J. Amador de los Ríos, *Estudios históricos, políticos y literarios sobre los judíos en España,* Madrid, 1948, pág. 120, y especialmente Américo Castro, *España en su historia. Cristianos, moros y judíos,* Buenos Aires, 1948, páginas 554-555.

[8] Ms. citado, B. N., 18192, fol. 253v.

[9] Gonzalo Chacón, *Crónica de D. Álvaro de Luna,* ed. J. de Mata Carriazo, Madrid, 1940, pág. 382.

Rosa blanca, flor de lis,
una sola singular,
no de las del rey de París,
mas de la Virgen singular" [10].

Remito a las obras del P. Serrano y de Cantera Burgos para un conocimiento exacto del asunto; basta aquí, para mi propósito, una somera indicación del mismo.

Con Salomón Leví, futuro Obispo de Cartagena y Burgos, convirtiéronse sus familiares, que no eran pocos: su madre, María (m. en 1416), su mujer, Juana (m. en 1425), su hermano Álvar García de Santa María, el célebre cronista (m. en 1460) [11] y sus hijos, Pedro, Alonso, Gonzalo, Álvar y María. Alonso y Gonzalo llegaron a ser, el primero, sucesor de su padre en la mitra de Burgos y en erudición e importancia cortesana (m. en 1456), y el segundo, obispo de Plasencia (m. en 1448). María de Cartagena y Álvar García de Cartagena no tienen interés para este propósito. Por el contrario, Pedro

---

10 Ms. cit., fol. 263v. En 1596 fue escrita una *Alegación en Derecho,* estrechamente relacionada con el ms. anterior, "sobre si debe ser excluida la familia de D. Pablo de poder ser admitida a las Órdenes Militares por el Estatuto que ordena (cap. III) que los que han de ser admitidos no tengan raza de judío ni moro ni converso de parte de padre ni madre en ningún grado por remoto y apartado que sea" (según B. J. Gallardo, *Ensayo de una Biblioteca Española de libros raros y curiosos,* IV, Madrid, 1889, cols. 492-495). Como vemos, la hidalguía de los Cartagena, ahora mezclada con la "limpieza de sangre", continúa inquietando a los descendientes de don Pablo, ya entroncados con las más nobles familias de toda Castilla y Andalucía. Por último, el triunfo total lo obtienen los interesados en 1604: Felipe III concede a don Pedro Ossorio de Velasco, último vástago de la rama, el especial privilegio de "limpieza de sangre" para sí y para sus herederos, de acuerdo con un breve de Clemente VIII y según el ms. 18666 de la B. N. de Madrid. Cf. sobre este asunto Cantera, *op. cit.,* págs. 280-284, y A. A. Sicroff, *Les controverses des status de "pureté de sang" en Espagne du XVème au XVIIème siècle,* París, 1960, página 183, quien exclama: "c'est le seul example que nous ayons rencontré d'un privilège aussi flagrant en la matière" (*ibidem*), mientras que el dominico fr. Agustín Salucio escribe que era "caso bien notable" (en su *Discurso acerca de la justicia y buen gobierno de España en los estatutos de la limpieza de sangre y si conviene o no alguna limitación en ellos;* cito por Sicroff, *ibid.,* pág. 187, que cree que Salucio escribió su tratado en 1599).

11 Cf., además de las obras citadas, Ch. V. Aubrun, "Álvar García de Santa María", en *CHE,* 1948, págs. 140-146.

de Cartagena (1387-1478) [12] es fundamental. Nacido en Burgos, su vida le hace testigo, si no protagonista, de numerosos sucesos históricos; su aventurera personalidad bien merece, junto con el hecho de ser abuelo del fraile Mendoza, que me detenga algo en su noticia [13]. "Fué guarda del cuerpo del Rey D. Juan el segundo. Fué del consejo de los Reyes D. Enrrique el Quarto y D. Hernando el Católico" [14]. En los períodos en que la movilidad de su vida inquieta le permitió cierto reposo, fue regidor de su ciudad natal [15] y su procurador en las cortes de 1447 [16]. Los hechos más interesantes de su vida, que nos indican bien su carácter violento, son, entre otros, su intervención en la toma de San Vicente de la Bastida luchando a favor del conde de Haro [17]; en la batalla de Higueruela (1431) [18]; en el asedio y conquista de la villa de Lara, de la que fue alcaide [19]; en el Concilio de Basilea (1434), adonde había ido acompañando a su ilustre hermano el obispo D. Alonso, y donde su actuación, si la consideramos auténtica, fue típica de la "desmesura española" [20];

---

[12] A. Paz y Melia, en *El cronista Alonso de Palencia*, Madrid, 1914, página 363, le cree "hijo de D. Alonso y nieto de Pablo de Santa María" (*sic*).

[13] El Sr. Nicolás López Martínez, archivero de la Catedral de Burgos, prepara una monografía sobre Pedro de Cartagena.

[14] Ms. 1892 de la B. N. de Madrid, fol. 257v.

[15] Como dice F. Márquez Villanueva, "en las primeras décadas del siglo [XV] fue cuando el clan de los Santa María, con sus adherentes de Maluendas, Cartagenas, etc., consiguió mediatizar la actuación del Concejo burgalés, con lo que terminó de trasformarse la Cabeza de Castilla en feudo de conversos, tan poderosos ya en el orden eclesiástico y cortesano gracias a la actuación habilísima de D. Pablo de Santa María y D. Alonso de Cartagena" (en "Conversos y cargos concejiles en el siglo xv", *RABM*, 1957, pág. 510). Cf. también N. López Martínez, "D. Luis de Acuña, el Cabildo de Burgos y la Reforma (1458-95)", en *Burguense*, 1961, págs. 185-317, con abundantes detalles sobre la vida oficial burgalesa de la época; para el reinado de los Reyes Católicos, L. Serrano, *Los Reyes Católicos y la ciudad de Burgos*, Madrid, 1943, capítulo I, especialmente.

[16] Cf. Cantera, *Álvar García*, págs. 464-480, llenas de noticias sobre nuestro personaje.

[17] *Crónica de Juan II*, BAE, LXVIII, año 1429, cap. XLVIII, págs. 474-475.

[18] *Ibidem*, 467.

[19] F. Cantera Burgos, *op. cit.*, pág. 467.

[20] Ante la disputa surgida por la prioridad de la silla del rey de Castilla o de Inglaterra, "para inquietar la presencia del rey de Ynglaterra, en el consistorio y presencia de su santidad, sacó en peso al de Ynglaterra asentado

en su viaje a Bohemia, 1438, también acompañando a su hermano don Alonso, donde recibió la Orden de Caballería de manos de Alberto II en premio a su ayuda en la lucha contra los husitas, junto a otros conocidos castellanos, como Mosén Diego de Valera... [21]. Casó dos veces, la primera con Doña María de Saravia, y la segunda con Doña María de Rojas; tuvo diez hijos: Alonso de Cartagena, el primogénito (m. en 1467), para quien su padre fundó mayorazgo, concedido por Juan II en 1440 [22]; Álvaro de Cartagena, muerto en 1471 en el combate entre los condes de Haro y de Treviño [23]; Gonzalo Pérez de Cartagena (m. en 1519), alcaide de Ágreda en 1506 [24]; los clérigos Lope de Rojas y Paulo de Cartagena [25]; Pedro de Cartagena... y cuatro hijas, Teresa de Cartagena, la monja escritora [26], María de Saravia, Elvira y Juana de Cartagena, madre esta última, como veremos después, de Fr. Íñigo de Mendoza. Una larga descendencia. Pedro de Cartagena, aunque no es el coplero de los Cancioneros del siglo XV [27], también parece que hizo versos, siendo hombre

---

en su silla desdel lugar en que estaba, ofreciéndose con esto más sustentar el derecho de su Rey" (B. N., ms. 18192, fol. 255v). Cf. también M. Jiménez de la Espada, págs. 378-386 de su ed. de las *Andanzas e viajes por diversas partes del mundo auidos*, de Pero Tafur, Madrid, 1874, "Colección de Libros Españoles Raros o Curiosos", VIII.

21   Según Jorge de Einghen, Barón de Rosmithal, en su *Viaje por España*, editor A. M. Fabié, Madrid, 1879, pág. 56, col. "Libros de Antaño".

22   Cantera, *op. cit.*, 472.

23   Diego de Valera, *Memorial de diversas hazañas*, BAE, LXX, capítulo XLIII, pág. 62; *Crónica de Enrique IV*, de D. Enríquez del Castillo, *ibidem*, capítulo CLI, pág. 207. Es llamado Pedro, erróneamente, en el *Recogimiento de nobleza* de Alfonso Castilla, ms. C-48, fol. 238v, de la Real Academia de la Historia.

24   B. N., ms. 18192, fol. 262, y ms. 2821, fol. 255v. Cf. también J. Paz y Espejo, "Castillos y fortalezas del reino. Noticia de su estado y de sus alcaides y tenientes durante los siglos XV y XVI", *RABM*, 1911, pág. 255. Fue la Villa de Ágreda, precisamente, la que se opuso a recibir como señor en 1395 al ahora contrapariente de los Cartagena y ascendiente de Fr. Íñigo de Mendoza, Juan Hurtado de Mendoza; cf. *Crónica de Enrique III*, 1395, IV, 233, BAE, LXVIII.

25   Cf. Cantera, *op. cit.*, págs. 504-506, para Lope, y 506-507 para Paulo o Pablo, probablemente hijo natural.

26   *Ibid.*, págs. 536-558.

27   Cf. más adelante en este mismo capítulo.

de ciertos conocimientos, inherentes sin duda a su cargo de regidor y procurador, y de indudable ingenio práctico, como corresponde a su temperamento activo y demuestra cierta anécdota que de él se cuenta en el *Liber Facetarium* de Luis de Pinedo: "Estando en las casas de Pedro de Cartagena, subióse encima de unas barandas un loco para echarse de unos corredores de allí abajo, y estando para echarse viole el dicho Pedro de Cartagena de abajo, y como le preguntase qué quería hacer, le respondió que quería volar. Pedro de Cartagena le dijo: '—Espera y subiré a quitarte el capirote para que veas por dónde has de ir'. Y con esto le detuvo hasta que subió y le quitó de allí" [28].

Famoso y conocido durante toda su vida por lo que hoy llamaríamos, quizá, sus excentricidades, una vez muerto el 10 de mayo de 1478, a los noventa años de edad [29], también dejó memoria de sí mismo, llegando incluso a formar un dicho popular, si hemos de creer la anónima nota al texto de Fr. Antonio de Logroño en su *Libro de la Fundación, sitios, rentas, juros, heredades, enterramientos, sepulturas del convento de Sant Pablo de Burgos de los predicadores*, conservado en el Archivo Histórico Nacional; Fr. Antonio describe la capilla mayor del convento fundado por don Pablo de Cartagena, y dice: "está a la parte del señor obispo D. Pablo en la pared en el principio de la capilla un arco en que está enterrado Pedro de Cartagena, hijo del señor obispo Don Pablo, con dos mugeres, que fué casado dos vezes", y el explicador espontáneo escribe al margen: "Por quien se dixo *el noble Pedro entre ellas*" [30].

---

[28] Luis de Pinedo, *Liber Facetiarum et Similitudinum*, págs. 163-164, edición fragmentaria de E. Barriobero y Herrán, *Los viejos cuentos españoles*, Madrid, 1930.

[29] A. Paz y Melia, *El cronista Alonso de Palencia*, *loc. cit.*

[30] A. H. N., códice 88, fol. XLVII. En otras descripciones del enterramiento no se alude para nada a tal expresión popular; cf. P. Salazar de Mendoza, *Casa de Cartagena*, R. A. H., ms. B-92, fol. 81; L. de Salazar y Castro, *Epitafios y memorias que se hallan en los sepulcros i en las capillas de muchos ilustres personages de España*, ibid., D-17, fol. 12; P. Enrique Flórez, *España Sagrada*, XXVII, Madrid, 1772, cols. 543-544.

LOS MENDOZA

Abundan las leyendas sobre el origen de esta familia. Lucio Marineo Sículo la hace descender del caudillo ibero Mandonio, no retrocediendo ante los mayores dislates históricos y filológicos [31]. Tampoco han faltado urdidores más modestos que remontan la genealogía mendocina a don Pelayo, doña Urraca de Castilla, el Cid... [32]. Lo único realmente claro es que la familia era señora de la villa alavesa de Mendioz o Mendoza, Montefrío en castellano; las posesiones solariegas eran dos, "la primera ...de sólo un quarto con una torre de argamasa y la otra una fortaleza con su barrera de cal y canto y la torre, y es del duque del Infantadgo, y la torre y quarto es de Don Álvaro de Mendoza, señor de Nanclares..." [33]. La rama principal de la familia alcanzó, a partir de Pedro González de Mendoza, puestos importantes en la vida política de Castilla, consiguiendo pronto llegar a ser la familia más poderosa y extendida de la nobleza castellana. De los descendientes directos del caballero muerto en Aljubarrota, el almirante Diego Hurtado de Mendoza y el hijo de éste, Íñigo López de Mendoza, primer marqués de Santillana, es inútil tratar aquí, tanto en su aspecto histórico como en el literario [34]. Interesa más, para el fin de mi trabajo, la rama segundona (subdividida a su vez en numerosas e intrincadas descendencias menores), porque de ella provienen el abuelo y el padre de Fr. Íñigo de Mendoza. Para ello debemos remontarnos a los tiempos de Enrique III, en que florece Juan Furtado de Mendoza "el viejo" o "el limpio",

---

[31] Carta a Don Diego Hurtado de Mendoza, tercer duque del Infantado, citada por el cronista Salazar y Castro en su *Historia de la Casa de Mondéjar*, R. A. H., ms. B-73, fol. 7.

[32] Cf. F. Layna Serrano, *Historia de Guadalajara y sus Mendozas en los siglos XV y XVI*, I, Madrid, 1942, pág. 43.

[33] Ambrosio Montesino, "clérigo", *Comentario de la conquista de la ciudad de Baeça y nobleza de los conquistadores della*, R. A. H., ms. H-13, fol. 105v.

[34] Cf., entre la abundante bibliografía, F. Layna Serrano, *op. cit.*, y Cristina Arteaga, *La casa del Infantado, cabeza de los Mendoza*, Madrid, 1940, en cuanto a lo biográfico-histórico; y M. Menéndez Pelayo, *Antología de poetas líricos castellanos*, II, Santander, 1944, págs. 77-137, y R. Lapesa, *La obra literaria del marqués de Santillana*, Madrid, 1957, para lo literario.

señor de Almazán, Cornago, Mendíbil y de la Ribera de Miranda, "que gozó de mucho señorío en Alaba" [35]; ayo, alférez y mayordomo del rey, alcaide de la fortaleza de Segovia; casado en 1396 con María de Castilla, hija del conde don Tello, bastardo de Alfonso XI [36], y a quien puede considerarse jefe de los Mendoza segundones [37], y, en algunos momentos de su vida, aun de toda la familia [38]; de él escribe Pérez de Guzmán que "fue honrado caballero, Ayo del Rey Don Enrique el tercero. De su linaje y generación ya se dixo asaz en el capítulo que habla del Almirante Don Diego Hurtado, como quiera que entre la casa del Almirante e la deste Juan Hurtado hay gran diferencia en las armas. Fue hombre de gran esfuerzo, e muy buen cuerpo e gesto, e muy limpio y bien guarnido, ansí que aunque en su vejez, en su persona e atavío parescía ser buen caballero. Fue cuerdo e de buenas maneras en hechos de armas; no hay del ninguna obra señalada, ni mengua alguna. Murió en Madrid en edad de setenta y cinco años" [39]. Entre sus hijos, Pedro González de Men-

---

[35] Alfonso López de Haro, *Nobiliario genealógico de los reyes y títulos de España*, Madrid, 1622, pág. 265.

[36] Según Salazar y Castro, *Historia genealógica de la Casa de Lara*, I, Madrid, 1696, pág. 380, volvió a casar hacia 1400 con Mencía de Mendoza y más tarde con María de Luna. Salazar confunde así este Juan Hurtado con su hijo, el mayordomo de Juan II.

[37] G. Fernández de Oviedo, en sus *Quinquagenas o Casas ilustres de España*, B. N., ms. 11657, fol. 698, hace una curiosa distinción entre los componentes de una y otra rama, aludiendo a Mendozas y Mendocinos según pertenezcan a la primogénita o a las segundonas.

[38] "Su matrimonio con María de Castilla le aproximó a la familia real. La muerte del primogénito [Pedro González de Mendoza, en Aljubarrota], la menor edad de Diego Hurtado de Mendoza [el futuro almirante], el papel desempeñado en la educación del príncipe [Enrique III], contribuyen a colocarle, hacia 1390, en la casi jefatura del linaje" (según L. Suárez Fernández, *Nobleza y Monarquía. Puntos de vista sobre la historia castellana del siglo XV*, Valladolid, 1959, pág. 43). En cuanto a ambiciones personales, era poco escrupuloso; aprovechando la situación familiar, se apoderó de la mayordomía mayor, perteneciente a su sobrino Diego, a quien hubo de concederse el almirantazgo como compensación. Cf. *Crónica de Enrique III*, 1392, VII, pág. 195, y IX, 196-197; 1393, II, 203-204, y L. Suárez Fernández, "Problemas políticos de la minoría de Enrique III", *Hispania*, 1952, pág. 195.

[39] *Generaciones y Semblanzas*, ed. Domínguez Bordona, CC, Madrid, 1924, página 75.

doza, alférez hasta la batalla de Aljubarrota, señor de Almazán y Monteagudo; Ruy Díaz de Mendoza, almirante de Enrique III a la muerte de Diego Hurtado, muerto antes que su padre; Lope o Rodrigo Furtado, deán de Burgos; Diego Hurtado de Mendoza, señor de Cañete, guarda mayor de Cuenca y montero del rey, e Íñigo López, "el de Santa Cecilia" [40], nos interesa especialmente el tercer vástago, Juan Furtado de Mendoza, señor de Morón, Gormaz, Mendíbil, Escarrona, La Ribera..., mayordomo mayor de Juan II. De él hay continua memoria en la crónica de este monarca; era personaje importante de la corte y la política castellanas, favorito y privado del citado soberano y predecesor del condestable Luna en el poder, como bien indica la dicha crónica: "De cómo Juan Hurtado de Mendoza governaba por la mano de Alvaro de Luna: ya en este tiempo [1419], Alvaro de Luna era mucho privado del rey; e como él era primo de doña María de Luna, mujer de Juan Hurtado de Mendoza, Alvaro de Luna hablaba con el rey todo lo que Juan Hurtado quería, e por esta forma Juan Hurtado por entonces governaba la mayor parte de los hechos del reyno..." [41]. Sin embargo, ni esto ni el que estuvieran todos los negocios de Castilla "a la governación de Abrahen Benveniste, por quien Juan Hurtado se regía", según otros [42], fue motivo para su violenta deposición en 1420, sino su partidismo en favor del infante don Juan; fueron los parciales del rival don Enrique quienes perpetraron el golpe de Tordesillas [43]. Murió algunos

---

40 Según Lope García de Salazar, _Las bienandanças e fortunas_, Madrid, 1884, pág. 90; cf. también el _Centón epistolario_ del bachiller Fernán Gómez de Cibdarreal, BAE, XIII, epístola 51, pág. 17.

41 _Crónica de Juan II_, BAE, LXVIII, cap. X, pág. 379, año 1419.

42 _Ibidem_, II, 381, año 1420. La _Crónica de Don Pero Niño_ escribe reveladoramente: "Hera cavallero bueno, e tenía al rey, mas con la gran priuanza e malos consejos que le davan judíos, fazía en el Reyno algunas cosas que no eran bien fechas. Presumía ser fechas peores de allí adelante. No dava lugar a ningunos cavalleros en la casa del rey, sino que todo pasase por su mano" (ed. Mata Carriazo, Madrid, 1940, pág. 320).

43 _Crónica de Juan II_, loc. cit. F. Layna Serrano afirma que este Juan Hurtado de Mendoza era partidario del Infante D. Enrique (_op. cit._, I, 174-175), cuando consta indubitablemente que lo era del infante don Juan. Quizá el error de Layna Serrano se basa en Salazar y Castro, _Historia genealógica de la Casa de Lara_, II, Madrid, 1697, pág. 16, en que dice que Juan Hurtado de Mendoza fue pro-enriquista en las cortes de 1419. Contra todo esto, cf.

años después de este suceso, en 1426: "en este tiempo estando el
rey en Toro adolesció Juan Hurtado de Mendoza de tal enfermedad,
que dentro en ocho días fallesció, el qual había varios hijos de tres
mugeres: de la primera, que fué hija de Carlos Arellano, señor de
los Cameros, hubo a Ruy Díaz, a quien se dió, a suplicación del rey
de Navarra, la Mayordomía Mayor, e a Juan Hurtado, que fué Prestamero de Vizcaya; e de la segunda muger, que era hija de Don
Pero González de Mendoza el Viejo, quedó una hija; e de la tercera, que fué doña María de Luna, quedaron Juan de Luna e doña
Brianda" [44]. Los dos hijos de la primera mujer fueron, sin duda, quienes alcanzaron mayor fama e importancia en la corte: Ruy Díaz,
como hemos visto, fue mayordomo mayor de Juan II, señor de Cas-
trojeriz [45] y heredero de casi todos los señoríos de su padre; Juan
Hurtado de Mendoza, señor de Mendíbil y de la Ribera, lo fue asimismo de Fontecha y prestamero mayor de Vizcaya por legado de
un tío lejano, también llamado, para mayor confusión, Juan Hurtado

---

Crónica de Juan II, 1420, II, 380-381, y 1422, III, 413-414, en que el propio
Infante don Enrique señala, entre los enemigos que tiene en la corte, a nuestro
Juan Hurtado de Mendoza. Pero el error de Layna Serrano va más lejos al
afirmar que Mendoza es aliado del arcediano de Guadalajara, Gutierre Gómez
de Toledo, cuando este personaje, en nombre de los vencedores del "coup" de
Tordesillas, justifica el mismo atacando violentamente a aquél (*Crónica de
Juan II,* 1420, XVII, 386-387).

[44] La enfermedad fue tal que hizo decir a Fernán Gómez de Cibdarreal,
que le asistió: "casí mi arte no pudo alongarle la vida con la cura; con la
acucia cumplí mi deber" (*op. cit.,* epístola IX, pág. 4), *Crónica de Juan II,*
1426, III, 436. La primera esposa fue Leonor de Arellano; la segunda, Mencía
de Mendoza, viuda del conde de Medinaceli (según ms. D-47 de la R. A. H.,
folio 77v; *Memorias genealógicas que don Luis de Salazar y Castro extractó de
las obras inéditas de don Esteban de Garibay*). En ciertos genealogistas aparece
alguna hija más, como María de Luna. Doña Brianda casó con don Diego Hurtado de Mendoza, heredero del marqués de Santillana (cf. Gutiérrez Coronel,
ms. Archivo Histórico Nacional, Casa de Osuna, Libro 1196-F, *Historia Genealógica de la Casa de Mendoza,* II, 290). Juan de Luna (aquí Juan de Mendoza y Luna), según el mismo Gutiérrez Coronel (*ibidem,* I, 342-343), casó con
su próxima pariente María de Luna, hija bastarda del Condestable, quien, sin
duda, buscaba una aproximación al clan de Gudalajara, la cual fracasó, como
es sabido, estrepitosamente.

[45] El señorío le fue concedido gracias a Don Álvaro de Luna (*Crónica de
Juan II,* 1453, LVII, 320). Cf. también Salazar y Castro, *Árboles de costados
de los títulos que an concedido nuestros reies,* R. A. H., ms. D-21, fol. 48v.

de Mendoza, "el de Fontecha", que, muerto sin hijos legítimos, instituyó como sucesor a su sobrino, también homónimo [46]. De esta
manera llega a los "mendocinos" el cargo de prestamero de Vizcaya,
que ya no habían de abandonar en el futuro [47]. Ambos hermanos,

---

[46] Este hecho originó una lucha abierta entre el nuevo prestamero y el
hijo ilegítimo del anterior, Lope Furtado o Lope Hurtado de Mendoza: "En
el año del Señor de 1422 obo guerra e mucha contienda entre Mendoza, prestamero de Viscaya, e Furtud Dias de Mendoza...", con sangriento resultado,
pues murieron quince hombres del prestamero (Lope García de Salazar, *Las
bienandanzas*, pág. 78). El cargo parecía llamado a suscitar cuestiones y disputas, porque, perteneciendo primitivamente a los Salcedo, a la muerte de Juan
Suárez de Salcedo, casado con una Mendoza, el señor de Fontecha, tutor de
Diego López de Salcedo, hijo del anterior, despojóle de la prestamería (*ibidem*,
página 10, y especialmente pág. 34; también ms. D-52, *Varios*, fol. 74, R. A.
H.). Corrobora el suceso un documento, citado por Amalia Prieto Cantero
(*Catálogo del Archivo General de Simancas, Patronato Real*, II, Valladolid, 1949,
número 5022, pág. 106), en que Juan II confirma "la aprobación que dio el
año anterior [1419] de los lugares de Vocén, Portilla, Moriana, Fuentecha,
Berguenda, Lanchares, Ollarate, Eupierro, Legarde y Mendíbil", con sus señoríos, etc., hecha por Juan Hurtado "el de Fontecha" a favor de Juan Hurtado de Mendoza, documento dado en Valladolid a 20-3-1420, según traslado
de 23-7-1504. Los Mendoza parecen hábiles en este género de cosas; recordemos cómo Juan Hurtado de Mendoza, "el limpio", consiguió la mayordomía
mayor.

[47] Algunos genealogistas (Diego Gutiérrez Coronel, *Historia genealógica de
la Casa de Mendoza*, Madrid, 1946, I, 447, y el autor del ms. D-5 de la
R. A. H., *Casa de Mendoza*, fol. 89 y 114v) aluden al Juan Hurtado de
Mendoza, mayordomo mayor de Juan II, como "prestamero" antes que su hijo
el heredero de Fontecha. Modernamente, Layna Serrano llama con frecuencia
"prestamero" al privado de Juan II (*op. cit.*, págs. 16, 172, 196...) basado en
documento coetáneo: el testamento del almirante Diego Hurtado de Mendoza
dado en el Espinar el 2-4-1400, en que nombra los tutores de sus hijos:
"otrosí dejo por tutores de los dichos García e Yenego e Elbira e Teresa mis
fijos... a la dicha doña Leonor mi muger e a Pero Lópes de Ayala mi tío e
a Iohan Furtado de Mendoza mi tío prestamero mayor de Biscaia..." (Archivo
Histórico Nacional, *Osuna*, legajo 1762). Es asunto no claro, pero, en todo
caso, secundario para mi trabajo; lo único que cuenta para mi intento es saber
que dicho cargo llegó a la línea de los Mendoza; poco importa que fuera el
hijo o el padre quien primero lo disfrutase. Por otro lado, en el caso del ms.
de la R. A. H., existe una evidente confusión entre ambos personajes, padre
e hijo; se da la fecha de 1476 como de la muerte del prestamero, y Juan
Hurtado de Mendoza padre, a quien se refiere el manuscrito, murió en 1426,
según consta documentalmente (cf. más arriba, pág. 15). Un caso de extremo

Ruy y Juan, llenan con sus nombres las páginas de las crónicas de Juan II y parte de las de Enrique IV [48], si bien era mucho más grande el poder e influencia del primero de ellos. Juan Hurtado aparece casi siempre en un segundo plano y como un *alter ego* de Ruy. Una de sus primeras actuaciones conjuntas fue fundamental para la historia de Castilla; según la *Crónica de don Álvaro de Luna,* ellos fueron quienes imbuyeron a Juan II su repentino odio contra el Condestable [49] y quienes prácticamente organizaron y llevaron a cabo su prendimiento en Burgos —y precisamente en las casas de Pedro de Cartagena—; Juan Furtado, finalmente, fue el encargado de la cus-

confusionismo es el del marqués de Pidal en sus notas históricas al *Cancionero de Baena* (ed. Buenos Aires, 1949, n. 68, pág. 675), notas que es mejor ignorar a pesar de estar autorizadas con Salazar y Castro y sus *Dignidades de Castilla.* En cualquier caso, las equivocaciones son disculpables a causa de la intrincada familia de los Mendoza de una y otra rama y la repetición exasperante del Juan Hurtado de Mendoza.

[48] La opinión de L. Suárez Fernández (*Nobleza y Monarquía,* pág. 97) de que Ruy Díaz murió en Valladolid, en un torneo celebrado en honor de Blanca de Navarra durante las fiestas de sus bodas con el futuro Enrique IV, es doblemente errónea. En primer lugar, Suárez Fernández da la fecha de 1428, cuando dicho torneo tuvo lugar en 1440, como consta en documentos y crónicas (cf., por ejemplo, *Crónica de Juan II,* 1440, XVI, pág. 567). Por esto mismo creyó el marqués de Pidal (*op. cit.,* nota 271, pág. 616) que el autor del *Dezir,* hecho "quando murió en Valladolid el honrroso e famoso cavallero Ruy Díaz de Mendoza fijo de Juan Furtado, mayordomo del rey", no es, como consta en el cancionero de Baena, el poeta Ferrant Sánchez de Calavera, que murió hacia 1436 (el poema, en pág. 605, núm. 530). Por otro lado, sabemos que Ruy Díaz no murió en dicha ocasión, aunque las justas fueran sangrientas y perdieran en ellas la vida algunos caballeros, como Pedro Puertocarrero y Juan de Salazar (*Crónica de Juan II,* loc. cit.; F. Gómez de Cibdarreal, *Centón epistolario,* carta XVI...). En Valladolid y en 1428 hubo, efectivamente, otras justas en las que intervino Ruy Díaz, pero tampoco con resultados funestos para nuestro personaje (*Crónica de Juan II,* 1428, IX, pág. 447), sino para un caballero llamado Álvaro de Sandoval (Lope Barrientos, *Refundición de la Crónica del Halconero,* ed. Mata Carriazo, Madrid, 1946, pág. 61). Pero sobran las citas; basta recordar que el mismo Ruy Díaz figura, como veremos inmediatamente, en la prisión del Condestable, año 1452. En 1465 ya había fallecido (cf. *Crónica de Pero Niño,* 1465, pág. 243).

[49] "Los principales causadores de aqueste miedo, si miedo se debe llamar [al del rey contra Don Álvaro] eran los que ya diximos, Ruy Díaz de Mendoza e su hermano el prestamero" (*Crónica de don Álvaro de Luna,* 1453, CXVI, ed. Mata Carriazo, Madrid, 1940, pág. 359).

todia de don Álvaro hasta su ejecución [50]. Aparte de la prestamería, Juan Hurtado de Mendoza tuvo otros cargos de importancia: fue miembro del Consejo de Enrique IV, alcalde de Viana en 1461 [51] y corregidor de Guipúzcoa [52]. Casó con Doña María de Rojas, hija de Lope de Rojas; el hijo primogénito y heredero de señoríos y prestamería fue Rodrigo de Mendoza según unos tratadistas [53], y Ruy Díaz de Mendoza según otros [54]. Hijos también fueron Inés de Men-

---

[50] Cf., por ejemplo, *Crónica de Juan II*, 1452, I, 681; *Crónica de don Álvaro de Luna*, loc. cit. En medio de la sórdida conspiración contra don Álvaro y de la innoble forma de su prendimiento, hay algunos detalles que alivian la gravedad del lance: a la casa donde está refugiado el Condestable —la de Pedro de Cartagena— llega "el Prestamero para entrar, el qual venía en los delanteros, e díxole Chacón a él e a los otros: 'entrad señores'. Porque le paresció que reusaban la entrada. Entonces el Prestamero reconosció en la voz a Gonzalo Chacón, e assí reconoscido retráxose de entrar. E como Chacón le vido que se retraía, echóle la mano por la barba e tráxolo por fuerça fasta lo juntar con la puerta; e quisiéralo mucho meter dentro de la posada, salbo que los otros que con él yuan, conosciendo el fecho como yba, ge lo defendieron e ayudaron, de guisa que lo apartaron de allí e lo libraron de la priessa en que estaba. E él e los otros que allí venían se arredraron de allí, e todos se fueron fuyendo de acerca de la puerta" (*Crónica de don Álvaro de Luna*, CXX, págs. 385-386).

[51] Después de tomar la plaza a los navarros. Cf., por ejemplo, *Crónica de Enrique IV*, BAE, LXX, 1461, cap. XXXI, pág. 118. Erróneamente, Salazar y Castro da la fecha de 1457 (*Casa de Lara*, I, Madrid, 1696, pág. 380).

[52] Cargo teórico, como indica claramente Lope García de Salazar (*Las bienandanças*, págs. 99-100): "En el año del Señor de 1451 morió el dotor Pedro G. de Santodomingo, corregidor de Viscaya, de su dolencia, en la villa de Guernica... e fiso merced el rey don Juan del dicho corregimiento a Mendoza, prestamero de Vizcaya el cual embió a Ochoa Sánchez de Ginea que era prestamero por él a Vizcaya... e a todos los escuderos señalados de toda Vizcaya, fasiéndoles saber como el rey le había fecho merced del Corregimiento... [y] quél quería venir a Gernica a faser junta general para mostrar la dicha merced e faser juramento de guardar la justicia segund costumbre de Viscaya...". Sin embargo, el negocio no se resolvió rápidamente, y a la muerte de Juan II, en 1454, Enrique IV concedió el cargo al doctor Gonzalo Ruiz de Ulloa.

[53] Por ejemplo, A. López de Haro, *Nobiliario genealógico de los reyes y títulos de España*, Madrid, 1622, págs. 11-11v y 265; Lope García de Salazar, *Las bienandanças*, págs. 9-10.

[54] Cf. Diego Gutiérrez Coronel, *Historia genealógica de la Casa de Mendoza*, III, Madrid, 1946, págs. 292 y ss.; R. A. H., ms. D-5, fols. 108-112v.

doza [55] y Diego de Mendoza, señor de la Portilla [56], con toda seguridad el mismo Diego Hurtado de Mendoza de otros testimonios, como veremos dentro de poco, y padre de Fr. Íñigo de Mendoza. En todo caso, aun dando por buenas las noticias que sobre la existencia de estos hijos de Juan Hurtado de Mendoza proporcionan los textos citados, consta que éste tuvo, además del primogénito, Rodrigo o Ruy, "otros fijos y fijas" [57], sin duda los dichos Inés y Diego, pero también otra hija, María de Mendoza, que junto con su hermano Diego sirvió de entronque —y lo vamos a ver inmediatamente— de su familia con la de los Cartagena.

UNIÓN DE MENDOZAS Y CARTA-
GENAS. LAS JUSTAS DE BURGOS

Los orígenes familiares del que más tarde sería citado en las historias de la literatura con el nombre de Fr. Íñigo de Mendoza eran prácticamente desconocidos hasta hace pocos años. Menéndez Pelayo escribió [58] que "su apellido induce a creer que estaba unido a la casa del Infantado por algún género de parentesco legítimo o ilegítimo o meramente por adopción en el bautismo y deudo espiritual. Quizá fuera judío converso y había tomado al bautizarse el nombre de su padrino, como era costumbre en aquellos tiempos" [59]. Esto mismo

---

[55] Cf. nota anterior.

[56] Según ms. citado en nota 54.

[57] Lope García de Salazar, *loc. cit.* Más abajo vuelve a afirmar, ya más generalizadamente: "e deste linaje de los Mendoza de Mendíbil obo otros muchos buenos omes, de que aquí no se fase mensión, que hay muchos dellos" (*ibidem*, pág. 10).

[58] *Antología de poetas líricos castellanos*, III, Santander, 1944, págs. 41-42.

[59] Costumbre que también indica Dámaso Alonso: "Es siempre de notar (aunque no sea observación nueva) que los conversos tomaban frecuentemente los nombres de sus padrinos" (en "Un poeta madrileñista, italianista y francesista en la mitad del siglo XVI: Don Juan Hurtado de Mendoza", BRAE, 1957, págs. 229-230). Es muy interesante señalar que Dámaso Alonso revisó para su trabajo los libros de bautismo de la iglesia de San Ginés de Madrid de enero de 1492 a febrero de 1520: "allí, en una larga retahila de bautismos de recién convertidos (febrero de 1502), figuran don Juan (de Mendoza) y doña María (Columnario) hasta 11 veces como padrinos". Esto nos indica que dicho apellido Mendoza es, en muchos casos, indicio de conversión de hebreos.

pensaba Amador de los Ríos, que antepuso, sin fundamento alguno, el apellido López al de Mendoza, con lo cual la semejanza con el primer marqués de Santillana —pariente, como ya sabemos, del franciscano— es total [60]. Por otro lado, el P. Amaro, ante el dato que ofrece el códice de Castañeda de "a ruego de doña Juana de Cartagena su madre" [61], pregunta [62]: "¿Tiene esto alguna relación, al ver la oscuridad de su vida [la de Fr. Íñigo], con el hecho de que el judío converso don Alonso de Cartagena, que fue obispo de Burgos, pudiera ser hermano de esta doña Juana?". Los tres críticos citados intuyeron, en mayor o menor grado y por razones diferentes, la posibilidad de que Fr. Íñigo fuese de origen converso y —en el caso de Menéndez Pelayo— su relación con los poderosos Mendozas de Guadalajara. Esta posibilidad se ha visto que es certeza fundadísima después del feliz hallazgo del Sr. Cantera Burgos: "La lectura del Libro de la Fundación del convento de los dominicos de Burgos, guardado hoy en nuestro A. H. N., nos llevó recientemente al grato descubrimiento de unas palabras que aclaran por completo el enigma aludido" [63], palabras que son las siguientes: "En la pared deste capítulo [baxo], a la entrada a la mano derecha de un arco, están enterrados don Diego Hurtado de Mendoza y Doña Joana de Cartagena, su muger, padres del padre fr. Íñigo de Mendoza, frayre de Sant Francisco mucho nombrado y muy reverendo y muy excelente predicador, el cual floreció en los tiempos de los Reyes Católicos D. Fernando y Dña. Ysabel" [64]. Sabemos así, pues, los nombres de

---

[60] *Historia crítica de la literatura española*, VIII, Madrid, 1865, pág. 238. Modernamente, Martín de Riquer también alude al autor de la *Vita Christi* como "Fr. Íñigo López de Mendoza" en su ed. de *Obras de Bernat Metge*, Barcelona, 1959, pág. 201.

[61] El mismo dato aparece en el ms. 305 de la B. N. de París ("a pedimento de duenya Juana de Cartagena, madre suya", y en el del British Museum, Eg-939. Me refiero, naturalmente, a códices en que se contiene la *Vita Christi* de Mendoza; cf. más adelante, cap. III.

[62] Fr. Alejandro Amaro: "Dos cartas de Fr. Íñigo de Mendoza a los Reyes Católicos", en *AIA*, 1917, pág. 459.

[63] F. Cantera Burgos, *Álvar García de Santa María*, pág. 559. Los mismos datos aparecen en otra obra del Sr. Cantera, *Álvar García de Santa María, cronista de Juan II de Castilla*, Madrid, 1951, pág. 104.

[64] A. H. N., códice 88. En el mismo lugar se hallaban sepultados otros miembros de la familia fundadora de los Cartagena: dos Maluendas, la madre

los padres de nuestro fraile, mas ¿quiénes eran éstos y cómo se unieron los Mendoza y los Cartagena?

Ya he indicado algunos ragos del carácter del tercer hijo varón
de Pablo de Santa María, Pedro de Cartagena [65]. Me interesa ahora
señalar su habilidad y destreza en torneos y justas, a los que tanta
atención concedían todavía los caballeros castellanos en esta época
prerrenacentista, reflejo ya desvaído de costumbres verdaderamente
importantes en la vida de la alta Edad Media [66]. Precisamente un
hecho semejante sirvió a Pedro de Cartagena para ilustrar su escudo
de armas: en cierta ocasión —no consta la fecha— "tubo un desafío
en Calahorra por un ynfante al qual enbió a desafiar un conde fran-
cés, y mató al conde cortándole una pierna a cercén, la qual tomó
de allí adelante por timbre de sus armas, como parece en su estan-
darte encima de su sepultura" [67]; y todavía en 1461 hay noticias de
un duelo con el alcaide de Villagutierre, representante del conde de
Paredes, con motivo de las correrías que por tierras de Burgos llevaban
a cabo los hombres de este noble [68].

No puede extrañar, por lo tanto, la primera noticia que poseemos
de Pedro de Cartagena en este sentido, la de su resonante actuación
en las justas organizadas en la ciudad de Burgos en 1424 con motivo
de la primera entrada de Juan II en la capital de Castilla: "e llegó
el Rey a Burgos a 20 de agosto del dicho año donde le fué hecho
muy solemne rescibimiento porque era la primera vez que en aquella

---

del Obispo don Pablo, una hija y tres nietas de ésta... Cf. Luciano Huidobro
y Serna, "Hacia el centenario de Francisco de Vitoria. Historia del convento
de San Pablo de Burgos", en *Boletín de la Comisión Provincial de Monumentos Históricos y Artísticos de Burgos*, 1945-46, págs. 18-23, 71-75, 133-140,
307-309; también Fr. Juan López, *Historia general de Santo Domingo y de su
Orden de Predicadores*, Madrid, 1613, III parte, libro I, cap. 40, págs. 163-167:
"De la fundación del convento de San Pablo de Burgos".

[65] Cf. más arriba.

[66] La última manifestación, quizá, de la supervivencia de este espíritu ca-
balleresco es el famoso "paso" mantenido por Beltrán de la Cueva en los alre-
dedores de Madrid (cf. *Crónica de Enrique III*, 1462, cap. 24, pág. 113).

[67] B. N., ms. 18192, *Memorial para el Rey nuestro señor de el linaje y
oficios de el patriarca D. Pablo de Santa María*, fol. 257v.

[68] Citado por el P. L. Serrano en *Los Reyes Católicos y la ciudad de
Burgos*, Madrid, 1943, pág. 57, según datos obtenidos en el Archivo Municipal
de Burgos.

cibdad había entrado: y entre las otras fiestas e grandes presentes que
allí le fueron hechos, así por la cibdad como por el Obispo D. Pablo,
corrieron toros, e la cibdad hizo una fiesta de justa en que mantuvieron
por la cibdad Pedro de Cartagena, hijo del Obispo D. Pablo, y Juan
Carrillo de Hormaza; e hubo de la corte veinte yelmos a la tela de
Caballeros, que justaron muy bien; e la cibdad puso dos pieças de
seda, una de velludo carmesí para el que mejor lo hiciera de los
mantenedores e otra de velludo azul para el aventurero que mejor
lo hiciese; ganó por mantenedor la pieza de carmesí Pedro de Cartagena, e Ruy Díaz de Mendoza, Mayordomo Mayor, la azul, porque lo hizo mejor que ninguno de los aventureros" [69]. Y en el tantas
veces citado ms. 18192 de la B. N. de Madrid se escribe que nuestro
personaje "mantuvo justa... por la ciudad de Burgos, en presencia
del rey don Juan II, y dice la Historia que se le adjudicó el precio
y mató ese día a Juan Hurtado de Mendoza, Prestamero Mayor de
Vizcaya, y, por concierto de paces, casó su hija Leonor con Diego
Hurtado, hijo del Prestamero, y a su hijo mayor, Alonso de Cartagena, con doña María, hija del Prestamero" [70]. Por un lado nos encontramos con que esta noticia se complementa y coincide con la del
Libro de la Fundación de San Pablo de Burgos, anotada más arriba,
"aunque por error disculpable llama [el ms. de la B. N.] Leonor en
vez de Juana a la esposa de don Diego Hurtado de Mendoza" [71], y
también con el testimonio del genealogista Salazar de Mendoza, que
en su *Casa de Cartagena* escribe que "doña Juana de Cartagena, hija
segunda de Pedro de Cartagena, casó con Diego Hurtado de Mendoza y está enterrada en el capítulo de San Pablo de Burgos...", y
que Alonso de Cartagena, hijo mayor de Pedro, "casó dos veces, la
primera con doña María Hurtado de Mendoza, hija del prestamero
mayor de Vizcaya, de quien hubo dos hijos que murieron niños" [72].

---

[69] *Crónica de Juan II*, 1424, III, págs. 427-8.
[70] Ms. citado, fol. 258.
[71] Cantera, *op. cit.*, pág. 560. Otra equivocación sobre el nombre de la
madre de Fr. Iñigo es la del documento de confirmación de mayorazgo de
Pedro de Cartagena, donde se la llama "María de Cartagena", pero el nombre
de Juana consta también en los testimonios del Obispo don Alonso y del cronista don Álvar (Cantera, *ibidem*).
[72] Salazar de Mendoza, *Casa de Cartagena*, ms. B-92 de la R. A. H.,
folios 77-77v. Cantera (*op. cit.*, págs. 501-510) sólo indica una mujer de este

Por otro, las justas citadas son, evidentemente, las de 1424, según consta en la documentación alegada al margen del citado ms., pero los hechos difieren notablemente. En efecto, en ellas, según la crónica, Pedro de Cartagena luchó contra Ruy Díaz de Mendoza, no constando para nada el nombre del prestamero. Es muy probable que éste interviniera efectivamente en ellas —ya dije que él y su hermano Ruy aparecen generalmente juntos en las crónicas—, pero con un papel secundario, y, desde luego, sin morir en el encuentro (recordemos, por ejemplo, su intervención en el prendimiento de Don Álvaro de Luna en 1453). Es poco creíble que de persona tan conocida como Juan Hurtado de Mendoza, si realmente hubiera muerto en un torneo ante el rey y de una forma espectacular, no quedase la más mínima referencia ni mención no ya en las crónicas oficiales, sino ni siquiera en las inacabables y aridísimas obras genealógicas que tratan de los Mendoza —consultadas por mí inútilmente[73]—, cuando se conservan nombres de heridos o muertos en torneos similares que corresponden a personas sin relieve alguno, como Álvaro de Sandoval, Pedro Puerto Carrero o Juan de Salazar[74]. Debemos considerar, además, el carácter del ms. 18192 de la B. N., nada menos que un memorial del siglo XVII, de evidente tono apologético, y en el cual las exageraciones con doscientos años de retraso son fácilmente presumibles, sobre todo sabiendo, como vimos, que la intención del documento es conseguir una ejecutoria de limpieza de sangre. Concretamente sobre Pedro de Cartagena abundan historias inverosímiles, como la famosa cuestión del traslado de la silla del rey de Inglaterra en el Concilio de Basilea, que para Cantera Burgos no es sino una "versión imaginaria de la actuación de don Alonso de Cartagena, trasplantada a la esfera caballeresca"[75].

hijo de Pedro de Cartagena, pero Salazar de Mendoza afirma que "segunda vez casó con doña Inés de Escobar... de la casa de Sahagún" (*loc. cit.*), de quienes nacieron Juana y Alonso de Cartagena, casados respectivamente con Lope de Bustamante y Ana de Leiva (*ibidem*, fols. 77v-78). El Sr. Cantera (*op. cit.*, pág. 510) piensa que esta hija, de quien no conocía el nombre ni otros detalles, y Alonso, lo eran de la primera mujer. Salazar, por su parte, nada dice del hijo mayor.
[73] Cf. apéndice I.
[74] Cf. más arriba, nota 48.
[75] *Op. cit.*, pág. 468. Dicha actuación del Obispo don Alonso, hermano de

Pero, además, otro testimonio viene a corroborar el efectivo entronque de los Cartagena con la rama segundona de los Mendoza,
testimonio que en este caso es del relator Fernán Díaz de Toledo,
quien en 1449 —nótese la fecha— escribía: "E en nuestros tiempos
fue el reverendo padre Don Pablo Obispo de Burgos, de buena memoria e canciller mayor del rey e de su consejo; e sus nietos e biz-
nietos y sobrinos e los otros de su linaje son ya oy en los linages
de los Manriques e de los Mendozas... e algunos dellos son viznietos
de Juan Furtado de Mendoza, Mayordomo Mayor del Rey..." [76], padre
del prestamero. El Relator se refiere aquí, sin duda alguna, a los
hijos habidos del doble matrimonio indicado, entre los que figura
Fr. Íñigo de Mendoza [77]. Otro indicio coetáneo, aunque todavía más
genérico, nos dice que el tercer hijo de don Pablo de Santa María
"se llamó Pedro de Cartagena, que oy bive, el qual ovo dos hijos
muy especiales cavalleros y él casó con dos mugeres entramas de gran
linaje y así mismo sus hijos e hijas con los prínçipales linajes deste
Reyno" [78].

Por todo lo visto, pienso —aun creyendo, como Cantera Burgos,
que "es punto que necesita mayor estudio" [79]— que hay datos suficientes para poder afirmar sin duda alguna la unión de los Cartagena y los Mendoza, y también para aceptar que dicha unión fue
una consecuencia de las justas de Burgos de 1424 [80], en las cuales
Pedro de Cartagena debió, no matar, pero sí herir o dejar mal para-

---

Pedro de Cartagena, se contiene en la quizá más conocida obra de aquél:
Propositio super altercatione praeminentia sedium..., B. N., ms. 2347, folios
409 y ss. Una versión castellana: ed. P. F. Blanco García en *La ciudad de
Dios*, 1894, págs. 122 y ss.

[76] Citado en la ed. del *Defensorium Unitatis Christianae* de Álvar García
de Santa María, hecha por el P. Manuel Alonso, Madrid, 1943, pág. 352.

[77] Y añade: "...e algunos de mis nietos de Barrionuevo e Sotomayor e
Mendoça descienden de Juan Hurtado de Mendoza el viejo, Mayordomo Mayor
del Rey, que era un travizavuelo..." (págs. 352-353).

[78] Antonio de Sotomayor, *Gracia Dei o De Armería*, R. A. H., C-50, folio 208.

[79] *Op. cit.*, nota 142 de la pág. 261.

[80] Como símbolo tardío de la reconciliación, Pedro de Cartagena y Juan
Hurtado de Mendoza figuran juntos en las huestes que el conde de Haro
organizó para la expedición contra Granada en 1431 (*Crónica de Juan II*,
1431, XX, 499).

do a Juan Hurtado de Mendoza, prestamero mayor de Vizcaya. El estado de la cuestión debe quedar así mientras no aparezca algún documento o referencia que esclarezca más el hecho.

Los padres de Fr. Íñigo son, pues, como sabemos, Diego Hurtado de Mendoza y Juana de Cartagena. Como sugiere Cantera [81], el nuevo matrimonio no gozaba de buena posición económica, debido, sin duda, a que ambos cónyuges eran hijos segundones en sus respectivas familias, y como demuestra una de las disposiciones del testamento del obispo don Alonso, tío de doña Juana, por medio de la cual dona a Pedro de Cartagena y a los hijos de éste una cierta suma de dinero, distribuida de la siguiente forma: al padre, 600 florines; a Alfonso, el primogénito, 300; a Álvaro, 500; a Lope de Rojas (el más joven), 600; a Juana, 200; a Teresa, la monja escritora, 100, y a María de Saravia, 100. En el caso de doña Juana, explica: "Donna Iohanne sorori eorum, duocenti floreni pro aliquali ausilio sustentacionis sue, cum dotata sit et virum habeat" [82]. El testamento de don Alonso data de julio de 1453, y de algunos años después, mayo de 1457, existe otro dato significativo para comprender esta medianía de los padres de Fr. Íñigo. Me refiero a un nuevo testamento, ahora el del cronista y tío-abuelo de doña Juana, Álvar García de Santa María, donde, en el epígrafe de "Las cosas que me era en encargo el obispo de Burgos, mi señor, que Dios haya, don Alonso", escribe: "Otrosí por el troque en una abenencia en que yo entrevine entre... Pedro de Cartagena e Lope de Orsales... por cierto dinero que a Lope de Orsales devía Furtado, que los ovo de dar Pedro por Furtado, e por porfía grande que avía entre ellos ovimos de pagar el dicho señor obispo e yo cada uno mil maravedíes, e su merced mandóme que los pagase yo todo... ca él me mandaría dar los mil, pero nunca los pude cobrar de su merced, como quiera

---

[81] *Op. cit.*, págs. 503 y 560.
[82] Cito por M. Martínez Burgos, "D. Alonso de Cartagena, obispo de Burgos. Su testamento", RABM, 1957, pág. 94. Publica íntegro dicho testamento, págs. 81-110, mientras que Cantera Burgos lo hace fragmentariamente (*op. cit.*, págs. 433-442; el texto citado, págs. 503 y 441). El original se conserva en el Archivo de La Visitación de Burgos, libro I, folios LXI y siguientes.

que assaz veces yo los demandé" [83]. Se desprende de estos datos, por lo tanto, no sólo que los padres del franciscano vivían económicamente apurados, sino también la ayuda que les prestaba el entonces jefe espiritual de la familia Cartagena, don Alonso, y también, según el citado documento, el suegro de don Diego, Pedro de Cartagena, presentando así, ya en el siglo XV, las características de la hidalguía de media sangre, tan satirizada a partir del *Lazarillo de Tormes*.

Es muy posible que un factor importante en la situación del matrimonio fuese precisamente su posición intermedia entre dos familias, Cartagenas y Mendozas, las cuales, a pesar de la concordia subsiguiente a las justas de 1424, continuaban enemistadas y sosteniendo altercados en Burgos en los años posteriores, pues en 1435, "apenas fallecido el obispo don Pablo, estalla grave conflicto armado entre las gentes de Pedro de Cartagena, hermano del nuevo prelado don Alonso, y las del deán Lope Hurtado de Mendoza y sus sobrinos, prebendados de la Catedral, Ruy Díaz de Mendoza y Diego de Mendoza" [84], reproducido en febrero de 1436 [85], incidentes cortados, sin duda, por el viaje de Pedro de Cartagena a Bohemia en 1437-38 [86]. Pocos detalles, aparte de los señalados, conocemos sobre la vida de Diego Hurtado de Mendoza. Algo más, aunque poco, sabemos de su mujer, doña Juana de Cartagena, si bien es algo importante para situarla: su afición al saber y a la lectura, siquiera por medio de libros ajenos, pues en el inventario de la biblioteca de su tío-abuelo Álvar García de Santa María se dice que "otro Boezio que tenía en latín e romanceado, todo de pergamino, prestélo a doña Juana de Cartagena, mi sobrina, e non lo puedo cobrar de ella" [87]. Recordemos también que Fr. Iñigo escribió sus *Coplas de Vita Christi*

---

[83] Según Cantera Burgos, *op. cit.*, pág. 190. Se refiere al testamento en páginas 178-202; el original, en Archivo Municipal de Burgos, San Juan, Caja H-14, fols. 1-19v.

[84] Cantera, *op. cit.*, pág. 140. Cf. también L. Serrano, *Los conversos Don Pablo de Santa María y don Alonso de Cartagena*, Madrid, 1942, página 159.

[85] *Ibidem*, 142 y *loc. cit.*, respectivamente.

[86] Cf. más arriba.

[87] Cito por Cantera Burgos, pág. 200. El inventario pertenece al testamento de don Álvar (cf. más arriba; también Cantera, *op. cit.*, pág. 504).

precisamente a petición de su madre, como ya he señalado y veremos luego nuevamente, lo que nos indica la afición que la madre
del franciscano sentía por los libros y la cultura, en atención a lo
cual puede considerársela digna hermana de Teresa de Cartagena, la
monja escritora [88].

No se conocía hasta ahora más descendencia de Diego Hurtado
de Mendoza y de Juana de Cartagena que el futuro Fr. Íñigo, pero
en obra consultada por mí consta también la existencia de una hermana del franciscano, "doña Leonor de Mendoza, que fundó la capilla Mayor de San Agustín de Burgos y no dejó sucesión" [89], de la
cual no poseo más noticias.

Ya tenemos, pues, con lo dicho, suficientes datos para poder conocer convenientemente las primeras circunstancias ambientales de
Fr. Íñigo de Mendoza, perteneciente a dos importantes familias castellanas, una de las cuales, la materna, se había caracterizado por sus
cargos religiosos, políticos y culturales, y la otra, la paterna, por su
importancia cortesana a través de puestos de almirantes, alféreces,
mayordomos y prestameros, cargos fundamentales en la organización
estatal de la época [90]. Y asimismo, por medio de la multitud de

[88] Cf., sobre Teresa de Cartagena, Cantera, *op. cit.*, págs. 536-558.

[89] Pedro Salazar de Mendoza, *Casa de Cartagena*, ms. B-92 de la R. A. H.,
folio 77. El dato sobre la fundación de la capilla mayor del convento de San
Agustín está en flagrante contradicción con lo que dice el P. Flórez (*España
Sagrada*, XXVI, Madrid, 1771, col. 491): "movió Dios al devoto caballero
Alvar García de Santa María... y tomó por su cuenta edificar la Capilla Mayor
de la Iglesia (del convento de S. Agustín)". Desde luego, dicha fundación pertenece a los Cartagena (cf. ms. 18192 de la B. N., fol. 264), y en la misma
yacía Gonzalo Pérez de Cartagena, alcaide de Agreda e hijo de Pedro de Cartagena, fundador de la capilla de la Piedad, y otros miembros de la familia
(cf. Cantera, *op. cit.*, 508-509, 516).

[90] Cf. José María Fons Rius, *Instituciones medievales españolas*, Madrid,
1949, pág. 41. Es interesante la definición que de los tres primeros cargos
hacen *Las Siete Partidas* (ed. Gregorio López, I, Barcelona, 1843). *Almirante:*
"ha de ser cabdillo de todos los navíos que son para guerrear, también quando
son muchos ayuntados en uno, a que llaman flota, como quando son pocos,
que dizen armada" (Ley 24, título 9, Partida II, pág. 811); *Alférez:* "a él
pertenesce de guiar las huestes quando el Rey non va ay por su cuerpo o
quando non pudiesse ya e enbiase su poder. E él mismo debe tener la seña,
cada que el Rey oviera batalla campal... trae la espada delante él en señal
que es la mayor justicia de la corte..." (Ley 15, título 9, Partida II, pág. 803);

Mendozas de unas y otras ramas, a Fr. Íñigo le unen lazos de parentesco más o menos remoto con numerosos nobles de su siglo y posteriores, como son, en cuanto a los de Guadalajara y de éstos derivados, los duques del Infantado, marqueses de Santillana, Montesclaros, Mondéjar, Almenara y Algecilla, condes de la Corzana, Priego y Galve y príncipes de Mélito [91]. Tiene más próximo parentesco con los marqueses de Cañete, Santa Cecilia, Almazán y condes de Orgaz, Ribadavia, Monteagudo y Castro, entre otros [92]. Finalmente, y antes de tratar de la vida de Fr. Íñigo, conviene anotar aquí distintamente, como resumen de todo lo dicho, que el fraile Mendoza es, por parte de su madre, Juana de Cartagena,

— bisnieto del obispo don Pablo de Santa María,
— sobrino-nieto del obispo don Alonso de Cartagena,
— sobrino-nieto del cronista Álvar García de Santa María,
— nieto de don Pedro de Cartagena,
— sobrino carnal de la monja escritora Teresa de Cartagena.

Y por parte de su padre, Diego Hurtado de Mendoza,

— bisnieto de Juan Hurtado de Mendoza, mayordomo mayor de Juan II,
— sobrino-bisnieto de Ruy Díaz de Mendoza, almirante mayor de Enrique III,
— nieto de Juan Hurtado de Mendoza, prestamero mayor de Vizcaya,
— sobrino-nieto de Ruy Díaz de Mendoza, mayordomo mayor de Juan II,
— sobrino en tercer grado del marqués de Santillana,
— sobrino segundo de doña Juana de Mendoza, mujer de Gómez Manrique,
— primo segundo de Jorge Manrique.

Mayordomo: "tanto quiere dezir como el mayor de la casa del Rey, para ordenar la cuenta de todos los oficiales, también de los que fazen las despensas de la corte como de los otros que reciben las rentas e los otros derechos, de qual manera quiere que sean, assí de mar como de tierra, e él deve otrossí saber todo el aver que el Rey manda dar, como lo dan e en que manera..." (Ley 17, título 9, Partida II, pág. 804). El *prestamero mayor* también era importante, pues debía entender en cuestiones de la corona con el señorío de Vizcaya, celosamente defensor de su "ley vieja".

   [91] Cf., por ejemplo, Luis de Salazar y Castro, *Historia genealógica de la Casa de Lara,* I, Madrid, 1696, pág. 106.

   [92] Cf., por ejemplo, Lope García de Salazar, *Nobles familias,* B. N., ms. 11639, fol. 30; Luis de Salazar, *Origen de las dignidades seglares de Castilla y León,* Madrid, 1657, fols. 69v, 144, 145, y Luis de Salazar y Castro, *Historia genealógica de la Casa de Silva,* Madrid, 1685, I, pág. 137.

NACIMIENTO (LUGAR Y FECHA)

Ningún dato cierto nos asegura la localización del nacimiento de Fr. Íñigo de Mendoza, aunque es muy posible, como sugiere Cantera, que naciese en Burgos, donde sabemos residían sus padres, y, desde luego, toda la familia materna, de la que parece dependía muy directamente el matrimonio, como hemos visto más arriba. Desde luego, podemos rastrear en sus obras algunos detalles en que alude a la capital de Castilla y que nos demuestran su conocimiento de la misma, especialmente en los versos siguientes:

> Y dicen que adolesçio
> porque del agua beuio
> en Burgos de la Moneda
> ca es vn agua que empacha
> a qualquiera que la cata;
> tiene otra peor tacha:
> que como vino emborracha
> y jamás la sed amata (_Vita Christi_, c. 195),

donde, a vueltas del simbolismo enderezado contra los avariciosos y ansiosos de riquezas, nombra la fuente de la Moneda refiriéndose, sin duda, a la de la Casa de la Moneda de dicha ciudad [93]. Y "hasta los santos que invoca: San Julián, San Millán suenan bien en boca de un burgalés" [94]. Es fácil, por tanto, aceptar la idea de que el fraile Mendoza nació en Burgos, pero ¿en qué fecha? No comprendo bien cómo Cantera, que tan claros y oportunos detalles proporciona sobre los padres y sobre los primeros tiempos del franciscano, dice que el nacimiento del mismo debe situarse "no muchos años

---

[93] Cf. _Crónica de Juan II_, 1429, pág. 467. Cerca de la Casa de la Moneda, en la calle de "Entramas Puentes", poseía unas casas Pedro Suárez de Santa María, tío-abuelo del franciscano (Cantera, _op. cit._, 356 y 363). Su también tío-abuelo Álvar García de Santa María fue durante algún tiempo alcaide de la Casa de la Moneda (Cantera, _ibid._, pág. 188).

[94] Cantera, _op. cit._, pág. 565. Ya señalé el papel que su abuelo paterno tuvo en el prendimiento del Condestable, efectuado precisamente en las casas de su otro abuelo, Pedro de Cartagena. Cf. más arriba, pág. 25.

después de 1430" [95], puesto que si el ilustre hebraísta se refiere a
esta fecha recordando la de las justas en que lucharon Cartagenas
y Mendozas, éstas se celebraron, como he dicho varias veces, en 1424.
Por lo tanto, si el matrimonio de Diego Hurtado de Mendoza y
Juana de Cartagena se celebró poco después de aquel torneo, como
es de suponer, podríamos también pensar que Fr. Íñigo nacería, efectivamente, algún tiempo después de 1424. Sin embargo, todo esto
no es más que una hipótesis, pues no hay dato alguno al que podamos acudir; debemos pensar, por otro lado, que Fr. Íñigo tuvo
una hermana, Leonor, y que no sabemos quién de los dos fue el
primer fruto del matrimonio Mendoza-Cartagena. Añadiendo una suposición más a las anotadas, si el franciscano hubiese nacido algunos
años después de 1430, quiere decirse que en la época en que escribió la primera versión de la *Vita Christi*, 1467-68, tendría poco más
de treinta años. Creo que la seriedad, buen juicio y conocimiento
de la vida y la historia que demuestra el autor de dicha versión no
corresponden exactamente al espíritu de un hombre tan joven, sino
al de la edad madura de la cuarentena, como sucedería si aceptáse-
mos la fecha de algo después de 1424. La diferencia entre ambas en
el tiempo no supone prácticamente nada, pero sí es considerable en
cuanto a la experiencia humana y vital, de que está llena la *Vita
Christi*.

EN LA ORDEN

FRANCISCANA

Nada puede añadirse, pues, por el momento, a estas flacas noticias y conjeturas. Nada sabemos de los primeros años de Fr. Íñigo,
aunque conozcamos el ambiente modesto en que vivió su niñez y
quizá su juventud, así como la posible educación que adquiriría por
medio de sus padres y familiares. Amador de los Ríos afirma rotundamente: "sábese, no obstante, que entró en religión de mozo" [96],

---

95 *Op. cit.*, pág. 561. Por su parte, Dámaso Alonso piensa que Mendoza
"debió nacer... lo más tarde a mediados de siglo" ("La fragmentación fonética peninsular", en *Enciclopedia Lingüística Hispánica*, I, suplemento, Madrid,
1962, pág. 172, nota 490).
96 *Historia crítica de la literatura española*, VIII, Madrid, 1865, pág. 238.

mas sin explicar de dónde procede su certeza. Podemos dar por bueno
el aserto del historiador de nuestra literatura, pues si atendemos a
las varias circunstancias de la familia de Fr. Íñigo encontraremos lógica la pronta profesión de éste, y, quizá, como también indica Cantera, en el convento de San Francisco de Burgos [97]. En efecto, varios
motivos pueden explicarnos —si es posible una explicación de un
hecho en que quizá, aparte ya de toda disquisición erudita, pudo muy
bien no intervenir otra cosa que un deseo interno estrictamente personal, y, por lo tanto, absolutamente desconocido para el investiga-
dor— la orientación religiosa de Íñigo de Mendoza, motivos todos
ellos familiares. Recordemos, en primer lugar, que Íñigo es el hijo
de un matrimonio cuya boda se celebró precisamente para poner paz
entre dos familias enfrentadas. Siendo esto así, ¿no podemos pensar
que los padres quisieran dedicar su hijo a Dios como una prueba
más y como símbolo perfecto de concordia, teniendo en cuenta, además, que continuaban las luchas y la enemiga entre los Cartagena
y los Mendoza de Burgos? Es una posibilidad que debe ser atendida,
pues se halla muy de acuerdo con el espíritu religioso y las costumbres de la época, lo mismo que con la circunstancia de los padres de
Íñigo, situados en medio de la rivalidad de ambos linajes y, sin duda,
en una posición no muy cómoda. Otra explicación "externa", que
no excluye la anterior, es simplemente económica. Como vimos, los
padres del franciscano se debatían en una medianía que corresponde
bien a la posición social de la hidalguía de segundo orden. Las ayudas de los Cartagenas poderosos y las peticiones de préstamos a que
tenía que acudir Diego Hurtado de Mendoza debieron crear un ambiente opresivo en el hogar del joven Íñigo; las armas o la religión
era la salida inexcusable de esta situación, y fueron el *modus vivendi*
de miles y miles de hidalgos de "mediana sangre" [98]. Finalmente, otro

---

[97] *Op. cit.;* cf., sobre este convento, Lucas Wadding, *Annales Minorum,*
I, Roma, 1731, LIX, pág. 178, para su fundación por Fr. Lope de Salazar y
la de la custodia de Santa María de los Menores: "agora la provincia de
Burgos". Cf. *Tercera parte de las chrónicas de la orden de los frayles menores
del seráphico padre San Francisco...*, por frey Luis dos Anjos, Lisboa, 1615,
Libro 4, cap. XXIX, pág. 12.

[98] Américo Castro, en *La realidad histórica de España*, México, 1954, página 51, escribe: "No desde una esencia, sino desde la vivencia de una mo-

imperativo que también pudo impulsar a nuestro Mendoza a la vida
del claustro es su ascendencia hebrea. Su carácter de converso no
debe ser olvidado nunca a la hora de buscar explicación a ciertas
actitudes de su vida, como, por ejemplo —lo veremos más adelante—, su capacidad para la crítica social, pues como dice A. Domínguez Ortiz, "la tendencia de los conversos a ingresar en el clero era
sólo un aspecto de la aspiración general de estas gentes a los em-
pleos cómodos, bien retribuidos y de suficiente categoría social para
acallar el complejo de inferioridad que los atormentaba" [99]. Creo, por
lo tanto, que todas las hipótesis que he anotado pueden explicar bastante aproximadamente los motivos por los cuales Íñigo de Mendoza
profesó en religión, aunque no puedo dejar a un lado, desde luego,
otra posibilidad; me refiero a la existencia de una auténtica vocación religiosa que le condujese a las puertas del convento impulsado
por un deseo de perfeccionamiento de su vida espiritual. Sin embargo, me permito dudar seriamente de esa vocación, al menos en el
momento inicial de su vida franciscana y también durante algún tiempo después, ya que concedo algún crédito, como más adelante explicaré, a las acusaciones de frivolidad dirigidas contra Fr. Íñigo por
algunos poetas de cancionero, tales como Vázquez de Palencia o
Cartagena (doy por descontado, naturalmente, lo que en ellas hay de
maledicencia), y especialmente teniendo en cuenta todos los proba-
bles motivos que he apuntado más arriba. Creo que cada hombre
está inmerso en su circunstancia, o, dicho de otra manera, que está

---

rada vital pudo nacer en el siglo XVI el dicho de 'Iglesia, o mar, o casa real',
expresivo de las vías más posibles para el español de entonces". Como de
Vasco Díaz Tanco de Fregenal se cita en Gallardo, *Ensayo*, II, col. 784, la
obra titulada *Los seis aventureros de España y cómo el uno va a las Indias
y el otro a Italia y el otro a Flandes y el otro está preso y el otro anda en
pleitos y el otro entra en religión. E cómo en España no hay más gente destas seis personas sobredichas.* Estos ejemplos de los siglos de oro expresan
bien la situación ya iniciada en el XV.

[99] "Los cristianos nuevos. Notas para el estudio de una clase social", en
el *Boletín de la Universidad de Granada*, 1949, págs. 254-255. Cf. también, del
mismo autor, "Los conversos de origen judío después de la expulsión", en
Estudios de la historia social de España, dirigidos por C. Viñas Mey, III, Madrid, 1955, págs. 223-431. En la parte literaria y en lo referente a Burgos, Domínguez Ortiz se basa íntegramente en Cantera, *op. cit.*

condicionado por su situación social y económica, la cual conforma una gran parte de su actitud vital.

Sabemos, pues, que Íñigo de Mendoza profesó en la Orden Seráfica de San Francisco. ¿Por qué precisamente en esta orden y no en otra, en la dominicana, por ejemplo, cuyo convento de San Pablo de Burgos era tan favorecido y protegido por los Cartagena? Como dice Juan Marichal, "convendría investigar en qué medida los franciscanos fueron un refugio para los conversos" [100], refugio que testifica el doctor Francisco López de Villalobos en su carta al general de los Menores, Fr. Vicente Lunel, quejándose de que se impedía la entrada de conversos en la Orden: "en los tiempos pasados... nunca tal estatuto hicisteis...; antes en las tablas de vuestro navío escaparon muchos del naufragio de la iglesia en que sus padres y deudos habían padecido; agora que por la misericordia divina todos los malhechores han acabado y con fuego están todos los descendientes y nietos purificados y limpios y entre ellos hay excelentes hombres de buen ejemplo, ¿por qué razón se habían de recentar las llagas viejas?" [101]. Esas llagas, viejas en la mitad del siglo XVI, estaban en carne viva en tiempos de Fr. Íñigo y constituían el problema quizá fundamental de la sociedad castellana del XV, legando a España una herencia que llega hasta casi nuestros días, pues como dice Álvaro Fernández Suárez en su libro *España, árbol vivo*, "el espíritu atormentado y deformado [del judío hecho cristiano] tomó posesión del alma española y no ha abandonado aún su presa" [102], ya que es evidente que "a los conversos se deben ciertas notas de la España posterior al siglo XV, tan diferente por su espíritu de la España jocunda, más bien de una vitalidad sencilla y graciosa, de la Edad Media; si es cierto que la lucha contra el Islam marcó con caracteres peculiares la religiosidad histórica, la nota teocrática bien pudiera proceder de los judíos conversos, así como el rigorismo minucioso,

---

[100] *La voluntad de estilo*, Barcelona, 1957, pág. 323. Marichal alude al ingreso de Fr. Antonio de Guevara, también converso, en la Orden franciscana, concluyendo que "es probable que Guevara se acogiera a los franciscanos por considerar que su *carrera* sería más fácil".

[101] *Algunas obras del doctor Francisco López de Villalobos*, ed. Antonio María Fabié en "Bibliófilos Españoles", Madrid, 1886, carta 45, pág. 167.

[102] Madrid, 1961, pág. 335.

formal y suspicaz, propio de la vivencia del converso bajo la presencia del miedo y el resentimiento, movido por el afán de extirpar fuera de sí el judío que lleva dentro. En fin, la influencia israelita, que hubiera sido externa y accesoria, pasó a ser existencial..., pero no se olvide que el judío que penetró en el espíritu español era, precisamente, el converso, y en la peculiar psicología del converso es preciso buscar el rastro de su presencia" [103]. Algo de esto aparece esporádicamente en la obra del franciscano, como en la *Vita Christi* (coplas 213 y 165-171) o en las *Coplas a la Verónica* (coplas 34-44), donde escribe versos antijudaicos, quizá justificativos de su propio caso [104].

Finalmente, creo que en el conjunto de todas las posibles razones aducidas encontramos la explicación de la vocación religiosa de Fr. Íñigo de Mendoza, y que en su predilección por la orden franciscana —y no por otra— debemos ver el influjo de su origen converso, que le arrastraba hacia una institución entonces abierta y tolerante [105].

De la actuación de Íñigo de Mendoza dentro de la Orden franciscana nada sabemos hasta mucho tiempo después, casi al final de su vida, cuando, viejo y presumiblemente hombre de autoridad y saber, de juicio sentado, interviene en asuntos importantes y es nombrado para cargos de responsabilidad, como hemos de ver.

---

[103] *Ibid.*

[104] Trataré de estos temas más ampliamente en el cap. VI. Las coplas de *La Verónica* corresponden a la edición NBAE, XIX, págs. 108-109.

[105] Esta tolerancia duraría poco: los franciscanos consiguieron de Clemente VII un breve en virtud del cual ningún fraile descendiente de judíos o de persona condenada por la Inquisición podía alcanzar oficios o dignidades y, asimismo, que nadie que se encontrase en tales condiciones podía ser admitido en la Orden. Cf. H. Ch. Lea, *A History of the Inquisition of Spain*, II, New York, 1922, págs. 287-288. Ya en 1461 "los Padres de la Orden de San Francisco favorecían mucho, como celosos de las cosas de la Fe, la parte de los cristianos viejos..., condenaban sin misericordia a los pobres judíos, creyendo fácilmente al vulgo, que como sin freno y sin juycio hazía y dezía contra ellos" (cf. Fr. José de Sigüenza, *Historia de la Orden de San Jerónimo*, BAE, XII, pág. 363).

EN LA CORTE DE ENRIQUE IV,

SU VISIÓN DE LA MISMA

Demostrada la existencia de dos versiones básicas de las *Coplas de Vita Christi* y la composición de ambas en el reinado de Enrique IV, años de 1467-68 y poco después, respectivamente, y conocido el contenido de la primera de ellas, descubierto por mí en un ms. de la B. N. de París (cf. cap. III), sabemos el grado de conocimiento que Fr. Íñigo tenía, no ya sólo de la situación de Castilla, sino de la propia corte del monarca y de los recovecos de la infraestructura hispánica del momento. Se creía generalmente que Fr. Íñigo floreció en tiempos de los Reyes Católicos y que fue protegido por los mismos, siguiendo su corte. Esto es cierto, pero también lo es que, sin duda alguna, siguió la del hermano de Isabel; es imposible conocer detalles y datos con tanta exactitud como el fraile demuestra saber en la *Vita Chisti* si no se trata, al menos por algún tiempo, con las personalidades aludidas y se vive en el ambiente y los hechos retratados tan fielmente. Esto sirve, pues, para señalar algo nuevo en la biografía del franciscano, su presencia en la corte de Castilla, ya con el *Impotente*. No conocemos el porqué de su entrada en la corte, aunque no puede extrañarnos conociendo sus relaciones familiares y su posible educación y, desde luego, su inteligencia y saber, que, sin alcanzar el grado de los de sus parientes intelectuales —Pablo y Alonso de Cartagena, Álvar García, Santillana—, no era, en modo alguno, despreciable: los autores que cita en su obra principal nos lo indican —dejando aparte las fuentes de ciertos pasajes, influencias, etcétera: Aristóteles, Platón, Séneca, Boecio, San Jerónimo, San Gregorio, Santillana, Juan de Mena [106].

Quizá los ataques de otros poetas coetáneos contra Fr. Íñigo tengan su base en alguna parte de esta época de su vida, desde luego anterior a la fecha de su *Vita Christi*, en que critica violentamente aquellos vicios que a él mismo le achacan, aquellas inmoralidades con-

---

[106] Cf. cap. VI de este trabajo.

tra las que él mismo truena[107]. De su actitud ante el desorden y situación de esta corte corrompida diré algo en el cap. VII, pero he de
hacer constar aquí la innegable valentía de Fr. Íñigo en la primera
versión de la *Vita Christi*, donde aparecen las sorprendentemente
violentas y directas coplas contra los nobles, e incluso contra el propio
Enrique IV, que muestran la preocupación del fraile por el momento
político y social que atraviesa Castilla. El rey, como he dicho, y sobre
todo los causantes de la situación, los favoritos y grandes señores,
aparecen acusadoramente señalados: don Pedro Girón, maestre de
Calatrava; don Juan Pacheco, marqués de Villena; don Alonso Carrillo, arzobispo de Toledo y primado de España; don Juan de Acuña, duque de Valencia de don Juan; don Beltrán de la Cueva...
Es evidente que los poderosos tan severamente criticados no tolera-
ron las acusaciones del franciscano y le obligaron a pedir perdón, literalmente[108] a retractarse de lo escrito y a redactar otra versión, ya
sin las alusiones personales y directas, aunque Mendoza no renunció
en modo alguno al análisis de la situación y a las censuras, ya más
genéricas[109].

Los graves sucesos de Castilla dejaron honda huella en Fr. Íñigo.
La preocupación por la situación de su país y de su pueblo arraigó
fuertemente en su espíritu y no le abandonaría jamás. Ya antes de
1467-68, fecha de la *Vita Christi,* si aceptamos su posible paternidad
de las *Coplas de Mingo Revulgo,* como estudio en otro lugar[110], su
pensamiento aparece dominado por el estado de cosas imperante, por
el tremendo desconcierto de la *res publica;* por eso en los comienzos
del reinado de Fernando e Isabel, en 1474, pudo exclamar:

> Las altas admiraciones,
> las muy suaues señales,
> aquellos fuertes pregones
> de leuantar los pendones

---

[107] Otro tipo de críticas, como en su lugar diré más ampliamente, son un
claro contraataque de la nobleza acusada en la primera versión de la *Vita
Christi,* como las coplas de Vázquez de Palencia (cf. pág. 52 y apéndice IV).

[108] Copla 109.

[109] Véase el cap. III.

[110] Cf. mi trabajo "Sobre el autor de las *Coplas de Mingo Revulgo",* en
Homenaje a Rodríguez-Moñino, II, Madrid, 1966, págs. 131-142.

por vuestros nombres reales;
aquellas muertes pasadas
en Castilla, que no cuento,
tan ayna despachadas,
me hizieron mill vegadas
trasportar el pensamiento [111].

EN LA CORTE DE LOS REYES CATÓLICOS. EL REY Y LA REINA: DOS ACTITUDES

Fr. Íñigo de Mendoza era, por lo tanto, un ardiente defensor de los nuevos monarcas [112]. El franciscano dedica a los Reyes Católicos varias obras, cuyo tema e intención se muestra claramente en los títulos de las mismas: *Dechado... a la muy escelente reyna doña Ysabel nuestra soberana señora; Sermón trobado... al muy alto e muy poderoso príncipe rey y señor el rey don Fernando... sobre el yugo y coyundas que su alteza trahe por devisa;* las coplas, ya citadas, *en que declara como por el advenimiento destos muy altos señores es reparada nuestra Castilla,* y la dedicatoria a la Reina Católica de la *Hystoria de la question y diferencia que ay entre la Razón y la Sensualidad sobre la felicidad e bienaventurança humana...* [113]. Llegamos así a otro de los momentos conocidos de la vida del fraile, el de su presencia en la corte de Isabel. Su parentesco con Cartagenas y Mendozas [114], que ya le había abierto las puertas de la de Enri-

---

[111] *Coplas... al muy alto e muy poderoso príncipe, rey e señor, el rey don Fernando de Castilla e de León e de Cecilia, [e] al príncipe de Aragón, e a la muy esclarecida reina doña Ysabel, su muy amada muger, nuestros naturales señores, en que declara como por el advenimiento destos muy altos señores es reparada nuestra Castilla,* NBAE, XIX, c. 45, pág. 68.

[112] Cf. cap. VII.

[113] *Dechado,* Zamora, Centenera, 1483-4?; *Sermón,* Zamora, Centenera, 1482; *Coplas,* Zamora, Centenera, 1483-4?; *Question,* Zamora, Centenera, 1483-4? Habría que añadir las *Coplas hechas en loor del rey don Fernando y de la reina doña Isabel* si las consideramos obra del franciscano (cf. capítulo II).

[114] "Tenía la dicha Reyna costumbre decir, tratándose delante della de cavalleros esforçados...: 'Dádmele Cartagena y daros le he valiente' ", según

que IV, unido a su adhesión a la línea política y moral representada por los sucesores del *Impotente*, hicieron que el franciscano se granjease rápidamente, según parece, el favor de la reina; conocida es, por otra parte, la estima con que Isabel distinguía a la Orden franciscana y a sus representantes: el caso del cardenal Cisneros es el más revelador a este respecto [115], aunque el favor de la reina se extendía también a personas de menor importancia dentro del franciscanismo [116], ya que "era devotísima y piadosa madre de los frayles de la observancia" [117]. Parece ser que el papel de Fr. Íñigo en la corte era el de predicador. Nos consta la dedicación de Mendoza a este menester por medio de otras entradas del registro de Gonzalo de Baeza, desde 1493 hasta 1497. En éstas aparece oficialmente citado el franciscano como predicador de la Reina Católica, siéndole entregadas varias cantidades por tal concepto [118], a veces sin nombrar tal cargo [119]. Por otro lado, Fr. Antonio de Valenzuela escribe en su

---

ms. 18192, B. N.; cito por Cantera, *op. cit.*, pág. 509. De los Mendoza, fieles seguidores del partido de Isabel durante las luchas civiles, es innecesario decir nada aquí; cf., desde luego, el cap. VII.

115 Cf. el libro de C. J. von Hefelé, *Le cardinal Ximénès, franciscain, et la situation de l'Église en Espagne à la fin du XVe et commencement du XVIe siècles*, París, 1856, que, aunque anticuado, conserva su interés en muchos puntos.

116 Cf., por ejemplo, los curiosos datos que proporcionan las *Cuentas de Gonzalo de Baeza, tesorero de Isabel la Católica* (ed. A. de la Torre y E. A. de la Torre, I, Madrid, 1955), donde aparecen las diversas ayudas a conventos franciscanos de varios lugares, desde 3.000 maravedises a los frailes de Alcalá de Henares "en limosna para comer" (pág. 121) en 1486, hasta 50 reales (*loc. cit., idem* año) "para comprar manteles para los frayles de S. Francisco de Aguilera", así como otras donaciones a los conventos y frailes de Córdoba, Medina del Campo, Murcia, Pastrana, Salamanca...

117 *Tercera parte de las chrónicas de la orden de los frayles menores*, de Fr. Luis dos Anjos, Lisboa, 1615, cap. XXVII, libro VII, pág. 200.

118 Año 1493: "Por un alvalá de la Reyna, fecha a 11-XII del dicho año, 150.000 mrvs. quel dicho thesorero dió e pagó por mandado de su Altesa, al padre fray Iñigo de Mendoça, predicador, para su mantenimiento deste año de 1493" (*op. cit.*, II, Madrid, 1956, pág. 116).

119 Así: "Por una cédula de la Reyna fecha a 2-I-1495, a Juan de la Vastida vehedor de su Alteza, 30.000 mrvs. que los ovo de aver para mantenimiento de fray Yñigo de Mendoza" (*ibid.*, pág. 230). "Por otra çedula de la reyna fecha a 2-IV del dicho año a Fernando de la Bastida, veedor de su Alteza 20.000 mrvs. para la costa de frey Yñigo de Mendoza" (*ibid.*, pági-

Doctrina Christiana para los niños y para los humildes: "O Reyes christianos y cathólicos de felice memoria don Hernando y doña Ysabel, que... mandaron a dos predicadores célebres de su capilla que compusieran romances y villancicos, en romance, de Christo y de su madre y de sus festividades y de los apóstoles. Y otra cosa no se cantara en la Sala, como parece por el cancionero de Fr. Ambrosio y Fr. Mingo [*sic*, por Íñigo] y otros célebres predicadores de aquel tiempo" [120]. Otro testimonio anterior al de Valenzuela sobre este punto nos lo proporciona Fr. Francisco de Ávila, que en su libro *La vida y la muerte* se refiere a nuestro autor como "moi alto predicador" [121]. Realmente, como ha señalado el hispanista K. Whinnom [122], aunque ninguno de sus sermones ha llegado hasta nosotros, en las *Coplas de Vita Christi* aparece una indudable técnica predicatoria, visible en el abundante uso de *exempla* y comparaciones, recurso típico de la oratoria sagrada medieval [123]. Su afán de ser comprendido por los cortesanos entre los que se movía nos lo dice claramente

---

na 242). La entrada siguiente hace constar que Mendoza no se halla ya en la corte, pues la cantidad librada puede recogerla cualquier persona "quel dicho frey Yñigo escriviese o enbiase". Y en el año 1495 la reina Isabel firma otra cédula "fecha a 20-XII del mismo año a frey Yñigo de Mendoça, 30.000 mrvs. de que su Alteza le fiso merced para su mantenimiento" (*ibid.*, pág. 257). Año 1496: "Por otra çedula de la Reyna, fecha a 20-XII del dicho año a frey Yñigo de Mendoça predicador de su Alteça le mandó dar para su mantenimiento en dicho año" (*ibid.*, pág. 339). Año 1497: "Por otra çédula de la Reyna fecha a 13-IX dicho año a frey Yñigo de Mendoça predicador de su Alteza, este dicho presente año, sobre 90.000 mrvs. que en este dicho año fasta en fin desde mismo mes de setiembre ovo de aver 30.000 mrvs. de que le fiso merçed para su mantenimiento que son complidos 120.000 mrvs." (*ibid.*, página 377). Estas dos últimas cédulas se refieren de nuevo a Mendoza como "predicador", que en tales fechas debía ser ya meramente un título honorífico.

[120] Salamanca, 1556, fol. K7-8. Cito por Eugenio Asensio, "El erasmismo y las corrientes espirituales afines", *RFE*, 1952, pág. 52.

[121] Salamanca, 1508. Cito por Gallardo, *Ensayo*, I, Madrid, 1863, número 304, col. 339.

[122] Cf. su artículo "The Supposed Sources of Inspiration of Spanish Fifteenth Century Narrative Religious Verse", *Symposium*, 1963, pág. 286.

[123] Cf., por ejemplo, Juan Bromyard, *Summa praedicantium. Omnibus dominis gregis pastoribus divini verbi praeconibus*, Amberes, 1614, dos tomos, *passim*. Cf. sobre este asunto el cap. V.

en la *Hystoria de la question y diferencia que ay entre la Razon y
la Sensualidad:*

> En son de justa galana
> se recuenta esta pelea,
> porque, Reyna soberana,
> vuestra gente cortesana
> con mejor gana la lea
> y les venga a la memoria
> destas justadoras dos
> a quien se deue la gloria
> y a quien lieua la victoria
> obedezcan como a Dios [124].

Fr. Íñigo fue, pues, predicador de la reina Isabel, la cual, como
consta documentalmente, y no sólo por las afirmaciones apriorísticas
de Amador de los Ríos [125], Menéndez Pelayo [126] y todos los críticos
que a éste han seguido, le protegía personalmente: en las cuentas ya
citadas del tesorero Gonzalo de Baeza aparece la anotación de "Por
una çédula de su Alteza, firmada e asentada", en fecha 3 de enero
de 1489, "a fray Yñigo de Mendoça, 8.000 maravedíes de merçed,
para un macho" [127]. Es evidente que ayudas de este estilo, hechas a
título personal, indican una protección clara y decidida que corrobora
absolutamente otro documento (del propio Fr. Íñigo esta vez), una
carta del franciscano, retirado ya de la corte, a la reina, con ocasión
de la muerte del príncipe don Juan y de la princesa Isabel —4 de
octubre de 1497 y 23 de agosto de 1498, respectivamente—, y en
que contesta a otra anterior de Isabel disculpándose por no ir a
verla, ya que "aunque vuestra Alteza me mandase seguir su Corte,
se perderia la hechura por tener yo perdido el poder..." [128], con lo
que vemos claramente tanto la confianza que unía al autor de la

---

124   Copla 9, NBAE, XIX, pág. 80. El epígrafe de la copla siguiente insiste en la misma idea: "Comiença la obra y conparase a justa por que la
gente cortesana la lea con mejor voluntad", *ibid.*
125   *Op. cit.,* VII, pág. 246.
126   *Op. cit.,* pág. 44.
127   *Op. cit.,* I, pág. 261.
128   "Dos cartas de Fr. Íñigo de Mendoza a los Reyes Católicos", publicadas por el P. Alejandro Amaro en AIA, 1917, pág. 462.

Vita Christi con la Reina Católica como la protección que ésta le dispensaba, correspondida por Mendoza con gran fidelidad: "que en vuestra casa real / a nadie dare ventaja", exclama en su *Razon y Sensualidad* [129]. En la misma triste ocasión que a Isabel escribió también Fr. Íñigo a Fernando. Y esta segunda carta [130] proporciona una luz nueva sobre la relación del franciscano con los Reyes Católicos. Hay una radical diferencia entre la larga y conciliatoria epístola, casi íntima, de Fr. Íñigo a la reina y la breve, respetuosa y fría que dirige al rey. ¿Por qué esta diferencia? ¿Cómo podía Fr. Íñigo hacer esta distinción entre ambos monarcas, a los que, por otro lado, había dirigido versos laudatorios en común? La respuesta puede dárnosla una composición del coplero Cartagena en el *Cancionero General;* el título es revelador: *Otras coplas que hizo Cartagena por mandado del rey reprehendiendo a Fray Íñigo las coplas que fizo a manera de justa. Y habla con el rey Nuestro Señor y dice asi.* Remito a los apéndices el texto de esta composición, que sólo ha sido utilizada hasta ahora —creo— por el profesor Cantera [131]. Vemos, pues, gracias

---

[129] Copla final, NBAE, XIX, pág. 94. Mendoza llegó a ser también limosnero ocasional de Isabel, lo que muestra una vez más la confianza real depositada en el franciscano: "Año 1496. Por otra çédula de la Reyna, fecha de 20-XII del dicho año, a frey Yñigo de Mendoza, 30.000 mrvs. para çiertas limosnas que su Alteza le mandó faser" (G. de Baeza, *op. cit.,* II, pág. 329).

[130] Cf. los textos más adelante, cap. II, págs. 80-83.

[131] *Op. cit.,* págs. 576-577. Ff. apéndice II. La crítica ha estado muy en desacuerdo sobre la personalidad de este Cartagena. Algunos le han identificado con el obispo Alonso de Cartagena (así, Luis Joseph Velázquez, *Orígenes de la poesía castellana,* Málaga, 1754, pág. 52; F. Bouterwek, *History of Spanish Literature,* I, Londres, 1849, pág. 364; Amador de los Ríos, *Estudios históricos, políticos y literarios sobre los judíos en España,* Madrid, 1848, páginas 392-405, e *Historia crítica de la literatura española,* VI, Madrid, 1865, páginas 67-73; Gallardo, *Ensayo de una Biblioteca Española de libros raros y curiosos,* Madrid, 1888, II, col. 254). "Para deshacer esta equivocación basta recordar que el obispo don Alonso de Cartagena murió en 1456 y que el Cartagena de los Cancioneros, según se ve por los mismos versos, vivía aún en tiempos de los Reyes Católicos...", como afirma el marqués de Pidal (Introducción al *Cancionero de Baena,* Madrid, 1851, pág. LXVII), dejando a un lado otras evidencias. El mismo Pidal había defendido ya la idea de que el poeta de los cancioneros no era otro que Pedro de Cartagena, hermano del obispo don Alonso (en *Estudios literarios,* II, Madrid, 1890, págs. 39-62). Esto mismo piensan, con reservas, otros críticos (G. Mayans, *Rhetórica,* I,

a los versos de Cartagena, que Fernando el Católico no sólo no gus-
taba del fraile, en contra de lo que pensaba Amador de los Ríos [132]
y con él casi toda la crítica posterior, sino que enderezaba contra él
los dardos de los poetas cortesanos; es posible que no sea ésta la
menor razón para que hallemos tantas diatribas poéticas contra el
franciscano. Quizá por esta enemistad del rey, y pensando en mejorar
su condición religiosa en momentos tan propicios al franciscanismo,
"fray Yñigo López dezía muchas veces: 'aunque llueva mitras, no
me caerá una en la cabeza' " [133]. Naturalmente, Fr. Íñigo pagaba al
rey con parecida moneda; la carta citada así nos lo indica. Sólo a

Valencia, 1757, págs. 160 y 365; II, págs. 230 y 235; G. Ticknor, A *History
of Spanish Literature*, Londres, 1863, pág. 36; A. Valbuena Prat, *Historia de
la literatura española*, I, Barcelona, 1953, pág. 345, y R. Lapesa, *La obra literaria del marqués de Santillana*, Madrid, 1957, pág. 333, índice de nombres
referido a la pág. 280 del texto). No creo, de acuerdo con Cantera (*op. cit.*,
página 77), que Pedro de Cartagena pudiese escribir aconsejando a su padre,
el patriarca Pablo de Santa María, para que "dexe los negocios del mundo
y que repose con lo ganado" (cf. en *Cancionero General*, ed. de Rodríguez-Moñino, Madrid, 1958, facsímil de la de Valencia de 1511, fol. 83), y tampoco que sea
el autor del ataque contra Fr. Íñigo de Mendoza, su nieto, que da origen a
esta nota. Una tercera teoría identifica al coplero con el caballero Pedro de
Cartagena, hijo del contador de Juan II, Garci Franco, y pariente también de
los Cartagena de Burgos (M. Jiménez de la Espada, en su edición de *An-
danças e viajes por diversas partes del mundo auidos*, de Pero Tafur, Madrid,
1874, págs. 378-398, y, siguiéndole, M. Martínez Añíbarro y Rivas, *Intento de
un diccionario biográfico y bibliográfico de autores de la provincia de Burgos*,
Madrid, 1889, págs. 107 y 109). Finalmente, Cantera, como Menéndez Pelayo
(*op. cit.*, III, pág. 133), no considera improbable la anterior suposición (*op.
cit.*, págs. 572, 578), al propio tiempo que piensa que las obras que figuran
a nombre de un solo Cartagena pertenecen a dos, siendo, quizá, el segundo
Pedro de Cartagena "el Romo", hijo del anterior Pedro (*op. cit.*, págs. 577, 578
y 579). Personalmente, sin querer implicarme en asunto tan discutido y res-
baladizo, considero poco creíble que un tío carnal de Fr. Íñigo de Mendoza
—como Pedro "el Romo" lo era— compusiera versos tan violentamente críticos
contra su sobrino, ni siquiera "por mandado del Rey". Me inclino, pues, a
la teoría de Jiménez de la Espada. No he podido consultar el viejo artículo
de H. A. Rennert, "The Poet Cartagena of the Cancionero General", en
MLN, 1894.

[132] *Op. cit.*, pág. 246.
[133] Melchor de Santa Cruz Dueñas, *Floresta española de apotegmas o sentencias sabias y graciosamente dichas de algunos españoles*, Valencia, 1580,
fol. 12v.

la reina Isabel le placían, pues, los versos y los consejos del fraile; don Fernando no toleraba seguramente tales confianzas acerca de su persona. Creo que debemos ver en esta actitud del Católico hacia Fr. Íñigo un reflejo, quizá inconsciente, de la sorda lucha del partido castellanista, defensor vigilante de la autonomía del reino, frente al afán hegemónico del aragonés Fernando: en suma, entre los intereses castellanos y aragoneses, en evidente pugna subterránea, que estalló a la muerte de la reina Isabel [134]. En todo caso, el clericalismo ardiente de la Reina Católica no encontraba total eco en el rey, y la política, muchas veces de visión estrecha y regional en un momento de franca expansión peninsular, chocaba con el espíritu "europeo" de Aragón y Cataluña. Fr. Íñigo de Mendoza, protegido de la reina, consejero de la misma, representaba muy bien el clericalismo y la ideología puramente castellanista que rodeaban a Isabel. Con todo, la situación en la corte del casi homónimo del marqués de Santillana era envidiable. El favor de la reina le proporcionaba el de la nobleza, pero también las envidias y rencillas presentes siempre alrededor del que ocupa una posición destacada. Si a esto añadimos las duras críticas que Fr. Íñigo había infligido a los nobles revoltosos en su *Vita Christi* especialmente y en otras de sus obras, así como su origen hebreo, comprenderemos mejor los ataques de que fue objeto por parte de algunos poetas de la época. En estos ataques no se menciona, sin embargo, tal origen judío, excepción hecha de las coplas dirigidas contra él por el anónimo galán del *Cancionero General*, en las que, por otra parte, tampoco se alude claramente al origen del franciscano:

> Discreto frayle, señor,
> ya callar esto no puedo,
> porque amores dan dolor
> a vos, que será mexor
> cantar baxo vuestro Credo... [135].

---

[134] Cf. F. Soldevila, *Historia de España*, III, Barcelona, 1954, pág. 98; J. Vicens Vives, *Els trastamares (segle XV)*, Barcelona, 1956, págs. 238-240.
[135] *Otra obra de otro galan contra fray Yñigo de Mendoza*, *Cancionero General de Hernando del Castillo*, ed. cit., fol. 170. Es el Sr. Cantera quien ha notado esta alusión, *op. cit.*, págs. 562-563.

El problema de la frivolidad cortesana del fraile Mendoza y de
su "tracto con las mugeres" es una cuestión muy debatida, que ha
querido ser resuelta por la crítica sin tener en cuenta la totalidad de
los datos utilizables. ¿Fue realmente Fr. Íñigo el "galante franciscano" que presenta Fitzmaurice-Kelly? [136]. Menéndez Pelayo no cree
en esta frivolidad, añadiendo que las coplas escritas contra Fr. Íñigo
fueron "nacidas acaso de la envidia de los cortesanos contra el favor
de que disfrutaba, y quizá todavía más de la libertad y franqueza
de los rasgos satíricos en que abundan sus composiciones, sin excep-
tuar las ascéticas, y que debieron granjearle más de un enemigo" [137].
El mismo pensamiento de Menéndez Pelayo siguen Valbuena Prat,
que habla de la "moral rígida" del fraile [138], y Cantera Burgos [139],
entre otros. No creo de una forma absoluta en esta "rigidez moral".
Si bien es cierto que las acusaciones contra Fr. Íñigo son a veces
obra de la malevolencia del rey Fernando, como hemos visto en el
caso del poeta Cartagena, y que se limitan a acusar al fraile de pla-
giario, poco sincero y atrevido ante la reina, otras debieron ser, creo,
suscitadas y animadas por nobles resentidos y pienso deben corresponder a tiempos anteriores, más cercanos a la época de composición
de la *Vita Christi*, como las coplas del ya citado galán anónimo del
Cancionero General [140], o las que hizo Vázquez de Palencia *sobre las
coplas de Vita Christi. Endreçalas a su amiga por que le embio a pedir la obra de Vita Christi y no estando el en casa se las dio vn
moço* [141].
Me parece evidente un cierto tufillo libelista en estas composiciones, pero me parece asimismo no exento de cierto fundamento
real; recordemos que, como señala J. M. Blecua, "basta una sola can-
cioncilla... para mostrarnos su vinculación a los terrenales placeres" [142],

---

[136] *Historia de la Literatura española desde los orígenes hasta el año 1900*,
traducida y anotada por A. Bonilla y San Martín, Madrid, 1901, pág. 170.
[137] *Op. cit.*, pág. 45.
[138] *Historia de la literatura española*, I, Barcelona, 1953, pág. 339.
[139] *Op. cit.*, págs. 562-563.
[140] Cf. apéndice III.
[141] Cf. apéndice IV.
[142] "Los grandes poetas del s. XV; la poesía en el reinado de los Reyes
Católicos", en *Historia General de las Literaturas Hispánicas*, dirigida por
G. Díaz-Plaja, II, Barcelona, 1951, pág. 139.

en contra de la opinión de Menéndez Pelayo [143] y Cantera [144], que niegan la existencia del tema amoroso en Fr. Íñigo. La canción aludida por Blecua dice así:

> Para jamás oluidaros
> ni ansias a mí oluidarme,
> para yo desesperarme
> y vos nunca apiadaros,
> ¡ay, qué mal hize en miraros!
> No pueden mis ojos veros
> sin que me causen sospiros
> mi forçado requeriros,
> mi nunca poder venceros;
> para siempre conquistaros
> y vos siempre desdeñarme,
> para yo desesperarme
> y vos nunca apiadaros,
> ¡ay, qué mal hize en miraros! [145].

Pero no es ésta, en rigor, la única obra de asunto erótico escrita por el fraile Mendoza; hay que añadir la composición del *Cancionero General* titulada *A un signo de Salamón*:

> Con este son respondidos [146]
> los mas bienaventurados,
> y los tristes desamados
> despedidos [147],

de estilo totalmente cortesano y profano, como son todos los motes amorosos.

Desde luego, no era Fr. Íñigo de Mendoza ajeno a la galantería para con las damas; algo sobre esto nos dice —por si no nos bastaran los dos poemillas anotados— la *Floresta Española* de Melchor de Santa Cruz, que refiere cómo nuestro fraile, "passando por una

[143] *Op. cit.*, pág. 441.
[144] *Op. cit.*, pág. 564.
[145] NBAE, XIX, núm. 12, pág. 120.
[146] La lectura correcta es "recebidos", según la segunda parte del *Cancionero General*, Zaragoza, 1552.
[147] *Cancionero General*, ed. cit., fol. 141.

calle, yvan delante unas mujeres que hazían mucho polvo con las faldas. Bolviendo la cabeza, como le conoscieron, detuvieronse rogando: 'Passe vuestra reverencia, porque no le demos polvo'. Respondió fr. Yñigo: 'El polvo de la oveja, alcohol es para el lobo' '' [148].

Pero no es esto sólo, con ser suficiente; aparte de lo ya dicho, hay una composición, inédita hasta aquí, del poco conocido poeta Romero, en que se ataca a Fr. Íñigo de una manera directa, citando nombres propios y situaciones tan verosímiles —muy diferente de los anteriores atacantes—, que no puede dejar lugar a duda, así como tampoco lo deja la airada y poco humilde respuesta del franciscano: *Coplas que fizo Romero a Fray Yñigo porque un día le convido el Abad de Vall[adare]s que comiese con el y no açebto porque estaba en casa de doña Maria Manrique fablando con su hija doña Elvira* [149].

Poseemos, además, un testimonio del mismo Fr. Íñigo que corrobora la idea de su frivolidad cortesana. He citado anteriormente las cartas que Mendoza envió a los Reyes Católicos a propósito de la muerte de sus hijos don Juan y doña Isabel; la que nos interesa ahora es la dirigida a la reina, a la cual pertenecen estos fragmentos: "Muy alta y mucho poderosa cristianísima Reyna nuestra señora. Creyendo que vuestra Alteza me tenga ya olvidado, y deseando se continúe su olvido, por lo que cumple a mi salvación y descanso, no he escripto fasta agora a Vuestra Magestad, y por la misma cabsa ni aun agora escriuiera syno me escriuiera de allá, que pregontava Vuestra Alteza el por qué en angustias de casos tan graues no le escriuía... Entre las cosas que suplico a Vuestra Majestad que se acuerde, le suplico que no se acuerde de mí, que por vida de vuestra Alteza mi conçiencia, hedad y enfermedad, no sólo tienen dificultad, mas aun ynposibilidad; por la qual, aunque vuestra Alteza me mandase seguir su Corte se perdería la hechura por tener yo perdido el poder..." [150]. El texto de la carta nos muestra a su autor arrepentido por algo sucedido anteriormente en la corte y perjudicial para su salud espiritual, y hasta tal punto que ruega a Isabel no hacerle ir

---

[148] Ed. cit., *loc. cit.* Para una variante de esta anécdota, así como para otras varias sobre Mendoza, cf. apéndice XI.

[149] Apéndice V.

[150] "Dos cartas...", ed. Fr. A. Amaro, *loc. cit.*, págs. 460-462.

nuevamente a su presencia para no verse en necesidad de desobedecerla. Sin duda, Fr. Íñigo recordaba ciertos versos de su *Vita Christi* en los que afirmaba:

> que para huyr del diablo
> es mas seguro el establo
> que no la casa real [151].

Todo concuerda, pues. ¿De qué podría estar arrepentido y dolorido el fraile Mendoza sino de su vida mundana y alegre? Los copleros difamadores tenían razón, en una parte al menos, si no en todas las acusaciones malignas y enconadas, producto de más alto rencor. Creo también que el período galante de Fr. Íñigo debe circunscribirse a algún tiempo de su juventud, poco anterior a la redacción de la *Vita Christi*, que es, como sabemos, 1467-68, pues como pensaba Menéndez Pelayo, "jamás la severidad de la Reina Isabel hubiera consentido en su corte a tan relajado fraile" [152].

Pero también, como dice Amador de los Ríos, "otros poetas le colmaban de alabanzas" [153] a Fr. Íñigo. En el tantas veces citado *Cancionero General* figura una *Pregunta de Mosén Diego de Olivares a fray Yñigo de Mendoza*, cuya respuesta, del mismo Fray Íñigo, no le va a la zaga en punto a saber y erudición pedantesca. En esta pregunta parecen algunos elogios al fraile Mendoza:

> Pues las faltas del secreto
> descubren la gran arenga
> a cualquier que no es discreto
> delante de vos perfecto
> no es razón que me detenga,
> porque con vuestra bondad
> adonde el saber se cobra,
> yo me creo de verdad
> que sabrés a toda obra
> calidad y cantidad... [154].

---

[151] Copla 121.
[152] *Op. cit.*, pág. 44.
[153] A. de los Ríos, *op. cit.*, pág. 239.
[154] Ed. 1882, II, núm. 253, págs. 541-542. Cf. la respuesta de Mendoza en cap. II, pág. 71.

Será necesario llegar hasta 1508 para encontrar otro elogio de Fr. Íñigo, si bien éste ante trance tan duro como el de su muerte:

> moi alto predicador,
> moi gracioso decidor,
> de trovadores monarca,
> de profundos dichos arca
> y minero de dulzor [155],

ya que la cita que Juan del Encina hace de Mendoza es puramente literaria y revela únicamente el conocimiento que el autor del *Arte de trobar* tenía de la obra del franciscano [156], lo mismo que la alusión de Fr. Antonio de Valenzuela, que, además, es ya de mediados del siglo XVI, como he dicho más arriba.

RETIRO DE LA CORTE

Una vez más tenemos que recurrir en esta somera reconstrucción de la vida de Fr. Íñigo de Mendoza a la carta consolatoria que envió a la reina Isabel, ya citada anteriormente. Otra de las cosas que de dicha epístola queda clara es que en la fecha de su redacción, hacia fines de 1498, Fr. Íñigo estaba ya total y radicalmente retirado de la vida cortesana: "creyendo que vuestra Alteza me tenga ya olvidado, y deseando se continúe su olvido..." [157], negándose, según vimos, a volver a la corte aunque se lo mandase la propia reina. Sabemos así que, tras la vida mundana y agitada del ambiente palaciego— en el que tan bien se desenvolvió nuestro fraile—, Fr. Íñigo se refugia, sin duda, en un convento de su Orden, y que, aunque no conocemos sino aproximadamente el momento de esta decisión [158], ya en 1497 —año en que murió el príncipe don Juan, lo que motiva inicialmente la petición consolatoria por parte de la Reina Católica— residía en cierta villa perteneciente a la Corona, pues es-

---

155 P. Francisco de Ávila, *op. cit., loc. cit.*
156 "Como dixo Frey Íñigo, Aclara sol divinal", refiriéndose a versos de siete sílabas válidos como de ocho por ser agudos. Cito por Menéndez Pelayo, *Antología*, V, Madrid, 1911, pág. 41.
157 *Loc. cit.*, pág. 460.
158 Cf. algo más abajo.

cribe a Isabel: "plazerá a nuestro Señor de la traer a esta su villa, y avnque sea tan tarde que me lleuen en un harneruelo yré a besar sus Reales manos y allí le suplicaré lo que aquí falta" [159]. El P. Amaro, que dio a conocer el texto de estas dos cartas en 1917, pensaba en Ocaña, "donde la Corte estuvo desde primeros de 1499 hasta el mes de febrero, y donde había un convento franciscano" [160], como el lugar de refugio de Fr. Íñigo de Mendoza, pero es un aserto poco fundamentado: conventos de observancia abundaban en las poblaciones castellanas, y no es creíble, a pesar de las buenas relaciones entre la reina Isabel y Fr. Íñigo, que una simple sugerencia o vago deseo de éste hiciera que la soberana y su corte se trasladaran al lugar de residencia del franciscano sin motivo mayor. Creo que en 1498 Fr. Íñigo se hallaba ya en el convento de San Francisco de Valladolid, donde nos consta documentalmente su estancia en 1500, gracias otra vez al libro de cuentas de Gonzalo de Baeza: "Por otra cédula de la Reyna, fecha a 26-IV del dicho año [de 1500] a frey Yñigo de Mendoça 20.000 mrvs. para los gastar en el capítulo que fiso en el monesterio de Sant Francisco de Valladolid et 15.000 mrs. de que su Altesa le fiso merçed para comprar çiertos libros que son todos 35.000 mrs." [161]. Vemos así cómo Mendoza utiliza su privanza con la reina para enriquecer el convento de su Orden.

Realmente conocemos poco, como he dicho, del momento en que Mendoza abandonó el bullicio cortesano y de los motivos que a ello le impulsaron. Según el texto de la carta anterior, parece que la reina le había escrito previamente quejándose de que él no le había "escripto fasta agora" [162], sin duda desde el momento en que Fr. Íñigo dejó el palacio real por la celda del convento. Esto no nos indica mucho sobre la fecha del suceso, pero nos sirve una vez más para corroborar con qué decisión y energía había dejado atrás nuestro autor su vida anterior. Llevados de la pura hipótesis, podríamos pensar lógicamente que el motivo radicaba sencillamente, tal como Fr.

[159] *Ibid.*, 462.

[160] *Ibid.*, 460. También Dámaso Alonso ("La fragmentación", pág. 172) afirma que Fr. Íñigo residió en Ocaña "algún tiempo", sin duda basándose en los datos del P. Amaro.

[161] *Op. cit.*, II, pág. 481.

[162] *Ibid.*, pág. 460.

Íñigo declara en su epístola, en su "hedad y enfermedad", explicación que no dice mucho de la espiritualidad del fraile. Creo que debemos buscar tales motivos en algo más hondo, en su "salvaçión y descanso" espirituales, en su "conçiençia" en suma [163], aunque unido, con toda probabilidad, a su edad y precaria salud. Con todo, insisto, el íntimo y secreto móvil del franciscano debió ser exclusivamente el espiritual y religioso, porque sólo una decisión de esta categoría puede hacer que persona habituada a la vida de la corte durante tantos años desaparezca de ella y se niegue a todo contacto con su mundo anterior, incluso con su protectora y soberana la reina Isabel. De esta forma, aunque tarde, Fr. Íñigo de Mendoza fue fiel a sí mismo y a su pensamiento, expresado sincera y valientemente en las *Coplas de Vita Christi* y en otros lugares.

ÚLTIMAS NOTICIAS

Las últimas noticias que se conservan de la vida de Fr. Íñigo son exclusivamente de orden religioso, lo que demuestra otra vez su total abandono de las frivolidades cortesanas. La primera de ellas, aunque algo dudosa, creo que se refiere realmente a nuestro fraile y no a otro. En el Catálogo V del Archivo General de Simancas, sección de Patronato Real, se cita un "Breve del Papa Alejandro VI a Íñigo de Mendoza de la Orden de Santo Domingo, facultándole para que pudiera predicar en los reinos de Castilla y León", dado en Roma el 15 de mayo de 1495, según la catalogadora Amalia Prieto Cantero [164]. ¿Podría pensarse en una confusión asociativa entre el concepto del breve, que autoriza para "predicar", y el calificativo más popular de los frailes dominicos, "predicadores", producto lógico de una lectura rápida? No conozco, en lo que llevo investigado de la época, la existencia de un Íñigo de Mendoza dominico coetáneo del franciscano [165]. Por otro lado, si pensamos en el momento en que el

163 *Ibid.*, págs. 460 y 462, respectivamente.
164 Valladolid, 1949, II, núm. 5344, pág. 160. En latín, vitela, con sello de cera roja.
165 Sí la de un Íñigo López de Mendoza "hermano de María de Mendoza, hija de Juan Furtado, a la que el rey Alfonso V de Aragón otorgó en 26 de julio de 1426 los honores de la orden 'de la stola y la jarra'", según Fran-

autor de la *Vita Christi* dejó la Corte, vemos que corresponde muy bien a la del breve de Alejandro VI; expedido éste en mayo de 1495, muy probablemente llegaría a poder del fraile a fines del mismo año; la repetida carta de Mendoza a la Reina Católica es de finales de 1498, pero ocasionada, como vimos, por la muerte del príncipe don Juan, que tuvo lugar el 4 de octubre de 1497. Además, en el citado libro de cuentas del tesorero Gonzalo de Baeza consta "otra çédula de la Reyna, fecha a 19-VIII del dicho año [1495] a frey Yñigo de Mendoza o a la persona quel dicho frey Yñigo escriviese o enbiase, 30.000 mrvs. que los ovo de aver para en cuenta de los mrs. que su Altesa le mandava en cada un año e los ovo de aver este año" [166]. Concuerdan así unos datos con otros y nos sugieren la idea de que Mendoza abandona la corte hacia 1495 y se provee de autorización para ejercer su ministerio de orador sagrado, fuera ya del círculo palaciego, a través de su convento de Valladolid, en los reinos de Castilla y León. Y que, una vez en él, Fr. Iñigo de Mendoza alcanzó gran reputación en el servicio de su Orden es evidente, como nos lo indica en primer lugar su presencia en una reunión habida en el convento de San Francisco de Madrid en octubre de 1502, presidida por fray Marcial Boulier, vicario general de la Orden franciscana y de la observancia y con asistencia de numerosos frailes de las provincias españolas. Se trató, entre otros asuntos [167], de dilucidar la disputa que por la posesión del convento de la Con-

cisca Vendrell de Millás (*El Cancionero de Palacio*, Barcelona, 1945, pág. 28). A este Íñigo López pertenecen los poemas número 122 y 123 de dicho *Cancionero*. Otro Íñigo López de Mendoza del *Cancionero de Fernando de Torre* es muy probablemente el mismo del de Palacio. También en el *Cancionero General* (núm. 305, "Si en sólo cobrar a vos", fol. 123v, *loc. cit.*) aparecen versos de este poeta. El Mendoza de los Cancioneros de la B. N. de París (ms. 226, fol. 30 y ms. 227, fol. 194) es, quizá, este mismo (cf. A. Morel-Fatio, *Catalogue*, París, 1892, núms. 586 y 587. Cf. también C. Bourland, "The Unprinted Poems of the Spanish Cancioneros", RH, 1909, págs. 460-566). Su identidad podría coincidir con la del conde de Tendilla, Yñigo de Mendoza. Sobre Íñigo López de Mendoza "el de Santa Cecilia", cf. *supra*, pág. 14.
[166] *Op. cit.*, II, pág. 251.
[167] El de las llamadas "casas de recolección" especialmente (cf. J. Torrubia, *Chronica Seraphica*, Roma, 1756, 9.ª parte, cap. XII, núm. 130, páginas B14-16, y L. Wadding, *Annales Minorum*, XV, Quaracchi, 1933, número XXVIII, pág. 297).

cepción de Aranda de Duero se había levantado entre la provincia franciscana de Santoyo y la de la Custodia del Domus Dei, de la de Aguilera o del Abrojo, que por todos estos nombres era conocida [168]. La decisión de Boulier "adjudicó a la Custodia del Domus Dei la nueva fundación de Aranda de Duero y el convento de Santo Domingo de Silos, hasta entonces de la provincia de Santoyo. En compensación, la Custodia cedía a Santoyo el convento de San Francisco de Carrión de los Condes" [169]. Se levantó acta de los asistentes, entregándose una a cada parte interesada. La correspondiente a la provincia de Santoyo se conserva hoy en el convento franciscano de Valladolid y "procede del archivo de la antigua provincia de la Purísima Concepción, nombre que tomaron al fusionarse en 1518 la provincia de Santoyo y la Custodia del Domus Dei" [170], y en ella figura, entre las firmas de los asistentes a la reunión, la de Fr. Íñigo de Mendoza, único autógrafo que de éste se conserva [171], ya que no se conoce el paradero actual de las cartas por él dirigidas a los Reyes Católicos en 1498. Fr. Íñigo es una figura importante en las discusiones y reuniones, pues de acuerdo con el dicho documento, fue "comissario del reuerendo padre frei Juan de Olmedo, vicario prouincial de la prouincia de Santoyo" [172], a la que pertenece su convento

---

[168]   La disputa venía de más atrás, pues ya existe una carta de los Reyes Católicos al arzobispo de Toledo pidiéndole que intervenga en el asunto. Cf. Luis Carrión, O. F. M., *Custodia de Domus Dei y Scala Coeli, o sea La Aguilera y El Abrojo*, Madrid, 1915. La carta está fechada en 1520.

[169]   Fr. Juan Meseguer Fernández, "Íñigo de Mendoza y Antonio de Marchena en un documento de 1502", en *Hispania*, 1952, págs. 403-404. Otros aspectos del reparto son los límites limosneros, alojamientos, etc. A la misma cuestión se refiere también el P. Luis Carrión en *Historia documentada del convento Domus Dei de la Aguilera*, Madrid, 1930, págs. 111, 168. Fr. Juan de Meseguer no considera totalmente seguro que esta firma y la de Antonio de Marchena sean las correspondientes a las de ambos franciscanos (pág. 404). En cuanto a la de Fr. Íñigo, la certeza que puede caber es total, pues él es, sin duda alguna, el delegado de Fr. Juan de Olmedo, enviado del convento de Valladolid, como del mismo contexto se desprende y como corrobora el asunto que sobre Mendoza citaré a continuación.

[170]   *Ibid.*, pág. 407.

[171]   Cf. en apéndice VI. Debo a la amabilidad de Fr. Vicente Andoño, actual bibliotecario del convento de San Francisco de Valladolid, la posesión de una fotocopia de este documento.

[172]   Apéndice VII.

de Valladolid [173]. El acuerdo logrado en Madrid debió ser aceptado adecuadamente por ambas partes, puesto que nada más sabemos en cuanto a las diferencias sobre el asunto entre las dos provincias franciscanas, que se unieron, finalmente, en el año 1518. No se conservan, desgraciadamente, las minutas de la reunión sino solamente las decisiones finales [174]. Podemos imaginar, con todo, que las intervenciones de Fr. Íñigo, como representante de una de las partes interesadas, serían abundantes e importantes, y también que aumentarían su prestigio dentro de la Orden, donde bien pronto sería nombrado para otro cargo de responsabilidad.

En efecto, vuelto de Madrid a Valladolid, en el mismo año de 1502 surge una nueva ocasión en que se pone otra vez a prueba su ya reconocido prestigio. El sermón que el día de la Inmaculada Concepción de dicho año predicó el guardián del convento de San Francisco de Valladolid, Fr. Martín de Alva, en la iglesia mayor de dicha ciudad, fue origen de graves disputas entre los franciscanos y los dominicos de la misma. Estos últimos, representados por el prior de San Pablo y algunos frailes predicadores, "se desonestaron mucho contra el dicho guardian por palabras de muchas e graves injurias, llamandole majadero, porro, badaxo, e discipulo del Ante Christo, e necio que mentia", llegando incluso a fijar pasquines por la villa contra los franciscanos [175]. La causa de la furia dominica no era otra que la defensa de la Inmaculada Concepción de la Virgen María hecha por Fr. Martín de Alva en su sermón, de acuerdo con la tesis más querida al franciscanismo medieval y en contra de lo defendido y mantenido tradicionalmente por la Orden de Santo Domingo. La irascibilidad de los frailes de San Pablo llegó a alcanzar límites rayanos en el desacato a la majestad real, pues "cometieron muchas in-

---

[173] A grandes rasgos, a la provincia de Santoyo pertenecían las actuales de Segovia, Ávila, Valladolid y Palencia y parte de la de Burgos. La Custodia comprendía la mayor parte de la provincia de Burgos y parte de las de Valladolid, Palencia y Soria.

[174] Apéndice VII.

[175] A. H. N., Universidades y Colegios, Libro 1196, *Papeles relativos a las riñas y disputas que hubieron en Valladolid los frailes franciscanos con los dominicos acerca de la Inmaculada Concepcion y en especial el guardian de San Francisco, Fray Martin de Alva, con el prior de San Pablo a principios del siglo XVI* (sin fol.). Cf. apéndice VIII.

jurias por palabra e por obra contra los alcaldes de sus altezas llamandolos judios, hereges, e a[n] tomado recio de la vara a un
alcalde para se la quebrar e de lo cual ovo mucho escandalo...",
teniendo que intervenir finalmente don Juan de Medina, obispo de
Cartagena, como presidente de la Audiencia y Chancillería de Valladolid, para poner paz y orden "entre los venerables padres", en
tanto que dictaminasen sentencia en el asunto el arzobispo de Toledo
(Cardenal Cisneros), como vicario de los franciscanos, y el de los
dominicos. Se dictaron varias disposiciones para tranquilizar los ánimos: se prohibió en el interregno todo sermón al guardián franciscano Fr. Martín de Alva y que éste "no salga ni pueda salir del
dicho monasterio de San Francisco e de su ambito salvo en compañia
de Fr. Juan de Olmedo, provincial, o del guardian del monasterio o
del padre Fr. Íñigo de Mendoza o de Fr. Juan de Enpudia o de
Fr. Francisco Tenorio, delante de los cuales ni aparte de ellos no
hable ni platique sobre las cosas pasadas" [176]. Fr. Íñigo es nombrado
así intermediario vigilante en la cuestión por el representante de la
justicia en Valladolid, hecho que indica el aprecio en que se tenía
al fraile como hombre de edad, juicio y saber, y no sólo entre los
miembros de su Orden, sino también, como este caso demuestra,
entre los ajenos a ella. En el documento consta taxativamente, por
otro lado, la residencia de Mendoza en el convento de Valladolid,
a la que ya me había referido varias veces. A propósito de esta
intervención de Fr. Íñigo en el conflicto del guardián de su convento con los dominicos afirma Fr. Alejandro Recio [177] que sin duda
se refería a ella nuestro poeta en cierto pasaje de la *Vita Christi* en
que recoge un eco de la querella franciscano-dominica [178]. Esto, naturalmente, indica un radical desconocimiento del asunto, toda vez

---

176 A. H. N., Universidades y Colegios, Libro 1196, *Esto es lo que don
Juan de Medina, Obispo de Cartajena, presidente de la Audiencia e Chancilleria de sus Altezas, que resido en esta villa de Valladolid, e del su consejo,
paresce que debemos ordenar por bien de paz entre los venerables padres e
devotos prior e convento del monasterio de Sant Pablo de la dicha villa de la
una parte e el vicario provincial e convento del monasterio de Sant Francisco...*
(sin fol.). Cf. apéndice IX.

177 "La Inmaculada Concepción en la predicación franciscano-española", en
AIA, 1955, pág. 118.

178 Copla 161.

que la segunda versión básica de la *Vita Christi* —que es la que cita
el P. Recio— pertenece a la época de Enrique IV, mientras que el
incidente de Valladolid ocurrió en 1502. Naturalmente, Mendoza expresa en este pasaje —y en el equivalente de la primitiva versión—
la opinión personal y de su Orden sobre el misterio de la Inmaculada
Concepción (en contra de la de los dominicos), pero con más de
treinta años de antelación respecto a los altercados de Valladolid
y como un aspecto más de la vieja enemiga existente entre ambas
instituciones religiosas, que, arrancando de esta diferente interpretación mariológica, alcanzó encono y malevolencia insospechados, de
lo cual son una buena muestra los referidos sucesos [179].

MUERTE

Anteriormente he citado unos versos de Fr. Francisco de Ávila
procedentes de su extraña y curiosa obra *La vida y la muerte*. Como
en tétrico desfile, se van evocando los nombres de muertos famosos.
Como quiera que Fr. Íñigo aparece incluido en la fúnebre galería y
que el libro está acabado de imprimir el 17 de octubre de 1508,
quiere decirse que nuestro franciscano ya había fallecido para tal
fecha. De 1502 a 1508 no sabemos nada de él, no conocemos dato
alguno. Y, sin embargo, Mendoza murió cerca de la fecha de composición de la obra de Fr. Francisco de Ávila, pues éste mismo nos
dice en su "Epístola primera" dirigida al Cardenal Cisneros y refiriéndose al contenido del libro, que "muy en especial se hará breve
memoria e compendioso sumario de algunas muy esclarecidas y gran-

---

[179] Ya en 1479 el papa Sixto IV, "in view of the inveterate hostility
between Franciscans and Dominicans... prohibited those of one order from
prosecuting members of the others", según H. Ch. Lea, *op. cit.*, II, página 30. La oposición entre ambas Órdenes había llegado a ser proverbial y
entrado en las colecciones anecdóticas: cf., por ejemplo, Melchor de Santa
Cruz, *op. cit.*, fols. 13-13v: "Caminando dos freyles, uno Dominico y el otro
Franciscano, a la passada de un vado, el dominico rogó al franciscano que pues
yva descalço le passase a cuestas porque él no se descalçasse y se detuviessen.
El franciscano lo hizo assí. Y como llegó a la metad del río, preguntó al dominico si llevaba consigo dineros. Respondió el dominico que dos reales. Oyén-
dole el franciscano, dixo: 'padre, perdonadme, pero no puedo llevar conmigo
dineros, que assí lo manda mi regla'; y diziendo esto dio con él en el río".

des personas, notables, escogidos y nobles varones destos reinos que
en pocos tiempos pasados en nuestros días han fallecido" [180], entre los
que se halla Fr. Íñigo:

> Cayó también en mi choza
> el sotil componedor
> fray Íñigo de Mendoça
> moi alto predicador,
> moi gracioso decidor,
> de trovadores monarca,
> de profundos dichos arca
> y minero de dulzor [181].

Fr. Íñigo de Mendoza moriría, pues, quizá en el mismo año de
1508 o algo antes, en 1507 [182], y, aunque no consta documentalmente, debemos suponer que en el convento franciscano de Valladolid,
en el que había vivido durante varios años, desde luego los inmediatamente anteriores a estas fechas apuntadas. Si ya en 1498, como
escribía a la Reina Católica, era "hombre de hedad y enfermedad" [183],
y si aceptamos —un tanto aproximativamente— las fechas de 1424-
1426 y 1507-1508 como las de su nacimiento y muerte respectivamente [184], tendremos que vivió algo más de ochenta años, longevidad
que no es extraño encontrar en su familia; recordemos que su abuelo
materno, Pedro de Cartagena, murió a los noventa años de edad [185].
   Termina así nuestro recorrido de la vida de un hombre, vida que
considero típica de su tiempo y de su país, del siglo XV y de Castilla.
Con su origen familiar, importante pero de pobre hidalguía, con una
cultura muy superior al nivel de la época, marcado por su ascenden-

---

[180] Cito por Gallardo, *op. cit.*, col. 320. El furor necrófilo del P. Ávila
no repara en nada; anuncia su próxima muerte al propio Cardenal Cisneros,
lo mismo que la de Fernando el Católico y otros personajes (col. 334).

[181] *Ibid.*, col. 339.

[182] Inexplicablemente, el profesor Cantera, conociendo esta referencia, afirma rotundamente: "Creemos poder sentar la hipótesis de que Fr. Íñigo no
debió de conocer muchos años del reinado de los Reyes Católicos" (*op. cit.*,
pág. 570).

[183] Fr. Alejandro Amaro, *art. cit.*, pág. 462.

[184] Cf. más arriba para la primera fecha (págs. 37-38).

[185] *Ibid.*

cia hebrea, buscó refugio en una Orden religiosa, la mendicante. Sus propias ideas, unidas a las del franciscanismo y a la situación de Castilla, produjeron en un alma sin duda noble una reacción de disgusto y de crítica contra el estado de cosas imperante, pero, quizá porque los tiempos eran terriblemente confusos, no supo librarse, al menos durante algunos años, de la misma confusión y desorden que atacó tan violentamente, pues "ya no estamos en presencia de almas simples, forjadas en una sola pieza —hierro de lanza o reja de altar—" [186]. Los nuevos monarcas, Fernando e Isabel, debieron colmar las esperanzas y anhelos de Fr. Íñigo de Mendoza, y éste siguió su partido desde los comienzos del mismo. Viejo, arrepentido de anteriores flaquezas y errores, muere en su convento después de unos años de plena dedicación a su Orden franciscana. El torbellino de pasiones desatadas en la Castilla de Enrique IV le arrastró, siquiera momentáneamente, pero supo reaccionar de forma viril y sincera. Su *Vita Christi* es el mejor testimonio de ello.

---

[186] L. Suárez Fernández, *Juan I, Rey de Castilla*, Madrid, 1955, pág. 57. F. Márquez Villanueva habla de un evidente paralelismo, en este aspecto, entre Fr. Íñigo y otro poeta converso, Álvarez Gato, diciendo del primero que "es probable que se diera en él de una manera simultánea y agravada por su condición de fraile menor la alternativa de mundanidad y ascetismo que en Álvarez Gato se desarrolló en momentos sucesivos" (*Investigaciones sobre Juan Álvarez Gato. Contribución al conocimiento de la literatura castellana del siglo XV*, Madrid, 1960, págs. 192-193).

Capítulo II

OBRAS DE FRAY ÍÑIGO

Fr. Íñigo de Mendoza es un autor fecundo, del que se conservan numerosos trabajos y del que, indudablemente, se han perdido otros. En la siguiente clasificación incluyo tanto las obras tradicionalmente conocidas como algunos pequeños poemas que he encontrado en el curso de mis investigaciones y que han permanecido inéditos hasta ahora, y también, con ciertas reservas, las famosas *Coplas de Mingo Revulgo*. Baso parte de estas notas bibliográficas en los estudios de A. Pérez Gómez[1] y K. Whinnom[2], que volveré a utilizar más adelante en el capítulo III, referente a los textos de la *Vita Christi*.

OBRAS RELIGIOSAS

1) *Los gozos de Nuestra Señora hechos por fray Yñigo.*

Ediciones: Zamora, Centenera, 1483-1484? Zaragoza, Paulo Hurus, 1492[3]. Zaragoza, Paulo Hurus, 1495. Pliego suelto, B. N. de París, editado por A. Pérez Gómez en *Tercera floresta*, quizá el número 4110 del *Regestrum* de

---

[1] "Notas para la bibliografía de Fr. Íñigo de Mendoza y Jorge Manrique", *HR*, 1959, págs. 30-41.

[2] "Ms. Escurialense K-III-7: el llamado Cancionero de Fray Íñigo de Mendoza", *Filología*, 1961, págs. 161-172, y "The Printed Editions and the Text of the Works of Fr. Íñigo de Mendoza", *BHS*, 1962, págs. 137-152.

[3] Edición hoy perdida, sobre la cual se hizo la reimpresión de 1495; confróntese arts. cits. de Pérez Gómez y Whinnom.

Fernando Colón, ed. A. H. Huntington, Nueva York, 1905. Madrid, 1912, NBAE, XIX, núm. 7, págs. 94-97 [4].

Manuscritos: Escorial, K-III-7, fols. 121-4; incompleto, comienza en la copla número 14.

Son solamente veintiséis coplas octosílabas de pie quebrado en su décimo y último verso, que riman abaacdedde, tipo de estrofa ya usado por Alfonso X y Santillana con asunto semejante. Para Fr. Iñigo son siete los gozos de la Virgen, de acuerdo con la tradición medieval [5].

2) *Coplas hechas por fray Yñigo de Mendoza en que pone la cena que Nuestro Señor hizo con sus discipulos quando instituyo el sancto sacramento del su sagrado cuerpo.*

Ediciones: Zamora, Centenera, 1483-84? Zaragoza, Paulo Hurus, 1492. Zaragoza, Paulo Hurus, 1495. NBAE, XIX, núm. 8, págs. 97-104.

Manuscritos: Escorial, K-III-7, fols. 124-124v; consta solamente de copla y media.

Mismo tipo de estrofa que el poema anterior. Sesenta y dos coplas de esquema abaabcdccd.

3) *Coplas que hizo Fray Yñigo de Mendoza a la Veronica.*

Ediciones: Zamora, Centenera, 1483-84? Zaragoza, Paulo Hurus, 1492. Zaragoza, Paulo Hurus, 1495. NBAE, XIX, núm. 9, págs. 104-116.

Manuscritos: B. N., 3757, fols. 401-434; con nota final: "Del cancionero manuscrito de fray Yñigo de Mendoza de la Biblioteca de cámara del Rey",

---

[4] F. Colón en su *Regestrum Librorum* anota (núm. 4.110, ed. cit.) un ms. de *Los gozos* adquirido por él en Medina del Campo por "tres blancas a 23 de noviembre de 1524". A continuación, en el mismo códice, unas *Preguntas a Nuestra Señora*, dos poemas a la Virgen y un Villancico. ¿Quizá de Fr. Iñigo?

[5] Para Cataluña, cf. A. Serra i Baldó, "Els goigs de la Verge Maria en l'antigua poesia catalana", en *Homenatge a Rubió*, III, Barcelona, 1936, páginas 367-386. Para Francia. cf. P. Le Gentil, *La poésie lyrique espagnole et portugaise à la fin du Moyen Âge*, I, Rennes, 1949, pág. 298.

correspondiente sin duda al códice trasladado no hace muchos años a la Biblioteca de la Universidad de Salamanca, sign. II-593 [6].

Noventa y ocho coplas octosílabas de diez versos, de rima abaabbcbbc.

4) *Coplas fechas por Fray Yñigo de Mendoza al Spirito Sancto.*

    Ediciones: Zamora, Centenera, 1483-84? NBAE, XIX, núm. 10, páginas 116-117.

Consta solamente de nueve estrofas, de igual estructura que las anteriores.

5) *Comiença un tratado breve y muy bueno de las ceremonias de la misa con sus contemplaciones, compuesto por fray Yñigo de Mendoza.*

    Ediciones: [Sevilla], 1492, "por tres alemanes compañeros". Alcalá, 1541 [7].

Ha sido puesta en duda la paternidad de Fr. Íñigo con respecto a este tratado por Vindel [8], que lo atribuye al marqués de Santillana, y anteriormente por Nicolás Antonio, que piensa en el Cardenal Mendoza [9], pero todo ello sin fundamento alguno.
En prosa. Dedicado a Juana de Mendoza, mujer de Gómez Manrique, de quien, como sabemos, el franciscano era sobrino segundo (cf. más arriba, pág. 34).

6) *Lamentacion a la quinta angustia quando Nuestra Señora tenia a Nuestro Señor en los brazos.*

    Ediciones: Zamora, Centenera, 1483-84? NBAE, XIX, núm. 11, páginas 117-120.

---

    6 En el *Cancionero de Oñate-Castañeda* (cf. cap. III) figura una versión distinta de este poema.
    7 Cf. Menéndez Pelayo, *Antología*, III, págs. 46-47.
    8 De forma totalmente caprichosa.
    9 Cf., sobre esta paternidad, K. Whinnom, *The Printed Editions*, pág. 151.

En el único texto conservado (ed. citada de Centenera, que se tomó como base para la de la NBAE) aparece tras las *Coplas a la muerte de su padre*, de Jorge Manrique. Esto hace pensar a K. Whinnom [10] que la *Quinta angustia*... no es obra de Mendoza, ni tampoco de Manrique, puesto que no figura el nombre de ninguno de los dos como autor y puesto que, además, no hay datos suficientes para atribuírsela a uno o a otro; afirma que debe considerarse como obra anónima. Foulché-Delbosc, por su parte, la atribuye rotundamente a Mendoza [11]. Son veinticuatro coplas de rima abaabbcbbc.

Finalmente, hay que recordar:

7) *Del mismo... sobre que algunos escudriñan la fee.*

Conservado en el ms. 4114 de la B. N., *Cancionero de Pero Guillén de Segovia*, fols. 450-450v. Sólo tres coplas, que corresponden a los números 52-54 de la *Vita Christi*. Cf. más adelante [12].

OBRAS MORALES

1) *Coplas que fizo fray Yñigo de Mendoza, flayre menor, doze en vituperio de las malas hembras que no pueden las tales ser dichas mugeres. E doze en loor de las buenas mugeres que mucho triumpho de honor merecen.*

Ediciones: Zamora, Centenera, 1483-84? Zaragoza, Paulo Hurus, 1490?, *Cancionero de Ramón de Llavia*. Madrid, *Antología de Menéndez Pelayo*, IV, 1918, págs. 335-344. NBAE, XIX, núm. 3, págs. 60-63. Madrid, 1945, ed. R. Benítez Claros, *Cancionero de Ramón de Llavia*.

Manuscritos: Escorial, K-III-7, fols. 112-116 bis v. En B. N., 4114, *Cancionero de Guillén de Segovia*, fols. 395-398, aparecen sin título las doce últimas coplas, es decir, las referentes a las "buenas mugeres".

Son veinticuatro coplas de diez versos octosílabos con rima abcabcdefdef.

---

[10] *The Printed Editions*, *loc. cit.*

[11] Ed. cit., pág. 117, en que las engloba entre las obras del franciscano.

[12] H. R. Lang, en "The So-called Cancionero de Pero Guillén de Segovia", *RH*, 1908, pág. 70, hace mención de este fragmento.

2) *Comiença a loor y serviçio de Dios, provecho, deletacion de los proximos, la hystoria de la question y diferencia que ay entre la Razon y Sensualidad sobre la felicidad e bien aventurança humana porque la Sensualidad dize que en los dulçores transitorios y temporales consiste y la Razon que en los spirituales y eternos. Compusolo en metros fr. Yñigo de Mendoza indigno flayre menor de la observançia de Sant Francisco; dirigela a la serenissima, muy alta, muy poderosa, muy esclarecida reyna doña Ysabel Reyna de Castilla e de Aragon que Dios faga emperatriz monarca.*

Ediciones: Zamora, Centenera, 1483-4? Zaragoza, Paulo Hurus, 1492. Zaragoza, Paulo Hurus, 1495. Zaragoza, J. Coci, 1506 [13]. Zaragoza, J. Coci, 1509. Alcalá, 1566. NBAE, XIX, núm. 6, págs. 79-94.

Manuscritos: K-III-7, fragmento confusamente mezclado con *Cómo es reparada nuestra Castilla*, obra también de Fr. Íñigo. Fols. 117-120v.

Ciento veintiuna coplas de diez versos octosílabos, cuya estructura es abaabcdccd. Tópico medieval es el enfrentamiento de vicios y virtudes [14], del cual encontramos un caso relevante en el *Libro de buen amor*, por ejemplo [15].

Las acusaciones del coplero Cartagena contra Mendoza "por mandado" del Rey Católico y a propósito de esta *Justa* tienen evidente fundamento:

> va muy bien inuencionado,
> va tanbien digno de pena,
> porque salio del dechado
> que todos vimos labrado
> de mano de Iuan de Mena (cf. apéndice II).

La acusación de plagio es clara, como también es evidente el plagio mismo: basta comparar la obra de Fr. Íñigo con las *Coplas contra los pecados mortales* de Mena. Y continúa Cartagena su crí-

---

[13] Figura en el *Regestrum Librorum* de Fernando Colón. núm. 3.269, edición citada., que lo compró por 102 mrvs.

[14] Cf. Le Gentil, *op. cit.*, I, págs. 338-350 y 508-519 y V. de Bartheolomaeis, "La giostra delle virtù", en *Studi Medievali*, 1942, 191-206.

[15] Coplas núms. 1067-1127 de la ed. de J. Cejador, CC.

tica de la *Justa* aludiendo a la falta de defensas con que la Razón
acude a la misma, con la poca reverencia que en un fraile supone
tratar de temas tan profanos y con la dedicatoria a la reina Isabel,
pues

> nunca vi peor presente
> que decirle lo que siente
> vuestra flaca humanidad *(ibidem)*.

3) *Respuesta de fray Iñigo de Mendoza a la pregunta de Mossen
Diego de Olivares* [16].

Ediciones: En el *Cancionero General.*
Manuscritos: B. N., 4114, *Cancionero de Pero Guillén de Segovia,* folios
431-433. B. N., 3765, fols. 46 y 55.

Respuesta, que cito por ser escasamente conocida:

"Desque estoy ya tras el seto / de cordon e halda luenga /
no me congoxa el aprieto / por no poder tan perfeto / responder
como convenga, / que pues crece la humildad / donde la vergüença
sobra, / dentro de mi voluntad / no puede reinar çoçobra / aunque
reyne neçedad. / Con las lindas clavellinas / los tomillos del recues-
to, / las muy crespas corderinas / con las martas zabellinas / no ganan
sino denuesto; / con la grana el paño gros, / con alosa las man-
çanas, / los hombres de nos con nos / con las gentes cortesanas /
se corren, e yo con vos. / De las sustancias criadas / que son de
cuerpos agenas / las que fueron condenadas / con sus potencias
culpadas / estan de tormento llenas, / y tambien cosa notoria /
que en si mismas se gozaron / las otras que de escoria / todas limpias se guardaron / segvn lo dize la hystoria."

4) *Fray Iñigo a la abadesa de...*

Manuscritos: B. N., 4114, *Cancionero de Pero Guillén de Segovia,* folios
535-537.

---

16 Cf., sobre "preguntas y respuestas", Le Gentil, *op. cit.,* I, págs. 461-496.

Poemita desconocido hasta ahora [17], que trascribo a continuación:

Un primo de los Herreros
vos muestra de los Guzmanes
y primo de las primeras;
roguemos ya por las viras,
las burlas y los refranes,
por lo qual fago mano
con este mi memorial
con el qual, si esta malsano
vuestro coraçon de ufano,
podra sanar de su mal.

Acuerdeseos gentil dama
quando [mirays] el espejo
que presto muere'n la cama
el rostro dino de fama
o se arruga e torna viejo,
porque vuestro coraçon
quando ....
nos saque de la razon,
porque si bien lo mirais
de vuestra certera vira
cada vez que vos teniais *(sic)*
peor ferida quedais
que no aquel a quien tira.

Acordaos de la muger
que fue convertida en sal
por solo querer volber
la cabeza para ver
el bruto pueblo bestial,
y no volbais a mirar
las costas que ya dexais,
que mas vos pueden dañar
que no daros a ganar
el juego que renunciastes *(sic)*.

---

[17] En rigor, H. R. Lang, *art. cit.*, se refiere al mismo, pero sin publicarlo, haciendo constar únicamente sus "numerosas lagunas".

Quel palanciano escribir,
el dezir grandes donaires,
el bocinglero reir,
es cosa muy de fuyr
a las monjas y a los frayres,
y de aqui concluiria
si no nos emendamos nos,
señora doña Maria,
que negra postrimeria
esperamos yo y vos.

Fin

Asi que si cotejais
a la faz con el embes,
por mas gracia que tengais
es razon que desagais
con lo negro de los pies
la rueda, si la fazeis.

5) *Fray Iñigo a la condesa de Medinaceli por muestra; si le agradase, que le haria ciento de ellas.*

Manuscrito: B. N., 4114, *Cancionero de Pero Guillén de Segovia,* folios 538-9; también inédito [18]:

Es la disforme pintura
queste vulto nos enseña
traslado de la figura
que torna la hermosura
de quien hacemos gran cura,
astrosa y vil espuma
de los primeros bocados,
y mas afirma mi pluma,
ques toda la suma
de los pomposos estados.

Y esta cuya memoria
nos desengaña y despierta,

---

[18] Lang, *loc. cit.,* sugiere "puntura" por "pintura" en el verso 1, también sin trascribir el texto.

espantable y sucia escoria
en que la mundana gloria
es fuerza que se convierta,
ygualdad que desafia
los estados diferentes,
mire vuestra señoria
que dos rotulos envia
a dos linages de gentes.

A los malos desengaña
del dulzor que les halaga,
pues una traidora maña
con quel mundo a quien apaña
derrueca, sojuga y llaga;
a los del vivir honesto
amonesta'l sofrimento,
pues la dama deste gesto
les ha de tornar tan presto
en grand gloria su tormento.

Pues mire la merced vuestra
el aviso y desengaño
desta pobrecilla muestra
por informarse del paño,
porque si bien os paresce
la forma de como empieza,
mi pluma se faboresce
en tanto que s'os ofresce
con cient varas desta pieza.

6) *Una pregunta de Mossen Fernando* [*de la Torre*] *a Yñigo de
Mendoza de la diferencia que ay entre amor e amistad e su respuesta*, en *Cancionero y obras en prosa de Fernando de la Torre*, ed. Paz y Melia, Dresde, 1907, en el *Libro de las veinte cartas e quistiones*, cap. IV, págs. 16-22.

Paz y Melia piensa que este Íñigo de Mendoza no es otro [19] que
el marqués de Santillana, el mismo que el de una *Letra o pregunta*

---

[19] *Op. cit.*, pág. XII.

que fizo Yñigo de Mendoza a mossen Fernando de las deesas (ibidem,
cap. III, págs. 10-16). María Rosa Lida, por su parte, insinúa que este
Íñigo puede ser el franciscano, pues naturalmente, y como demuestra, no es Santillana [20]. Pero ¿por qué pensar necesariamente en el
autor de la *Vita Christi?* No hay ningún dato que nos induzca a
ello (el hecho de que Fernando de la Torre sea burgalés y contemporáneo del fraile no prueba nada), y, por el contrario, aunque tampoco sea argumento muy válido, hay que tener en cuenta que siempre se antepone al nombre de nuestro autor el título de "fray" en
los encabezamientos de sus obras, tanto en las más famosas y conocidas como en las hasta ahora inéditas. ¿Por qué no pensar como
posible "interlocutor" de Fernando de la Torre en ese otro Íñigo de
Mendoza (siquiera aparezca con el apellido López intercalado) del
Cancionero de Palacio? [21].

OBRAS POLÍTICO-SOCIALES [22]

1) *Sermon trobado que fizo fray Yñigo de Mendoça al muy alto e*
    muy poderoso principe rey y señor el rey don Fernando, rey de
    Castilla y Aragon sobre el yugo y coyundas que su alteza trahe
    por devisa.

    Ediciones: Zamora, Centenera, 1482. Zaragoza, P. Hurus y H. Planck,
    1482? Zamora, Centenera, 1483-1484? NBAE, XIX, núm. 2, págs. 52-59. Ma-
    drid, R. A. E., 1953, facs. de la de Zamora, 1482 (junto con la *Vita Christi*).
    Manuscritos: Escorial, K-III-7, fols. 98-111v [23]. B. N. 4114, *Cancionero de*
    Pero Guillén de Segovia, fols. 376-394 [24]. B. N. 3757, fols. 377-395, con una
    nota final que dice: "fechado en Zamora" a 25 de enero de 1482 y "está co-
    piado de un códice impreso que se halla en la Real Biblioteca, n. 214-216".

Cincuenta y cuatro coplas de once versos octosílabos con rima abaa-
bcdccdd.

---

[20] *La idea de la fama en la Edad Media Castellana,* México, 1952, pág. 298.
[21] Cf. Francisca Vendrell de Millás, *El Cancionero,* pág. 28. Cf. más arriba, cap. I, n. 165.
[22] Para el problema de la "modernización" de títulos y significados de las
obras de este apartado, ver más adelante, cap. VII.
[23] Cf. F. R. de Uhagón, *Un Cancionero del siglo XV con varias poesías*
inéditas, Madrid, 1900, pág. 9.
[24] Cf. H. R. Lang, *art. cit.*

2) _Coplas compuestas por fray Yñigo de Mendoça al muy alto e muy poderoso príncipe rey y señor el rey don Fernando de Castilla e de Leon e de Cecilia_ [e] _príncipe de Aragon. E a la muy esclarecida reyna doña Ysabel su muy amada muger, nuestros naturales señores, en que declara como por el advenimiento destos muy altos señores es reparada nuestra Castilla._

Ediciones: Zamora, Centenera, 1483-1484? NBAE, XIX, núm. 4, págs. 63-72. _Manuscritos:_ Escorial, K-III-7, fols. 117 y 124v-145v. B. N. 3757, fols. 154-155. B. N. 4114, _Cancionero de Pero Guillén de Segovia_, fols. 211-237v.

El texto aparece completo en el ms. escurialense, aunque dividido en dos partes muy desiguales[25]. También aparece íntegro en el ms. de la B. N. Por el contrario, en NBAE, XIX, faltan las nueve estrofas finales. Son ochenta y siete coplas octosílabas de diez versos que riman abaabcdccd[26].

3) _Dechado que hizo fray Yñigo de Mendoça a la muy escelente reyna doña Ysabel nuestra soberana señora._

Ediciones: Zamora, Centenera, 1483-84? Zaragoza, Paulo Hurus, 1490? _Cancionero de Ramón de Llavia._ Pliego suelto núm. 4108, ed. cit. del _Regestrum_ de F. Colón, adquirido en 1524. Madrid, _Antología_ de Menéndez Pelayo, IV, 1918, págs. 344-361. NBAE, XIX, núm. 5, págs. 72-78. Madrid, 1945, ed. Benítez Claros, _Cancionero de Ramón de Llavia._ En la ed. de _Claros varones de Castilla_, de Hernando del Pulgar, por J. Domínguez Bordona (CC, Madrid, 1923, pág. XXXI, y texto, 159-160), se publican como de Pulgar las cuatro primeras coplas del _Dechado_ de Fr. Íñigo. Domínguez Bordona basa su error en que la ed. de los _Claros Varones_ de Sevilla, 1500, por Stanislao Polono, incluía en la penúltima hoja las citadas coplas sin nombre de autor. _Manuscritos:_ Escorial, K-III-7, fols. 146-156v. _Cancionero de Castañeda_, folios 399-404 (cf. nota 23). _Cancionero de Pero Guillén de Segovia_, B. N., ms. 4114, fols. 433-449v[27].

[25] Cf. K. Whinnom, _MS. Escurialense K-III-7._
[26] Hago un estudio de esta obra en "Notas sobre un poema poco conocido de Fr. Íñigo de Mendoza", de próxima aparición en _Symposium._
[27] H. R. Lang, _art. cit._, pág. 70.

Cuarenta y tres coplas de trece versos de estructura aabbbaaacccaa: los números dos, cinco, ocho y once son de pie quebrado [28].

4) *Coplas hechas en loor del rey don Fernando y de la reina doña Isabel.*

Fr. Alejandro Amaro [29] encontró el poemita de este título en el archivo del monasterio de Guadalupe, y el Sr. Eugenio Escobar, deán de Plasencia, consultado por él, comunicóle, apriorísticamente, que tales versos pertenecían a fray Íñigo de Mendoza. Con esta "luminosa indicación", Fr. Alejandro Amaro comparó las obras conocidas del fraile Mendoza con el nuevo hallazgo, deduciendo "que, efectivamente, tanto por el estilo como por el corte de metro, ideología y suavidad de los versos, son de Fr. Íñigo" [30]. Dichos versos son interpretación y glosa de otros latinos, también contenidos en el códice guadalupense.

Por las mismas razones que aduce el P. Amaro, considero improbable, aunque no imposible, que este poema pertenezca al autor de la *Vita Christi*. He aquí algunos fragmentos de esta composición, poco conocida, que no deja, por otro lado, de ser interesante:

¡O quam bien acompañada
con Hernando esta Ysabel!
Reynos ella y reynos el,
y del reyno de Granada
la victoria della y del.
Hijos de reyes los dos,
ambos de sangre d'España,
de los godos d'Alemaña,
una fe y honor de Dios
que siempre los acompaña.

Son yguales en hedad,
son pares en hermosura,
son nuestra buenaventura;

---

[28] Cf., para obras similares, Le Gentil, *op. cit.*, págs. 448-452.

[29] "Una poesía inédita de fray Íñigo de Mendoza, O. F. M.", en *AIA*, 1915, págs. 127-130.

[30] *Art. cit.*, pág. 128.

pues que su feliçidad
dell'alta nos asegura.
Ambos hazen justas guerras,
no son en cosa disformes,
mas muy juntos e conformes
para que queden sus tierras
limpias de vicios ynormes.

....

Las dos reales coronas,
grandes reynos desiguales,
altos anymos reales,
y tan claras las personas
que parescen diuinales.
Las estrellas y elementos
estauan muy prosperados
quando fueron engendrados
sus diuos padres esentos
de congoxas y cuydados.

Han dado a sus naturales
legitima suçession,
hermosa generaçion
para desterrar los males
que por falta della son.
¡Que principe!, ¡que princesa!
¡que infantes!, ¿que resplandor
pudo dar cosa mayor
en la tierra a vuestra Alteza
Christo nuestro redemptor?

Pues muy bien auenturados
Rey y Reina, ¿que hazeis?
¿no destruis y perdeis
aquellos multiplicados
moros dallende y de Fes?
Porque ganada Numidia
con vuestra fuerça valiente
aquella maldita gente
que con la christiana lidia
paseys achar (*sic:* "a echar") del Oriente.

El qual asy conquistado
syn dexar mas que hazer
podeys con gozo boluer
el Sepulchro recobrado
de Christo en vuestro poder;
y antes que partays dalla
enbiat un epithoma
de vuestros trunfos *(sic)* a Roma
y esclauos como daca.

....

Como puede apreciarse a simple vista, hay varios conceptos en los versos citados que coinciden con otros expresados por Fr. Íñigo, tal la alusión a los "vicios ynormes" anteriores a los Reyes Católicos y a los males provenientes del problema de la sucesión de Enrique IV, pero me parece muy ajena a la mentalidad del franciscano la alusión astrológica y a "los diuos padres" de Fernando e Isabel, así como, estilísticamente, las exclamaciones admirativas ante los hijos del monarca.

En total, nueve coplas de diez versos con rima abbabcddcd.

OBRAS AMOROSAS
Y CORTESANAS [31]

1) *Respuesta a las coplas que fizo Romero a Fray Yñigo porque un dia le convido el Abad de Vall[adare]s que comiese con el y no lo açebto porque estaba en casa de doña Maria Manrique fablando con su hija doña Elvira.*

En *Cancionero de Pero Guillén de Segovia*, B. N., ms. 4114, folios 428-9.

Inédito hasta ahora, lo he anotado anteriormente [32].

---

[31] Cf. cap. I, págs. 52-55.
[32] Cap. I, pág. 54; cf. apéndice V para el texto.

2) *Fray Yñigo de Mendoça a un signo de Salamon.*

En el *Cancionero General de Hernando del Castillo,* Valencia, 1511,
folio 141, cap. "De invenciones", también citado anteriormente [33].

3) *Cancion de fray Yñigo de Mendoza.*

En el *Cancionero General de Hernando del Castillo,* Valencia,
1511, fol. 182v, y en NBAE, XIX, núm. 12, pág. 120 [34].
Una glosa a esta canción aparece en la ed. del *Cancionero General* de Sevilla, 1540, después del fol. 156, a nombre de Gerónimo de
Pinar, según indica el ms. 3765 de la B. N., fol. 70, donde también
se contiene la obrita de Mendoza [35].

CARTAS

Como hemos visto en el capítulo anterior [36], Fray Íñigo de Mendoza escribió dos epístolas, una a la reina Isabel y otra al rey don
Fernando, probablemente a fines de 1498, con motivo de la muerte
del príncipe don Juan (4 de octubre de 1497) y de la princesa y reina
de Portugal doña Isabel (23 de agosto de 1497). Ambas cartas pertenecían en 1917 a don Eugenio Escobar, deán de Plasencia, y fueron
publicadas por Fr. Alejandro Amaro [37]. Su contenido, prácticamente no
utilizado por nadie hasta hoy, es el siguiente:

Muy alta e mucho poderosa cristianísima Reyna nuestra señora. Creyendo
que vuestra Alteza me tenga ya olvidado y deseando se continúe su olvido,
por lo que cumple a mi salvación y descanso, no he escripto fasta agora a
V. Magestad y por la misma cabsa ni aún agora escriuiera syno me escriuiera
de allá, que pregontaua vuestra Alteza el por qué en angustias de casos tan
graues no le escriuia. A lo qual, serenísima Reyna, respondo que la cabsa
fue mirar la grandeza gigante de los casos y la pequeñez enana de mi pluma

---

[33] Cf. *supra,* cap. I, pág. 53.
[34] *Ibid.,* págs. 52-53.
[35] Cf., sobre este género poético, Le Gentil, *op. cit.,* I, 171-179.
[36] Págs. 48-49, 54, 56-59.
[37] "Dos cartas de Fr. Íñigo de Mendoza a los Reyes Católicos", en *AIA,*
1917, págs. 459-463. Corrijo errores evidentes.

y conoçer que en invierno de tan áspera tormenta vna golodrina de mi mano no hiziera verano, y también considerando la discriçión, coraçón y devoçión de vuestra muy católica Alteza creya y creo que luego que fue primera furia de la tormenta, nuestro Señor mandó sosegar los vientos y la mar y fue fecha en la Real ánima de vuestra Alteza tranquilidad grande; mas porque la pregunta de vuestra Magestad de mi escriuir paresçe mandarme escreuir, suplicando por el perdón de mi atrevimiento, envío a vuestra Esçelençia el memorial siguiente:

Cristianísima Reyna:

Acuérdese vuestra Real Magestad que cuando naçieron estos pedaços de vuestras Reales entrañas, cuya muerte es la cabsa del dolor, que los parió mortales y para morir y por esto si su morir se deue llorar, de su naçimiento se deuiera començar y continuar pues que naçieron para morir y en naçiendo lo començaron y continuaron fasta que lo acabaron.

Acuérdese vuestra Alteza que no ay cosa humana que deua de ser llorada por nueva, porque a la prudencia todo lo por venir deue ser auido y tragado por pasado; y como dize Sant Bernardo vergüença es al onbre disçieto tomarle cosa alguna salteado, como no preuista y proueida, pues cosa tan sabida, tan temida, tan considerada y tantas veces reçelada no deue como nueua angustiar nueuamente a vuestra Esçelencia.

Acuérdese vuestra Alteza que, segund la verdad cristiana, los que como ellos murieron no los pierden los biuos sino por poco tiempo; y los coraçones reforçados lo poco por nada lo tienen; flaqueza grande es de coraçón no poder sojuzgar el deseo de poco tienpo. Súfrase un poco vuestro Real coraçón que prestamente los veremos, segund corremos continuo a donde están, que como nauegantes dormiendo y velando sienpre caminamos tras ellos.

Acuérdese vuestra Alteza que quien los lleuó es el que los dió, y que quando los dió no fué por más tiempo que quanto fuese su voluntad; en testigo de lo qual solemos dezir a los que tienen fijos: Dios hos los preste porque continúe el empréstido, pues no tenga vuestra Alteza sentimiento, porque lleuar lo suyo sería desagradecida al empréstido, desleal al depósito y non meresçería que le emprestase más ni que le dexase lo más enprestado.

Acuérdese vuestra Esçelencia quel que hizo esto es Dios, el qual no puede hazer cosa que no sea bien fecha; testigos desto, como dice San Crisóstomo, la bondad sin mezcla de su diuina Magestad de la qual no puede salir ál sino bien, pues de lo bien fecho no muestre ni tenga vuestra Alteza pesar, que sería grande ofensa de la razón y más de Dios.

Acuérdese vuestra Alteza que muchos y mucho grandes y mucho continuados beneficios, fauores, vitorias y prosperidades ha resçibido de la mano que agora castiga, los cuales como cauallo zaíno serían mal señalados sino touiesen

alguna señal de castigo consigo, segund dizen los albéitares de la Theología;
pues de la buena señal no tenga vuestra Exçelencia dolor, que sería grande
auergonçamiento de su Real conosçimiento no le paresçer buena señal vn castigo entre tantos benefiçios.

Acuérdese vuestra Alteza de las ofensas que ha fecho y haze a Dios dellas
por la ocasión de su grandeza Real dellas, por la flaqueza de nuestra humanidad, y aya alegría de pagarlas en la tierra e no en la otra vida, pues tan
yncomparable diferencia tienen entre sy estas dos pagas que, como dice Sant
Gregorio: Plazer reçibirá con las penas el que tiene puestos los ojos en
culpas y no les puede llamar castigos sino benefiçios; quel padre al hijo que
ama castiga.

Acuérdese vuestra Exçelencia que los que al partir cabsaron tanta tristeza
están ya puestos en el puerto de tanta seguridad que no tiene[n] posibilidad
de peligro ni de daño, y que vuestra Alteza queda en la mar peligrosa desta
vida; pues desçimos sería no auer plazer de su bien y temor de vuestro mal.
Por eso aya dellos enbidia y de sy lástima y con la enbidia camine continua
y apresuradamente al dicho puerto y con la lástima del temor del peligro ansí
se guarde de los estoruos que lo estoruan que pueda llegar al dicho puerto
de nuestra bienaventurança, con el fauor de la graçia de Dios.

Entre las cosas que suplico a Vuestra Magestad que se acuerde, le suplico
que no se acuerde de mí, que por vida de vuestra Alteza, mi conçiencia, hedad
y enfermedad, no sólo tienen dificultad, mas aún ynposibilidad; por la qual
aunque vuestra Alteza me mandase seguir su Corte se perdería la hechura
por tener yo perdido el poder. Plazerá a nuestro Señor de la traer a esta su
villa, y avnque sea tan tarde que me lleuen en vn harnerelo yré a besar sus
Reales manos y allí le suplicaré lo que aquí falta.

La carta al rey dice así:

Ilustre señor y muy magnífico.

En cosa tan común a la mortalidad nuestra como el morir de lo mucho
amado, razón es que quien tanto lexos está de lo común otro tanto esté lexos
de la flaqueza común en el sentirlo; y pues el tiempo en todos desaze los
pesares, en los adelantados en virtud adelántase ella y liéuese las graçias y
quien sienpre a sus Reyes fue conforme en la voluntad por la obediençia deui-
dada (sic) diga, por aquella mesma, al Rey de todos en la oraçión: Reyna
de todas sea fecha tu voluntad en la tierra como en el çielo, y el fijo tan
cathólico de la Yglesia mire a su madre cómo cantando resçibe los muertos
y pregunte el por qué y ponga la respuesta en el dolor y amansársele a.

No tengo atreuimiento, yllustre señor, para dezir más a vuestra Señoría porque escreuer yo a tan gran señor, en tan grand dolor, es atreuida presunción y porque los dolores largos quieren las cosas breves. Abreuie Dios las tristezas y alargue el alegría y la vida de vuestra yllustre Señoría con mucho fauor en quanto hiziere. Amén.
Illustre Señor.
Las manos besa de V. Señoría.
Fray Yñigo de Mendoça.

LAS "COPLAS DE MINGO REVULGO"

En el ms. Egerton-939 del British Museum [38], donde aparece el texto de la *Vita Christi* en su primera versión, incompleta [39], se contienen también las conocidas *Coplas de Mingo Revulgo,* encabezadas con este epígrafe: *Bucólica que fizo un frayle.* Esta interesante referencia me ha servido, teniendo en cuenta todo lo que ahora sabemos de la vida, la obra y la ideología de Fr. Iñigo de Mendoza, para establecer alguna relación entre la dicha sátira y el franciscano, si bien sujeta a discusión, pues no poseo suficientes elementos demostrativos para afirmar rotundamente que sea el fraile Mendoza el autor de las *Coplas de Mingo Revulgo.* Me limito, pues, a lanzar una sugerencia que creo tiene bastantes posibilidades de certeza. Remito al lector a mi trabajo, ya citado, "Sobre el autor de las *Coplas de Mingo Revulgo",* en *Homenaje a Rodríguez Moñino,* II, Madrid, 1966, páginas 131-142.

---

[38] Cf. su descripción y contenido en el cap. III, págs. 86-87.
[39] *Ibid.,* págs. 181 y ss.

CAPÍTULO III

TEXTOS Y VERSIONES DE LA *VITA CHRISTI*

En la siguiente clasificación doy por supuesta y demostrada la existencia de tres versiones de la *Vita Christi*, representando cada una de ellas un diferente estado de la evolución del texto, que culmina definitivamente con la impresión del poema en 1482. Reservo para la última parte de este capítulo el estudio de las relaciones entre manuscritos y ediciones, tratando allí de establecer la secuencia que entre ellos existe y limitándome en las siguientes líneas a la descripción de los códices.

a. — *Vita Christi trobado por fray Iñigo de Mendoza a ruego de doña Juana de Cartagena su madre.*

En el *Cancionero de Oñate-Castañeda*, que según Francisco R. de Uhagón [1], "forma un abultado volumen encuadernado en pergamino de 437 hojas foliadas en los márgenes inferiores. Todo el códice está escrito en letra del siglo xv sin adornos capitales de color ni más tinta que la negra; hállase en perfecto estado hasta el folio 385. De aquí hasta el 422 la tinta ha corroído el papel, faltándole en algunas pági-

---

[1] *Un cancionero del siglo XV con varias poesías inéditas,* Madrid, 1902, página 2.

nas trozos enteros". Cf. también Benítez Claros[2], Aubrun[3] y Francisca Vendrell de Millás[4].

Durante algún tiempo se creyó perdido este Cancionero, hasta que apareció a la venta en pública subasta celebrada en Londres hace muy pocos años. Su actual poseedor es el profesor Edwin Binney, de la Universidad de Harvard, quien se ha negado, como señalo en la nota preliminar, a permitirme su estudio. El texto de la *Vita Christi* contenido en este Cancionero corresponde a la primera versión, según me aseguran los profesores Dorothy Severin y Keith Whinnom, con una serie de novedades con respecto a a1 y a2, y que pueden resumirse así :

— es un texto completo de la versión original de la *Vita Christi*, incluyendo, por lo tanto, las estrofas contra la nobleza, conocidas hasta ahora únicamente mediante a1. Estas estrofas aparecen en su lugar, no añadidas al final del poema, como en el manuscrito de París.

— siempre se ha dicho que la *Vita Christi* terminaba, bruscamente, en la degollación de los inocentes. Aquí aparecen, por vez primera, catorce estrofas finales con que el poema se cierra lógica y adecuadamente.

— en el episodio de los inocentes, al final del poema, no hay contaminación con las estrofas anteriores contra Herodes, que aparecen también en su correspondiente lugar.

— hay, naturalmente, variantes menores, coplas alternadas o en orden diferente, etc.

Como puede apreciarse, nos encontramos ante un texto básico, que, lamentablemente, no he podido utilizar. El códice Oñate-Castañeda contiene también las *Coplas a la Veronica* de Mendoza, según parece en una versión distinta a la conocida habitualmente, como señalo en el capítulo anterior.

---

[2] Prólogo a su edición del *Cancionero de Ramón de Llavia*, Madrid, 1945, página XV.

[3] "Inventaire des sources pour l'étude de la poésie castillane au XVème siècle", en *Estudios dedicados a Menéndez Pidal*, IV, Madrid, 1953, pág. 309.

[4] "Los cancioneros del siglo XV", en *Historia General de las Literaturas Hispánicas*, dirigida por G. Díaz-Plaja, II, Barcelona, 1951, pág. 67.

a1. — *Vita Christi trobada por frayle Enyeguo Llopez de Mendo-ça frayle menor de la observança, a pedimento de duenya Joana de Cartagena madre suya.*

B. N. de París, Esp.-305, antiguo 8165, fols. 118-196. En cuarto, letra de fines del siglo XV o principios del XVI. Contiene, además, las siguientes obras en catalán: *Libre apellat sompni den Bernat Metge,* folios 3-97; *Obres de mosen Pere Torrellas,* fols. 98-105; *Lo cronis-ta del senyor princep don Fernando per Barcelona,* fols. 105v-109v, y seis "letras de amor", fols. 114-116. En el fol. 2, una tabla del contenido, en italiano, y en 117v., un dibujo con un sol poniente y la leyenda LEIOVR SENVA. Para más detalles, cf. A. Morel-Fatio [5], así como la referencia de Ch. V. Aubrun [6]. Quien dio por primera vez la noticia de la existencia de este manuscrito fue J. M. Guardia [7].

a2. — *Vita Christi trobado a pedimento de doña Juana de Carta-gena conpuesto por un frayle menor de observançia.*

British Museum, ms. Eg.-939 [8]. El Cancionero en que se conserva este texto de Londres corresponde al Z de la clasificación de Mussa-fia [9] y consta de 122 fols. en cuarto, también con letra de fines del siglo XV o principios del XVI. La obra de Fr. Íñigo se halla en los fols. 59-73; del 73 al 83 hay una "Oracion en nombre de doña Juana de Cartagena" que forma parte del contexto de la *Vita Christi,* pues corresponde a la "Oracion en fin de la Circuncision" (c. 198). El contenido del códice es el siguiente: dos epístolas en prosa, fo-lios 1-10v; *Regimiento de príncipes,* de Gómez Manrique, fols. 10v-

---

[5] *Catalogue des mss. espagnols et des mss. portugais de la Bibliothèque Nationale de Paris,* París, 1892, págs. 238-239, núm. 623.

[6] "Inventaire des sources pour l'étude de la poésie castillane au XVème siècle", en *Estudios dedicados a Menéndez Pidal,* IV, Madrid, 1953, pág. 313.

[7] En *Le songe de Bernat Metge,* París, 1889, págs. 307-309. Posteriormen-te y también a propósito de Metge, P. Bohigas, en *Estudis Universitaris Ca-talans,* 1930, núm. 117, y M. de Riquer, ed. cit., pág. 201.

[8] Procedente de la colección Mayans, fue adquirido por el barón de Farn-borough en 1829 por la suma de siete guineas y posteriormente por el librero Egerton, pasando después al British Museum.

[9] *Per la bibliografia dei "Cancioneros" spagnuoli.* En *Denkschriften der kai-serlichen Akademie der Wissenschaften.* Philologische-historische Klasse, XLVII, Viena, 1900, págs. 1-24.

16v; las *Coplas a la muerte de su padre*, de J. Manrique, fols. 17-20v; *Muerte y Pasión en la Santa Vera Cruz*, fols. 21-26; *Para los devotos cristianos que están en la batalla espiritual*, fols. 26v-28; *Sobre el cantar que dice, Dime señora, si me fuera desta tierra, si te acordaras de mí*, fol. 28v; diversos himnos religiosos a maitines, laudes, tercia, sexta, nona, vísperas y completas, fols. 29-32v; dos cartas de asunto religioso y moral, fols. 33-41v; *Obra y amonestación que fizo un autor de Aviñó*, fols. 42-43v; *Bucólica que fizo un frayle*, folios 43v-46v[10]; *Tratado en prosa*, aforismos y comentarios bíblicos y clásicos, fols. 47-53; *Gomez Manrique a Diego Arias Davila, contador mayor del rey*, fols. 53v-54; *De los más el más perfecto*, folio 54v; *Vita Christi*, fols. 59-82v; F. Pérez de Guzmán, *Diversas virtudes, avisos y proverbios rimados... a Alvar García de Santa María*, folios 83-101v; Montoro, varias, fols. 102-115v; Juan de Mena, *Siete pecados mortales*, fols. 116-120v; continuación de Gómez Manrique, folios 120-122.

H. R. Lang sugiere una relación entre este Cancionero y el llamado de la Colombina, lo cual es evidente en lo que se refiere a las obras de Montoro y a los *Siete pecados mortales*, de Mena[11]. Para una descripción completa, cf. Gayangos[12].

23. — *Vita Christi en coplas.*

Dámaso Alonso posee "anotadas las curiosas variantes de la *Vita Christi en coplas* según un manuscrito del siglo XV en las cuales la reprobación de los vicios, característica de este poema, se hace nombrando expresamente como personajes del momento al rey don Enrique, al duque [de Alburquerque] y a otros magnates del período anterior a 1474"[13]. Estos mismos datos fueron comunicados por Dá-

---

[10] Cf. sobre esto mi artículo "Sobre el autor de las *Coplas de Mingo Revulgo*", ya citado.

[11] "The Cancionero de la Colombina at Seville", en *Transactions of the Connecticut Academy of Arts and Sciences*, 1909, págs. 87-108. De ello se hacen eco H. Serís, *Manual de bibliografía de la literatura española*, I, Syracuse, 1948, núm. 2218, pág. 245, y Ch. V. Aubrun, *art. cit.*, pág. 310, los cuales indican, erróneamente, que la letra del ms. Egerton es del siglo XVIII.

[12] *Catalogue*, I, class. II, págs. 11-14.

[13] *La fragmentación fonética*, *loc. cit.*

maso Alonso a Iole Ruggieri [14] y a mí mismo, que he tenido ocasión, gracias a la amabilidad de su poseedor, de consultar las citadas notas fragmentariamente. Sin embargo, no he podido hasta el momento estudiar el ms. original, en poder, según parece, del Sr. Eugenio Montes, el cual no me ha permitido consultar dicho códice.

b1. — *Comiença la vida de nuestro redemptor ihesu christo en estillo metrico conpuesta por un frayre menor de observancia a pedimento de dona juana de cartajena.*

Bib. del Real Monasterio de El Escorial, K-III-7. Descrito totalmente por Julián Zarco [15] y K. Whinnom [16]. Anoto aquí lo más relevante para mi trabajo: letra elegantísima de fines del siglo XV o principios del XVI, a plana entera y dos columnas en cuarto, con 233 hojas de papel foliado modernamente. En el fol. 1 se lee: "De la librería de S. Hjmo de Sala", en letra del siglo XVII. La *Vita Christi* ocupa los fols. 1-97 y, como hemos de ver, es una versión que difiere tanto de la primitiva de los mss. anteriormente citados como de la corrientemente impresa. Contiene, asimismo, las siguientes obras: *Sermon trobado,* fols. 98-111v; *Coplas en vituperio de las malas hembras,* fols. 112-116 bis v; *Coplas en que se declara como es reparada nuestra Castilla,* fols. 117 y 124v-145v; *Razon y Sensualidad* (sin título), fols. 117-120v; *Los gozos de Nuestra Señora* (sin título), fols. 121-124; *La Cena que nuestro señor hizo con sus discipulos...,* fols. 124-124v [17]; *Dechado a la Reyna doña Ysabel,* fols. 146-156v, también de Fr. Íñigo; *Coplas contra los pecados mortales,* de Juan de Mena, continuadas por Gómez Manrique, fols. 157-213v; *Pregunta de Sancho de Rojas a un aragonés,* fols. 213-214; *Coplas sobre qué es el amor,* de Jorge Manrique, fols. 214-215;

    14 *Poeti del tempo dei Re Cattolici,* Roma, 1955, págs. 6-25.
    15 *Catálogo de los mss. castellanos de la Real Bib. de El Escorial,* II, Madrid, 1926, págs. 175-184. Cf. también la recensión de Fr. A. López en *AIA,* 1927, págs. 254-255.
    16 "Ms. Escurialense K-III-7: el llamado Cancionero de Fr. Íñigo de Mendoza", ya citado.
    17 Todas estas obras son de Fr. Íñigo; las cuatro últimas aparecen mezcladas en gran confusión, y, de ellas, las tres finales están incompletas (cf. capítulo II y K. Whinnom, *art. cit.*).

Coplas a la muerte de... su padre, de Jorge Manrique, fols. 215v-229; otra copia de las *Coplas en vituperio de las malas hembras,* de Fr. Íñigo, fols. 229v-231v. Por último, encuadernado en el códice, se encuentra al final del mismo lo siguiente, ahora impreso: *Repertorio de los tiempos de Andrés de Li, çibdadano de Çaragoça; De la muy noble arte e sciencia de astrología por Bernardo de Granollachs; Coplas... a reverencia del nacimiento de... Cristo,* de Fr. Ambrosio Montesino, incompletas, y *Estas coplas son de arte mayor: con pena y cuydado continuo guerreo.* (Cf. también Amador [18], Gallardo [19], Menéndez Pelayo [20] y Aubrun [21].)

Vita Christi

En el llamado *Cancionero de Vindel,* por haber pertenecido a este bibliófilo. Se conserva hoy en la Biblioteca de la Hispanic Society de Nueva York bajo el título general de *Cancionero Castellano del siglo XV.* Es un códice del XV con 312 hojas numeradas a lápiz modernamente y un total de ochenta y tres piezas, realizado por cuatro escribas diferentes, "copistes catalans sachant fort peu le castillan à en juger par la graphie presque constamment catalanisée et par les fréquentes ininteligences des textes du cancionero" [22]. Su contenido —semejante al de los Cancioneros de Stúñiga y Roma— es el siguiente (resumido): *Vita Christi,* de Fr. Íñigo de Mendoza, fols. 1-20 (solamente setenta y una estrofas); *Infierno de amadores,* atribuido en el códice a Mena, aunque es de Santillana, fol. 21; *Razonamiento con la muerte,* de Mena, fol. 44; *Canción,* del conde de Benavente, folio 50; *Los siete pecados mortales,* de Mena, continuado por Gómez Manrique, fol. 51; *Por la viuda de Ribas,* de Mosén Avinyó, fol. 101; *Glosa,* de Lope de Urrea, fol. 103; *Letra,* de Gómez Manrique, folio 108; *Canción,* de Forcén, fol. 109; *Canción,* de Juan de Luna, folio 109; varios, fols. 109-114; *Doctrinal de privados,* del marqués

---

[18] *Historia Crítica de la Literatura Española,* VII, pág. 241.
[19] *Ensayo,* núm. 3047, col. 760.
[20] *Antología,* pág. 46.
[21] *Inventaire,* pág. 313.
[22] R. Foulché-Delbosc, "Deux chansonniers du XVème siècle", en *RH,* 1903, pág. 321.

de Santillana, fol. 114; varios, fols. 131-156; *El mal dezir de las mugeres*, de Mosén Pere de Torrellas, fol. 160; *Defensa de las mugeres*, del Ropero, fol. 162; varios, fols. 162-199; *Los siete gozos d'amor*, de Rodríguez del Padrón, fol. 201; *La coronación del marqués de Santillana*, de Mena, fol. 207; varios, fols. 220-248; *Obra fecha por frayre Yego Lopis de Mandoça en la qual descrive qué cosa es el mundo en siete coblas muy cientifichas he de grande sentencia*, que corresponde a las coplas 307-313 de la *Vita Christi*, folio 249; varios, fols. 253-277; *Comedieta de Ponza*, del marqués de Santillana, fol. 280; varios, fols. 309-311.

Son textos bastante estragados; el primer verso de la *Vita Christi* aparece ya errado: "O claro sol diuinal"; se incluyen como obra independiente y aparte las indicadas siete coplas que comienzan en el folio 249, que son, precisamente, aquellas con las que empieza el episodio de la huida a Egipto en el poema citado. La copla con la que termina el texto es la 136, lo que demuestra una vez más el confusionismo del mismo. Carece de títulos y omite e inserta coplas en relación a A, presentando variantes de menor importancia [23]. Para una descripción completa del códice, cf. Foulché-Delbosc [24].

La vida de Nuestro Señor Jesucristo en estilo métrico compuesto por fray Íñigo de Mendoza, fraile de la observancia de San Francisco a pedimento de doña Juana de Cartagena.

Conservado hasta hace pocos años en la Biblioteca del Palacio Real de Madrid (VIII-A-3a), forma hoy parte de los fondos de la Biblioteca de la Universidad de Salamanca, signatura II-593. Corresponde al ms. X-4 de la clasificación de Mussafia [25].

Además de la *Vita Christi*, el contenido es el siguiente, de asunto casi totalmente religioso (excepto los *Claros varones*, de Pérez de Guzmán):

[23] A. Rodríguez-Moñino y María Brey Mariño, *Catálogo de los manuscritos poéticos castellanos existentes en la biblioteca de The Hispanic Society of America (siglos XV, XVI y XVII)*, I, Nueva York, 1965, núm. VI, páginas 42-48. En tomo III, Nueva York, 1966, pág. 209, figura el segundo fragmento entre las obras del Marqués de Santillana.
[24] *Art. cit.*, págs. 321-348. Cf. también, Aubrun, *art. cit.*, pág. 315.
[25] *Op. cit., loc. cit.*

— Verónica (97 coplas).

— Pérez de Guzmán: *Diversas virtudes e ybnos rimados a loores divinos enbiados al muy bueno e discreto Alvar de Santa María...*

— *Síguense los cient trinados al loor de Nuestra Señora.*

— *Ibnos a los santos.*

— *Las cuatro virtudes cardinales al onorable e noble señor marqués de Santillana.*

— *Los loores de los claros varones de España que... fizo Fernán Pérez de Guzmán.*

— *Coplas que hizo el comendador Román reprehendiendo al mundo y de los siete gozos de amor y de los siete cuchillos de dolor de Nuestra Señora.*

— *Coplas de la cena y pasión de Nuestro Señor hechas por el comendador Román.*

— *La passión hecha por mandado de los Reyes nuestros Señores.*

— *La resurrección de Nuestro Salvador hecha por el comendador Román.*

— *Revelación que fue mostrada a Lope de Salazar por un ángel.*

(Cf. marqués de Pidal [26] y Le Gentil [27].)

Vita Christi fecho por coplas a peticion de la muy virtuosa señora doña Juana de Cartagena.

En el ms. 3757, tomo III del *Cancionero del siglo XV*, que abarca once volúmenes y que se conserva en la Biblioteca Nacional de Madrid, incluyendo toda clase de composiciones de dicho siglo; es un cancionero de cancioneros, copia de otro texto de la "Biblioteca de Cámara del Rei". En cuarto, las *Coplas de Vita Christi* abarcan los folios 256-375v, y a ellas sigue inmediatamente el *Sermon trobado*, dedicado por Fr. Íñigo a Fernando el Católico (fols. 377-395), al final del cual señala una nota: "fecha en Zamora" el 25 de enero de 1482, y "está copiada de un códice impreso que se halla en la Real Biblioteca, núm. 214-6", lo cual indica, asimismo, claramente la procedencia de este texto de la *Vita Christi*. Al final de las también incluidas *Coplas... a la Veronica* (fol. 434), otra nota dice, en cambio: "Del cancionero manuscrito de fr. Yñigo de Mendoza de la Biblioteca de Cámara del Rey" [28]. En el fol. 207 del tomo V de esta serie,

---

[26] Introd. al *Cancionero de Baena*, Madrid, 1851, pág. LXXXVII.
[27] *La poésie lyrique*, I, pág. 18.
[28] Cf. cap. II.

ms. 3759, se inserta otra indicación, ahora sobre la existencia de la colección, compilada en 1807: con autorización real, Martín Fernández Navarrete, Manuel Abellá y Francisco Antonio González extraen de la Biblioteca de Palacio los códices necesarios para la realización de tal trabajo.

Cancionero del obispo ¿Carvajal? o de Guadalupe.

Citado en el *Índice* de Barrantes [29]; hoy perdido, pues Rodríguez-Moñino no lo encontró ya en 1933 en los fondos del monasterio de Guadalupe, a cuya biblioteca donó su colección el erudito extremeño.

Tenía 360 hojas con letra del s. XVI y contenía obras de Fr. Íñigo de Mendoza, Alonso de Cartagena, Juan de Mena, Pérez de Guzmán, Juan del Encina, Diego de Valencia, Alfonso de Toledo, Santillana, Juan Agraz, Lope de Estúñiga..., así como las *Coplas de Mingo Revulgo*, los *Proverbios* del Rabí Sem Tob y la *Summa de todos los reyes gotos*.

No consta qué obras de Fr. Íñigo aparecían en el códice, pero podemos suponer que no faltarían las *Coplas de Vita Christi*, el poema más famoso del franciscano, tan fácil de hallar en otros cancioneros de composición semejante. (Cf. Francisca Vendrell de Millás [30] y Ch. V. Aubrun [31].)

En el ms. 4114 de la Biblioteca Nacional de Madrid, fols. 450-450v., aparecen tres coplas encabezadas con el título *Del mismo [Fr. Íñigo] sobre que algunos escudriñan la fee,* que no son sino un pequeño fragmento de la *Vita Christi* correspondiente a las coplas 52-54, pero que, con todo, presenta variantes de importancia. Cf. H. R. Lang [32].

---

[29] Vicente Barrantes, *Índice de la biblioteca extremeña de don...*, Madrid, 1881, pág. 118.

[30] *La corte literaria de Alfonso V*, Madrid, 1934, pág. 37.

[31] *Art. cit.*, págs. 316-317.

[32] "The So-called Cancionero de Pero Guillén de Segovia", en *RH*, 1908, página 70.

Finalmente, conviene aclarar una confusión que podría dar origen a nuevas equivocaciones. Cantera Burgos[33] habla de "dos manuscritos" que de la *Vita Christi* existen en la biblioteca escurialense, K-III-7 y X-II-17. Naturalmente, este segundo no es tal manuscrito, sino que se trata de la edición de las coplas hecha por P. Hurus y H. Planck en Zaragoza, 1482?[34], encuadernada juntamente con un códice de *Las siete partidas del mundo*[35].

EDICIONES

Como he advertido más arriba, explicaré al final de este capítulo las relaciones existentes entre los mss. de la *Vita Christi* y entre los mss. e impresos de la misma. Anoto aquí únicamente la descripción de las ediciones del poema de Fr. Íñigo de Mendoza, siguiendo muy de cerca los trabajos ya citados de A. Pérez Gómez[36] y K. Whinnom[37], que han aclarado definitiva y satisfactoriamente las confusiones que en torno a la secuencia de aquéllas dificultaba el estudio de este asunto.

A *Vita Christi fecho por coplas por fray ȳñigo de mēdoça a petiçion dela muy v'tuosa señora dona iuana de cartagena*. Al fin: "Fecha en çamora a veynte y cinco de henero de lxxxij. Centenera".

Solamente se conserva un ejemplar de esta edición, hoy en la Biblioteca Nacional de Madrid, I-1290, que ha sido utilizado para la facsímil de la Real Academia Española, Madrid, 1953, de la que hablaré en su correspondiente lugar. Es libro en cuarto gótico, sin reclamos ni foliación, pero con signatura de minúsculas *a-e*, de a ocho hojas, excepto la *e*, que es de a seis; tiene, en total, 78 hojas con texto a dos columnas. Las *Coplas de Vita Christi* alcanzan hasta la

---

[33] *Op. cit.*, pág. 564.

[34] Cf. más abajo, págs. 94-95.

[35] Insisto, para lo referente a los mss. de la *Vita Christi*, en la aparición de a; cf. págs. 84-85.

[36] "Notas para la bibliografía de Fr. Íñigo de Mendoza y de Jorge Manrique", ya citado.

[37] "The Printed Editions and the Text of the Works of Fr. Íñigo de Mendoza", ya citado.

página eiii, incluyéndose a continuación el *Sermon trobado* de Mendoza [38]. Falta el fol. ei. Consúltese Méndez [39], Haebler [40], Brunet [41],
Palau [42], Menéndez Pelayo [43], García Rojo [44], Benítez Claros [45] y Aubrun [46], si bien las opiniones de estos bibliófilos y críticos han sido
puestas al día en los artículos citados de Pérez Gómez y K. Whinnom.

B   *Vita Christi fecho por coplas por frey iñigo de mendoça a peti-
    çiō dela muy virtuosa señora dona juana de Cartajena.* Zaragoza,
    P. Hurus y H. Planck, 1482?

Existen dos ejemplares de esta edición, uno en la Biblioteca del
Real Monasterio de El Escorial, signatura X-II-17, y otro, descubierto
recientemente por Eugenio Asensio, en la Biblioteca Communale de
Palermo, en dos partes. Es libro gótico sin lugar ni año, foliatura ni
reclamos, pero con signaturas de a ocho hojas hasta la F; lo forman
52 fols. en total. Las coplas de *Vita Christi* llegan hasta el 35, Eiij.
La mayoría de los críticos y bibliófilos identificaban este libro como
impreso en Zaragoza por Turrecremata; así, Amador [47], Gallardo [48],
P. Benigno Fernández [49], J. M. Sánchez [50], Lambert [51], Cejador [52], Me-

---

[38] Salvá (*Catálogo de la biblioteca...*, I, Valencia, 1872, núm. 182, página 94) y Gallardo (*Ensayo*, III, núm. 3042, col. 746) citan otro ejemplar de
A que incluía también el *Regimiento de Príncipes* de Gómez Manrique.

[39] *Typographia española o Historia de la introducción, propagación y progreso del arte de la imprenta en España*, I, Madrid, 1796, pág. 264.

[40] *Tipografía ibérica del s. XV*, I, Leipzig, 1904, núm. 420, pág. 198.

[41] *Manuel du libraire et du amateur des livres*, III, Berlín, 1921, número
163762, col. 1021.

[42] *Manual del librero hispano-americano*, IV, Barcelona, 1926, pág. 268.

[43] *Antología*, pág. 45.

[44] D. García Rojo y G. Ortiz, *Catálogo de incunables de la Biblioteca Nacional de Madrid*, Madrid, 1945, núm. 1290, pág. 332.

[45] Ed. *Cancionero de Ramón de Llavia*, Madrid, 1945, pág. XIII.

[46] *Art. cit.*, págs. 326-327.

[47] *Loc. cit.*

[48] *Op. cit.*, III, Madrid, 1888, núm. 3043, col. 748.

[49] "Real Biblioteca de El Escorial (Notas y comunicaciones)", en *La Ciudad
de Dios*, 1901, núm. 9, págs. 22-23.

[50] *Biblioteca zaragozana del s. XV*, Madrid, 1908, núm. 9, págs. 22-23.

[51] "Les origines de l'imprimerie à Saragosse", en *RABM*, 1915, pág. 31.

[52] *Historia de la lengua y literatura castellana*, I, Madrid, 1927, página 154.

néndez Pelayo [53], A. Cortina [54] y Benítez Claros [55]. Vindel piensa también que está impreso en Zaragoza, pero en el taller de Planck o Blanco [56]. Solamente Haebler, acercándose más a la verdad, creía que estábamos ante una edición posterior a A [57]. En él se contiene también el *Sermon trobado* de Fr. Íñigo, las *Coplas* o *Dezir de don Jorge Manrique por la muerte de su padre* y el *Regimiento de príncipes* de Gómez Manrique con la dedicatoria en prosa. Es una reimpresión muy cuidada de A, que incluye las estrofas contenidas en el folio Ei perdido de la primera edición, aunque, por su parte, B también está incompleto, pues falta el fol. B3.

C *Uita Christi fecho por coplas por frey yñigo de mēdoça a peticiō dela muy uirtuosa señora doña juana de Cartagena,* Zamora, Centenera, 1483-1484?

Edición de la que se conservan cuatro ejemplares: Biblioteca Nacional de Madrid, I-1291; Escorial. 38-I-27; British Museum, ID-52920; el cuarto, de propiedad particular. Es libro en folio, de letra gótica a dos columnas, con 89 hojas signadas, sin reclamos ni foliatura. No lleva título; la plana de la portada está en blanco y a la vuelta comienza la "tabla". Las signaturas son de letra minúscula, de a ocho hojas, y llegan hasta la *Vita Christi,* con la que se abre el contenido del incunable, hasta el fol. D6v.

Cf. descripciones y comentarios —las más de las veces erróneos, corregidos por los citados Pérez Gómez y Whinnom— en Salvá [58], Gallardo [59], Heredia [60], Haebler [61], Fernández [62], Palau [63], García Rojo [64],

[53] *Loc. cit.*
[54] Prólogo ed. *Cancionero* de J. Manrique, CC, Madrid, 1929, pág. 84.
[55] Ed. *Cancionero de Ramón de Llavia,* pág. XII.
[56] *El Arte Tipográfico en España durante el s. XV,* IV, Madrid, 1949, número 16.
[57] *Op. cit.,* núm. 421, pág. 199.
[58] *Loc. cit.*
[59] *Op. cit.,* núms. 3044 y 3045, col. 754.
[60] *Catalogue de la Bibliothèque,* II, París, 1891-1894, núm. 1643, páginas 59-60.
[61] *Op. cit.,* núm. 422, pág. 200.
[62] *Art. cit.,* págs. 56-60.
[63] *Loc. cit.*
[64] *Op. cit.,* núm. 1291, pág. 332.

Menéndez Pelayo [65], Cortina [66], Benítez Claros [67], Vindel [68] y Rodríguez-Moñino [69]. La edición contiene (además de la *Vita Christi*) *Sermon trobado; Coplas... en vituperio de las malas hembras...; Coplas...
en que declara como... es reparada nuestra Castilla; Dechado...;
...Razon y Sensualidad; Los gozos de Nuestra Señora; Coplas... en que
pone la cena...; Coplas a la Veronica y Coplas al Spiritu Sancto,* todo
de Fr. Iñigo de Mendoza; las *Coplas a la muerte de su padre,* de
Jorge Manrique; la *Lamentacion a la quinta angustia,* cf. cap. II, página 68; *Coplas contra los pecados mortales,* de Juan de Mena, con
la continuación de Gómez Manrique; pregunta de Sancho de Rojas
a un aragones sobre el amor y *Coplas sobre que es amor,* de Jorge
Manrique. Son los textos utilizados para la edición de Foulché-Delbosc, de que luego hablaré.

Amador de los Ríos [70] da el título de *Cancionero de fray Iñigo de
Mendoza* a otra supuesta edición de Toledo, Juan Vázquez, antes de
1492, que contiene todo lo citado en C más la *Pasión de Cristo* del
comendador Román. Estaríamos, pues, ante una nueva edición de las
obras de Mendoza. Sin embargo, el P. Fernández ha echado abajo tal
posibilidad al señalar acertadamente que los versos del comendador
Román pertenecen a otro texto, si bien están encuadernados en el
cuerpo del libro visto por Amador, pues "a pesar de la cierta semejanza en el papel y tipo, constituyen libro totalmente diferente del
anterior" [71].

---

[65] *Loc. cit.*
[66] *Loc. cit.*
[67] *Loc. cit.*
[68] *Loc. cit.*
[69] Edición facsímil del *Cancionero General,* ya cit., pág. 13.
[70] *Op. cit.,* VII, pág. 240.
[71] *Loc. cit.* A Amador le siguen Menéndez Pelayo (*loc. cit.*), Benítez Claros (*op. cit.,* pág. XIII), González Amezúa (en su prefacio a la ed. facs. de
la *Vita Christi,* Zamora, 1482, Madrid, 1953). Al P. Fernández le siguen
Pérez Gómez (*art. cit.,* pág. 37) y K. Whinnom (*art. cit.,* pág. 138). Lo impreso en Toledo por Juan Vázquez son las *Coplas de la pasión de Christo.*

D1 *Cancionero de varias coplas devotas. Coplas de Vita Christi...*

Al fin: "Fue la presente obra emprentada en la insigne ciudad de Zaragoza de Aragō por industria de Paulo Hurus de constancia aleman. A xxvij dias de noviembre de Mccccxcij,".

Infolio gótico hoy perdido, descrito inicialmente por Méndez a través de noticias indirectas, según un ejemplar que perteneció a Jovellanos [72]; los restantes bibliófilos se limitan a copiar a Méndez [73]. El contenido de esta edición es (además de la *Vita Christi*) ...*la Cena,* de Fr. Íñigo; *Coplas de la passion de nuestro Redentor,* de Diego de San Pedro; ...*a la Veronica,* de Fr. Íñigo; *La Resurrecion de nuestro señor Jhesu Christo,* de Pero Ximénes; *Las siete angustias de Nuestra Señora,* de Diego de San Pedro; *Los siete gozos de Nuestra Señora,* de Fr. Íñigo; las *Coplas en loor de Nuestra Señora,* de Ervías; las *Coplas sobre el Ave Maris Stella,* de Juan Guillardón [74]; *Historia de la sacratissima Virgen Maria del Pilar de Çaragoça,* de Medina; las *Coplas de los siete pecados mortales,* de Mena, continuadas por Gómez Manrique; *La obra de los diez mandamientos e de los siete pecados mortales con las virtudes contrarias y las catorce obras de misericordia temporales y espirituales,* de Fr. Juan de Ciudad Rodrigo; la *Justa de la Razon contra la Sensualidad,* de Fr. Íñigo; las *Coplas por la muerte de su padre,* de Jorge Manrique, y el *Dezir gracioso e sotil de la muerte,* de Pérez de Guzmán.

La aparición de esta antología religiosa temáticamente organizada en orden lógico —reimpresa en 1495—, y el gran número de obras del fraile Mendoza en ella incluidas, hizo escribir a Méndez que "puede sospecharse con algún fundamento" [75] que fuera su compilador el propio franciscano. Lo duda, aunque lo considera probable,

---

[72] *Op. cit.,* I, núm. 12, págs. 134-137.

[73] Cf., por ej., J. Borao (*La imprenta en Zaragoza,* Zaragoza, 1860, página 23); Amador (*op. cit.,* pág. 241); Salvá (*op. cit.,* I, núm. 186, página 96), etcétera.

[74] Méndez no cita en su lista de obras contenidas en D1 la de Guillardón, pero aparece, desde luego, en D2, reimpresión de éste que nos ocupa, y, como señala K. Whinnom (*art. cit.,* pág. 141), el mismo Méndez se refiere (página 136) a "las quince obritas comprehendidas en este Cancionero".

[75] *Loc. cit.*

Rodríguez-Moñino [76], y lo niega, creo que con muy buen acuerdo, K. Whinnom [77], que piensa como posible colector en el impresor de la obra, Paulo Hurus.

D2   *Cancionero de varias coplas deuotas. Coplas de Vita Christi...*

Al fin: "Fue la presente obra emprentada en la insigne ciudad de Çarragoça de arragõ por industria e expensas de Paulo hurus de Constancia aleman. A x dias de octobre. Mccccxcv".

Se conserva únicamente un ejemplar, en la Biblioteca Alejandrina de Roma, signatura Inc. 382, que ha sido reproducido en facsímil por A. Pérez Gómez en 1962 (cf. más abajo). Infolio, elegantemente impreso, foliado cuidadosamente, está adornado con hermosos grabados en madera, pero hoy carece de título, citado por Méndez [78]. Su contenido es exactamente el mismo que el de D1, comenzando también con la *Vita Christi* (fols. A2-31). Fue anotado ya por Nicolás Antonio [79] y descrito por el abate Diosdado Caballero [80]. Cf. también J. M. Sánchez [81], Haebler [83], Palau [84], Benítez Claros [85] y Vindel [86].

E1   *(Vita Christi).*

Sevilla, Meinard, Ungut y Estanislao Polono, 1499. Edición citada por Palau [87] y Vindel [88], que no se encuentra en ninguna biblioteca asequible, sino indudablemente en alguna colección particular. Infolio. Desde que fue visto por Vindel en una librería de Barcelona, no se tienen ya más noticias del ejemplar conocido.

---

76   Ed. cit. *Cancionero General*, introducción, pág. 14.
77   *Art. cit.*, pág. 143.
78   *Op. cit.*, I, núm. 18, pág. 142.
79   *Bibliotheca Hispana Nova*, I, Madrid, 1783, págs. 360-361.
80   *De Prima Typographiae aetate specimen*, Roma, 1793, núm. CLI, páginas 556-557.
81   *Op. cit.*, núm. 50, págs. 113-114.
82   *Op. cit.*, I, col. 1531.
83   *Op. cit.*, núm. 424, págs. 134 y ss.
84   *Op. cit.*, IV, pág. 269.
85   *Loc. cit.*, pág. XIII.
86   *Op. cit.*, IV, núm. 67.
87   *Op. cit.*, IV, pág. 270.
88   *Op. cit.*, V, núm. 117.

E₂ (*Vita Christi*).

K. Whinnom cita esta edición [89] descubierta por F. J. Norton, encuadernada al final de una impresión de Toledo de las *Coplas de Bias contra Fortuna*, del marqués de Santillana, existente en la Biblioteca Nacional de Madrid, signatura R-123440, procedente de la colección Gayangos. En rigor, es un simple fragmento de la *Vita Christi*, pues tras dieciséis hojas del poema de Santillana (que acaba bruscamente en la estrofa "Fuy los ayuntamientos ... por no ser obras derechas"), siguen, sin transición, ocho más, pero comenzando con la segunda estrofa de la copla número 316, que termina ya normalmente. Aunque hay una nota manuscrita que en el fragmento de la *Vita Christi* indica "Sevilla por Stanislao Polono 1508", Norton cree, pienso que con razón, que puede ser fechado hacia 1502; según Whinnom, debe ser considerado como reimpresión de E₁, aunque no existen pruebas concluyentes para afirmarlo [90]. Es un libro en cuarto, elegantemente impreso y con dos grabados en madera, el primero tras el título de la copla 317 y el segundo tras el de la 358 [91].

F₁ *Coplas de Uita Christi fechas por fray yñigo de mendoça* [92].

Al fin: "Esta obra fue empremida en la muy noble e muy leal cibdad de sevilla por jacobo cronberguer aleman año de mill y quinientos seis... fue vista y examinada por los veedores para ello diputados".

En la Biblioteca Nacional de Madrid, signatura R-11897, único ejemplar conocido hasta ahora; en cuarto, con grabados intercalados

---

[89] *Art. cit.*, págs. 144 y 146.

[90] *Ibidem.*

[91] En el primero, un caballero en oración ante un altar con un escudero en igual actitud detrás de aquél, en el umbral de una puerta. En el segundo, un rey sentado en su trono, con cetro y corona, mientras una mujer, arrodillada ante él, implora perdón para un preso que se halla con las piernas puestas en el potro del tormento; otro caballero, de pie, contempla la escena.

[92] Es el título de la portada, en que también aparece un grabado con los cuatro evangelistas y dos ángeles. El otro título dice: *Uita Christi hecha en coplas por fray yñigo de mendoça a petición d'la muy virtuosa señora doña Juana de Cartagena.*

en el texto, que es a dos columnas, y 36 hojas sin foliar o numerar, pero signadas. González Amezúa data esta edición, equivocadamente, en 1509[93]. Aparece en el *Regestrum Librorum* de Fernando Colón[94]. Cf. Salvá[95], Palau[96] y J. Simón Díaz[97].

F2   *Coplas de Vita Christi fechas por fray yñigo de mendoça MDXIVj*[98].

Al fin: "Fueron impressas las presentes coplas de Uita Christi en la muy noble y muy leal ciudad de Sevilla por Jacome Cröberger; a veynte y tres dias de Agosto de MD y quarenta y seys años".

Es, sin duda, reimpresión de F1. No la he visto citada en ningún catálogo bibliográfico ni crítico. Se conserva en la Biblioteca Nacional de Madrid, sig. R-12775[99].

G   *La Vida de Cristo en metro castellano.*

Sevilla, 1611, en octavo, según Nicolás Antonio, que no llegó a ver esta edición, sino que la cita a través del *Catalogo Librorum Hispanorum* de Tomás Tamajón[100]. No conozco ninguna otra referencia sobre esta impresión.

H   *Vita Christi.*

Valladolid, por Fernández de Córdoba, 1615, en octavo. También según Nicolás Antonio, citando a Tamajón[101].

----

[93] *Loc. cit.*
[94] *Ed. cit.*, núm. 3247. "Costó en Burgos 34 mrvs."
[95] *Op. cit.*, núm. 182, pág. 94.
[96] *Op. cit.*, IV, pág. 269.
[97] *Bibliografía de la Literatura Hispánica*, III, Madrid, 1953, núm. 3783.
[98] Es el título de la portada, donde aparece un gran grabado similar al de F1, con complicada orla, con las flechas y yugo de los Reyes Católicos, las barras de Aragón y el escudo de Sicilia. Al final del libro, un grabado con escenas de la resurrección de los muertos.
[99] K. Whinnom (*art. cit.*, pág. 144) alude muy por encima a esta edición.
[100] *Bibliotheca Hispana Nova*, I, Madrid, 1873, pág. 360.
[101] *Ibid.*

Las ediciones modernas de la *Vita Christi* han sido tres:
1. Edición de C por R. Foulché-Delbosc, NBAE, XIX, págs. 1-52.
2. Edición facsímil de A por la Real Academia Española, con nota preliminar de A. González de Amezúa, Madrid, 1953 (incluye también el *Sermon trobado* de Mendoza).
3. Edición facsímil de D2 por A. Pérez Gómez en su *Floresta de Incunables*, Valencia, 1962.

LAS VERSIONES DE LA "VITA CHRISTI" Y FECHA DEL POEMA

Los textos conservados de la *Vita Christi* se pueden reunir en tres grandes y distintos grupos, como he dicho en las páginas anteriores. Estos grupos corresponden a tres diferentes versiones del poema de Fr. Íñigo: la primitivamente original, representada por los manuscritos a, a1, a2 y a3 y redactada en 1467-68; la corregida ante las amenazadas de la nobleza criticada (ms. b1...), perteneciente a los años 1469-70, y la definitiva, incorporada a las ediciones impresas (primera, en 1482).

Veamos ahora las diferencias que entre estas tres redacciones existen, así como sus relaciones.

En la copla de su *Vita Christi*, y bajo el título "Desculpase del auer nombrado en el primero trasunto", Fray Íñigo escribe:

> Algunos grandes auia
> en este paso nombrados,
> a quien yo [reprehendia]
> la sobrada demasya
> de sus sonados estados,
> y la conçiençia me afruenta,
> que paresçe infamaçion:
> pues por tenella contenta
> yo les rayo desta cuenta
> y les demando perdon.

La crítica ha señalado [102] el sentido y la importancia de estos versos, en los cuales el franciscano nos indica claramente la redacción

---

[102] Así, Dámaso Alonso ("La fragmentación fonética peninsular", en *En-*

de una anterior versión de sus coplas y la "reforma" y "adaptación" posteriores de las mismas.

En la compulsa de manuscritos que he llevado a cabo he tenido ocasión de hallar la citada versión primitiva, buscada por mí desde hacía tiempo; se conserva en la Biblioteca Nacional de París con la signatura Ms. Esp. 305, en cuyos folios 118-196 aparece con el siguiente encabezamiento: *Vita christi trobada por frayle Enyeguo Llopez de Mendoça frayle menor de la observança a pedimento de duenya Joana de Cartagena madre suya* [103]. Varias cosas atraen la atención inmediatamente atendiendo al *título:*

1) La catalanización del mismo, catalanización que se extiende a todo el texto, encontrándose en él grafías y formas como NY por N *(passim); -*QUA por CA (nunqua, flaqua, arqua..., *passim*); dretxo (folio 190v); fetxo (fol. 190v); vencrá (fol. 136); coropcion (fol. 125); setglares (fol. 189), etc. [104]. Es interesante la existencia de esta copia catalana de las *Coplas de Vita Christi,* pues es un dato más para el conocimiento de la popularidad de las mismas; a los ya numerosos manuscritos propiamente castellanos de que hay noticia se debe añadir el contenido en el *Cancionero de Vindel,* obra también de copistas catalanes [105], y ahora este de París, con lo que vemos que el interés que despertaba la obra de Fr. Íñigo cruzó los límites castellanos. La abundancia de ediciones de la *Vita Christi* así lo demuestra, por otro lado [106].

2) La presencia del apellido López antepuesto al de Mendoza, que quizá pueda explicarse por posible confusión con su coetáneo pariente lejano el marqués de Santillana [107].

3) El dato importante de que Fr. Íñigo compuso su obra a ruego de doña Juana de Cartagena, "madre suya", lo cual aparece también

---

ciclopedia Lingüística Hispánica, I, suplemento, Madrid, 1962, pág. 172, nota 490); Iole Ruggieri (*Poeti del tempo dei Re Cattolici,* Roma, 1955, págs. 6-25); Rodríguez-Moñino (*loc. cit.*) y K. Whinnom ("Ms. Escurialense K-III-7: el llamado *Cancionero de fray Íñigo de Mendoza*", ya citado).

[103]   Cf. más arriba, en este mismo cap. Recuérdese el reciente hallazgo de a.

[104]   Hay algunas formas raras: "ruepas" por "ropas" (fol. 134), quizá ultracorrección o aragonesismo, y la más extraña de "covinyar" (fol. 189v).

[105]   Cf. más arriba, en este mismo cap. págs. 89-90.

[106]   Cf. más arriba, en este mismo cap. págs. 93 y ss.

[107]   Cf. cap. I, pág. 28.

en otro ms. de la *Vita Christi*, el llamado *Cancionero de Oñate-Castañeda* [108].

Aparte de todo esto, sugerido en el título, una lectura rápida del ms. de París sirve para constatar la enorme diferencia que existe entre este texto de la *Vita Christi* y la habitual versión impresa; finalmente, en los últimos folios (189-195 y 196) se hallan las coplas contra la nobleza que han desaparecido en la segunda redacción; todo esto lo veremos más adelante, pero es necesario indicarlo aquí para la buena comprensión de este códice.

En la Biblioteca del Museo Británico, y con la signatura Egerton-939 [109], existe otro manuscrito de las coplas de *Vita Christi* que, como veremos detenidamente más abajo, coincide casi exactamente con el de París. Hay una evidente relación entre uno y otro; el estudio y comparación de ambos nos ofrecen claramente este viejo "primero trasunto" a que alude Fr. Íñigo en la citada copla 109 de la versión que podemos llamar oficial, si bien debo adelantar que el ms. de París es mucho más completo que el del Museo Británico. Las *Coplas de Vita Christi* se encuentran en los fols. 59-73, con el título de *Vita Christi trobado a pedimento de doña Juana de Cartagena conpuesto por un frayle menor de observançia*; el nombre del autor, como vemos, no figura. A continuación (fol. 73) hay una "Oracion en nombre de dona Juana de Cartagena" que forma parte del contexto de la *Vita Christi*, pues corresponde a la "Oracion en fin de la Circuncision" (copla 198).

Como he dicho ya, la relación entre estos dos textos de la *Vita Christi* es clara —consúltese la tabla de concordancias en apéndice X—, aunque, como también he señalado, el de París es mucho más completo (298 coplas) que el de Londres (244 coplas); los motivos los veremos después. Es una versión mucho más corta que la habitual de Foulché-Delbosc o que la del manuscrito de El Escorial (376 y 393 coplas, respectivamente). a1 y a2 forman claramente, como he dicho, una versión distinta de b o de la impresa. Las diferencias que se encuentran entre a1 y a2 no son esenciales: coplas 63-68 (cf. la citada tabla de concordancias para todas las referencias que siguen a la

---

[108] Cf. más arriba, en este mismo cap., pág. 84.
[109] Cf. más arriba, en este mismo cap., págs. 86-87.

numeración); el orden de las mismas no es igual en ambos mss., pero
esto se puede explicar por una confusión muy posible en el copista
de a2, aunque, por otra parte, coinciden en la terminación 65-66, en
vez de 67-68 en la edición de Foulché-Delbosc y en b1, para esta
escena en que el poeta nos presenta, plásticamente casi, el portal de
Belén y sus figuras. Coplas 68-105; estas coplas faltan en a2, creo
—aunque en la moderna numeración a lápiz no se nota— que por
hojas arrancadas. Faltan también todas las coplas referentes a los nobles: las tres que en a1 sustituyen a las 107-109 de Foulché-Delbosc
y b1, y las 21 que a1 intercala entre las 115 y 116. Es muy interesante el hecho de que en a1 tales coplas figuran al final del texto de
la *Vita Christi,* como he dicho más arriba, encabezado cada grupo de
ellas con una nota en que el amanuense nos indica que dichas nuevas
coplas añadidas deben incorporarse a lugares concretos del texto general: "Esta copla ha de entrar arriba en este signo y tan bien las
dos siguientes" (fol. 189), dice en el grupo de tres coplas que siguen
a la 106; o "Entran arriba en este signo asta a la de los pastores"
(folio 190), al frente de las 21 que siguen a la 115. Esto nos dice que
el copista de a1 utilizó como modelo un texto incompleto de la primitiva versión de la *Vita Christi,* quizá el mismo a2, que efectivamente lo está —hojas arrancadas en unos casos, simples lagunas en
otros—, y con el cual, a pesar de las diferencias menores de colocación, falta de algunas coplas, etc., tiene una indudable afinidad. Pero,
bien por casualidad, bien porque sabía que su modelo era incompleto,
el escriba catalán consiguió otro códice de la *Vita Christi,* esta vez
completo; de él extrajo aquello que faltaba en su trabajo: primero,
las coplas políticas especialmente, que copia tras su primera trascrip-
ción, y, hombre cuidadoso —hasta cierto punto—, se preocupa de
marcar con signos y anotaciones el lugar que en el conjunto de la
obra les corresponde; segundo, otras coplas que, muy probablemente
por distracción, dejó de copiar inicialmente: las número 196 y 197,
que una nota al final de la 195 nos explica: "Aquí entran dos coplas
que estan en el fin con este signo". Y todavía una mano ajena añade
a todo esto una nueva copla que sin duda había olvidado el copista,
pero esta vez sin ninguna explicación [110]. La utilización de otro texto

---

[110] El sentido exige que esta copla sea colocada al final del gran grupo
en que se ataca a la nobleza, inmediatamente antes de la c. 116.

por parte del copista de a1 para completar su trabajo nos indica, pues, la existencia de un ms., esta vez completo *per se*, de la primitiva versión de la *Vita Christi* [111], al propio tiempo que acentúa la aproximación entre a1 y a2. Las restantes diferencias entre estos dos tampoco son básicas; falta una copla en a1 (la número 127); otras están alternadas en a2 (las 151-152), y, por último, la 196 falta en a2, mientras aparecen también intercambiadas las 197-198. Todo esto es explicable por simples errores mecánicos del escriba; en todo caso, no suponen nada importante en cuanto a la diferenciación de ambos textos. Por el contrario, una larga serie de alteraciones comunes con respecto al texto de Foulché-Delbosc hace más patente la relación entre los otros dos mss.; basta una ojeada a la tabla de concordancias del apéndice X: la alternancia de coplas, las lagunas, la presencia de diferente redacción de coplas enteras en muchos casos así lo demuestra. Incluso en la gran confusión final de las coplas 290-394, aparecen en b1 y Foulché-Delbosc precisamente en el mismo orden —cf. más arriba—, la semejanza es total. Se puede afirmar, según todo lo anterior, que a1 y a2 son dos copias de la primitiva versión de la *Vita Christi* y que las pequeñas diferencias que existen entre ellas son debidas a simples errores manuales. No olvidemos, además, que a1 tiene como base dos mss. diferentes, si bien uno de ellos es a2 u otro muy cercano a éste. Cabe decir, por último, que ni a2 ni a1 presentan un texto completamente satisfactorio: son copias estragadas y defectuosas, y, en el caso de a1, todo se agrava por el hecho de la catalanización.

Las diferencias entre la versión primitiva y b1 y Foulché-Delbosc, la segunda y la tercera, saltan también a la vista con la confrontación oportuna en la tabla de concordancias. Conviene aclarar, a pesar de ello, algunos aspectos importantes. Lo primero es que el plan de la obra en la primera redacción difiere bastante de las dos últimas. Así, vemos que Fr. Íñigo divide su trabajo en partes o capítulos claramente diferenciados mediante la inclusión de oraciones hechas en nombre de su madre; únicamente deja de hacer esto al final de todo el poema, lo que nos indica que éste no fue terminado en ninguna de las redaccio-

---

[111] Recuérdese el ms. a, en el *Cancionero de Oñate-Castañeda*.

nes [112]. En la segunda y tercera versiones, estas partes son las siguientes: *Natividad* (coplas 1-158), que concluye con una "Oracion en
fin de la Natiuidad en nonbre de la dicha doña Juana de Cartajena";
Circuncisión (cc. 159-198), cuya última copla tiene por título "oracion
en fin de la çircunçion en nonbre de la señora doña Juana"; *Historia de los Reyes Magos* (cc. 199-281); su final es otra "Oracion en
nombre de la señora doña Juana"; *Presentacion en el templo* (cc. 282-
306), con su correspondiente colofón: "Oracion en nombre de la
señora doña Juana en fin de la Presentacion"; *Huida a Egipto* (cc.
307-357), que finaliza con otra "Oracion en nombre de la señora doña
Juana en fin de la huyda de Egypto"; por último, la *Historia de los
Inocentes,* incompleta, con la cual acaba la obra (cc. 358-394). Este
orden es claro y lógico. Pero en la versión inicial el plan es éste:
Natividad (cc. 1-158), con la misma terminación que en el texto posterior. *Circuncisión:* aquí la diferencia es patente, pues Fr. Íñigo incluye en una sola historia, esta de la circuncisión, la presentación en
el templo, equivocando incluso el texto evangélico y confundiendo
los sucesos en uno solo, de acuerdo con la tradición medieval que
identifica a Simeón con el sacerdote que circuncida a Cristo; la comparación del texto de San Lucas con el de Fr. Íñigo declara sin ninguna duda esta confusión; en las variantes de la copla 177 aparece
meridianamente:

A	a1, b1
Exclamaçion a la çircunçisyon del Señor	
	Exclamaçion
¡O mano syn compassyon, un solo poco te ten!	Esse cultre, Simeon un poco solo deten
....	....

---

112   Esta brusca terminación hizo pensar a Amador de los Ríos (*op. cit.,*
página 242) que otras obras de Fr. Íñigo, como las *Coplas... en que pone la
cena que Nuestro Señor hizo con los discipulos...* y la *Lamentacion a la
quinta angustia...,* pertenecen al cuerpo de la obra de la *Vita Christi* por
"nacer del mismo pensamiento que las inspirara". Menéndez Pelayo, aunque
se hace eco de ello, no lo asegura (*op. cit.,* págs. 46-47). Cf. a, primera versión, completa, en este mismo cap., págs. 84-85.

Esta confusión de ambos temas aparece corregida, como sabemos, en las versiones segunda y tercera, en que cada uno de ellos está narrado independientemente, rectificando así la primera. Esta parte finaliza con la misma oración en nombre de doña Juana que vemos en las versiones más modernas (c. 198). *Historia de los Reyes Magos* (cc. 199-263B); termina antes que en el segundo texto con otra "Oración en nombre de duenya Juana", que ha desaparecido en la versión habitual. No aparece tampoco la huida a Egipto y continúa con la *Historia de los Inocentes*, cuya redacción y secuencia de coplas es casi totalmente diferente (cf. la tabla).

Además de estas importantes alteraciones del plan general de la obra, dentro de cada una de las partes o capítulos también existen grandes diferencias. Así, en la "parte primera", *Natividad*, dejando a un lado cosas de menor importancia, como coplas alternadas (18-17, y no 17-18; 33-32, y no 32-33), hay coplas en orden distinto (41-44 colocadas entre la 58 y 59), ausencia de otras (23, 34-36, 52-54, 69-76, 101, 124, 128-130, 145, 147, 149, 156-157), elementos todos que nos revelan la vieja versión de la *Vita Christi*. Pero lo realmente interesante es que al lado de estas alteraciones aparecen los textos de los cuales se arrepintió más tarde Fr. Íñigo, en unos casos —muchos— por una preocupación de purismo y corrección de su propia obra, en otros por un afán de suavizar la violencia de sus ataques sociales y religiosos. Así, en la segunda y tercera redacciones aparece un "Romançe que canto la nouena orden, que son los serafines", también presente en a1 —solamente—, pero, salvo los cuatro primeros versos, absolutamente distinto; los dieciocho versos de la versión segunda son aquí treinta y dos, pero falta, como contrapartida, la bella "desfecha" que en aquélla sigue al romance; cf. cc. 100 y 101.

Podría citar otros casos, pero sería alargar este capítulo inútilmente. Lo más interesante de esta primera "parte" de la *Vita Christi* y de toda la primitiva redacción de la misma son las largas y violentas invectivas contra la nobleza de la época.

De la segunda "parte" ya he dicho algo más arriba, y sobre todo de la confusión de los temas de circuncisión y presentación. Hay las consiguientes coplas alternadas (188-187, y no 187-188), en orden distinto (283-289 colocadas tras la 176; la 305 entre 181C y 181D), falta de otras (165-167, 174-175), y, sobre todo, gran presencia de textos diferentes que han desaparecido en la segunda redacción. Quizá lo más curioso de esta parte de la *Vita Christi* sea la fuerte diatriba contra los frailes predicadores o dominicos a propósito del discutido asunto de la Concepción Inmaculada de la Virgen, porque nos muestra la capacidad que Fr. Íñigo tenía para la discusión violenta; es reveladora la diferencia de actitud personal entre la primera y las siguientes redacciones de la *Vita Christi;* en las últimas dice sobre el tema de la Concepción de María:

> *Dexa de hablar de la concepcion*
> *por no hazer cosquillas a ninguno.*

> Sobre esta preseruacion
> por excelentes doctores
> ay muy grand disputacion
> entre nuestra religion
> contra los predicadores;
> mas pues todos nos fundamos
> en la catholica intencion,
> por amor que no riñamos
> es bien que sobreseamos
> las prueuas desta question (c. 161);

continúa con otra copla (162), usando argumentos muy comedidos y acaba (c. 163) dejando la disputa "para su tiempo y sazon". Por el contrario, en a1 y a2 no deja a un lado "las prueuas desta question", sino que escribe cinco coplas más contra los frailes predicadores, terminando de esta manera:

> Es çierto gran neçiedad
> el que tiene al rey yrado
> no ganar la voluntad,
> mas tomar la enemistad
> entonçe con el priuado:
> ¡O frayle preycador,
> daqui comiença a temblar,
> que aquel Dios del temor,
> aquel justo juzgador,
> ella lo ha de amansar! (c. 162 E) [113].

---

[113]   Cf., sobre este asunto de las disputas franciscano-dominicas, cap. I, páginas 61-63.

Otro grupo de coplas que no ha pasado de la primera versión es el comprendido entre los números 181-181C y 181D, donde se continúa la "exclamacion llorosa de nuestra señora", que en b1 y c sólo ocupa una copla, la 181, terminándose así más fielmente el relato del evangelio.

La tercera "parte", en que Fr. Íñigo poetiza la historia de los Reyes Magos, no presenta, como las anteriores, coplas alternadas o con distinta colocación, pero sí ausencia de algunas (202-207, 210, 216-217, 227) y, naturalmente, nuevos textos de otras; entre éstas, si bien no totalmente distinta, es muy interesante la número 214:

A	a1, a2
Comparacion	*Conparacion*

Al rey que esta poderoso	Al rey que esta poderoso
leuantarsele rey nueuo	leuantarsele rey nueuo
¡quanto le sta doloroso!,	quanto le es muy doloroso,
¡quanto le sta peligroso!;	quanto le es peligroso,
con nuestro reyno lo prueuo,	con nuestro Enrique lo prueuo,
que puede ser bien testigo	que puede ser bien testigo
desta causa de bollicio:	qual es causa de bolliçio;
ya mirais en lo que digo,	¿quieres saber lo que digo?:
que diz que es tu enemigo	que dizen ques tu enemigo
el ombre de tu oficio	el ombre ques de tu ofiçio,

clara alusión al alzamiento de los nobles y del príncipe don Alonso contra la autoridad de Enrique IV y buena prueba de la moderación con que Fr. Íñigo redactó su segunda versión, suprimiendo, incluso en un caso tan generalmente conocido y presumiblemente poco olvidado, la alusión directa al rey [114].

En la historia de los inocentes, "parte" cuarta y final de esta primera versión de la *Vita Christi*, las diferencias con las redacciones segunda y tercera son también muy grandes, más incluso que en todo lo que llevamos visto: coplas en distinta posición (360-363 siguen a la 263B; 275 precede a la 266; 387 sigue a la 280B), ausencia de otras (265, 271, 276-277, 281-282) y, por fin, nuevos textos. Así la encabezada "Torna a la estoria":

---

[114] Una variante de esta copla aparece otra vez en a1, fol. 193v.

Dexemos agora esto
y reboluamos la mano
a escreuir por orden puesto
el fecho muy desonesto
de aquel Erodes tirano,
porque en la cruel fazaña
la pena del obrador
a los señores d'España
faga enfrenar su saña
con baruada de temor (c. 263C),

en que apunta una vez más la intención crítica del fraile (como también en las coplas 280-280B y 280D-280E, reprochando la crueldad del rey Herodes). A partir de la copla 290, la diferencia entre la primera versión y las restantes es absoluta; en efecto, de las coplas 290-394 de Foulché-Delbosc, sólo aparecen nueve en a1 [115].

Pero lo importante es que, a propósito de la pobreza de Cristo en su nacimiento, Fr. Íñigo comienza (c. 106) sus invectivas contra los grandes señores [116] con el mismo texto, salvo ligeras variantes, en las tres versiones; su continuación, las coplas 107-109, ofrece algo completamente distinto en la primitiva redacción —sólo en a1, pues ya hemos visto que no aparecen en a2—. Después de ellas continúan las coplas 110-115 con el tema —con algunas variantes sensibles, especialmente en la 114— y, seguidamente, con las 21 (22 con la última añadida por otra mano; cf. pág. 104 y nota 110) en que Mendoza insiste en sus ataques.

La primera versión de la *Vita Christi* nos proporciona abundantes datos para situar aproximadamente la fecha de su redacción. Recor-

---

115   Estas coplas, leídas en el orden en que aparecen en a1 o en a2 (cf. la tabla en apéndice X), no ofrecen sentido alguno. Éste y su intención quedan claros si nos atenemos a la colocación siguiente: 396, 365A, 366A, 373, 376, 394, 379, 378. De esta forma, el habitual final de la *Vita Christi* adquiere una nueva fisonomía, pero también en este caso desgraciadamente incompleta. Para la correcta terminación, cf. ms. a.

116   El título de esta copla introductoria es muy fluctuante: "Reprende los ricos" (a1); "Contra los grandes que usan mal de sus rentas" (a2); "Reprehende las ponpas y regalos de los grandes con la pobredad y pena del Señor" A.

demos que Fr. Íñigo habla explícitamente de Pedro Girón, maestre de Calatrava, como ya muerto en el momento de dirigirle sus invectivas y, lo que es más importante para la data del poema, habla de él como de uno "de los más cercanos muertos". Girón murió en 1466 [117]. Por otro lado, indica como todavía vivos al rey Enrique IV y a otros nobles, como Juan Pacheco, Álvaro de Estúñiga, etc. Sabemos que don Enrique y Pacheco fallecieron en 1474 [118]. 1466-1474 son, pues, las fechas topes de redacción de esta primera versión de la *Vita Christi*; creo, sin embargo, no equivocarme demasiado si concreto algo más, proponiendo 1467 o todo lo más 1468, basándome siempre en indicios textuales, el más importante, como ya he anotado más arriba, la alusión al alzamiento del joven príncipe don Alonso y una gran parte de la nobleza, cuyos momentos más culminantes fueron la deposición de don Enrique en Ávila —5 de junio de 1465 [119]— y la batalla de Olmedo —agosto de 1467 [120].

Estos sucesos y la muerte del maestre de Calatrava en 1466 aparecen como muy cercanos, y realmente es comprensible el impacto de ellos en una persona que, como nuestro franciscano, defendía el principio de la autoridad monárquica representada en el rey, según otros pasajes de su obra [121], o incluso comprendiendo o justificando en parte las acciones de éste:

> Segun esta piedad,
> ¡guay de vos, Enrique el Quarto!,
> aunque con liberalidad
> do sentis neçesidad
> repartis tesoro harto (c. 107, a1).

---

[117] Cf., por ejemplo, la *Crónica de Enrique IV*, de Galíndez de Carvajal, editor Torres Fontes, Murcia, 1946, cap. 78, págs. 270-273, y la de Enríquez del Castillo en BAE, LXX, cap. 81, pág. 154.

[118] Cf., por ej., Galíndez, *op. cit.*, cap. 152, págs. 452-453, para Pacheco, y cap. 155, págs. 458-459, para el rey. *Idem*, Enríquez, *op. cit.*, cap. 166, página 220, para Pacheco, y cap. 168, págs. 221-222, para el rey.

[119] Cf., por ejemplo, Galíndez, *op. cit.*, cap. 65, págs. 238-240; Enríquez, *op. cit.*, cap. 47, págs. 144-145.

[120] Cf., por ej., Galíndez, *op. cit.*, caps. 88-89, págs. 296-303; Enríquez, *op. cit.*, caps. 95-97, págs. 163-165.

[121] Cf. cap. VII de este trabajo.

Los sucesos históricos referidos, los personajes que intervienen directamente, la pasión que Fr. Iñigo vierte contra la situación de Castilla y los causadores de ella giran en torno a estos años tristes. En 1468 muere, muy presumiblemente envenenado, el "rey" don Alonso [122], con lo que termina teóricamente la sublevación contra don Enrique. Fr. Iñigo, como hemos visto, parece hablar de ella como de algo actual:

> ¿quales fueron causadores
> deste comienço de bando? (c. 115P);

por todo esto creo que es en 1468, como más tarde, cuando el franciscano escribe sus irritadas coplas.

El ms. b1 [123], conservado en la biblioteca escurialense, presenta evidentes muestras de constituir por sí mismo una versión distinta de la primera. Nos encontramos, pues, ante la segunda redacción de la *Vita Christi*, diferente también, aunque no en el mismo grado, de la tercera y definitiva. Veamos a continuación en qué estriban estas diferencias comparando b1 tanto con a como con c.

Siguiendo la división del poema anotada más arriba, podemos observar que b1 ofrece, en este aspecto, una identificación total con c, como ya he dicho. En la primera parte, *Natividad,* hallamos algunas cosas de importancia a este respecto , las más distintas de todo el ms. Así, nos encontramos con ausencia de coplas, las correspondientes a los números 125-126, 128-130 y 142. Los tres grupos pertenecen al conocido fragmento pastoril, y su falta no afecta para nada al sentido del texto; el segundo de ellos falta también en los mss. a1 y a2 de la primitiva versión, lo que nos sirve para hallar una primera dependencia de la escurialense con respecto a la original, como sugiere K. Whinnom; el primero y tercer grupo (cc. 125-126 y 142) no han desaparecido de los restantes textos estudiados, lo que indica, por otro lado, el estado intermedio en que la redacción de b1 se halla. En relación con los mss. de a, en b1 ha desaparecido la primitiva versión

---

122 Cf., por ej., Galíndez, *op. cit.*, cap. 100, págs. 330-331; Enríquez, *op. cit.*, 94, pág. 178.

123 K. Whinnom ("Ms. Escurialense K-III-7") piensa en un ms. anterior a b1, lo que explicaría los varios errores que el códice escurialense contiene.

del romance cantado por los serafines, como ya he dicho —siendo sustituida por el texto de la habitual—, y, naturalmente, pues se trata ahora ya del texto "oficial", los ataques contra la nobleza y señores castellanos. Por otro lado, b1 inserta coplas distintas, si bien en corto número y limitadas al comienzo del poema [124], distintas —y ésta es la clave para clasificar en un lugar intermedio a esta redacción— tanto de la versión primitiva como de la tercera, definitiva e impresa. Finalmente, aparecen en esta primera parte de b1, comparada con la misma de c, numerosas variantes de menor importancia, que unas veces coinciden con el texto original (cf., por ejemplo, "por el que quiso ofenderte", c. 9, verso 2; "la carne del niño adora", c. 85, verso 5); otras difieren lo mismo de uno que de otro [125]. Todo señala, insisto, una redacción indecisa.

En la segunda parte, *Circuncisión*, b1 se acerca extremadamente al texto impreso, como ya he anotado, apareciendo en su adecuado lugar, de acuerdo con la cronología y el evangelio de San Lucas, circuncisión y presentación. Coincide absolutamente, pues, con la tercera redacción: no existen lagunas, alteraciones de coplas ni textos distintos, y, como dije, han desaparecido las cinco coplas suplementarias contra los dominicos que Mendoza incluía en su primera versión, así como las 181A-181C y 181D (cf. más arriba, pág. 109). Sin embargo, pequeñas variantes separan de nuevo b1 de la primera y la tercera redacciones.

La tercera parte, o *Historia de los Reyes Magos*, es también muy similar en b1 a la impresa (recuérdese lo dicho en páginas anteriores), aunque, aparte de menores detalles, difiere de ella en la falta de cierto número de coplas, las 218-224, 269 y 276-279. La ausencia de los dos primeros grupos es propia únicamente de b1: la del tercero también ocurre en a1, pero más reducidamente (cc. 276-277). Creo que esto guarda alguna relación; en todo caso, sería explicable por un descuido del copista del ms. de El Escorial, pues la falta de tales coplas afecta al sentido del contexto en el primer caso, aunque no así en los otros dos.

---

[124] Cf. *art. cit.* de K. Whinnom, que anota estas variantes, correspondientes al rechazo de las musas o "fisiones poeticas".

[125] Estos detalles de variantes menores quedan reservados para la edición crítica del poema de Mendoza, en la segunda parte de este trabajo.

Las restantes partes de la *Vita Christi* en b1 coinciden exactamente con las impresas, apartándose así de la muy diferente versión de a, aunque, como siempre, aparecen variantes de menor cuantía. La única importante diferencia consiste en la colocación de ciertas coplas en la última parte, pues debido sin duda a la mala inserción de pliegos en la encuadernación del códice, hay un error en la secuencia de cuatro grupos de cuatro coplas cada uno en la forma siguiente: 365, 370-373, 366-369, 378-381, 374-377, 382, y ya normalmente hasta el final del poema.

Teniendo en cuenta todo lo dicho, b1 constituye, por lo tanto, una segunda versión de la *Vita Christi* [126], que difiere fundamentalmente de la primera y que se halla muy cercana a la tercera y definitiva, aunque tampoco coincide exactamente con ella.

La corrección de la *Vita Christi*, es decir, la segunda redacción de la misma, tuvo lugar todavía en el reinado de Enrique IV, y no, como creyó Menéndez Pelayo (y siguiendo a éste otros críticos más modernos), en los primeros tiempos de los Reyes Católicos [127], ni muchísimo menos en 1502, como afirma el P. Recio [128]. En la tantas veces citada copla 109, Fray Íñigo pide perdón, literalmente, a los nobles que atacó primero, es decir, a los nobles que le han obligado a retractarse, y entre los cuales se halla el propio monarca. Si éste y otro de aquellos a quienes pide su perdón, el marqués de Villena, no mueren, como ya sabemos, hasta 1474, quiere decirse que esta *Vita Christi* rectificada lo fue antes de dicho año. Además, la retractación de Fr. Íñigo consistió —en lo que a la nobleza atañe— en la supresión de los ataques personales, desapareciendo así los nombres propios y una buena parte, como ya sabemos, de las coplas "históricas". Pero incluyó otros pasajes en que critica —ya de forma genérica— los males de la época; así sucede en las coplas 313-315, encabezadas con el título de "Exclamacion contra los grandes"; en las 340-345; en la 367 y en la 391, donde el franciscano dice:

---

126 Como he dicho anteriormente, K. Whinnom cree que quizá b1 es copia de otro ms. de esta segunda versión.

127 Menéndez Pelayo, *op. cit.*, págs. 53-54; Valbuena Prat, *Historia de la literatura española*, I, págs. 339-340, y, en general, casi todos aquellos que han tratado del fraile Mendoza.

128 "La Inmaculada Concepción", pág. 118.

Deue ser del rey agena
uindicatiua passyon,
por lo qual natura ordena
que se halle en la colmena
solo el rey syn agyjon,
porque puedan abisarse
todos los grandes señores
que no deuen ayudarse
del poder para uengarse,
mas sujuzgar sus furores,

al mismo tiempo que continúan ciertos aspectos de la primera redacción, como las alusiones a las inmoralidades y abusos de la nobleza
(coplas 110-121, desprovistas ya de personalizaciones) y a la situación
de la corte y del país, con referencia incluso a las *Coplas de Mingo
Revulgo* y a sus fáciles simbolismos (cc. 183-196). Todo esto, evidentemente, no puede estar escrito en los tiempos de los Reyes Católicos,
ni siquiera en los primeros años del reinado de éstos, que se carac-
terizan por la lucha tenaz contra el desorden, injusticia e inmoralidades de todo género, secuela de los errores anteriores. Este estilo de la
segunda redacción de la *Vita Christi* no es apropiado sino para la
época de Enrique IV; su preocupación y violencia, que persisten a
pesar de las correcciones, no pueden pertenecer a otro momento. Basta
comparar la *Vita Christi* con las obras políticas que Fr. Íñigo compuso en los comienzos del reinado de Fernando e Isabel [129]; en éstas,
las referencias a los males del reinado anterior son continuas, así como
las exhortaciones a los reyes para que se aparten de las causas de
ellos: falsos consejeros y privados, nobles alborotadores, tiranía, injusticia, etc., al mismo tiempo que aparece ya el elogio a la reina
mediante la comparación con la Virgen [130]. El tema llegó a convertir-
se en un tópico en tiempos de la Reina Católica, como es bien sabido [131]; en la segunda redacción de la *Vita Christi* revela Fr. Íñigo,
loando a la Virgen María, un evidente menosprecio hacia las reinas

---

[129] Cf. caps. II y VII.
[130] Cf. el *Dechado del regimiento de príncipes*, NBAE, XIX, pág. 72.
[131] Cf. María Rosa Lida, "La hipérbole sagrada en la poesía castellana",
en *RFH*, 1946, págs. 121-130.

en general, pero sin duda porque tenía presente la desordenada conducta de la segunda mujer de Enrique IV, Juana de Portugal:

> ¡O reyna delante quien
> las reynas son labradoras!;
> tu las hazes almazen;
> tu, arca de nuestro bien,
> nos las desdoras y doras,
> porque quantas son nasçidas
> delante ti cotejadas
> son fusleras conosçidas,
> mas por tu causa tenidas
> deuen ser por muy doradas (c. 257).

No es, pues, el estilo de la *Vita Christi* similar al de las obras puramente políticas de Mendoza; si bien en todas ellas muestra su preocupación por la situación de Castilla, en estas dos versiones de la
Vita Christi esa preocupación es totalmente directa: el franciscano
está viviendo los momentos más agudos de la crisis castellana del siglo XV, que se reflejan claramente en sus versos; por el contrario,
cuando escribe sus poemas a los Reyes Católicos, especialmente el
Sermon trobado y el *Dechado del regimiento de príncipes*, las circunstancias han variado; aunque todavía bajo la guerra civil —agravada con la intervención portuguesa esta vez—, provocada por las
ambiciones de los nobles con el pretexto de la legitimidad de la
Beltraneja, Castilla ha encontrado una autoridad y un camino recto
en las personas e ideas de los Reyes Católicos, y esto es lo que obser-
vamos en las obras que a ellos dedica el fraile Mendoza.

En resumen, las dos citadas redacciones de la *Vita Christi* son hechas antes de 1474, fecha de la subida al trono de Isabel y Fernando:
la primera hacia 1467-1468 y la segunda poco tiempo después, cuando
todavía no han perdido interés y valor las críticas que el franciscano
mantiene en ellas.

Con todo lo anotado hasta aquí y con la consulta de la tabla de
concordancias del apéndice X quedan aclaradas las dificultades que
presentaba la secuencia de las dos primeras redacciones de la *Vita
Christi*, así como, gracias a los detalles reseñados, la relación entre
ambas y la tercera, entendiendo por ésta la representada por A, aun-

que cabe suponer la posible existencia de otro manuscrito de enlace directo entre bı y A, que muy bien puede corresponder a alguno de los códices que no he podido consultar [132].

De la fecha de esta tercera redacción poco es factible decir, puesto que el texto no proporciona dato alguno utilizable para ello, siendo semejante, en este sentido, a la segunda. Lo único que puede afirmarse, por lo tanto, es que la última versión de la *Vita Christi* fue realizada entre 1469-1470 (fecha aproximada de la segunda) y 1481, ya que A no fue terminada de imprimir hasta el 25 de enero de 1482.

De A está tomado el manuscrito 3757 de la Biblioteca Nacional, lo cual lo hace inútil para todo propósito crítico, pues no sólo no constan en él las doce coplas correspondientes al folio Eı, que faltan en el único ejemplar hoy conocido de esta edición [133] —lo cual, junto con otros detalles, prueba su inmediata relación—, sino que también presenta mala colocación de algunas otras, como las números 171-172 y 327-328, alternadas una con otra, sin duda por descuido de los copistas.

Más arriba, al tratar de las ediciones de la *Vita Christi*, he señalado las relaciones que entre ellas existen; por lo tanto, estoy eximido de repetirlo ahora.

---

[132] Como resumen, podría reducirse la separación entre A y bı al hecho de que en el texto impreso han desaparecido las coplas diferentes de bı al comienzo del poema, siendo reemplazadas de nuevo por las de a, aparte de pequeñas variantes menores y muy continuas, lo que nos indica que A no está basado en bı, sino en otro ms. intermedio, como ya he señalado. Cf., para más detalles, *art. cit.* de K. Whinnom.

[133] En la edición facsímil de A hecha por la Real Academia en 1953, este folio Eı ha sido sustituido por el correspondiente en C. Cf. A. Pérez Gómez, *art. cit.*, y K. Whinnom, "The Printed Editions", pág. 137.

CAPÍTULO IV

TÉCNICA DE LA *VITA CHRISTI*

VERSIFICACIÓN

Nota preliminar. — La *Vita Christi* de Fr. Íñigo de Mendoza es un extenso poema que varía según la versión del mismo de acuerdo con la siguiente Tabla [1]:

	a1	a2	b1	A
Número de quintillas dobles octosilábicas	295	244	374	391
Romances	I (32 versos)	—	I (18 versos)	I (18 versos)
Desfechas	—	—	I (26 versos)	I (26 versos)
Cuartetas dobles octosilábicas	2	—	2	2
Canciones	II (9 de 5 versos, 2 de 4 versos)	—	II (9 de 5 versos, 2 de 4 versos)	II (9 de 5 versos, 2 de 4 versos)
Número total de versos ...	3051	2440	3853	4023

---

[1] Escojo a1 y a2 para dar una idea lo más aproximada posible de la primera versión. b1 es la única copia conocida de la segunda. A, la primera edición, corresponde a la tercera redacción (cf., para estas versiones, capítulo III). En el número total de versos incluyo en cada columna aquellos que, ocasionalmente, no constan en los mss. o en A.

Mi intención consiste en presentar unas muestras del poema que puedan ser tomadas como básicas para la comprensión general de la obra desde el punto de vista versificatorio, y para ello he limitado las notas que siguen a unos fragmentos, representativos, por otro lado, del contenido técnico e ideológico. Son:

1. — Coplas 1-30.
2. — Coplas 82-96.
3. — Coplas 100 (romance)-121.
4. — Coplas 122-158.
5. — Coplas 341-357.
6. — Coplas 383-394.

El contenido de estrofas y versos en estos fragmentos es [2]:

	a1	a2	b1	A
Número de quintillas dobles octosilábicas ,,, ...	128	85	139	145
Romances	1 (38 versos)	—	1 (18 versos)	1 (18 versos)
Desfechas	—	—	1 (26 versos)	1 (26 versos)
Cuartetas dobles octosilábicas	2	—	2	2
Canciones	9 (2 de 4 versos, 7 de 5 versos)	—	9 (2 de 4 versos, 7 de 5 versos)	9 (2 de 4 versos, 7 de 5 versos)
Número total de versos ...	1371	850	1493	1553

Rimas. — Las *quintillas dobles* o *coplas reales* forman casi íntegramente el poema, y la inmensa mayoría de ellas están constituidas por el esquema abaabcdccd, del cual dice Bataillon al hablar de la poesía de Fr. Ambrosio Montesino: "forme à la fois didactique et légère dans sa monotonie rebondissante, mais que Montesino n'a plus creé que les mètres de ses chansons; il l'emprunte, sans la modifier nulle-

---

[2] Incluyo como de A las doce coplas pertenecientes al folio E1 que han sido sustituidas por las correspondientes de C en la edición facsímil de 1953. Cf. cap. III, págs. 93-94.

ment, à un autre poète de son ordre, Fr. Íñigo de Mendoza" [3]. Esporádicamente, aparecen en la *Vita Christi* coplas cuyas rimas difieren
del esquema general, con arreglo al siguiente cuadro, referido a los
fragmentos indicados [4]:

	a_1	a_2	b_1	A
abaabcdccd	121	87	129	133
abaacdedde	—	—	1	1
abccbdedde	1	1	—	—
abaabacddc	—	1	—	—
abaabcdcce	—	1	—	2
abaabcdced	—	1	—	—
abcabdedde	—	—	1	—
abaabadddc	—	—	1	1
abaabccccd	—	—	—	1
aaaabcdccd	—	—	—	1
abaabcdeed	—	—	1	—
ababbcdcdd	6	—	6	6

Aparte de las coplas reales o quintillas dobles —"dizaines" en la
terminología de Le Gentil—, encontramos en los fragmentos estudiados, como ya he dicho, dos cuartetas dobles también octosílabas, cuyo
esquema de rima es *abbacddc*. Los dos tipos de coplas, en todas sus
combinaciones, forman estrofas isométricas de ocho sílabas, de acuerdo con la predilección de la poesía medieval española, que desde el
Poema de Alfonso Onceno, la *Crónica Troyana* en parte, el arcipreste
de Hita, también ocasionalmente, López de Ayala, etc., llega a los
dos cancioneros importantes, el de *Baena* y el *General*. Se ha afirmado
que "it was the courtly lyric of the Cancioneros, then, that established
the octosyllabe in Spanish poetry" [5]. Ha llegado hasta nosotros en
un grado de utilización todavía elevado: "el octosílabo, ya sea en
romance, ya sea en canciones líricas, es todavía hoy el metro popular

---

[3] "Chanson pieuse et poésie de dévotion", en *BH*, 1925, pág. 232.
Lo mismo afirma Le Gentil, *La poésie*, I, 334.
[4] Corrijo evidentes errores manuales de los copistas en el momento del
recuento de rimas, así como lecturas estragadas, especialmente del ms. a2.
[5] Dorothy C. Clarke, "The Spanish Octosyllabe", en *HR*, 1942, pág. 6.
Cf. también la muy útil y reciente obra de la misma hispanista, *Morphology
of Fifteenth Century Castilian Verse*, Pittsburgh, 1964, esp. págs. 18-50 y
212-218.

por excelencia en el idioma castellano, y no ha perdido prestigio entre los hombres de letras" [6].

En el *romance* indicado, las rimas son las habituales del género, es decir, asonancia en los octosílabos pares mientras quedan libres los impares [7], con la única diferencia de extensión entre la versión de a1 (33 versos) y la de b1 y A (16 versos), si bien en ambos casos con la misma asonancia, -IA.

La *"desfecha"* del romance anterior (únicamente en b1 y A) consiste en un estribillo de dos versos octosílabos, repetido cinco veces, y cuatro estrofas, también octosilábicas, de esquema *aaab*, cuyo último verso rima con los del del estribillo; es decir, un total de 26 versos de ocho sílabas [8].

Las *canciones* contenidas en estos fragmentos estudiados son nueve. Siete de ellas forman quintillas octosilábicas, de las cuales una es de rima *abaab* y seis de rima *ababb*, y a las que corresponden sendas coplas reales cuyas rimas se relacionan con las anteriores de la siguiente manera: *abaabcdccd* (es decir, como las habituales del poema) y *ababbcdcdc*, repitiendo exacta o casi exactamente los tres últimos versos de la canción en los tres últimos de la copla real. Finalmente, dos de las canciones estudiadas (y las únicas de toda la obra) están formadas por cuartetas octosilábicas de rima *abba*, a las que corresponden (también las únicas del poema) dos cuartetas dobles octosilábicas, como ya he dicho, de rima *abbacddc*. Se deduce, según esto, que nos hallamos ante una forma de versificar típica del siglo XV castellano, la canción glosada, de la que tantos ejemplos pueden encontrarse en los cancioneros de la época [9].

Versos y recursos métricos. — El recuento de los versos y recursos métricos utilizados ofrece los siguientes resultados, siempre en los fragmentos repetidamente indicados:

---

[6] P. Henríquez Ureña, *La versificación irregular en la poesía castellana*, Madrid, 1920, pág. 29. También cf. J. Saavedra Molina, *El octosílabo castellano*, Santiago de Chile, 1945.

[7] Cf., más adelante, págs. 151-152, para la importancia de esta composición.

[8] Cf. también, sobre esta "desfecha" a lo divino, págs. 152-155.

[9] Cf. Hans Janner, "La glosa española. Estudio histórico de su métrica y de sus temas", en *RFE*, 1943, págs. 181-232, que considera los años 1450-1580 como los básicos para el género.

	a1	a2	b1	A
Octosílabos tipo … … … …	746	443	805	844
Octosílabos agudos … … … …	324	203	363	384
Sinalefas … … … … … … …	338	209	314	327
Sinalefas dobles … … … … …	36	24	31	32
Sinalefas triples … … … … …	1	—	—	—
Sinéresis … … … … … … …	45	33	36	38
Cesura versal … … … … …	60	46	61	69
Encabalgamiento … … … … …	22	12	17	19
Rima interna … … … … … …	46	28	59	61
Versos imperfectos … … … …	26	27	27	23

Este balance nos revela algunos aspectos del estilo de la *Vita Christi*. En primer lugar, la habilidad de "sotil componedor" de Fr. Iñigo: la mayor parte de sus octosílabos están hechos de una forma limpia y decidida, casi sin ayuda de otros artilugios métricos que la cuenta del número de sílabas. No quiere decir esto que Mendoza no recurra a la utilización de todos los elementos necesarios en caso preciso, como realmente lo hace; una simple ojeada al cuadro anterior así nos lo demuestra. La cifra alcanzada por los octosílabos tipo en los diversos textos es importante [10], pero en el manejo de los recursos métricos muestra asimismo nuestro fraile notable soltura. No deja de tener cierta inclinación por los versos agudos (cf. el cuadro anterior); algunas quintillas están compuestas por entero de ellos [11]. Utiliza también sueltamente la sinalefa y la sinéresis, dobles aquéllas en varios casos e incluso triples en uno [12]. Más raras son las cesuras versales, empleadas muchas veces con encabalgamiento [13]. No faltan tampoco ejemplos de rimas internas [14]. Finalmente, algunos versos han aparecido como imperfectos, aunque esto debe ser atribuido en la mayoría

---

[10] Una lectura rápida de cualquier fragmento del texto es suficiente para constatarlo, aparte del cuadro anterior.

[11] Cf., por ejemplo, coplas núm. 2, primera quintilla; 20, primera quintilla; 29, primera quintilla; 127, primera quintilla; 341, primera quintilla; 389, segunda quintilla.

[12] Ms. a1 únicamente.

[13] Cf., por ej., coplas 26, versos 1-2; 197, vv. 1-3; 348, vv. 4-5 y 8-9.

[14] Cf., por ej., coplas 22, versos 3-4.

de los casos a errores de los copistas e impresores [15]. Merece señalarse también algún caso de rara acentuación, como el de la copla 222: "Jacob dixo adelante, / por mas quitarnos de *dubda*, / que nasçiendo aquel infante / no auria verga reynante / en todo el tribu de *Juda*" (la rima, con idéntica acentuación, persiste en a1 y a2).

En los versos de la *Vita Christi* campea, generalmente, la claridad y una cierta rotundidad muy acorde con las circunstancias vitales del autor y con el contenido ideológico del poema.

LENGUA [16]

Sintaxis. — La sintaxis de las coplas de *Vita Christi* es, sin grandes excepciones, la que podría suponerse en un poema que, como se ha dicho [17], "es de inspiración culta y formas populares", es decir, clara y sencilla, con muy poco ornamento y sin graves preocupaciones estilísticas ni retorcimientos cultos, muy lejos, por ejemplo, de la de Juan de Mena y su escuela prerrenacentista. Así, encontramos en el poema de Mendoza las formas y construcciones generalmente habituales en poetas de similares circunstancias sociales e ideológicas, como Álvarez Gato o Fr. Ambrosio Montesino como casos más cercanos. Anoto seguidamente algunos ejemplos, unos pocos casos sintácticamente señalables, que pueden dar bien una idea general del poema en este aspecto.

A. *Usos verbales. Infinitivos sustantivados.* No son muy abundantes. Cito, por ejemplo: "el mudar de la color" (copla 29), "el escalar de paredes" (c. 189), "el tornarse mercaderes" (c. 190). *Ablativos absolutos:* no son tampoco muy abundantes. Por ejemplo, "Sant Iheronimo acusado / porque en Çiçeron leya / en spiritu arrebatado" (copla 6); "estas dubdas remontadas, / metidas dentro en el çielo / por aues tan esmeradas" (c. 39); "el lloro quedado a oluido" (c. 224); "la cruel sentencia dada / por el tirano maluado" (c. 373). *Uso de*

---

[15] Cf., por ej., coplas 89, v. 9 en ms. b1; 111, v. 8 en a2; 194, v. 2 en ms. a1.

[16] Debe ser dejado a un lado en casi todo lo referente a este aspecto el texto a1, por su extremada catalanización.

[17] Valbuena Prat, *Historia*, I, pág. 340.

"haber" por "tener": "que la fe non ha gualardon" (c. 46); "auemos
visto..." (c. 17); "heres niño y as amor" (desfecha del romance, copla 101); "ouejas, grand miedo he" (c. 196). *Infinitivo "ser" con
valor de "es" o "fue"*: "mas afirmo ser herror" (c. 5); "leemos por
se apartar / a solo dar de yantar / al doliente hermano Amon / ser
del dicho Amon forçada" (c. 20). *Uso obligatorio verbal o conjuga-
ción perifrástica*: "manifiestamente veyas / el triste fin de tus dias /
auer de ser en la cruz" (c. 206); "y assi a de ser perdido / este reyno
y destroçado" (c. 119A). *Uso arcaico de auxiliar por participio*: "si por
ventura sabian / el lugar do era nasçido" (c. 213B). *Uso de "estar"
por "ser"*: "a la perversa naçion / que te estaua tan vezina" (c. 210);
"al rey que esta poderoso / leuantarsele rey nueuo / ¡quanto le sta
doloroso!, / ¡quanto le sta peligroso!" (c. 214); "no esta razon que
se calle" (c. 199). *Uso arcaico del futuro y del infinitivo con sujeto
incorporado*: "ozar hose yo dezir" (c. 115G). *Uso arcaico del pasado:
por "ser"*: "a la peruersa naçion / que te estaua tan vezina" (c. 210);
tiempo verbal: "hecha su proposiçion / con tan fundada eloquençia,
/ todos tres, en conclusion / le hazen suplicaçion / que les quiera
dar liçençia; / el les respondio que vayan..." (c. 223). *Uso vulgar y
arcaico de la perífrasis verbal:* "y pensando de engañar" (c. 215);
"començose de inclinar" (c. 235).

B.   *Preposiciones:* aparece un uso confuso, de tipo vulgar o arcaico, de las preposiciones. Así, hallo: "...dentro en los infiernos"
(copla 96), y "vanse dentro a la çibdad" (c. 212); "porque estaua en
el reynado / mas por fuerça que por grado, / en ser varon estrangero" (c. 216), con un sentido causal hoy indicado con *por;* "maestre
de Calatraua, / en quien todos adorauan" (c. 115C). Lo mismo sucede
con la utilización de *en* para expresar simultaneidad: "que en viniendo el ynfante..." (c. 222, a1); "en syntiendo el sol eterno" (c. 363).

C.   *Otros casos. Anacolutos:* "el angel questo dezia, / angelical
muchedumbre / se llego a su compañia" (c. 136). *Diminutivos:* aunque hay algunos, muy escasos, esporádicamente a lo largo de la *Vita
Christi,* la gran mayoría de ellos se encuentran en el episodio pastoril. De la importancia de éste me ocupo en el estudio que le dedico
(cf. págs. 143-147 de este mismo capítulo). Veamos algunos de

estos diminutivos: aguililla (c. 128); agudiello (c. 140; agudillo en a2); çestilla (c. 141); colladillo (c. 125); chequiello (c. 140; chiquiello en b1); delgadiella (c. 145); Juaniella (c. 145); mañanilla (c. 141); Minguillo (*passim*, fragmento pastoril); poquillo (c. 125); pobrezillos (c. 133); Pascualejo (c. 143); portalejo (c. 150); aldyuela (c. 146); pequeñuela (c. 370); niñitos (c. 365). *Superlativos*: son muy escasos, como "perfetissymo" (c. 282). *Uso vulgar de artículo con pronombre posesivo*: "la su cama" (c. 105); "la tu justiçia" (c. 114); "el su maldito deporte" (c. 186); "el su brocado arreo" (c. 227). *Sin artículo ante nombre abstracto*: "no halle lugar tristeza" (en el romance, copla 100); "si con toda voluntad" (c. 351); "por lo qual natura ordena" (c. 391). *Uso del demostrativo con valor de artículo*: "y aquell Duque d'Alburqueque / fara quiça que no peque" (c. 115C); "¡o monjas!, vuestras merçedes / deuen de çircunçidar / aquel parlar a las redes, / el escalar de paredes" (c. 189; en el ms. a1, el texto es: "¡o monias!, tan bien deuedes / vosotras de çircunçidar / aquell parar a las redes, / aquell romper de paredes"). *Uso de "no" como reduplicación de la afirmación*: "ca te crio de no nada" (c. 11); "es mas seguro el establo / que no la casa real" (c. 121); "sofrira muy mas dolor / la madre en la cruz de amor / que no el hijo en la de palo!" (c. 251). *Uso medieval del pronombre "vos" por "vosotros" y "nos" por "nosotros"*: "o grandes, quan de llorar / es a vos lo del pesebre" (c. 106); "vos vereys" (c. 192). *Formas arcaicas del partitivo*; se hallan también en el episodio pastoril: "haras presto del huego" (c. 131); "haras tu, Juan, de los sones" (c. 141); "puesta alguna mantequilla" (*ibidem*; el ms. a1 dice así: "con de alguna mantequilla"). *Colocación del pronombre átono*. Proclítico: "Te servir" (c. 97; también "te loar"); "les dar" (c. 167); "se informar" (c. 375). Enclítico: "puedete" (c. 232); "adorote" (c. 230); "desçendiste te" (copla 39). *Reduplicación del posesivo de tercera persona*: "su hermana de Absalon" (c. 20). Aparece un abundantísimo uso del *epíteto* a lo largo de todo el poema, lo mismo que de adjetivación normal; no es necesario citar aquí ejemplos de este o del otro uso; basta señalar que una característica del epíteto utilizado por Mendoza es su presencia con vocablos generalmente cultos, sobre los cuales hablaré más tarde. No falta, por último, la *adverbialización sin sufijos*, que a veces se considera como italianismo: "secreta" por "secretamente" (co-

pla 322); "sola" por "únicamente" (c. 352); "supita" por "súpita-
mente" (c. 385).

Fonética. — En este aspecto, las *Coplas de Vita Christi* corresponden a la época imprecisa en que fueron escritas. Como dice María
Rosa Lida [18], "el estado de inestabilidad de la lengua del siglo XV se
debe, aparte del aluvión latino, a que no se han eliminado todavía
posibilidades en pugna : ƒ inicial y aspiración, timbre variable de las
vocales átonas, formas apocopadas del adjetivo, *de* partitivo, perfectos
fuertes, fluctuación de formas verbales (tenedes, tenéis, tenés)". Ya
he anotado algunas características sintácticas de la lengua de Fr. Íñigo.
En cuanto a la fonética, se encuentran en el poema las normales indecisiones del momento, aunque limitadas muchas veces a las variantes
que de un ms. a otro existen. Lo más interesante de este asunto ha
sido señalado por Dámaso Alonso recientemente [19]. Se refiere a la
confusión de -U- < -B- o -V- con -B- < -P-, que aparece, por ejemplo,
en las coplas 252 : "recibo / biuo" (a1, a2, b1, A); 274 : "yua / arriba / esquiua" (b, A), o "yua / arriba / biua" (a1, a2); 360 : "biua /
arriba" (a1, a2, A ; falta la copla en b1). Dámaso Alonso encuentra
el mismo tipo de confusión en el comendador Román y en Fr. Ambrosio Montesino, que son los primeros, junto con Mendoza, ya en
el reinado de Enrique IV, en presentar esta tendencia de no distinción entre el sonido oclusivo de B y el fricativo de V, bien diferentes
durante la Edad Media y ahora quedando confundidos en el segundo,
manteniéndose la "rutina ortográfica" ; ya desde los tres autores citados "habrá una línea de tradición ininterrumpida —y que se en-
sancha rápidamente en el siglo XVI— de poetas que mezclan ambas
procedencias ; es una línea que llega hasta nosotros" [20].

Podrían citarse algunos casos de rimas más raras. Así, en la copla
155 : "paz / mas". Aunque encontramos "paz" en las tres versiones
de la *Vita Christi* (a1, a2, b1, A), se pensaría que Fr. Íñigo escribió
o quiso escribir "pax", como aparece en la edición de Sevilla, 1506.
Lo que puede inducir a suponer esta lectura es el hecho de que, en

---

[18] *Juan de Mena, poeta del prerrenacimiento español*, México, 1950, página 238.
[19] "La fragmentación fonética peninsular", págs. 172-180.
[20] *Ibid.*, pág. 174.

la citada copla, el pastor que explica los cantos de los ángeles que anunciaron el nacimiento de Cristo lo hace en una mezcla de latín y castellano: "vnos gritauan *vitoria*, / los otros cantauan *groria*, / otros *indaçielçis Deo*, / otros *Dios es pietatis*, / otros *et in tierra paz* / *homanibus vanitatis*..."[21]. Otra rima extraña aparece en la copla 269: "miraglo / diablo" (a2, A), o "miraclo / diablo" (a1). La lectura última, "miraclo", es una evidente catalanización, con lo cual la rima es en todos los casos: -glo / -blo. En el códice a1 abundan una serie de rimas sin duda afectadas por la catalanización del mismo, por lo que carecen de importancia para mi propósito; cito aquí, como curiosidad, algunas de ellas: "perdido / leyto / partito" (c. 119A); "pobresa / riqueza" (c. 107); "falso / cadafalço" (c. 115M); "auiso / parayso / fizo" (c. 115R). Un aspecto importante lo constituye el romanceamiento de los cultismos, adaptados gráfica y fonéticamente al uso vulgar (cf. más adelante, págs. 138-139).

Aparte de todo lo anterior, la *Vita Christi* presenta lo habitual de la época en cuanto al aspecto a que me estoy refiriendo, es decir, indecisión. El vocalismo es muy inseguro dentro de los mismos códices; remito a la parte en que me ocupo del léxico, donde anoto numerosos casos que no es necesario repetir aquí. Lo mismo sucede con los sonidos consonánticos. Recuerdo ahora, simplemente, en qué consisten estas indecisiones, que, por otra parte, son bien conocidas, lo que me evita ser más extenso en este punto: U/V iniciales; H/F iniciales (e incluso ausencia de ambas); s líquida en cultismos; Q inicial etimológica (pero también, ocasionalmente, antietimológica: "franquos", ms. a1, c. 108, ya en situación interna). Grafías cultas: CH, PH, TH, RH, pero también vulgarizadas, C, F, T, R; y tras vocal y como primer elemento de diptongo, aunque a veces se presenta como I; alternancia de Ç/Z, X/J, S/SS, G/J, D/Z, M o N/MB o MP y N/NB/ o NP; T/D finales; LL/L finales; consonantes dobles/sencillas: FF/F, RR/R, CC/C, TT/T...

Recursos ornamentales. — G. Sobejano dice sobre este momento de las letras castellanas en que Fr. Íñigo escribe su *Vita Christi*: "durante el siglo XV y mucho más allá de él se afirma y prolonga una

---

[21] Según A.

poesía sobria de expresión, sencilla de forma y patente o abstrusa
en el concepto, que es la que responde mejor al ideal poético castellano y la que por la crítica viene siendo considerada como genuina-
mente española. En esta poesía —sea en su especie más sencilla de
romance, sea en la más refinada de cancionero— no faltan recursos
normales de uso preferido y repetido: anáforas, aliteraciones, juegos
de palabras, metáforas, alegorías continuadas, etc." [22]. El fraile Mendoza, absolutamente identificado ideológicamente con su época, no
duda en aprovechar todo aquello que forma parte del quehacer poético del momento, pero, por una serie de circunstancias de que luego
hablaré —su situación religiosa, franciscana especialmente— rechaza la
acumulación excesiva de estos o aquellos procedimientos. En sus versos hay claridad, sencillez y cierta rotundidad muy acorde con su
circunstancia vital, pero cae en muchos casos en la monotonía y en
el prosaísmo que supone la no muy excesiva utilización de recursos
ornamentales, lo que indica una cierta pobreza formal, que, a las veces, nos hace pensar en "pobreza de pensamiento" y no de "dicción" [23].
Anoto aquí algunos ejemplos de estos recursos ornamentales empleados por Mendoza, haciendo constar de antemano la relativa escasez
de ellos, especialmente de los considerados como típicamente suntua-
rios, contenidos en la tradicional clasificación de *amplificatio rerum* y
amplificatio verborum [24].

Aposiopesis: "Por la gigante maldad / del viçio que aqui non
nombro" (c. 16); "el como no lo pregunto, / que no se puede trasunto / sacar deste original" (c. 45); "mas porque esta verdad rasa /
nos enemista en el mundo, / callemos el mal que pasa" (c. 234, pero
sólo en a1, a2).

Plural poético: "de cuya parte te digo / estas nueuas plazenteras"
(copla 26); "pues helo por do va huyendo / por fieras syerras fra-
guosas" (c. 316); "nasçiendo por los establos" (c. 323).

---

22 Gonzalo Sobejano, *El epíteto en la lírica española*, Madrid, 1956, página 203. Para el tema en conjunto, E. Faral, *Les arts poétiques du XIIe et du
XIIIe siècles*, París, 1923.
23 Cf. para esta terminología y su uso, H. Adank, *Essai sur les fondements
psychologiques de la métaphore affective*, Ginebra, 1939.
24 Hago constar variantes importantes únicamente.

Hipérboles: "¿que lengua podra dezilla / nin de mill cuentos el vno?" (c. 12); "¡o sancto vientre bendicto!, / quanto de ti yo magino / y todo lo que es escripto / es quanto lieua un mosquito / de muy grand cuba de vino; / ... / sy mill vezes entra en ella, / el sale borracho della, / mas ella llena se queda" (c. 41); "los ojos tornad en fuentes / con marauillas tamañas" (c. 238).

Definiciones: "Dize la difinicion / de la fe, letor, que crees, / que es la fe diuino don / sobre toda discreçion / con que creas lo que no vees" (c. 47); "fue la causa, segun creo, / porque magos en caldeo / quiere dezir sabios ombres" (c. 203); "que las ymagines tales, / segund christiana sentencia, / son solos memoriales / de los biuos celestiales / que tienen biua potencia" (c. 335).

Anáforas: "de nuestra noche candela, / de nuestras cuytas abrigo, / de nuestra virtud escuela, / de nuestras graçias espuela" (c. 13); "su dançar, su festejar, / sus gastos, justas y galas, / su trobar, su cartear, / su trabajar, su tentar" (c. 348).

Retruécanos graves: "tu diste muerte a tu vida / por darnos vida sin muerte; / ¡o iustiçiera piedad!, / ¡o piadosa iustiçia!" (c. 9); "tu color se descolora, / tu descolor se colora" (c. 28); "ni yo tezoros touiera, / ni tezoros me touieran" (c. 115S).

Apóstrofes, invocaciones. Son abundantísimos; por ejemplo: "Aclara, sol diuinal, / la çerrada niebla obscura" (c. 1); "¡ay de vos, enperadores!, / ¡ay de vos, reys poderosos!, / ¡ay de vos, grandes señores!" (c. 106); "O magestad soberana" (c. 328).

Digresiones. Son un muy importante elemento en el desarrollo del poema, ya que en ellas se contienen todos los aspectos ideológicos y críticos que Mendoza tan violentamente expresa. Así sucede en las coplas 16-24, 43-44, 46-56, 106-121 (incluyendo aquellas contra la nobleza), 161-162, 168-170, 182-197, 200, 233-234, 297-300, 307-315, 318-328, 330-337, 340-355, 370-372, 383-392.

Paronomasias: "que eres çiçeroniano, / pues es Çiçeron tu vida" (copla 6); "ca nuestras bozes finitas / tienen finito loar" (c. 94); "es de renombre tu nombre" (c. 256).

Interrogaciones. También abundantes. Cf., por ejemplo, coplas 63, 284, 325, 358...

Perífrasis: "asy que la inuocacion / al solo eterno se faga (c. 8); "la babilonica obra" (c. 47); "nuestro padre primero" (c. 179); "el de Cordoua el grand sabio" (c. 191).

Superlativos hebreos. Escasísimos: "del Señor de los señores" (coplas 317 y 363).

Aposición. Relativamente frecuente. Cf., por ejemplo: "y con el Ana biuda, / la prophetiza llamada" (c. 283); "a Pharaon el grand rey" (c. 269); "y començo Sant Miguel, / principe muy soberano / del grand pueblo de Israel" (c. 91). Relacionadas con las aposiciones se hallan las *oraciones de relativo,* como "en la victoria campal / que resçibio Gedeon" (c. 32), etc.

Hipérbaton. Abundante: "la miraglosa venida / del hijo de Dios creida, / el como verna preguntas" (c. 37); "culpa bien auenturada / por Sant Gregorio Doctor / es esta nuestra llamada" (c. 258).

Paralelismos: "la liebre por no encobarse / a vezes pierde la vida; / la virgen por demostrarse, / auemos visto tornarse / de virgen en corrompida" (c. 17); "ni me valio su corona / ni aun mi cruz maestral" (c. 115L); "alla lo dizen sus penas, / aca lo cuenta el proceso" (copla 372).

Oximoron: "virgen y madre" (cc. 3, 83, 261); "madre donzella" (copla 87); "fin y comienço" (c. 230)...

Luces, colores y sonidos. — El uso de palabras o figuras expresivas de luz, color y sonido es muy importante en un texto para poder apreciar el contenido lingüístico del mismo: la presencia de tales elementos puede hacer, en una obra determinada, que ésta posea elegancia y riqueza de vocabulario, mientras que su ausencia supone, generalmente, falta de tales cualidades, al lado de cierta pobreza imaginativa. Las coplas de *Vita Christi,* en este aspecto, son algo decepcionantes. Los escasos ejemplos que he encontrado, junto con la poca fuerza y valor de los mismos, presentan un texto, desde este punto de vista, casi inútil. Conviene tener en cuenta, sin embargo, dos hechos importantes. Primeramente, que la poesía castellana de la segunda mitad del siglo XV se caracteriza, salvo excepciones conocidas ampliamente, por su lenguaje ornamental, cultista, alambicado y cerebral (en términos generales, insisto), propio de la literatura cancioneril. Pero, en segundo lugar, es necesario tener muy presente la ideología franciscana de Mendoza, que escribe en un momento de apogeo del sentimiento antisuntuario, lo que condiciona su propio estilo, como veremos algo más adelante [25]. He aquí ahora los casos hallados en la *Vita Christi* [26]. Luces: 37 ejemplos luminosos aparecen en el poema, de varios estilos. En primer lugar, Fr. Íñigo hace un gran uso de la metáfora iluminista, con la cual incluso inicia el poema: "Aclara, sol diuinal, / la çerrada niebla obscura", y que, con distintas combinaciones, utiliza a menudo; cf., por ejemplo: "de nuestra noche candela" (c. 13); "porque el diuino alunbrar, / como el alua quando quiebra, / nos haze claro mirar / lo que por nuestro peccar / ha cubierto la tiniebra" (c. 52); "repara mi ceguedad / con la tu guiadora luz" (c. 281) [27]. Algunos de los casos más interesantes aparecen en el fragmento de la adoración de los pastores, como éste: "aquel claror tan bermejo / que relumbra todo el valle; / ¡quan claro que esta el otero! ; / te juro a Sant Pelayo / para ser cabo el enero / nunca vi tal relumbrero / ni aunque fuese por el mayo" (c. 143); los restantes, sin gran valor, se limitan a expresar bastante sencillamente el "resplandor" de Cristo recién nacido: "mira quanto grand luziello / en Belem el aldyuela" (c. 146), por ejemplo, o la "claridad" referida a cosas tan distintas como la estrella que guía a los Magos a Belén, el ángel que anuncia a los pastores el nacimiento del Hijo de Dios, o Dios mismo (cc. 87, 151, 212, 225, 232, 320); el "alumbrar" o "relumbrar", otra vez, del ángel aparecido a los pastores, de Cristo en la cuna, o la estrella (cc. 133, 152, 153, 205, 207), y esta vez con una imagen más interesante: "como haze la candela / quando alumbra las conpañas" (c. 217).

Colores: Únicamente 18 casos coloristas se encuentran en la *Vita Christi*, lo que demuestra eficazmente lo anteriormente dicho sobre la

---

[25] Sobre la preocupación ornamental y antiornamental en la predicación y obras morales durante el siglo XVI y el XVII, epílogos de la situación del XV, cf. O. H. Green, "Se acicalaron los auditorios: An Aspect of the Spanish Literary Baroque", en *HR*, 1959, págs. 413-422.

[26] Como anteriormente, no anoto las variantes sino cuando éstas son pertinentes.

[27] Sobre la importancia y significado de esta metáfora, cf. cap. VI, página 192, y notas al texto de la *Vita Christi*, c. 1.

falta de ornamentación y suntuosidad del poema. Cuatro de estos casos son, en realidad, expresión de estados de ánimo: "tu color se
descolora, / tu descolor se colora" (c. 28); "el mudar de la color /
en tu rostro virginal" (c. 29); "con la sangre que corria, / ençendida
y ensañada, / la color toda mudada" (c. 180); "caminar syempre amarillos, / y al pasar de los castillos / erizarse los cabellos" (c. 343);
y otros, de mera comparación moralista: "por aquel negro bocado /
que Adan ouo comido" (c. 35); "que no son de vnos colores / virtudes, graçias, honores" (c. 190). También hay un caso aislado de
simple y genérica suntuosidad, aplicada a la Virgen: "de cuyas gracias se esmalta / para ser hermoso el suelo" (c. 36), y una alusión al
arte pictórico que anoto aquí como curiosidad, referida al misterio de
la Encarnación, del cual dice Fr. Iñigo: "que no se puede trasunto
/ sacar deste original" (c. 45). Y así, quedan ocho casos que, por fin,
pueden ser clasificados claramente como coloristas: la zarza de Moisés, que, aunque ha ardido, se halla "toda verde despues" (c. 31);
los grandes, preocupados en sus palacios por "colorar las vigas d'oro"
(copla 113); la "muça colorada" de un pastor (c. 124); la "perra
bermeja" de otro (c. 127); el "claror bermejo" que sale del portal de
Belén (c. 143), rodeado de ángeles, es decir, de "garçones de branca
bria" (c. 144), y cerca del cual hay una "verde pradera" (c. 151)...
Hay otros casos, otra vez más abstractos, que no es necesario anotar
en detalle. He aquí, finalmente, la lista de los escasos colores utilizados
en el poema: verde (dos veces), negro (una), prieto (una), oro (una),
colorado (una), bermejo (una), blanco (una; "branca", una).

    Sonidos: veintidós casos en todo el poema, de los que once perte-
necen al episodio pastoril. Varios de éstos se refieren, más que a
verdaderos sonidos, a los efectos producidos en los pastores por las
canciones angelicales; veamos, por ejemplo, la copla 150: "con los
cantares que oy / tan huerte me aquellotraua / que, juro al poder
de mi, / del gasajo que senti / el ojo me reylaua"; o la 151: "los
zagales con la dueña / cantauan tan huertemente / que derrame so
la peña / el leche de mi terreña / por mijor parallo miente". A esta
parte de la *Vita Christi* pertenecen los dos casos más interesantes de
la misma desde el punto de vista de los sonidos: "mas lleua tu el
caramiello, / los albogues y el rabe, / con que hagas al chequiello /
vn huerte son agudiello" (c. 140), y "¡o bien de mi, que doncella /

que canta cabo el chequito!, / ¡mira que boz delgadiella!, / ¡mal año para Juaniella, / aunque cante boz en grito!" (c. 145), de afortunada y bella aplicación, especialmente en el "son agudiello" y la "boz delgadiella", quizá por la carga de ingenuidad de los diminutivos empleados. En el resto, los ejemplos encontrados se refieren especialmente a las canciones con que los ángeles celebran el nacimiento de Cristo, que Fr. Íñigo se limita a adjetivar casi siempre con "suave", "suavemente" ("suaue canto", "suauemente prosyguen"; "suaue son"; "en muy suabe modo"; "suaue melodia"). Aparecen también dos casos más amplios, asimismo de género musical y cancioneril: "la qual grita ressono / hasta dentro de los infiernos, / y luego que se acabo / esta gente repartio / sus bozes todas en ternos" (c. 96), y "começo en suaue son / toda la congregaçion / de la gerarchia segunda, / en tal orden repartidos / y sus bozes conçertadas, / que nunca oyeron oydos / en tan diuersos sonidos / cançiones tan acordadas" (c. 90).

La naturaleza. — Repito todo lo que he dicho ya sobre la preocupación ornamental de la *Vita Christi*, pues tampoco Fr. Íñigo posee un excesivo, ni aun mediano, sentimiento de la naturaleza. Éste, tan tradicional y caro a la orden franciscana desde su mismo fundador, no aparece en el fraile Mendoza. Llevado por su practicismo moralista, social y político, su pluma se muestra insensible de forma casi total a este goce estético, ya que, a pesar de que son numerosos los casos que coloco bajo el título de este epígrafe, casi ninguno de ellos ofrece algún rasgo descriptivo o emocional interesante; quizá los únicos dignos de cita son, a este respecto, el de la copla 52, a pesar de no ser un ejemplo directo, sino metafórico: "porque el diuino alunbrar, / como el alua cuando quiebra, / nos haze claro mirar / lo que por nuestro peccar / ha cubierto la tiniebra", y el de la copla 153, que presenta una descripción realista del crudo invierno montañés: "el tempero ventiscaua / de cabo del regañon; / el çierço asmo que elaua; / el gallego llouiznaua / por todo mi çamarron...". Nada más, prácticamente, pues lo que resta son sencillas referencias a cosas o hechos de la naturaleza, casi siempre en un segundo plano de importancia debido a la metáfora que atenúa su significación real. Así: sol, luna, estrella, mar, sierras, montañas, collados, colladillo, otero, valle, peña, campos, huertas, fuente, agua, lluvia, nieve, nube, niebla, "relumbrero" de mayo, "claridad relampaguera", primavera, invierno, cielo estrellado... Las referencias al mundo vegetal son todavía más escasas y, como no podía ser menos, casi siempre metafóricas: prados, praderas, breña, encinera, higuera, heno, zarza, manzana, nueces, rosas, lirios, "flores" en general, "fructos de la tierra"... De piedras preciosas, tan utilizadas por la poesía culta de la segunda mitad del siglo XV, sólo hay un caso en la *Vita Christi* —perla (c. 293)—, pues "rica joya" (c. 306) es muy ambiguo.

Del reino animal hay, por el contrario, numerosos ejemplos, referidos muchas veces a comparaciones e imágenes para mejor ilustrar el texto del poema, de acuerdo con la tradición medieval, y de cuya verdadera importancia hablaré más adelante. Por lo tanto, hago constar aquí únicamente y sin comentarios los casos hallados, los cuales, dejando a un lado alguno tan genérico como "ganado", "reses", "bestias", etc., alcanzan la cifra de sesenta, de los que solamente cuatro son animales ajenos a la vida habitual de Castilla: león (cinco veces), leonas (una), camello (una), elefante (una). Frente a éstos, el resto no tiene nada de extraño para un castellano: can, perra (cuatro veces), mastín, galgo, gato, cabritos, borregos, cordero (cinco veces, algunas de ellas bajo metáfora cristiana), ovejas (dos), conejo, liebre, asno (tres), buey (dos), toro, puerco, raposo, lobo, oso, abeja, araña, mosquito (dos), alacrán, alacranes, aves, gallo (dos), palominos (dos), tordo, mochuelo, buitre, aguililla, peces, anguila, sierpe (tres), áspides, gusanos, lombriz.

Cultismos. — Habitualmente se piensa en el cultismo como en un fenómeno lingüístico aparecido con la literatura renacentista y barroca especialmente, ajeno por su misma esencia a épocas anteriores. Dámaso Alonso ha demostrado que esto no es así al estudiar un poeta tan rico y sugerente para el tema como Góngora, ya que lo único que hizo éste "fue popularizar, difundir una serie de vocablos de los cuales la mayor parte eran ya usados en literatura y habían conseguido entrar en los vocabularios de la época...; la mayor parte de los cultismos suyos que más escándalo produjeron en el siglo XVII habían aparecido esporádicamente, los unos desde los primeros siglos literarios de la Edad Media; otros, a fines de la misma (cultismos del siglo XV)...". Pero "no es sólo una vaga coincidencia de Góngora con los poetas 'cultos' del siglo XV y principios del XVI, no es sólo una vaga coincidencia en el sentido latinizante, sino que llega a producirse en casos concretos con tanta frecuencia que hace pensar que Góngora probablemente leyó estas obras y se dedicó a reanimar tanta riqueza de vocablos de tradición clásica" [28]. Entre estos poetas del siglo XV cuyos cultismos preceden a los de Góngora (tomando como base la *Soledad I*) está Fr. Íñigo de Mendoza, según ya indicaba Dámaso Alonso, el cual cita los siguientes [29] : *áspid*, ceremonia, edificio, *efecto*, inspiración, metal, obligación y *resistencia*. Sin embargo, hay otros numerosos cultismos en la *Vita Christi* que, no anotados por Dámaso Alonso, incluyo a continuación ; como los anteriores, constan también en la *Soledad Primera* [30] : admiración, alba, alterar, apetito, blando, breve, columna, confusión, contento, doctrina, fatiga, fatigar, *favor*, fingir (fingido), fortuna, *furor*, gemir, gigante, gloria, glorioso, gracia, historia, ignorar, impaciente (impaciencia), *inmortal, inocencia,* invocar, invidia, juventud, lirios, magnificencia, memoria, menosprecio, necesidad, palacio, peregrino, *pompa*, precedente (preceder), precioso, príncipe, prolijo, provocante (provocar), redimir, región, sacro, secreto, suave, turba, *venerable*, virgen, *virginal, vulgo,* vulto.

Pero los cultismos empleados por Fr. Íñigo en su *Vita Christi* son muchos más todavía ; su número alcanza proporciones asombrosas, aun teniendo en cuenta la extensión del poema. Así, además de los anotados en las dos listas citadas, hay que añadir los siguientes :

Abominable, abominacion, accesorio, accidental, acepto, actor, adoracion, adorar, *admirar* (admiraciones), adivinar, afeite, afrenta, alarido, alba, alta, alte-

---

[28] Dámaso Alonso, *La lengua poética de Góngora*, Madrid, 1935, páginas 45 y 71-72, respectivamente.

[29] "Diluvio" y "suma", incluidos en la lista de Dámaso Alonso, pertenecen a la *Justa de la Razón y Sensualidad*.

[30] No pretendo presentar exhaustivamente los cultismos de la *Vita Christi*, pero sí de una forma muy aproximada, que dé cabal idea de su uso en el poema. Hay que tener en cuenta que incluyo también aquellos cultismos introducidos en el lenguaje mucho antes del siglo XV. Subrayo los que, según Joan Corominas (*Breve diccionario etimológico de la lengua castellana*, Madrid, 1961), aparecen por vez primera en la literatura castellana del siglo XV. A. Vilanova, *Las fuentes y los temas del Polifemo de Góngora*, II, Madrid, 1957, que amplía la lista de Dámaso Alonso y las noticias de Corominas, tampoco se refiere a Fr. Íñigo en estos casos.

ración, *alterar,* amazona, amonestar, angel, angelical, *angustia,* animal, *animar,* ansia, ansioso, *apariencia, apasionar,* apetencia, apostol, arder ("abrasarse de amor"), armario, aspero, astrologia, auctor, autoridad, autorizar, avariento, ave. Bautismo, bautizado, bautizar, beneficio, benignidad, bestia, bestial, blando, blasfemia, breve, brevemente, *bulto.*

Cancion, *cancionero,* candela, caridad, católico, causa, cautividad, cautivo, celestial, celsitud, centro, certificar, cesar, cetro, *ciencia,* circuncidado, circunci-damiento, circuncidar, civil, clemencia, clerigo, codicia, *comparacion,* concebir, *concepcion,* concluir, conclusion, conciencia, condenado, condenar, confirmar, *conformar, compasion,* consistorio, constitucion, contemplacion, *contemplar,* continuo, contrario, copla, coro, corporal, corrupcion, creatura, cristiandad, cristiano, *cronista,* crucificar, cruz, cuestion, culpa, culpado, cultro, cuna.

Definición, deidades, deleite, delicado, delito, descender, desordenar, diablo, dieta, *dificil,* digna, dignidad, discipulo, discreto, disputa, disputar, distincion, divina, divinal, divinidad, divino, doctor, domingo, duda, dudar, durable.

Ejecutar, ejemplo, *ejercitar,* elefante, elocuencia, elocuente, empecer, emperador, endiablado, enfermedad, enfermo, engendrar, enmendar, ennoblecer, error, esencia, *esencial,* especial, *espirar,* espiritu, espumas, *estatura, estilo,* eternal, eternalmente, *eterno,* evangelista, excelente, excelso, *exclamacion,* extremos.

Famoso, fantasia, *fatiga, fatigar, favorable, favorecer, ficcion,* figura, fin, *finito,* fisico, flaco, flaqueza, flor, fornicacion, fragoso, fructos, fundar, *furia.*

Gemir, general, generacion, gentil, gesto, gloria, glorificados, glorioso, glosa, gracia, gracioso.

Habitacion, *hipocresia,* honestidad, honesto, *humanal,* humanidad, humano, humildad, humilde, humillar.

Idolatrar, idolatria, idolo, iglesia, *ignorar,* imagen, imaginar, impasible, *importuno, imposible, incienso,* incomparable, inculpable, *indignacion,* inefable, infamacion, infeccionar, *infinito,* innumerable, inocente, intención, *intento,* invidia, *invisible, invocacion, invocar.*

Jerarquia, judaico, judaismo, juicio, justicia, juventud.

Lacerar, *lamentacion, laureados, lector,* legal, legion, legitimo, leon, lepra, *liberalidad,* libertad, librada, librar, libre, libro, *limbo, limosnero,* lindo, lirio (lilio), lujuria.

Magnifico, mago, majestad, malicia, manifiesto, maravilla, maravillarse, maravilloso, maternal, martir, martirio, matrona, medicina, medio, *melodia,* merced, metro, milagroso, mirra, miseria, misterio, *monarca,* monstruosa, monumento, morar, morada, mortal, musa, *mundano,* mundo, murmurar.

Nacion, natividad, natura, neciamente, neciedad, notar, nube.

Obediencia, obispado, obispo, oblacion, obligar, ocasion, *ocupacion, ofender, ofensar, oficial,* oficio, ofrenda, omnipotente, opinion, oraciones, *oriental,* oriente, original, oscuro.

Paciente, paganos, papa, paraiso, pariente, pasion, *paternal,* pecado, pecador, pecar, peligroso, penitencia, peregrino, perfección, perfecto, perfectisimo, perjurar, persona, *perverso,* pestilencia, peticion, piedad, *poesia,* poeta, *poetico, pompa, pomposo,* pontifical, porfia, potencia, potestad, precio, predicador, prelado, *presencia,* presentacion, presente, preservar, presto, *prevalecer,* primicia, principal, procesion, proceso, procurar, prodigos, profecia, profeta, profetar, *profetisa,* profetizar, *prolijo,* propio, proponer, propuesto, prosa, *proseguir, prosperidad, prudencia,* prudente, pudicicia, punir.

Quitar.

Recrear, redencion, redentor, regir, regla, religion, remedio, *remitir,* resplandor, *reverberar,* reverencia, *rigor,* rito, romero, rosa.

Sacerdotal, sacramento, *sacrosanto,* santificar, secta, *sempiterno,* senado, sentencia, servicio, signo, *silvestre,* simonia, singular, singularmente, suave, subito, sublimar, *sujeción,* suplicar, suscepcion.

Talante, templo, temporal, *tenores,* teologia, testamento, tirano, tormenta, tormento, tranquilidad, trasunto, trinidad, trono, turbar.

Unción, unidad, *universal, universo,* usura.

Los cultismos utilizados en la *Vita Christi* no terminan aquí, con ser realmente impresionante el número de los anotados. Todavía cabe hacer otra lista más, esta vez con aquellos que aparecen en el poema de Fr. Íñigo y que, según Joan Corominas (*op. cit.*), no constan en obras literarias hasta después de 1477. Ya sabemos (cf. capítulo anterior) que Mendoza compuso sus dos versiones básicas de la *Vita Christi* en 1467-1468 y 1469-1470, respectivamente. He aquí tales cultismos[31]:

Arduo (s. XVI), brevedad (1495), contrariedad (1495), cruento (hacia 1525), elegante (1479), estatua (1490; Vilanova, *Las fuentes,* II, pág. 829, halla "statua" en Berceo), gratuito (1515), impaciencia (1495), impotente (1495), inspirar (1490), intrincado (1477), latría (1611), legado (1490), legal (1520), leproso (1490), memorial (1490), modo (1490), negligencia (fines s. XVI), ofrecimiento (1495), ordenaciones (1490), paramentos (1490), patente (s. XVII), preceder (1490), preeminente (s. XVII: preeminencia), purga (1495), quimerizar (1665), remediar (1495), resistencia (h. 1525), símbolo (1611), serafines (1490), torno (1495), trasplantar (1569), triaca (s. XVI), tribu (1490, "y ya alguna vez en el s. XIII"), verbo (1490) y viscosidad (1490).

---

31 La cifra colocada entre paréntesis señala la fecha que Corominas juzga como de aparición literaria del cultismo.

Recontando todos los cultismos anotados hasta aquí en unas y
otras listas, resulta un total de 607, cifra sorprendente, pero cuya evidente importancia casa muy bien con lo escrito por mosé Arragel de
Guadalfajara al frente de su traducción romance de la Biblia sólo
treinta y tantos años antes de la primera redacción de la *Vita Christi*:
"Pero hoy mas que en los antiguos tiempos, como ha auido multitud
de sabios, la comun gente, platicando con los sabios han aprendido
de la su sciencia, e aun de su latina lengua; a tanto es ya la su
sciencia e lengua latina espandida en Castilla, que los caballeros e escuderos han dejado el puro castellano, e con ello han mixto mucho
latin, e tanto, que el latin es convertido en castellano, digo tanto, que
comunmente han muchas palabras latinas la gente castellana" [32].
También utiliza Fr. Íñigo escasos pero interesantes latinismos pu-
ros, como *culter, invidia, pudicicia, questor, summa* y *vindicta* (este
último, según Corominas, no aparecía literariamente hasta 1499), algunos de los cuales ya han sido citados más arriba, y asimismo "lati-
najos", como María Rosa Lida llama a otros casos en que nuestro
autor incorpora frases latinas al texto castellano, si bien, en una circunstancia tan especial como en boca de los pastores que adoran a
Cristo en Belén, conscientemente adulteradas y pervertidas por la
lengua rústica del que habla: "unos gritauan *vitoria*, / los otros cantauan *groria*, / otros *indaçielçis Deo*, / otros *Dios es pietatis*, / otros
et in tierra paz / *homanibus vanitatis*, / otros *buena voluntatis*, /
otros abondo que mas" (c. 155) [33].
Un aspecto importante de los cultismos de la *Vita Christi* es el
del grado de romanceamiento que alcanzan. Si un Juan de Mena
adapta muchos de sus vocablos cultos a la forma vulgar [34], no ha de
extrañarnos que Fr. Íñigo de Mendoza haga lo mismo, ya que, como
señalo en otros lugares (especialmente en el capítulo V), su situación

[32] Cito por A. Paz y Melia, "La Biblia puesta en romance por... (1422-33)",
en *Homenaje a Menéndez Pelayo*, II, Madrid, 1899, pág. 75. Cf. sobre este
asunto en general el valiosísimo libro de María Rosa Lida, *Juan de Mena,
poeta del prerrenacimiento español*, ya citado.
[33] Cito aquí el texto A, el más completo para los versos citados. Cf. Lida,
op. cit., págs. 287-288, para este uso de latinismos mal interpretados, y especialmente F. Weber de Kurlat, "Latinismos arrusticados en el sayagués", en
NRFH, 1947, págs. 166-170.
[34] Cf. Lida, *op. cit.*, págs. 261-264.

entre dos mundos estéticos e ideológicos es evidente. Y así, encontramos en su poema adaptaciones de cultismos en gran número, cuya fijación, por otro lado, es muchas veces difícil, debido a los estragos con que los textos han llegado a nosotros o, como sucede en el caso del códice a1, por la catalanización que desvirtúa seriamente el contenido del mismo. Veamos aquí algunos de estos casos de romanceamiento: açesorio, açidental, apariencia, batizado, catividad, cativo, cerimonias, (çirimonyas en b1), ceuil, coluna, creatura, difinicion, dotrina, efeto, embidia, entrincada, escura, espirar (inspirar), jouentud (ioventud), letor (letores en b y A), manifecencia, medezina (medeçina en b1; melecina en a1), perfetta, perfeçion, preycador, secutar (ejecutar), seta (secta), victoria, ynorar (ignorar)... Como dice María Rosa Lida en su obra tan citada, "es claro que esta forma castiza extendida a los cultismos nos choca sólo cuando el purismo académico logró restaurar las formas etimológicas y no en los casos en que la forma vulgar perduró"[35].

Estas vacilaciones, y también evidentes descuidos muchas veces, se reflejan asimismo en las grafías de nombres propios, la mayoría de los cuales, como es bien sabido, ofrecen una clara intención cultista en las obras de la época. Así sucede con nombres bíblicos, como Amon, Aron y Aaron; Adan y Adam; Abrahan, Abram y Abraan; Bersabe; Balaan, Balan, Balam y Valan; Çesaria, Zaquaria y Zacharias; Dina y Digna; Ezechiel; Ezechias; Micheas; Rachel; Thamar, Atamar y Tamar; Israel e Isdrael, y aun Israhel e Ysrael...; en nombres evangélicos, como Bellem, Bellen, Betlem, Bethleem; Herodes, Erodes...; Ihesuchristo, Iesu Christo; Sant Matheo; Josep, Josepe, Joseph...; en nombres como Aristóbolo; Yrcano; Egipto, Egibto, Egito y Egypto; San Iheronimo, Sant Jeronimo, Sant Geronimo...[36].

Sin duda que a la intervención de los copistas se deben muchas de estas vacilaciones, pero sin duda también que otras pertenecen claramente al propio Fr. Íñigo, de acuerdo con la indecisión de la época.

Por último, para terminar con esta visión cultista de la *Vita Christi*, conviene recordar algunos de los patronímicos y gentilicios que en ella

---

35 *Op. cit.*, pág. 262.
36 Utilizaré más adelante, al hablar del estilo de la *Vita Christi* (cap. V), los valiosos datos que proporciona la lista completa de nombres propios de todo género que Mendoza cita en su poema.

incluye Mendoza, correspondientes, como podrá observarse, a un fondo (si no intención) culto y decorativo: "babilonica obra", "sabeliano", "hebrayco signo", "pueblo egypciano", "romano senado", "palacio laterano", "fuerzas hercolinas", "Herodes ascalonita"...
El exotismo libresco y erudito de estas expresiones, conseguido en gran parte, además, por la sufijación, es evidente.

Arcaísmos y vulgarismos. — Una característica muy típica de la estructura de la *Vita Christi* es su mezcla, muchas veces deliberada y otras inconsciente, de elementos cultos y elementos populares, mezcla que refleja muy bien no sólo la confusión del momento, sino también la propia situación ideológica y social de Fr. Íñigo de Mendoza. Vamos a ver ahora la importancia lingüística de las formas populares, arcaicas, etc., del poema; más adelante hablaré especialmente del fragmento pastoril intercalado en aquel, cuyo lenguaje es muy interesante a causa de su deliberada vulgarización. Dichas formas son tanto arcaísmos como variantes arcaicas vulgares y vulgarismos:

A (para), abastanza, adelante (delante), agora, almario, amos (ambos), ante (antes), aquesto, aquesta, asaz, auiltada, auiltamiento, ayna.
Bienquisto.
Ca (que), cabezón ("abertura superior del vestido"), çahareña, cas (casa), cerimonias, çertenidad, comportar, creatura, cresçido, crueza.
Chequito, chimirizados, chufas.
Dagora, dante (antes), daquel, daquesta, delibrar, desbaratar (derrotar), desdel, desnuydad (desnudez), desora, desramada (derramada), destos, destas, diz (dicen), do, doliente.
Empozar, encobarse, enforrada, enrridar, entención, entender (pretender), errada, escalentar, escotar, esgamocho, esquividad, estonces, estorcejar, estoria, estropeçar.
Fardeles, fasta, fazaña, fecho (suceso), fermosa, fermosura, fijo, finados, flechar, folganza, frayre, fruente (frente), fusleras.
Garcisobaco, gela (sela), gomitar, grand, grita, gualardón, guay.
Hablar (decir), herrada (error), hito ("blanco de puntería"), hollar (pisar). Influir (infundir), interese.
Leuada, luenga.
Malquisto, manera, matiegas (rudas), melcocha, menguas (descréditos), menistriles, mercadores, mesmo, miraglo, minero (filón), miralle, mocedad, montar (importar), muradal.

Niñirias, non.

Obidiencia, ofensar, ofrescimiento.

Parentera, parescerse, parlar, pesebrera, pieza, placera, pobredad, ponçoña, ponçoñosos, pora (para), porque (para que), pora, priado, proprio (exacto).

Qual (como, de tal manera), qual (que al), quales (como), quan (¿qué?), quanto (como tanto), que (mientras), quedar (dejar), querer (comenzar), questiones, quistiones, quisto.

Rallos, repuntas, requestado, roncear, roncero.

Saberse (saber uno mismo), sabidores, sandio (loco), sazon, secretada, serena, setenas, sobrar (superar, vencer), son (forma, manera), suso, syquiera.

Tanto (tan), tartalear, tiento (prudencia), tornarse (hacerse), tra(n)sito (pisada, rastro), trapero (vendedor de telas), trasunto (copia), traylla, truhanes (bufones), turmiento.

Untado (ungido).

Vallon (vellocino), vegadas, vellon (vellocino), ventre (vientre), verga, valedoras.

Xarope.

Yantar.

También son muy abundantes las formas verbales vulgarizadas; cf., por ejemplo: abaxar, alinpiar, altercauades, aluengar, allegar, anudar, asconderse, ascondidos, assentar, atientar, auer, auria, ay (hay), ende, encomençar, endereçar, escalentar, escodriñar, esperalla, fablar, fallar, fallarse, fazer, ferir, fincar, fincarse, fueste, lexar, nascer, parescer, podieron, pregonauades, preguntadlo, resçibir, sallir, sey, seyendo, sobir, sospirar, tray, trayamos, trayan, touo, turar, verna, vernia, veya, veys, via, vido... No faltan tampoco expresiones y frases arcaicas o, más comúnmente, vulgares: a vueltas, a osadas, por ende, sin falla, en cueros, bien andante, so color, de consuno, luego en punto..., que dan un tono familiar a los pasajes en que aparecen [37].

Otros aspectos [38]. — El número de galicismos del poema es también importante; he aquí algunos: aferes, *artilleria,* avisar, bailar, batel, botar(se), cadafalço, cuita, dama, danzar, derrotar, desmayar, des-

---

[37] Ya he hablado más arriba de arcaísmos y vulgarismos sintácticos.

[38] Los vocablos en cursiva no aparecen, según Corominas, en la literatura castellana hasta el siglo XV. Incluyo entre los galicismos los términos provenientes también de la *langue d'Oc.*

trozar, duque, escote, esgrimir, esmaltar, fardeles, fraile, *gala, galan,* homenaje, jamas, *jaula,* joya, ligero, lisonjero, manjar, marques, mensaje, ministril, monja, netas, *paje,* parlar, pendon, ralea, real, *refran, reprochar,* rima, son, tacha, trovar, trovador, *truhan...* Algunos otros galicismos usados en la *Vita Christi* no han sido señalados literariamente hasta más tarde, según Corominas[39]: colchon (1490), flechar (1495), regalar (1495), regalo (1495)...

Los catalanismos se presentan en mayor número: anguila, *borracho,* brocado, *cendrar,* cotejar, derrocar, *enforrar,* fortuna, justa, justar, linaje, maestral, maestre, mercaderes, placer, salvaje, sastre, sobrepujar. Corominas anota como aparecido literariamente en 1515 el verbo "emborrachar", en 1495 "congoja" y en 1490 "congojoso"; los tres vocablos constan ya en Mendoza.

Los *arabismos* son más familiares y populares: aceite, achacar, adalid, alacran, almacen, alquimia, arrabales, carcoma, jarabe, *julepe, roncear?, roncero?,* rabadan, rejalzar, zahareña. Hasta 1490 no aparecía, según Corominas, "alquilar", y hasta 1495 "quilate", que ya figuran en el poema de Fr. Íñigo.

Las restantes aportaciones léxicas no son ya pertinentes, por su escasez y poca importancia.

Dialectalismos. — Una de las características lingüísticas de la *Vita Christi* es, como ha señalado Dámaso Alonso, la presencia de "algunos rasgos dialectales"[40], refiriéndose a ciertos casos de indudable influencia de lenguas orientales de la Península. Son los siguientes, la mayoría pertenecientes al aspecto de la rima y otros ajustados al número silábico: "creys/veys" (c. 47; "crees/vees en a1, a2 y A); "de las dos leys que tenemos" (c. 72; falta la copla en a1 y a2; "leyes" en b1, con lo que sobra una sílaba al verso de ocho); "¡ay de vos reys poderosos!" (c. 106; "reyes" en a1, b1, también en este caso con nueve sílabas)" "vey/rey" (c. 107; falta la copla en a1 y a2); "greys/reys/leys" (c. 191; "greyes/reyes,/leyes" en a1 y a2; en este caso el verso es correcto, pero en el anterior también, siendo un heptasílabo agudo); "que los tres reys que vinieron" (c. 199; "reyes" en a1,

---

[39] Como en el caso de los cultismos, anoto entre paréntesis el año que Corominas creía el de la aparición literaria de las palabras oportunas.
[40] "La fragmentación fonética", pág. 172.

a2, b1, haciendo imperfecto el verso). En el título de esta misma copla aparece "reys" en A; "vinieron los reys infieles" (c. 201; "reyes" en b1, con verso imperfecto; en A es heptasílabo agudo); "destos reys nuestro Mexias" (c. 207; "reyes" en b1, con lo que el verso es imperfecto; falta la copla en a1 y a2); "que con tres reys excelentes" (c. 209; "reyes" en a1, a2 y b1, haciendo el verso también imperfecto); "quando los reys les contauan" (c. 213; "reyes" en b1 y A); "tomaron los reys su via" (c. 225; "reyes" en b1, con verso imperfecto. En a1 y a2, con nuevo texto, no consta este verso); "vey/rey" (c. 253); "crey/rey" (c. 263; "grey" en A); "y los tres reys despedidos" (c. 264; "reyes" en a1, a2, con sílaba compensada por la supresión de "y") [41].

Sobre los dialectismos léxicos, cf. más arriba.

El lenguaje pastoril. — Uno de los fragmentos más interesantes de la *Vita Christi* es el contenido en las coplas número 122-157 [42], en que Fr. Iñigo intercala una especie de diálogo pastoril en torno al nacimiento de Cristo. En el capítulo siguiente hablaré de la importancia y significado del mismo, ocupándose ahora solamente del lenguaje rústico utilizado por el fraile Mendoza y puesto en boca de los pastores.

Algunos casos sintácticos señalables bajo el denominador común de vulgarismos y arcaísmos son los siguientes: *Dentro de los usos verbales: uso de "haber" por "tener"*, como "de lo que tu Juan, as gana" (c. 140) "...que gasajo / abras, Mingo, si la escuchas" (c. 145). *Uso no copulativo de "estar"*: "y si estan ay garçones" (c. 141). *Perífrasis verbales*: "començemos de baylar" (c. 129); "que yo te juro a Sant Hedro / de te apostar el cayado, / sy quiero correr priado, / de llegar antes de Pedro" (c. 144). *Futuro verbal arcaico*: "acogerme he a Sant Millan" (c. 124); "espantarnos ha el ganado" (c. 128). *Futuro verbal hipotético*: "ahun quiçal preguntaria / en que manera podia / estar virgen y parida" (c. 138; "podria" en a1 y a2).

---

[41] Los casos indicados por Dámaso Alonso *(loc. cit.)* son los correspondientes a las coplas 106, 107, 201, 202, 207, 209, 213 y 217.

[42] Hay algunas (133-137 y 148-149) en que el autor no usa el lenguaje rústico.

Fuera de los usos verbales, merecen señalarse los siguientes:
Uso de artículo más pronombre posesivo; es abundante: "la mi
perra" (c. 127); "la tu çamarra" (c. 129); "las sus canciones" (c. 153).
Uso arcaico del artículo: "por el mayo" (c. 143). *Uso del pronombre
"nos" por "nosotros":* "y si de aqui nos mudamos / a dezillo a la
villa, / por mucho que nos corramos..." (c. 128). *Colocación del pronombre átono:* "que mudar no me podria" (c. 126); "ponteme aqui
a la pareja" (c. 127); "de te apostar el cayado" (c. 144). *Uso de las
preposiciones:* "de mañanilla" (c. 141; "por la..." ms. a1); "por el
mayo" (c. 143); "andando en el enzinera" (c. 147). También faltan,
ocasionalmente: "aunque cante boz en grito" (c. 145). *Adverbialización sin sufijo:* "que borrachos çierto estamos" (c. 126, ms. a2);
"haras presto del huego" (c. 131). *Adverbialización con "de":* "de
vero" (c. 153); "de ligero" *(ibidem)*. *Indefinido arcaico:* "que no
puedo ysmaginar / ... / que ombre sepa bolar" ("hombre" = "alguno"; c. 131). *Cambio morfológico de género:* "el leche" (c. 151).
Para diminutivos y formas arcaicas del partitivo, cf. este mismo capítulo, *supra.*

En cuanto a la fonética, repito también todo lo que sobre ello dije
más arriba, págs. 126-127, especialmente para la rima "paz/mas". Para
los recursos ornamentales, cf. los ejemplos citados en el capítulo siguiente. Atendiendo al léxico, es evidente, en una visión rápida, el
escaso empleo de cultismo, tan abrumadoramente empleados en el
resto del poema, como ya sabemos. Así: aguila (aguililla), angeles,
canciones, divino, domingo, *ignorar,* linda, memoria, oficio, palaciega
(Corominas señala la aparición de este vocablo —literariamente— hacia 1540, en masculino), peccador, perfecta, presto, virgen, ymaginar.
El romanceamiento es también inevitable, esta vez conscientemente:
mamoria, pereta y perheta, ynorar, yñorar, ysmaginar. Para las palabras latinas vulgarizadas a lo rústico en boca de uno de los pastores,
cf. más arriba. Algún nombre propio constituye, en realidad, un cultismo escapado a la intención popularista del fragmento, como "Zacharias" ("Zaquarias" en a1 y a2) o "Sant Johan" ("Juan", simplemente, en b1 y A), mientras que otros pertenecen resueltamente al
dicho tono rústico, como "Turibiello" ("Turebiello" en b1), "Juaniella", "Perico", "Pascualejo", "Minguillo", etc.

Pero, desde el punto de vista léxico, lo que hace más valiosas estas coplas pastoriles son los abundantes vulgarismos, arcaísmos y popularismos de toda especie con que están escritas. Anoto los más interesantes en este sentido, incluyendo las formas verbales:

Abondar ("bastar ya"), acotrar ("confundir"), adonado, agora, all, allegarse, apuetro, aquellotrado ("confundido"), aquellotrar ("alegrar"), aquellotrar ("entender"), asmar ("creer"), asombrado, atal, aturar.

Branca, bria.

Cabe el, cabo el, cantaderas, çapateta, capisayo, catar, collaço, conuidallo, cotarro, cucharal.

Daca, day ("de ahí"), del, delante ("ante"), de que ("de lo cual"), desnuye, dezille, dezillo, dillo ("decirlo"), dir ("de ir"), dite ("de ahí te"), do, dormiendo.

Embaraço (también "enbaço"), enantes, encantaderas, ençarramado, ende, endeliño, enpacho, entramos ("entrambos"), entrujar, enzinera, escobares, estay ("estoy"), esto ("estoy"), estorçejar.

Fablar, facer, fallescer ("fallar"), fuyr.

Gorgomillera, greña, guisalle ("guisarle").

Hatera, holgar, huego, huerte, huertemente, huese.

Labrar ("grabar"), lievar, luziello.

Ma ("me ha"), meter en pavor ("asustar"), miente, mientre ("mientras"), mijor, moçuelo, mochacho, mostrar, muça, mudar ("irse"), muedo.

Nin, notar ("oír").

Oy ("hoy").

Parallo, pavorido, pelleja, perheta, poria ("podría"), porque ("ya que"), presado, priado, puchas, puetro, purrir ("poner").

Quan, quanto ("que"), quiça, quiçal.

Rebollar, relumbrar ("alumbrar"), relumbrero, repicar ("tocar un instrumento musical"), reuellada ("reverencia"), reuellado ("reacio"), reylar, riso, rodear ("aparejar", "disponer").

Saltejones, sayo, segund, so, solapa, solapado ("escondido"), somo ("encima"), sobar, sobejo, sopar, supies.

Tañer, tasajo, tempero, terreña, tienpla, tomar alegria ("alegrarse"), tornar, trasmuro, trobejar.

Yal ("ya lo"), yñorar, ysmaginar, yzar.

Las frases familiares o coloquiales también son abundantes. Cf., por ejemplo, los juramentos rústicos: "juro a mi", "jura mi", "juro hago", "jura hago", "jura Diego", "jura diez", "te juro a Sant Pelayo", "te juro a Sant Pedro", "juro al poder de mi", "prometo a

mi", "para Sant Julian", "a buena fe salva digo..."; las exclamaciones "¡O cuerpo de su poder!", "¡O bien de mi!", "¡Pesete mal grado!", "a la he", "Hi de...!". Otros casos coloquiales: "estar a pocas"
("a punto de"), "fablando en veras", "te digo de veras", "pinto y
parado", "venga lo que viniere", "a la pareja" ("al lado"), "a huer
de...", "en gasajo" ("agradecido")...

Finalmente, conviene tener en cuenta que en el diálogo pastoril
aparecen también formas dialectales o de otro origen, pero que en su
mayoría poseen ya un carácter más bien vulgar o arcaico, de acuerdo
con el tono general del lenguaje de este fragmento. Son escasas y
no es necesario citarlas aquí.

La crítica ha venido calificando la lengua de estas coplas pastoriles de la *Vita Christi* como "sayagués"[43]. Sin embargo, según puede
apreciarse por lo arriba anotado, este "sayaguismo" debe considerarse
mejor como simple vulgarismo y arcaísmo, remedo del habla rústica
castellana —con algún dialectalismo leonés, en todo caso— y que responde más a un reflejo deliberado que a un ambiente y espíritu de-
terminados y reales. Como señaló J. E. Gillet, "it is still unknown
in how far this dialect is merely conventional. The question is, then,
how and when there was formed a tradition of speech which appea-
ring fully developped in *Mingo Revulgo* and accepted for two cen-
turies as the proper idiom of the Villancico de Navidad lead from
Íñigo de Mendoza through the eclogues of Encina and the inytroitos
of Torres Naharro to Rueda, 'espejo y guía de dichos sayagos y estilo
caballero', thence to pass into the drama of the Golden Age, increa-
singly misunderstood and misapplied, an disappearing finally as a
collection of mere vulgarisms under the ridicule of the satirists"[44].

---

[43] Cejador, más comedido, dice "casi sayagués", en *Historia de la lengua
y literatura castellana*, I, Madrid, 1927, pág. 154.
[44] "Notes on the Language of the Rustics in the Drama of the Sixteenth
Century", en *Homenaje a Menéndez Pidal*, I, Madrid, 1925, pág. 443. Cf. en
conexión con el "sayagués" y sus vulgarismos arcaizantes, Lamano y Beneito,
El dialecto vulgar salmantino, Salamanca, 1915; R. Menéndez Pidal, "El dialecto leonés", en *RABM*, 1906, págs. 128-172 y 294-311; P. Teysier, *La langue
de Gil Vicente*, París, 1959, así como los comentarios lingüísticos de J. E.
Gillet a las obras de Torres Naharro, *Propalladia and Other Works of Bartolomé de...*, III, Bryn Mawr, Pensilvania, 1951. Cf. también mi trabajo citado, "Sobre el autor de las *Coplas de Mingo Revulgo*".

Algunos caracteres generales del "sayagués" que constan en las coplas que comento son: rotacismo de L y R cuando la primera se agrupa con otra consonante; perduración de H aspirada; vacilación en el timbre de las vocales inacentuadas; uso arcaico del presente de indicativo y de los pronombres personales; uso del posesivo en el artículo; arcaísmos como nota característica... [45].

---

[45] Cf. M. García Blanco, "Algunos elementos populares en el teatro de Tirso de Molina", en *BRAE*, 1949, págs. 415 y ss.; Frida Weber de Kurlat, *Lo cómico en el teatro de Fernán González de Eslava*, Buenos Aires, 1963, págs. 65-86.

CAPÍTULO V

TRES ASPECTOS DE LA *VITA CHRISTI*

Todo lo dicho en el capítulo anterior sirve para señalar y comprender cuál es el "estilo" de la *Vita Christi*. Como se ha venido repitiendo continuamente, se da en el poema de Mendoza la unión de
popularismo y cultismo. Esta unión es, quizá, una de las características más importantes de la obra, unas para entenderla rectamente debemos tener muy en cuenta la circunstancia histórica y social de
Fr. Íñigo, su posición en la corte, su innegable educación, el trato con
nobles e intelectuales de la época; recordemos también su origen familiar, doblemente interesante. Su pensamiento debe reflejarse en sus
versos necesariamente. Lo culto y lo cortesano aparece así en las obras
de Fr. Íñigo como consecuencia inmediata de la *situación* del autor
ante la sociedad contemporánea. Sin embargo, hay algo que separa
a Mendoza de la mayor parte de los eruditos y poetas del momento.
Unas penetrantes líneas de Sánchez Albornoz nos permitirán apreciar
bien tal separación: "con harta frecuencia los escritores cuando se
apartan del pueblo caen en el preciosismo literario, pero en los tres
casos señalados [se refiere a los escritores hispanolatinos de la época
post-augústea, a los poetas de cancionero del siglo xv y a los autores
barrocos] muchos hispanos cayeron en el barroquismo, y vengo usando esta palabra no en el sentido estricto, sino en su acomodaticia significación vulgar. No fue casual esta caída. Españoles hasta el meollo
del alma, aunque, desdeñosos, se apartasen de los cauces de lo llano
y de lo popular para crear arte minoritario dedicado al goce estético

de los cultos, de los iniciados, no podían impedir que se les disparara con fuerza los últimos resortes de la desmesura histórica y, empujados por ellos, se lanzaban por los caminos de la hinchazón expresiva... Pocos escapaban a estas últimas reacciones explosivas del *homo hispanus* y se libraban de tal caída. Porque... seguían fieles a la tradicional llaneza castellana; porque la firmísima serenidad de su espíritu o algún misterioso o conocido resabio racial les salvaba de la desmesura..." [1]. La posición de Fr. Íñigo es similar. En medio de la corriente culta de moda en la época, su obra presenta, sin embargo, motivos de auténtico popularismo tradicional, y no sólo estilístico, sino también ideológico, debido tanto a su situación de fraile menor —e inmerso por lo tanto en la corriente popularista de su orden— como a sus ideas políticas y sociales, como explico en otro lugar [2]. Así, en expresión de Cejador, "fue de los primeros, en efecto, que contribuyeron a enlazar en estrecho nudo las dos tendencias artísticas, la clásica o erudita y la popular, a injerir en la fría vena de los trovadores cortesanos aquella sangre popular por ellos menospreciada" [3]. Mendoza se encuentra, por tanto, en la unión de dos *modos literarios*, el popular y el culto, y muchas veces de una forma absolutamente consciente. Y relacionada con ambos aspectos se halla la expresión e ideología religiosa del poema, como también veremos.

LO POPULAR

Ya llevo mucho camino andado para mi intento de delimitar el alcance de lo popular en la *Vita Christi*, pues todo lo referente a sintaxis y léxico vulgar y arcaico es un dato importante para ello, así como, naturalmente, la forma métrica octosilábica de la misma, todo lo cual ha sido estudiado en el capítulo anterior. Comparando lo más relevante de entre los aspectos aludidos, es decir, las listas de expresiones y palabras cultas o no cultas anotadas, se halla fácilmente el muy fundamental papel que estas últimas juegan en el contexto. Hay en el poema numerosos pasajes en que la presencia de construcciones,

---

[1] *España. Un enigma histórico*, I, Buenos Aires, 1956, págs. 602-603.
[2] Cap. VII.
[3] *Historia de la lengua y literatura castellana*, I, pág. 153.

vocablos, etc., vulgares es claramente innata, escapada a la pluma y
al pensamiento de Fr. Íñigo sin intento previo. Pero hay otro lugar
del poema en que, como ya sabemos, el franciscano vulgariza y arcaíza
consciente y deliberadamente; me refiero al episodio pastoril encabezado con el título "Comiença la reuelaçion del angel a los pastores"
(copla 122) y a su lenguaje "sayagués". El propio Mendoza explica
claramente por qué introduce este fragmento, de tono tan distinto, en
el poema :..................................

> pues razon fue declarar
> estas chufas de pastores
> para poder recrear,
> despertar y renouar
> la gana de los lectores (c. 156) [4],

pidiendo en la copla siguiente que, "por ende, ningun liuiano / no
lo juzgue a liuiandad".

Más adelante hablaré de las fuentes e influencias que estas coplas
pastoriles presentan (cf. cap. VI). Lo que me interesa señalar ahora
es que este tipo de diálogo rústico corresponde a un sentimiento y a
un intento claramente popular, no sólo por su estructura lingüística
externa, sino también por su misma esencia. El diálogo popular, como
es bien sabido, constituye, por otra parte, el fundamento del primitivo teatro, que se desarrolla precisamente en ambiente y tono populares también. Este tipo de diálogo, insisto, es popular y medieval, hon-
damente representativo del sentimiento del pueblo peninsular de la
época, y lo encontramos no sólo en el teatro, sino también en obras
de intención semejante a la del fragmento de Mendoza, como las
Coplas del Provincial y las de *Mingo Revulgo*, la *Danza de la Muerte*,
ciertos aspectos del *Libro de buen amor*, etc. "Mas ¿por qué el diálogo ha constituido la clave de la expresión y del pensamiento poético
de la Edad Media? Como hemos visto, porque la historia de la poesía
representa la enumeración del reencuentro del hombre consigo mismo,
la evolución del diálogo al monólogo... Poesía medieval, Renacimiento, Romanticismo, poesía pura, etc., van acusando una primacía del

---

4   "De mezclar" por "declarar" en b1. El título de la copla es también
muy explícito : "Muestra el actor por que razon ha puesto estas pastoriles razones prouocantes a riso".

elemento personal, del alma del poeta sobre el mundo externo." Esta
explicación de R. Benítez Claros[5] nos presenta, quizá, la raíz del
asunto, al que ya he hecho alguna alusión antes de ahora. Por una
parte, el diálogo medieval es, pues, la expresión del popularismo co-
lectivista del momento, que en los años del fraile Mendoza está a
punto de ser definitivamente sustituido por el yo individualista propio
del prerrenacimiento y Renacimiento, a causa de la pérdida de ese
sentimiento comunitario, al que no es ajena la ascensión paulatina de
la burguesía. Fr. Íñigo, dentro del prerrenacimiento castellano, se identifica en una gran parte de su ser y de su quehacer literario con la
Edad Media, como puede apreciarse en tantos aspectos de su vida y
de su obra. Aparte de lo ya dicho, dos formas poéticas de las utilizadas por Mendoza en la *Vita Christi* pertenecen a este mundo estilístico de lo popular. Hablo del "Romançe que canto la nouena orden,
que son los serafines" (c. 100) y de la "desfecha" del mismo (c. 101).

No es necesario aquí decir nada acerca de los romances ni de su
popularismo y tradicionalidad originales. En la memoria de todos están los trabajos y estudios de Menéndez Pidal a este respecto. Pues
bien, Fr. Íñigo inserta una de estas composiciones en su poema, la
citada. Esto, para empezar, es de una importancia extraordinaria y
constituye un hecho en el cual no se ha fijado especialmente la atención sino de muy pocos estudiosos. S. Griswold Morley habla de este
romance diciendo : "this may well be the first romance ever printed"[6].
En esto, precisamente, radica su señalada importancia, a menos que
nuevos hallazgos obliguen a rectificar tal opinión. Pero no es esto
sólo, sino que, además, es Mendoza uno de los primeros autores castellanos que intercala en sus obras composiciones de este tipo, que
bien pueden definirse, en frase de Dámaso Alonso, como "breves des-
cansaderos líricos"[7]. Esta incorporación del repetido romance a las

---

[5] "El diálogo en la poesía medieval", en *Cuadernos de Literatura*, 1949,
página 187. Hoy mismo, la auténtica poesía vuelve al "nosotros" primitivo.
Sobre todas estas afirmaciones es útil la *Historia social de la literatura y el
arte*, en tres volúmenes, Madrid, 1957, de Arnold Hauser.
[6] En "Chronological List of Early Spanish Ballads", en *HR*, 1945, página 279.
[7] En el "Pórtico" de la *Antología de la poesía española de tipo tradicional*,
editada con J. M. Blecua, Madrid, 1956, pág. XXIII.

muchas veces seca teoría de dobles quintillas de la *Vita Christi* la considera Montoliu "rasgo característico que hace de Mendoza un precursor de Castillejo y de Valdivielso, de Lope de Vega y de Góngora"[8], rasgo pleno a la vez de suave realismo y de intimidad humana que se traduce en agradable lectura. Sin embargo, nos encontramos precisamente, y como he repetido varias veces, ante un caso típico del estilo de Fr. Íñigo: mezcla de lo popular y de lo culto. La primera de estas características la constituye la forma, el romance en cuanto tal; la segunda, el contenido del mismo, evidentemente de aspecto cultista, ya que los ángeles que cantan el nacimiento de Cristo se expresan elegante y cortesanamente, y esto en las dos versiones que del romance existen[9]. Estamos, en todo caso, ante algo señalable, que puede servir muy bien para estudiar el romance en la época de transición y apertura hacia la popularización de la lírica culta, de honda tradición posterior, que llega hasta nosotros[10].

Al romance sigue en el texto de la *Vita Christi* una "desfecha" al mismo:

> Heres niño y as amor;
> ¿que faras quando mayor?

Nos hallamos ante uno de los aspectos más interesantes del poema, así como también más bello y popular, muestra de esa "deliciosa primavera temprana de la poesía a lo divino", como exclama Dámaso Alonso[11]. La importancia del asunto requiere algún detenimiento en él. Dejando a un lado la cuestión de los orígenes e historia del género[12], lo pertinente desde mi punto de vista es el hecho incontestable de su auténtico desarrollo en el siglo XV. Es muy atractiva la

---

[8] *Manual de historia de la literatura castellana*, Barcelona, 1947, pág. 218.
[9] Cf. *Vita Christi*, c. 100.
[10] Cf. el "Pórtico" citado, de Dámaso Alonso.
[11] *Poesía española. Ensayo de métodos y límites estilísticos*, Madrid, 1950, página 241.
[12] Dámaso Alonso remonta la aparición del mismo al *Eya velar* de Berceo (*op. cit.*, pág. 230); Eugenio Asensio, a Alfonso X (en su reseña del libro de Le Gentil, *La poésie lyrique*, en RFE, 1950, pág. 301: se basa en una danza de mayo utilizada en las *Cantigas*). Cf. especialmente B. W. Wardropper, *Historia de la poesía lírica a lo divino en la cristiandad occidental*, Madrid, 1958, págs. 93-96.

sugerencia de F. Márquez Villanueva, quien considera propio de conversos la utilización de la poesía a lo divino, basándose en un texto de Alonso de Cartagena dirigido a Fernán Pérez de Guzmán: "veo en vos no menos loable que en vuestra juventud o en la uiril edad e aun algund tanto prouecta uos ueya occupar en questiones o fazer uestros dulces metros e ritimos que coplas llamamos de diuersas materias, unas eran de cosas humanas aunque estudiosas y buenas, pero agora acordades passar a lo diuino y deuoto..." [13]. El género, como es sabido, fue utilizado por numerosos autores, Gómez Manrique y Montesino entre los más conocidos, pero fue precisamente Álvarez Gato, de notoria ascendencia hebrea, quien lo popularizó. Fr. Íñigo de Mendoza, por lo tanto, pudo muy bien emplear sus divinizaciones poéticas precisamente dejándose llevar de las corrientes conversas, y más cuando éstas eran elogiadas por la autoridad de su famoso tío-abuelo, pero creo que también debe verse en ello tanto el aprovechamiento de un útil recurso religioso-literario como una irrefrenable tendencia hacia lo sencillo y lo popular.

La "desfecha" de la *Vita Christi* que origina este comentario —aunque no es la única muestra a lo divino del poema, como diré poco más abajo— no aparece en la primera versión de la obra de Mendoza, pero sí en la segunda, de hacia 1469-1470, lo cual supone una cierta tradición anterior o, por lo menos, un fuerte popularismo contemporáneo. En el siglo XVI encontramos unas pocas variantes del estribillo citado, alguna de ellas puramente amorosa. La primera fue publicada en forma de glosa a una "letra" en el *Ramillete de flores*. 4.ª 5.ª y 6.ª parte de *Flor de romances nuevos*, Lisboa, 1593, y dice así:

> Si eres niña y has amor,
> ¿qué harás cuando mayor?
> Si al niño dios te ofreciste
> desde niña, con la edad
> le darás más voluntad
> de la que le prometiste.
> Si pequeña te atreviste

---

[13] Prólogo del *Oracional*, cit. en F. López Estrada, "La retórica en las *Generaciones y Semblanzas* de Fernán Pérez de Guzmán", en *RFE*, 1946, página 342. Márquez Villanueva se refiere a esto también en *Investigaciones sobre Juan Álvarez Gato*, págs. 251-256.

en tenerle por señor,
¿qué harás cuando mayor?
Como estás hecha a querer
desde que sabes andar,
en faltando a quién amar
te vernás a aborrecer;
según esto podrás ver
si eres niña y con amor,
¿qué harás cuando mayor? [14].

La segunda muestra se halla en una canción de la *Séptima parte
de Flor de Romances Nuevos recopilados de muchos autores por
Francisco Enríquez*, Madrid, 1595, cuyo estribillo es el siguiente:

Niña de quince años
que cautiva y prende,
¿qué hará, Dios mío,
cuando tenga veinte? [15].

Esta segunda forma es, obviamente, una refundición de la primera y básica, la cual, como dice Dámaso Alonso, "aunque aparente-
mente posterior en el tiempo [a la "desfecha" de Fr. Íñigo]..., es la
popular primitiva, porque es mucho más difícil —o casi imposible—
un cambio de lo divino a lo profano" [16].

Pero, como he indicado, también constan ejemplos de nuestro estribillo a lo divino, y posteriores a la *Vita Christi*. El primero es de
Cristóbal de Cabrera, titulado *En la fiesta de la Circuncisión*; el texto
es de 1555:

Niño que en tan tierna edad
tales muestras da de amor,
¿qué no hará cuando mayor?

---

[14] Cito por la edición de A. González Palencia del *Romancero General*, I,
Madrid, 1947, núm. 370, pág. 250, corrigiendo algún error señalado por B. W.
Wardropper, *op. cit.*, pág. 138.
[15] Según ed. cit. del *Romancero General*, núm. 540, pág. 350. Coincide
con el texto del *Romancero de la Biblioteca Brancacciana*, publicado en *RH*,
1925, pág. 359.
[16] *Op. cit.*, pág. 231. Lo mismo afirma Wardropper, *op. cit.*, págs. 138-140.

Suelen los niños amar
pero múdanse muy presto,
que su amor es agua en cesto
cuanto al crecer y al durar.
Mas niño que entra con dar
prendas de sangre y dolor,
¿qué no hará cuando mayor?

Dar triste gusto en sufrir
lo que ofende a los sentidos
es de pastores curtidos
que van perdiendo el sentir.
Mas niño que por curtir
está tan diestro pastor,
¿qué no hará cuando mayor?

Es tan frágil nuestro ser,
y más al que está en pañales,
que no hay sacar por señales
quién ni cuánto ha de querer.
Mas niño que ha de crecer
y ama ya con tal fervor,
¿qué no hará cuando mayor? [17].

El segundo caso es de Lope de Vega, quien, de acuerdo con su personal gusto por lo popular, recrea el repetido estribillo en *La limpieza no manchada*, poniéndolo en boca de los ángeles, que cantan a la Virgen:

Si cuando niña has amor,
¿qué harás cuando mayor? [18].

Vemos así la larga y fecunda tradición del estribillo utilizado por Mendoza en su "desfecha" y glosa, con su hondo espíritu sinceramente popular, siquiera haya sido adaptado o incrustado en otros poemas más cultos [19].

---

[17] Lo tomo de M. Macías y García, *Poetas religiosos inéditos del siglo XVI*, La Coruña, 1890, pág. 83. Cejador, en *La verdadera poesía castellana*, VII, Madrid, 1921, pág. 203, cita otra variante similar de López de Úbeda.

[18] Edición Real Academia Española, Madrid, V, 1895, pág. 409.

[19] Una interesante muestra de pervivencia del género, así como del estribillo comentado, la proporciona actualmente el poeta José Luis Tejada con

Ya he indicado que en la *Vita Christi* de Mendoza hay más coplas a lo divino. El título de la número 247 dice en el ms. a2: "Canta
y glosa la cançion *tan asperas de sofrir*" [20], y el asunto se extiende
hasta la 249, comenzando realmente en la 246, cuya segunda quintilla dice:

> pues quien fue tan singular
> en la merced recebir,
> deue serlo en el pesar
> deue llorando cantar:
> *tan asperas de sofrir.*

Evidentemente, nos hallamos ante una genuina canción musical, y
además muy extendida y conocida, como demuestran las dos citas
que de ella se hacen por poetas de cancionero, si bien de tercer orden, como Guevara y Pinar. El primero de éstos, en unas coplas
A vna partida que el rey don Alfonso hizo de Arevalo, anota varias
letras figuradamente cantadas por caballeros y galanes —encabezados
por el propio hermano de Enrique IV— en su despedida de las damas
de la seudocorte rebelde, una de las cuales dice:

> Martin de Tauara, cierto
> vi venir triste, lloroso,
> con dolor tan congoxoso
> que es hablar con ombre muerto;
> y de ver su mal cruel,
> por quitarle su sentir
> camine lo mas con el
> do de amor le oy dezir:
> *tan asperas de sofrir* [21].

El segundo, Pinar, en el *Juego trobado que hizo a la reyna doña
Isabel, con el cual se puede jugar como con dados o naypes,* artificio

---

una "Glosa a lo divino", publicada en *Cuadernos Hispanoamericanos,* 1961,
páginas 359-360, cuyo estribillo glosado dice así:

> *Si eres niño y ya has Amor,*
> *¿qué no harás cuando mayor?*

[20] El título en b1 y A es "Glosa de *tan asperas* en nombre de Nuestra
Señora".
[21] NBAE, XXII, núm. 904, pág. 506.

utilizado con el mismo fin que en la obrita anterior, cita de nuevo
entre otras canciones la que me interesa, dirigida a una de las damas
de la reina:

> Vos tomad vn arrayhan
> por las virtudes que tiene,
> que dezillas no conuiene
> donde sabidas estan;
> y un ruyseñor que os despierte
> en el mas dulçe dormir
> cantando por vuestra suerte:
> *tan asperas de sofrir;*
> y el refran que *quien no miente*
> *no viene de buena gente* [22].

El poema de Guevara, como indica su título, pertenece a una
época muy próxima a la de la redacción de la primitiva versión de
la *Vita Christi*; la inserción de la referencia a *tan ásperas de sufrir*
nos demuestra la popularidad de tal canción ya por los años de 1467
y la supervivencia de la misma a final de siglo, en tiempos de la
reina Isabel y cuando todavía vivía el príncipe don Juan, aludido en
el "juego" de Pinar.

En 1467-1468, por lo tanto, utiliza Fr. Íñigo las canciones y coplas
populares glosándolas a lo divino, siendo así uno de los iniciadores
del género en el siglo XV, dentro, como afirma Dámaso Alonso, de
"la constante tendencia de nuestra literatura, desde la Edad Media
hasta fines del Siglo de Oro, al anonimato, a la reelaboración de elementos, a la refundición" [23]. Este anonimato y refundición señalan
bien a las claras la raíz última de toda una fundamental parte de
nuestra literatura, que es, simplemente, su carácter popular. Fr. Íñigo
de Mendoza, tanto por sus divinizaciones —un dato más— como por
tantos otros detalles de que voy hablando a lo largo de este trabajo,
está dentro, en una buena parte de su ser y su obra —sin duda la
más valiosa—, de ese popularismo [24].

---

[22] *Ibid.*, núm. 952, pág. 561.
[23] *Op. cit.*, pág. 265.
[24] Cf. sobre dicha tendencia al anonimato y colectivismo, R. Menéndez
Pidal, introducción al tomo I de la *Historia General de las Literaturas Hispánicas*, págs. XXVIII y ss.

Pero no acaban aquí los aspectos popularistas de la *Vita Christi*.
Dentro de los numerosos *exempla* —comparaciones o simplemente metáforas del poema— hallamos una buena cantidad de ellos de espíritu totalmente popular, muy lejos de lo culto en cualquiera de sus
manifestaciones. Conviene también tener en cuenta que este uso estilístico debe ser considerado, en todo caso, como "indicio de la herencia medieval", de acuerdo con María Rosa Lida[25]. En otro lugar
veremos las relaciones que existen entre las imágenes que aparecen en
la *Vita Christi* y en otras obras contemporáneas, así como sus posibles orígenes[26], limitándose aquí a anotar aquellos casos que considero de tradición medieval popular —o por lo menos popularizada—
o tomados de la vida cotidiana y ordinaria, aunque, como señala
K. Whinnom[27], muchos de estos *exempla* o comparaciones se hallan
dentro de la línea de la predicación tradicional, siendo adaptadas a
la circunstancia personal y local por el autor. De esta forma, unas provienen del mundo animal: "la liebre por no encobarse / a vezes
pierde la vida" (c. 17; la metáfora continúa en la copla siguiente
como amonestación a las doncellas); "tendida la red tenia / avnque
no se paresçia / syno tan solo el mochuelo" (c. 275; con referencia
a Herodes y sus maquinaciones contra el niño Jesús; se complementa
en la misma copla con "sola la lombriz se veya, / mas alli estaua el
anzuelo"); esta comparación figura, con variantes, en otros lugares del
poema: "como al buytre caro cuesta / quando en la buytrera mira
/ la carne que alli esta puesta / y no siente la ballesta / ni tanpoco
a quien la tira, / asy toma en la lazada / al grand buytre del infierno" (c. 326; Cristo, vencedor ingenioso del demonio); "desçendiste
te a hartar / al señuelo de la fe" (c. 39; la Virgen aceptando el mensaje de la Encarnación), y "o lazos de perdimiento" (c. 338; los falsos dioses). Los escritos, comentarios y discusiones sobre el misterio
de la Encarnación hacen decir a Fr. Iñigo: "¡O sancto vientre bendicto!, / quanto de ti yo magino / y todo lo que es escripto / es
quanto lieua un mosquito / de muy grand cuba de vino; / que nunca
le haze mella / aunque beua quanto pueda; / sy mill veces entra

---

25 *Juan de Mena*, pág. 163.
26 Cf. cap. VI.
27 "El origen de las comparaciones religiosas del Siglo de Oro: Mendoza,
Montesino y Román", en *RFE*, 1963, págs. 263-285.

en ella, / el sale borracho della, / mas ella llena se queda" (c. 41).
Otros casos del mismo orden de comparaciones con animales son:
"¡O quan propio se conpara / al alacran en aquesto, / que muestra
blanda la cara / y tiene que no declara / ponçoña que mata presto!"
(copla 275; también sobre Herodes; en a1 el alacrán ha sido sustituido por "aranya"); "como el tordo que se cria / en la jaula de
chequito, / que dize quando chirria / 'Jhesus' y 'Sancta Maria' / y
el querria mas vn mosquito" (c. 350; sobre los "estragados fieles"
de Castilla); "callemos el mal que pasa / y como gato por brasa..."
(copla 234; a1, a2, sobre los males de la época); "y con cara lisongera, / como mastin escusero..." (c. 312; sobre los halagos del mundo); y "como discretos, mirando / que deuen dexar el mando / al
gallo en su muradal" (c. 218; los Reyes Magos ante Herodes. Una
variante es la comparación de los cortesanos ante las damas: "quando
estan muy hechos gallos / delante las portuguesas", copla 188). No
podían faltar las alusiones a algo tan popular como los festejos tau-
rinos: "por salir de la barrera / muchos mueren nesçiamente" (c. 17;
aconsejando a las doncellas otra vez), y "con tal grita y correndera /
qual suele lleuar la gente / al saltar supitamente / el toro por la
barrera" (c. 360. En a1 y b1 cambia el texto; cito el primero: "con
tal grita y corredera / qual acostumbra la gente / quando algund
toro valiente / se bota por la barrera". Se refiere Fr. Íñigo en ambos
casos a la llegada de los Inocentes a la Gloria). Dentro de las diversio-
nes de la época aparecen los juegos de cañas, aludiendo a los conocimientos teológicos de San Jerónimo, quien terminó "guardando
baras estrañas / para los juegos de cañas / de la sacra theologia"
(c. 6, b1), aunque no faltan otros más... Por último, algunos ejemplos de distinto orden son: "que quando en el me entremeto, / sy
por la manga le meto, / vase por el cabeçon" (copla 42; el hombre,
tratando de comprender el misterio de la Encarnación); el aldeano
"metido en real cortina" (c. 44; con variantes en la c. 213: los labradores que "...en cas de los señores / miran los paños brocados");
la fe es "no claro conosçimiento, / mas un conosçer atiento, / como
çiego blanca nueua" (c. 54). Podrían añadirse muchos más casos similares, pero creo que basta con lo anotado[28].

---

[28] Reservo para la segunda parte de mi trabajo (la edición crítica de la

Un aspecto distinto, pero relacionado con lo anterior, viene marcado por la aparición de "baxos oficios" en el texto. Las alusiones a
labradores, pastores, carpinteros, sastres y "traperos" o aldeanos en
general, frente a otras ocupaciones más consideradas socialmente, y,
sobre todo, la exención que Fr. Íñigo hace a los más inferiores de
ellos —labradores y pastores— de los males y turbaciones del reino,
como señalo en otro lugar [29], nos muestran otra vez ese popularismo
ideológico que en la *Vita Christi* es tan fácil hallar.

En el poema aparece también, aparte de numerosas frases familiares y coloquiales del estilo indicado en el capítulo anterior, cierto
uso del refranero y de la sentenciosidad popular. Esto, por un lado,
como piensa Américo Castro, "es otro resultado de la contextura is-
lámico-judío-cristiana y constituye otro desnivel con Europa" [30]. Y es
una característica bastante acusada, en términos generales, de la literatura medieval, pero, por otro lado, es una evidente muestra de orientación hacia lo que de una forma genuina pertenece, mentalmente, al
pueblo, y lejos, por lo tanto, del estilo elevado y culto. Un comentario del bachiller Fernando de Torre es revelador a este respecto;
en su *Libro de las veinte cartas e quistiones* habla de "los prouerbios
e retorica frayriega, que la tal manera de ordenar por muchos es re-
prouada…" [31]. Veamos algunos de los refranes utilizados por Fr. Íñigo,
a veces adaptados y recreados: "la virgen mucho plaçera / es impossible que fuera / no quiebrel asa o la fruente" (c. 17); "la estopa
no esta segura / en burlas con los tizones" (c. 18; representando la
mujer, el hombre y el deseo amoroso); "desde entonçe fiat della /
vn buen saco de alacranes" (c. 24); "tanto de ti se le entiende /
como al asno de melcocha" (c. 43); "como galgo en el escriño"
(copla 105; "gallo" en a1; se refiere a Cristo en el pesebre); "mi
gozo en el pozo" (c. 181A); "con la que Domingo sana / dizen que

---

Vita Christi) el comentario oportuno a estos casos y a otros todavía numerosos que no incluyo aquí.

[29] Cf. cap. VII, págs. 227-228.

[30] *España en su historia. Cristianos, moros y judíos*, Buenos Aires, 1948,
página 365, nota.

[31] En el capítulo "dezevo", titulado "De un agradescimiento e salva de
mosén Fernando a una señora", en su *Cancionero y obras en prosa*, ed. Paz
y Melia, Dresde, 1907, pág. 103.

Pedro adolesce" (c. 320)... El trasfondo de estas "hablas castellanas", como las llama el propio Fr. Íñigo, es esencialmente popular, y debe ser tenido en cuenta al rastrear el popularismo de la *Vita Christi.* Finalmente, quiero insistir en el hecho importante de que lo popular en el fraile Mendoza no es solamente una parte de su estilo literario, sino que refleja también un aspecto fundamental de su mentalidad. La preocupación antiornamental propia del franciscanismo explica ciertos caracteres del poema [32], pero en la composición ideológica del mismo intervienen poderosamente la estructura histórica en la cual está inserto Fr. Íñigo —con el atormentado mundo interno del converso, no importa que pertenezca a familia tan ilustre como los Cartagena— y su actitud política y social, de lo que me ocupo especialmente en el cap. VII, con lo que se une su violenta crítica de costumbres, construida también desde un punto de vista popular castellano.

LO CULTO

El aspecto cultista y cortesano forma la otra vertiente estilística fundamental de la *Vita Christi.* A pesar de todo lo dicho hasta aquí sobre el popularismo del poema, éste, como cree K. Whinnom [33], se dirige a un público elevado o, en todo caso, educado; no pueden considerarse como meras exclamaciones retóricas, por ejemplo, las coplas 106-121 (incluyendo las veintidós de la primera versión), en que Mendoza increpa violentamente a los nobles, dejando a un lado otros varios lugares y críticas similares, menores, de más bajos estados sociales. Dentro del grupo de coplas indicado, en la número 110 expresa claramente Fr. Íñigo su intención de referirse a la nobleza, ya que "quien reprehenda no ay" [34]. Debe notarse a este respecto, además, que el franciscano encabeza numerosas admoniciones del texto "al lector", alejándose, como otros poetas cortesanos de la época, del uso más genérico de "señores", "vos", etc., propio más bien de au-

---

[32] Hablo de ello en este mismo cap., *infra,* y en el cap. VI, págs. 172 y ss.
[33] "El origen de las comparaciones religiosas", ya citado, pág. 271.
[34] El perdón que en la núm. 109 pide a los grandes indica lo mismo.

tores anteriores y de público claramente popular [35]. Asimismo, se preocupa en varias ocasiones (coplas 61 y 181, por ejemplo) de demostrar su afán por ser "eloquente", excusándose otras por no conseguirlo y redactar "groseros rimos" (c. 56 y 159), lo cual indica, asimismo, una cierta intención ocasionalmente culta.

Ya me he referido en el capítulo anterior, al hablar de la técnica usada en el poema, a varios aspectos que interesan para esta visión del mismo. El léxico, en primer lugar, recoge una impresionante cantidad de cultismos, como ya sabemos, mientras que la sintaxis se acerca más, generalmente, a usos vulgares. De los recursos ornamentales ya he dicho también lo suficiente; recuerdo aquí únicamente que Fr. Íñigo utiliza los mismos convenientemente, sin excesiva amplitud, y siempre con un tono apagado y gris, muy lejos del habitualmente pomposo en muchos momentos de los poetas coetáneos en situación y circunstancias semejantes a las del franciscano. De todo esto, insisto, únicamente interesa y llama poderosamente la atención —en lo que atañe al tema de este apartado— el léxico culto de la *Vita Christi*, excepción hecha del diálogo pastoril. Ello nos lleva, como consecuencia inmediata, a pensar en la educación y en las lecturas del fraile; de la primera poco sabemos directamente, como dije al tratar de la vida de Fr. Íñigo, aunque es fácil suponerla; de la segunda diré algo ahora. Evidentemente, tan exagerada nómina de vocablos cultos y semicultos como el poema ofrece sería imposible haberla conseguido solamente por simple reflejo del ambiente cortesano en que Mendoza se movió durante casi toda su vida; hacían falta también numerosas lecturas, conocimientos librescos, sobre los cuales la *Vita Christi* presenta datos preciosos. He aquí, dejando a un lado por el momento las importantes implicaciones sobre la influencia que los mismos ejercen en la *Vita Christi* (que estudiaré en el capítulo VI) y ateniéndome sólo a aquellos autores que aparecen citados por su nombre en el poema, así como a las alusiones a libros en general, una muestra de este *background* erudito. Aparecen, en primer lugar, referencias a la Biblia: coplas 20, 27, 31-33, 45, 161-162, 175, 204, 219-222, 261, 269, 277, 296, 327, 328..., a los Evangelios: cc. 115P, 202, 251,

---

35   Cf. María Rosa Lida, *Juan de Mena*, pág. 214. Sucede así, por ejemplo, en las coplas 217, 318, 321 y 342.

286, 320, 366, y a los Santos Padres (San Jerónimo, c. 6; San Ambrosio, c. 119; San Gregorio, c. 258)... No falta, como no podía dejar de suceder, la cita de Boecio (c. 309), lo mismo que la de los grandes sabios de la Antigüedad (Platón, c. 202; Aristóteles, c. 280E; Séneca, c. 191). Otros nombres famosos, fuera ya de lo literario, son Aristóbolo (c. 216), Arriano (c. 51), Constantino (c. 383), Hircano (copla 216), Maniqueo (cc. 51 y 173), Teodosio (c. 119) y Valentino (copla 173), relacionados todos, en distintas formas, con la religión cristiana. Por último, otro aspecto interesante en cuanto a la erudición demostrada en la *Vita Christi* de una forma puramente externa es la utilización de la mitología, con sus dioses (Apolo, c. 8; Mares o Marte, *ibid.*; Venus, *ibid.*), héroes y criaturas extrañas (las amazonas, c. 375; Anteo, c. 118; Atlante, c. 380; Caco, *ibid.*; Cancerbero, c. 393; los centauros, c. 380; Hércules, *ibid.*; la hidra, *ibid.*; las sirenas, cc. 256 y 307); también regiones o personajes puramente librescos, como Nemea (c. 380) y Velo y Nino, de "donde ouo nasçimiento la ydolatria" (c. 330). Sin embargo, a pesar de toda esta superestructura culta, nos encontramos otra vez con la mezcla de estilos, ya que, como afirma María Rosa Lida, la cita por su nombre de autores leídos debe ser considerada como "legado de la poesía doctrinal del siglo XIII, en la que el poeta-maestro no se siente seguro si no tiene tras sí el 'scripto', el 'libriello' o el 'ditado' latino" [36]. El trasfondo medieval aparece de nuevo por entre la trama erudita de la *Vita Christi*.

Un buen número de las imágenes y metáforas usadas en la obra de Mendoza pertenecen al mundo cortesano culto, pero no debe olvidarse el también muy importante aspecto que ofrecen las ya anotadas de tipo popular y tradicional. Muchos de los *exempla* son totalmente eruditos, identificándose a menudo con lo que he dicho pocas líneas más arriba sobre citas literarias, recuerdos de lecturas, autores. Así sucede con ejemplos y comparaciones referidas a la Biblia,

---

[36] *Juan de Mena*, pág. 90. Algunos ejemplos de la *Vita Christi*: "de la hermosa Thamar, / su hermana de Absalon, / leemos por se apartar..." (c. 20); "el marques de Santillana / llama bien auenturada..." (c. 115F); "que los sabios han escripto" (c. 162B); "quen la Scritura leydo..." (c. 115P); "ca segund dize Platon..." (c. 202); "pues en los otros no veo / escripta la tal hystoria" (c. 366)...

la mitología y la historia, de forma especialmente abundante las primeras. Un importante uso de la metáfora iluminista da un carácter particular al poema, pues consta, con variantes diversas, en diferentes lugares del mismo (cc. 1, 13, 14, 52, 57-61, 64, 65, 87, 173, 276, 281, 287, 319-321, 324, 357, 363-364). Aparece también la metáfora de la vidriera y el rayo de sol para explicar el parto incorrupto de María (copla 30), así como otros abundantísimos símiles también en relación con la madre de Cristo (*passim*). He aquí algunos otros ejemplos tomados de libros y lecturas [37]: el soñador que despierta y queda defraudado (cc. 207, 308), el médico y la medicina que curan apropiadamente (cc. 71, 74-76, 78, 166, 178, 283, 295, 320), el ansia de "tragar moneda" y de poder (cc. 76, 118, 195, 344), los arcos desempulgados "alguna pieça del dia" (cc. 156-57), el freno o las espuelas del caballo (cc. 13, 34, 167-170...), la fuente que siempre mana (coplas 11, 292), el cimiento de los edificios (cc. 43, 57, 307, 315), el elefante airado (c. 237), los ojos "hechos fuentes" (c. 238), el mundo, rueda mudable (c. 309), el "rey" de las abejas, sin aguijón (c. 391)... Las comparaciones con reyes, cortes, etc., son abundantes: la corte del cielo (c. 88), la sublevación contra un monarca (c. 214), el rey y su reino (cc. 95, 100, 279, 328, 370)..., lo mismo que las de armas y batallas (cc. 18, 23, 57, 225, 292, 298, 336, 347, 392), victorias (3, 92, 292, 298, 336, 347)...

Se hallan también en la *Vita Christi* una serie de jergas especializadas de fuentes e intenciones más o menos decorativas y cultistas, cuyos vocablos pertenecen muchas veces al género anotado en el capítulo anterior. Así sucede con palabras de *influencia eclesiástica,* como

adoración, adorar, angelical, apóstol, bautismo, bautizar, católico, celestial, celsitud, clérigo, creatura, crucificar, deidades, diablo, divinidad, evangelista, gloria, jerarquía, limbo, martirio, omnipotente, profetizar, profeta, sacramento...

filosófica: accesorio, accidental, causa, causa prima, contrario, distinción, efecto, esencia, esencial, extremos, fin, finito, infinito, materia, medio, mundano, participar, potencias...

jurídica: abogados, certificarse, conclusión, consistorio, cuenta, delibrar, derecho, heredero, información, juicio, juzgar, librar, proceso, proposición, quistión, renta, sentencia...

---

[37] Reservo para la Segunda parte de este trabajo, en la edición crítica, el oportuno comentario a estos y a otros muchos casos aquí no anotados.

Es fascinante esta fusión y confusión de los dos estilos de que
he hablado, popularismo y cultismo, que, traducidos históricamente,
podríamos llamar medievalismo y prerrenacentismo, de una forma similar —*grosso modo* y sin comparaciones— a lo que sucede en *La Celestina* a finales del mismo siglo. Popularismo y cultismo; medievalismo y humanismo renacentista; Scila y Caribdis no sólo de nuestra
literatura, como escribe Dámaso Alonso, sino de la propia historia y
contextura vital de la sociedad española de todos los tiempos. La desmesura hispana, en suma, de la que tantos ejemplos literarios, históricos y de toda especie podrían alegarse, tanto en un sentido como
en otro. Y sin embargo hay épocas, como esta en la que escribe el
fraile Mendoza, en que una y otra tendencia parecen hermanarse en
síntesis fecunda y equilibrada. Pero, como bien dice Valbuena Prat,
"la poesía que con Mendoza y Montesino comienza a aunar el popularismo con el renacentismo culto, no tendrá seguidores... Para llegar
a los verdaderos continuadores de estos frailes, populares y cultos a
la vez, habrá que dar un salto hasta Lope, Valdivielso y el Góngora
de la primera época. Parece como si en este arte se extinguiera, en
plena juventud y comienzo, una vida llena de enigmas y posibilidades" [38]. Y es inquietante pensar por un momento que al mismo tiempo
se extinguía también el sueño de la nueva España, total, encarnado
en la persona y el futuro del príncipe don Juan, muerto en 1497.
El nuevo estilo —literaria e históricamente hablando— desaparecía
silenciosamente, dejando paso a algo, en ambos campos, de muy distinto carácter. El Imperio crearía también su literatura.

LO RELIGIOSO

Este tema es fundamental en la *Vita Christi*. La condición de
fraile menor del autor y el asunto básico del poema lo explican, pero
también los motivos empleados en la obra y el sentimiento cristiano
que la impregna, así como la influencia de la corriente de la época,
puesto que Fr. Íñigo incorpora a sus coplas una buena parte de la
cultura y preocupaciones religiosas del momento, algunos de cuyos
elementos vamos a ver aquí.

---

[38] *Historia de la literatura española,* I, pág. 336.

En la poesía religiosa de la Edad Media existen una serie de motivos usados de una forma especialmente continuada, como sucede
con las historias y vidas de Cristo: nacimiento, infancia, pasión...
La primera de las pasiones versificadas en Castilla es la *Passion trobada*, de Diego de San Pedro, compuesta antes de 1480 e impresa
hacia 1492 [39]; la primera de las vidas de Cristo, las *Coplas de Vita
Christi*, de Mendoza, compuesta hacia 1467-68 en su primera versión,
como sabemos. Las *Coplas sobre diversas devociones y misterios de
nuestra sancta fe catholica*, de Fr. Ambrosio Montesino, con varios
fragmentos de la historia de Cristo, fueron impresas en 1485 por Juan
Vázquez, Toledo. Estos textos son, por lo tanto, fundamentales para
el estudio de la aparición, primeras fases y desarrollo de la cristología
poética en Castilla [40]. Más adelante veremos los motivos que originaron este nuevo rumbo [41]. Las coplas de *Vita Christi* de Mendoza no
llegan habitualmente, más allá de la degollación de los Inocentes, lo
que hizo pensar equivocadamente a M. Bataillon que Fr. Íñigo se
basaba para su texto en el llamado "Evangelio de la infancia" de
los Apócrifos [42]. Sin embargo, en los versos dedicados a este corto espacio de la vida de Cristo se halla material suficiente para relacionar
incuestionablemente el poema con tres elementos importantes y dis-
cutidos que parecen encontrarse en los autores citados en mayor o
menor grado: el franciscanismo, por un lado, y la *Vita Christi* de
Lodulfo de Sajonia, "El Cartujano", por otro, así como el impacto de
la *devotio moderna* [43].

[39] Cf. K. Whinnom, "The Religious Poems of Diego de San Pedro; Their
Relationship and their Dating" en *HR*, 1960, págs. 1-15. Siguen a la obra
de San Pedro las *Trovas de la gloriosa pasión*, de hacia 1485, del comendador
Román; cf. introducción de Sir Henry Thomas a su edición facsímil, Londres, 1936.

[40] "El origen de las comparaciones religiosas", pág. 263.

[41] Como muestra de la persistencia de estos temas, basta recordar que en
pleno siglo XVI, en 1548, Fr. Antonio de Portalegre publicaba en Coímbra su
Paixão de Christo metrificada.

[42] "Chanson pieuse et poésie de dévotion", en *BH*, 1925, pág. 235. Para
la correcta terminación, cf. ms. a.

[43] Señalan la importancia de esta corriente cristiana en el siglo XV castellano Américo Castro, "Lo hispánico y el erasmismo", *NRFH*, 1940, págs. 1-34,
y el citado M. Bataillon, *Erasmo y España*, México, 1950, prefacio.

Ya Menéndez Pelayo afirmaba que Fr. Íñigo —igual que Montesino— "conserva muchos rasgos de la poesía tradicional de su orden" [44].
Es indudable que el primer carácter de la poesía franciscana es la
ingenuidad sencilla de algunas expresiones y diálogos, al lado de un
gran realismo satírico y social, tradición que arranca ya del siglo XIII
y que se extendió poderosamente por toda Europa con la reforma de
la Observancia [45], a la que pertenecía Fr. Íñigo de Mendoza y Fr. Ambrosio Montesino, y que tan fundamental papel representó, social y
culturalmente, en la Castilla de la época [46]. Este estilo de la Observancia se caracteriza ideológicamente por una vuelta a la pobreza y humildad evangélicas y por propugnar la igualdad de los nacidos [47], y
estilísticamente por una deliberada falta de adorno, por la sencillez,
como ya he dicho, con una intención educacional moralista práctica;
como escribe Le Gentil, "sans conserver au texte du Nouveau Testa-
ment son austère simplicité, ces écrivains contribuèrent pourtant dans
une très large mesure à vulgariser les Écritures" [48]. Dentro de esta
tónica franciscana, un claro precedente peninsular de la *Vita Christi*
de Mendoza es el trabajo de igual título del también fraile menor
Fr. Françesc Eiximenis, escrito en catalán [49]. Entre las citadas obras
existen varias semejanzas: la metáfora de la vidriera y el rayo de sol
para explicar el nacimiento milagroso de Cristo (cap. 135, fol. 89v;
Vita Christi de Mendoza, c. 30); la referencia a los cantos de los
coros angélicos en aquella memorable ocasión (cap. 137, fol. 90v.;

---

[44] *Antología*, pág. 41. La pretendida influencia de Jacopone da Todi está,
naturalmente, fuera de lugar.

[45] "The Supposed Sources of Inspiration of Spanish Fifteenth-Century Narrative Religious Verse", art. ya citado de K. Whinnom.

[46] Cf. sobre este asunto el número especial de AIA, 1957, *Introducción
a los orígenes de la Observancia en España,* especialmente el trabajo núm. 4,
"La reforma en Castilla", págs. 119-173.

[47] Cf. C. J. von Hefelé, *Der h. Bernardin von Siena und die Franciskanische Wanderpredigt in Italien,* Friburgo, 1912, págs. 47-80; también Hans
Baron, "Franciscan Poverty and Civic Wealth", en *Speculum,* 1938, págs. 1-37.

[48] *La poésie lyrique,* I, págs. 326-327.

[49] He utilizado la traducción castellana hecha por fray Hernando de Talavera: *Libro de la Vida de Nuestro Señor Jhesu Christo conpuesto e ordenado por fray Francisco Ximenez, patriarcha de Jherusalem. Emendado e añadido en algunas partes e hecho imprimir por...,* Granada, Ungut y Juan de
Nuremberga, 1496.

Mendoza, cc. 80, 85-102); la exclamación contra las riquezas a propósito del humilde establo en que nació el Niño-Dios (cap. 138, folio 91v; Mendoza, cc. 75-79, 104, 121); las razones de la circuncisión de Cristo (caps. 149-154, fols. 99-102v; Mendoza, cc. 165-175); la circuncisión espiritual (caps. 155-156, fols. 102v-103; Mendoza, coplas 182-197); la historia de los Reyes Magos y su primera visita a Herodes (cap. 175, fols. 113; Mendoza, cc. 199, 223); teoría real y consejos a los monarcas (caps. 182-186, fols. 117-119v; Mendoza, coplas 280B-280E y 386-392)...

El estilo de Fr. Íñigo y de Fr. Ambrosio —aunque diferente entre sí por diversos motivos, unido por su espíritu común franciscano— hace decir a Iole Ruggieri: "la penna di Mendoza e di Montesino ha un tratto sottile e deciso; la tecnica non è dell'afresco ma della miniatura; eppure negli spazi profondi e brevissime i due francescani parlano al loro Dio in tono confidenziale, con termini (come prescriverà Garcilaso) 'no nuevos ni desusados de la gente' " [50].

Mezclado con todo esto, y de una forma que hace difícil una separación definida, se hallan las características del movimiento mendicante en general y de la muchas veces aceptada influencia, como ya dije, del cartujo de Estrasburgo, Lodulfo de Sajonia, sobre Mendoza, Montesino, San Pedro y Padilla [51]. En el capítulo siguiente me refiero especialmente al influjo que la obra de Mendoza presenta en todos estos aspectos, aunque debo adelantar, de acuerdo con K. Whinnom, que es preciso andarse con cuidado en el momento de afirmar taxativamente tal influjo [52].

Relacionado también con el movimiento e ideología mendicantes se halla el tema de la Virgen Madre y el nacimiento del Niño-Dios; la ternura de este último, sobre todo, hace de él uno de los tópicos más deliciosamente aprovechados: "es un tema de esos —¿cómo decirlo?— de luz dudosa, de luz que tiembla en cristal, de oscilación de ala" [53]. No en vano precisamente lo más conocido de la *Vita Christi* de Mendoza es la desfecha y el romance enderezados a tal asunto, y

---

[50] *Poeti del tempo dei Re Cattolici*, Roma, 1955, pág. 5.
[51] Cf. para esto, una vez más, K. Whinnom, "The Supposed"; también M. Bataillon, *art. cit.*, págs. 232-233, y Le Gentil, *loc. cit.*
[52] K. Whinnom, *ibid.*, *passim*.
[53] Dámaso Alonso, *De los siglos oscuros al de Oro*, Madrid, 1958, pág. 142.

es significativo, como señala la hermana Mary P. Saint Amour, que
"Montesino and... Fr. Íñigo de Mendoza were Franciscans for both
in England and in France, Franciscans friars figure in the history of
the origins of the carol and the 'noel' " [54].

En cuanto al tema mariano, es bien conocida la larga tradición de
que goza en la Península; no hay, por tanto, que insistir en ello al
hablar del mismo en la *Vita Christi*. Únicamente quiero referirme a
dos aspectos interesantes, siendo el primero de ellos la preocupación
y el interés que Fr. Íñigo muestra en su poema por el asunto concreto
de la Concepción Inmaculada de María, tan disputado tradicionalmente entre franciscanos y dominicos, como señala bien el texto de Mendoza [55]. La cuestión, dentro de la Península Ibérica, se discutió especialmente en los reinos de la corona de Aragón ya desde tiempos del
inquisidor Aymerich [56]; es presumible que a partir de 1439, fecha
del concilio de Basilea (que en su sesión 36 se declaró a favor de la
teoría inmaculista), se acallaran momentáneamente los altercados entre
ambas órdenes, recrudecidos otra vez más adelante. Recordemos que
Fr. Íñigo tuvo que intervenir en 1502 en un incidente entre los franciscanos y dominicos de Valladolid [57]. Esta oposición ideológica encontró su eco también en la literatura, y, como es lógico, es en los
autores de la Corona de Aragón donde se hallan más referencias al
asunto. Así sucede, por ejemplo, ya en el siglo XIV, con Fr. Françesc

---

[54] *A Study of the Villancico up to Lope de Vega. Its Evolution from
Profane to Sacred Themes and Specifically to the Christmas Carol*, Wáshington, 1940, pág. 103.
[55] Sobre la doctrina franciscana del asunto tratado y también sobre las
disputas con los dominicos, cf. Fr. Ángel Ortega, *La Inmaculada Concepción
y los franciscanos*, Loreto, 1904; Fr. Pedro Pauwells, *Los franciscanos y la
Inmaculada Concepción*, Jerusalén, 1905; Fr. Alejandro Recio, "La Inmaculada
Concepción en la predicación franciscano-española", en *AIA*, 1955, páginas
118 y siguientes.
[56] Cf. J. M. Guix, "La Inmaculada y la Corona de Aragón en la Baja
Edad Media", en *Miscelánea Comillas*, 1954, págs. 193-326; F. D. Gazulla,
"Los reyes de la Corona de Aragón y la Purísima Concepción de María", en
BRABLB, 1905-1906, págs. 49-60, y P. M. Bordoy Torrents, "Les escoles dominicana i franciscana en *Lo Somni* de Bernat Metge", en *Criterion*, 1925,
páginas 60-94.
[57] Cf. cap. I, págs. 61-63.

Eiximenis y Bernat Metge [58], y en el XV, con Jaume Roig [59]. Tampoco
falta el tema en gallego-portugués; así, entre otros, cf. la discusión
rimada entre Tristán de Sylva y Sancho de Pedrosa [60]. En castellano,
cf. la "questión" entre Diego Martínez de Medina "a suplicaçión e
rruego de los frayles predicadores de Sant Pablo de Seuilla" y el
franciscano fray Lope del Monte, *tomando él la vos de los frayres
menores contra los otros predicadores* [61], o el *Ymno a los gozos de
Nuestra Señora*, de Fernán Pérez de Guzmán [62]. Ya hemos visto que
la opinión en favor de la Inmaculada Concepción era típicamente franciscana, pero conviene asimismo tener en cuenta que también el cartujano Lodulfo de Sajonia en su *Vita Christi* se acoge a tal teoría [63].

El segundo aspecto importante de la mariología del poema de
Mendoza está también dentro de la tradicionalidad franciscana; me
refiero a la actitud compasiva hacia el dolor sentido por la Virgen
ante cada uno de los sufrimientos de su Hijo. Aparece esto en la
Vita Christi de Fr. Íñigo en varias ocasiones: contemplando la pobreza en que nació Cristo (c. 66); en el momento de la circuncisión
(coplas 163, 180-181E y 198); con motivo de la "prophecia del segundo rey çerca de la passyon" (cc. 242-256, 262 y ss.); cuando
Simeón "prophetiza... a Nuestra Señora el cuchillo de dolor que ha
de sentir en la passyon de su hijo" (cc. 288-290), ya que era quien
"mas parte sentia" en su muerte (c. 61). El mismo fray Íñigo en otra
de sus obras, *Coplas... en que pone la cena que Nuestro Señor hizo
con sus discipulos quando instituyo el sancto sacramento del su sagrado cuerpo* [64], se refiere otra vez a los sufrimientos de María en la

---

[58] Respectivamente, en *Vita Christi*, libro 2, cap. 16, fols. 11-12, edición
citada, y en *Lo Somni*, cap. II, págs. 244-249, y cap. IV, págs. 324-325 de
la ed. de las *Obras* de Metge hecha por M. de Riquer, Barcelona, 1959.

[59] *Lo Spill*, ed. (con trad. castellana) de R. Miquel y Planas, Barcelona,
1936-42, págs. 166-172 y LXXXVI.

[60] En *Cancionero General de García de Resende*, II, Stuttgart, 1848, páginas 517-518.

[61] En *Cancionero de Baena*, ed. marqués de Pidal, Buenos Aires, 1949,
números 323-328, págs. 361-371.

[62] En *Cancionero de Juan Fernández de Ixar*, ed. J. M. Azaceta, I, número 2, pág. 104.

[63] Cap. 2, 7. Utilizo la trad. de fr. Ambrosio Montesino, I, Alcalá de
Henares, 1503.

[64] Cf. cap. II, pág. 67.

Pasión y Muerte de Cristo, e incluso compuso otro poema dedicado
íntegramente a la *Lamentacion a la quinta angustia quando Nuestra
Señora tenia a Nuestro Señor en los brazos* [65].

Algunas otras características franciscanas de la *Vita Christi* son
el elogio de la pobreza, la afirmación de la igualdad de ricos y pobres
y el ataque social [66], de lo cual me ocupo especialmente en el cap. VII.
Quiero, sin embargo, subrayar ahora la "Exclamaçion a loor de la
voluntaria pobreza" (c. 77-79), cuyo comienzo dice así:

> ¡O muy alta pobredad,
> de la sancta paz hermana,
> causa de tranquilidad,
> torre de seguridad
> a quien te sufre de gana...!,

de inconfundible "estilo" mendicante.

Finalmente, otros aspectos religiosos del poema de Mendoza son,
entre algunos de menor importancia, una disquisición sobre "que la
fe ha de ser creyda y no escudriñada" (cc. 46-56), con referencias a
San Gregorio y con ejemplificaciones sobre Sabelio, Maniqueo y Arriano; las diferencias "que ay entre los ydolos de los paganos y las
ymagines de los christianos" (cc. 335-337); las causas de "porque
mando Dios a los judios circuncidarse" (cc. 165-170), así como "por
que la ley del circuncidar no obligaua a Jhesuchristo" (c. 172), y razones, sin embargo, que tuvo para someterse a tal ceremonia (cc. 173-
175), y, otra vez dentro del interés mariano del franciscano, tres
"razones de la virginidad de Nuestra Señora" (cc. 69-72).

Sobre los tópicos cristianos moralizantes, en que tanto abunda la
Vita Christi, y sobre el trasfondo de la predicación medieval que en
ella aparece, diré algo en el capítulo siguiente, así como también de
la presencia de ideas o temas religiosos provenientes de otros autores
cristianos, ya indicados someramente más arriba.

---

[65] Cf. cap. II, págs. 68-69.
[66] Cf. genéricamente, J. Huizinga, *El otoño de la Edad Media*, Madrid,
1930, págs. 18 y 42, y sobre el franciscanismo de este tópico, K. Whinnom,
"The Supposed", pág. 286.

CAPÍTULO VI

FUENTES, INFLUENCIA Y DIFUSIÓN DE LA *VITA CHRISTI*

FUENTES

Idea General. — En el capítulo anterior me he referido ya a la inspiración franciscana tradicional en que se basa, en una buena parte al menos, la *Vita Christi* de Fr. Íñigo de Mendoza. Con todo, no puedo dejar de hacerme eco en este lugar de la sugestiva teoría de K. Whinnom [1], según la cual el poema de Fr. Íñigo está más cerca del estilo y espíritu de los sermones vernaculares franciscanos en prosa que de la primitiva poesía menor. En esos sermones de los siglos XIV y XV aparecen claros precedentes de elementos de la *Vita Christi,* como la sátira social, multitud de comparaciones, *exempla* y diálogos, e incluso oraciones finales, como sucede en cada capítulo de la obra de Mendoza (cf. cap. III) [2]. Pero, además, es bien conocido el entramado ejemplificatorio de los sermonarios medievales en toda Europa, no sólo franciscanos, de que tanta muestra se halla (como vimos en el cap. V) en la *Vita Christi.* Dichos sermonarios, evidentemente, fueron conocidos y utilizados por el fraile Mendoza. En la *Summa*

---

[1] "The Supposed", ya citado en el cap. anterior.

[2] Cf. para estos caracteres, G. R. Owst, *Literature and Pulpit in Medieval England,* Cambridge, 1933, muy útil a pesar de su especialización inglesa, y T. M. Charland, *Artes praedicandi: Contribution à l'histoire de la rhétorique au Moyen Âge,* París-Ottawa, 1936.

Praedicantium de Juan Bromyard [3] aparecen numerosos casos de comparaciones exactas o muy semejantes a otras de la *Vita Christi,* como las del perro furioso (I, 1, 7), médicos y medicinas (I, 3, 7), espejo engañador (I, 4, 5), elefante "que se saña en sangre agena" (I, 7, 255), la candela que arde consumiéndose a sí misma (I, 12, 337), la insignia de la taberna (I, 5, 479)... [4]. Naturalmente, relacionados con este asunto de las imágenes se hallan los bestiarios medievales, también origen seguro de otros *exempla,* desde el más antiguo en lengua vulgar, el de Philippe de Thaon [5], los cuales proporcionan abundante material a escritores y predicadores. Ya he citado (capítulo IV) la lista de animales que aparecen en la *Vita Christi,* así como la de comparaciones que éstos fácilmente causan (cap. V), y ya he señalado también los pocos casos en que la referencia no puede relacionarse con la vida común de Castilla, aunque esto no significa taxativamente que Mendoza no adaptase ciertos casos leídos al "color local", a las costumbres de su propio ambiente [6].

Dentro de este tono predicatorio, o por lo menos influido por lo predicatorio, hallamos, como consecuencia, una dirección mental típicamente menor, como vengo repitiendo; recordemos que incluso dentro de la Península existía ya una vieja *Ars Praedicandi* franciscana, la de Fr. Françesc Eiximenis [7], cuyas reglas concuerdan con el estilo de la *Vita Christi* de Fr. Íñigo; la segunda de ellas exige un "loqui feruentissime" (ed. cit., págs. 310-311), que es inevitable comparar con la furia acusatoria y religiosa de Fr. Íñigo; la quinta regla,

---

[3] He utilizado la edición de Amberes, 1614. El título completo de la obra es *Summa Praedicantium. Omnibus dominis gregis pastoribus divini verbi praeconibus.*

[4] Una obra muy influyente de estructura medieval y con inclusión de *exempla* es el *Speculum Laicorum,* traducida al castellano en el siglo XV como *Speculo de los legos;* cf. en BAE, LI.

[5] Ed. E. Walberg, París, s. a. El género, desde luego, nace con Plinio en su *Naturalis Historia* (cf. ed. Mayloff, 5 vols., Leipzig, 1892-1909), y se "diviniza" con San Ambrosio en su *Hexameron* (cf. ed. C. Schenkl, Leipzig, 1897).

[6] Cf. para la utilización literaria de las comparaciones con animales, J. E. Gillet, "Lessons From the Animal Kingdom", en *Propalladia and Other Works of Bartolomé de Torres Naharro,* IV, Filadelfia, 1961, págs. 275-278.

[7] Ed. P. Martí de Barcelona en *Homenatge a Rubió,* II, Barcelona, 1936, páginas 301-340.

más ideológica, aconseja "predicandum moraliter : Ideo possuit beatus Franciscus in Regola sua quod fratres in sua predicacione annuncient uicia et virtutes..." (pág. 313), y vicios y virtudes constituyen también una parte importante del poema de Mendoza.

En cualquier caso, teniendo en cuenta lo dicho sobre el asunto en el anterior capítulo y las líneas de más arriba, el movimiento franciscano resulta ser parte de la urdimbre fundamental de la *Vita Christi*, en la que también intervienen, aunque en una medida difícil de precisar, las anónimas *Meditationes Vitae Christi* [8]. La influencia del espíritu bíblico de la *devotio moderna* ha querido ser utilizada para la explicación estilística e ideológica de Mendoza, Montesino y Juan de Padilla [9], pero ha sido justamente criticada y puesta en duda recientemente, atendiendo especialmente a razones cronológicas [10].

Por último, nos resta el tradicionalmente indudable influjo de la *Vita Christi* del cartujano de Estrasburgo, Lodulfo de Sajonia, sobre Mendoza, Padilla y todos los poetas religiosos de la época en Castilla [11]. En 1439 el Concilio de Basilea aprueba la obra de Lodulfo [12], y ya en 1446 fray Bernardo de Alcobaça la traduce al portugués [13]. Fray Ambrosio Montesino no publica su versión hasta 1502-1503, en Alcalá de Henares y bajo la protección del Cardenal Cisneros, cuando

---

[8] En *Opera Omnia* de San Buenaventura (a quien se atribuyeron durante largo tiempo), XII, Venecia, 1756. Cf. K. Whinnom, "The Supposed Sources", páginas 270 y ss.

[9] F. López Estrada, *Introducción a la literatura medieval española*, Madrid, 1952, págs. 131-132.

[10] K. Whinnom, *art. cit.*

[11] Así, Menéndez Pelayo, *Antología*, III, pág. 56; Bataillon, "Chanson pieuse", págs. 232-233, y *Erasmo y España*, págs. 48-55; Le Gentil, *op. cit.*, páginas 326-327; López Estrada, *ibidem*, pág. 128. Sobre la importancia y conocimiento en Europa de la obra del cartujo, cf. Sor M. I. Bodenstedt, *The Vita Christi of Lodulphus the Cartusian*, Wáshington, 1944.

[12] Así lo declara Juan de Padilla en el "Argumento" de su *Retablo de la Vida de Christo*, NBAE, XIX, pág. 423. La obra fue compuesta en 1500; cf. Duque de Alba, "Un ejemplar de la primera edición del *Retablo de la Vida de Christo* desconocido de los bibliófilos", BRAE, 1950, págs. 7-10.

[13] Lisboa, 1495, por Nicolás de Sajonia y Valentín de Moravia. También en 1495 aparece en Valencia el primer tomo de la traducción castellana de Juan Ruiz de Corella. Cf., sobre la primera, Mario Martíns, "A versão portugueza da *Vita Christi* e os seus problemas", en *Estudos de Literatura Medieval*, 1956, que no he podido consultar.

ya el tema había adquirido evidente éxito [14]. Lo tardío de la traducción castellana, unido a la falta de textos latinos o de manuscritos de
la obra del Cartujano en España, hace decir a K. Whinnom: "I am
certain that Mendoza, if he did know Ludolph's work, owes nothing
to him except a title... the thesis of his influence on Mendoza and
Montesino (in 1485) can be discarded without difficulty" [15], aunque
con todo, no debe olvidarse que la opinión del concilio de Basilea
fue conocida, sin duda, en la Península y que la primera traducción
ibérica se remonta a 1446, como he dicho. El asunto se complica
aún más si tenemos en cuenta que Lodulfo de Sajonia utiliza en su
obra numerosas fuentes cristianas, San Bernardo, San Buenaventura,
las *Meditationes Vitae Christi* (ya señalado) y otras muchas, como
Beda el Venerable, Próspero de Aquitania, Hildelberto de Tours, Alcuino, Máximo de Turín, San Agustín y los Santos Padres, Boecio...,
que pertenecen al fondo común del pensamiento religioso medieval,
base de este del siglo XV, y presente, lógicamente, en la literatura de-
vota de la época. En el caso concreto de la *Vita Christi* de Mendoza
es muy difícil discernir qué elementos pertenecen a ese fondo cultural religioso o directamente a la obra del Cartujano. Una vez más,
K. Whinnom se refiere a esto al comparar el fragmento de la Circuncisión en el poema de Fr. Íñigo con el mismo asunto en Lodulfo
y en las *Meditationes* [16], concluyendo que el franciscano no debe nada
al cartujo [17] y que ciertos aspectos comunes a todos estos poetas religiosos deben explicarse —aparte de lo indicado más arriba, que proviene de la ideología y actitud franciscana— por su conocimiento general de la vieja erudición cristiana [18].

---

[14] Además de las traducciones citadas, de las cuales hay numerosas ediciones, otros textos más raros nos muestran la extensión del tema. Así, la
traducción hecha por Fr. Hernando de Talavera de la *Vita Christi* de Eiximenis (Granada, 1496, por Meynardo Ungut y Jhoanes de Nuremberga), y la
Vita Christi compuesta por Sor Isabel de Villena —hija del marqués— (Valencia, 1497, por Lope de Roca).

[15] "The Supposed Sources", pág. 287.

[16] "The Supposed Sources", *passim*.

[17] Lo mismo afirma de la pretendida influencia de Lodulfo sobre Montesino.

[18] El trabajo de Whinnom, aquí tan citado, es importantísimo y aclara
muchas ideas sobre los asuntos indicados.

Sin embargo, la *Vita Christi* de Mendoza tiene numerosas coincidencias con respecto a la del Cartujano, como, entre otras, la terminación de cada capítulo con una "Oración del actor" [19] o las digresiones violentas contra vicios, tanto personales como sociales [20], el nepotismo (parte I, cap. 6, fols. 229b-300a, y 301a-303b), las leyes injustas (I, 76, fol. 332b), justicia para el pobre y humilde y quejas contra la vanidad del mundo (I, cap. 60, fols. 264; cap. 72, fol. 271b; cap. 76, fol. 332b), la mala elección de los obispos (I, 68, fol. 229a), avaricia (I, 68, fols. 298-304b)..., digresiones que, como en el caso de Fr. Íñigo, aparecen justificadas por el contraste entre el nacimiento humilde de Cristo y la vida mundana. Pero, insisto, con todo no hay prueba totalmente válida de influencia claramente delimitada, pues, como vimos, con oraciones finales terminan también los sermones franciscanos tradicionales, mientras que el fustigamiento de los vicios, especialmente los sociales, forma parte asimismo de la técnica franciscana, así como tampoco falta en autores tan importantes como San Bernardo, que truena también contra las riquezas a propósito del nacimiento de Cristo [21]. El juicio de Whinnom se confirma así una vez más. Como dice F. Lecoy en su estudio del *Libro de buen amor*, nos encontramos ante una "matière commune à la chrétienté tout entière, une méthode d'exposition vulgarisée par l'enseignement et le prêche" [22].

Viejo Testamento. — Como es lógico, la Biblia proporciona a Fr. Íñigo un gran número de temas, datos e inspiraciones [23]. Efectivamen-

---

[19]   En la traducción del Cartujano, hecha por Montesino, ya citada.

[20]   Cf. Bodenstedt, págs. 108-113. Las referencias, por la ed. de París, 1865, Roland Rigollet y Carnandet.

[21]   En *Sermonibus Nativitatis Christi*, 3-5, de donde reconoce Lodulfo tomar el asunto. A otras semejanzas, incluidas las de expresión, me refiero en los comentarios textuales a la obra de Mendoza.

[22]   *Recherches sur le Libro de buen amor*, París, 1938, pág. 182.

[23]   Para las traducciones romanceadas en la Península, cf. A. Paz y Melia, "La Biblia puesta en romance por Rabí Mosé Arragel de Guadalfaxara", en *Homenaje a Menéndez Pelayo*, II, Madrid, 1899, págs. 5-93. También José Llamas, "Antigua Biblia judía medieval romanceada", en *Sefarad*, 1951, páginas 281-304, y M. Schiff, *La Bibliothèque du Marquis de Santillane*, París, 1905, págs. 235-246.

te, el uso del Antiguo Testamento, en primer lugar, es grande, con dos aspectos, la referencia explícita y la cita o recuerdo textual sin declaración o especificación alguna. Del primero, abundante, destacan especialmente las alusiones y citas de los siguientes asuntos: la zarza que Moisés vio arder sin consumirse (c. 31; *Éxodo,* 3, 2); la puerta cerrada que vio Ezequiel (cc. 31, 60, 88; *Ezequiel,* 44, 12); la victoria de Gedeón (c. 32; *Jueces,* 7, 21-25, y 8, 1-26), con el simbolismo del vellocino y la lluvia o rocío (*ibidem; Jueces,* 6, 36-40) y del fuego oculto en las vasijas (*ibidem; Jueces,* 7, 16); el florecimiento de la vara de Aarón (c. 33; *Números,* 17, 18); la fuente sellada y el huerto cerrado de Salomón (c. 33; *Cantar de los Cantares,* 4-12); las profecías de Isaías (cc. 33, 220, 261; *Isaías,* 7, 14-16, y 9, 6-7, citados respectivamente por *Mateo,* 1, 22-23, y *Lucas,* 1, 32-33); Miqueas (copla 217; *Miqueas,* 5, 24; citado en *Mateo,* 2, 6, y *Juan,* 7, 42); Daniel (c. 221; *Daniel,* 9, 24-26); Zacarías (*ibidem; Zacarías,* 9, 9, citado en *Mateo,* 21, 5, y *Juan,* 12, 13) y Jacob (c. 222; *Génesis,* 49, 10-11), referidas las alusiones todas al nacimiento del Mesías o a la virginidad de su madre. Otras profecías citadas hablan de la estrella que indica el camino a los Reyes Magos y de sus significados: Balaán (coplas 204 y 219; *Números,* 24, 17), de la huida a Egipto (cc. 277 y 327; *Oseas,* 11, 1, citado en *Mateo,* 2, 15) y de la caída de los ídolos al entrar el niño Jesús en aquel país (cc. 328-329, 339, 353-355; *Isaías,* 19, 1). Fr. Íñigo se apoya en la autoridad de Salomón para demostrar la Concepción Inmaculada de María (cc. 161-162; *Cantar de los Cantares,* 4, 7); alude a la ley judaica de la circuncisión (coplas 159, 164, 171, 175-176 y 182; *Génesis,* 17, 10-14; *Levítico,* 12, 3) y de la presentación (cc. 282, 296-300; *Levítico,* 12; *Éxodo,* 13, 2; *Números,* 3, 46-47, y 8, 16), con la ofrenda prescrita para tal ocasión (c. 305; *Levítico,* 12, 8)...

Los consejos y admoniciones a las doncellas aparecen ejemplificados con casos famosos del Viejo Testamento: Dina (c. 19; *Génesis,* 34, 1-31); Betsabé y David (cc. 19, 23; *Samuel, II,* 11, 2-4, y 11, 14-17); Tamar y Amnón (cc. 20-21; *Samuel, II,* 13, 1-19); Salomón y su amor desordenado por las mujeres (c. 23; *Reyes I,* 11, 1-18). Otros aspectos, en fin, que Fr. Íñigo cita de pasada: "la babilónica obra" (c. 47; *Daniel,* 3, 1-7); humorísticamente, "las dos fojas de la higuera" con que Adán se cubrió después de su caída (c. 186; *Gé-*

nesis, 3, 7); el castigo de Sodoma y el Mar Muerto (cc. 117 y 118; *Génesis,* 19, 13-29)... Sobre la falsedad de la idolatría, tema aludido por Mendoza en las coplas 330-334 y 338-339, hay abundantísimas referencias en la Biblia, pero lo más aproximado al texto de la *Vita Christi* es el libro de la *Sabiduría,* 13 (10-19), 14 y 15.

Esta corta enumeración es suficiente para comprender el grado de importancia que a la Biblia corresponde en las fuentes del poema de Fr. Iñigo, aunque hay que tener en cuenta que también aparecen en la *Vita Christi* muchas más reminiscencias de las Escrituras. Como vemos, el Viejo Testamento es utilizado por Mendoza para señalar puntos importantes del Nuevo, como las profecías mesiánicas y virginales y justificar sucesos de la vida de Cristo, como la circuncisión, presentación y huida a Egipto, sin que falte tampoco el afán moralizante y crítico. Todo ello, más las pequeñas y numerosas restantes alusiones, demuestra que la *Vita Christi* está empedrada de lecturas y conocimientos bíblicos, a las que, incluso, ocasionalmente se remite al lector o se refiere el autor directamente (c. 20: "De la hermosa Thamar / ... / leemos..."; c. 261: "Hallaras en Ysayas..."; c. 269: "Acordaos si aueys leydo / en el libro de la Ley...").

Nuevo Testamento. — Básicamente [24], las fuentes primigenias de la *Vita Christi* son, naturalmente, los Evangelios, de esta manera: anunciación, *Lucas,* 1, 28-38; nacimiento, *Lucas,* 2, 5-7; adoración de los pastores, *Lucas,* 2, 8-20; circuncisión, *Lucas,* 2, 21; presentación, *Lucas,* 2, 22-39; historia de los Reyes Magos, *Mateo,* 2, 1-12; los Inocentes, *Mateo,* 2, 16-18; huida a Egipto, *Mateo,* 2, 13-15. Las abundantísimas digresiones de todo estilo, como hemos ido viendo a lo largo de este trabajo, hacen que se entrecrucen temas y fuentes, y crean, precisamente, la complejidad que el poema presenta. Aparte de los textos fundamentales, Fr. Iñigo se refiere también, con la misma técnica que cuando cita del Antiguo Testamento, a otros hechos

---

24 Fr. Iñigo pudo conocer muy bien —aunque es muy posterior a la *Vita Christi*— la versión castellana de Gonzalo García de Santa María, de la rama aragonesa: *Evangelios e Epistolas con sus exposiciones en romance,* de la *Postilla super epistolas et evangelia.* Cf. ed. Isak Collijn y Erik Staaf, Upsala, 1908. La primera edición del texto de Santa María es de 1479, s. l.

o dichos de la vida de Cristo, como la alusión al "reino diviso" (c. 115P; *Mateo*, 12, 15; *Marcos*, 3, 24; *Lucas*, 11, 17); el camello que ha de pasar por el ojo de la aguja (c. 117; *Mateo*, 19, 24; *Marcos*, 10, 25; *Lucas*, 18, 25); San Mateo y "las rentas del teloneo" (c. 366; *Mateo*, 9, 9; *Marcos*, 2, 14...); el rico avariento (c. 114; *Lucas*, 16, 19-31); el templo hecho cueva de ladrones (c. 183; *Mateo*, 21, 13; *Marcos*, 11, 17; *Lucas*, 19, 45); el edificio construido sobre arena (c. 307; *Mateo*, 7, 26); la pesada carga de que Jesucristo libra al hombre (cc. 78 y 175; *Mateo*, 11, 28-30). También aquí Fr. Íñigo deja constancia de sus lecturas directas; en la copla 366 afirma que solamente en San Mateo halla "escripta la tal ystoria" de los Inocentes, y en la 320 indica que los evangelistas callan "lo sotil de la verdad" de la permisión divina de la huida a Egipto.

Aparte de los Evangelios, otros textos del Nuevo Testamento proporcionan datos e ideas a Mendoza. Así, la "çerrada escriptura" (c. 53; *Apocalipsis*, 5, 1-5; ya aparece algo semejante en *Daniel*, 12, 4); Jerusalén "la de arriba" (c. 360; *Apocalipsis*, 3, 12, y 21, 1-27; ya en *Isaías*, 65, 18-19, y 66-22); la "carrera de salud" (cc. 104, 121 y 315; *Hebreos*, 12, 1). Un tema particularmente importante del poema arranca del Nuevo Testamento, al menos inicialmente: el de la circuncisión moral y espiritual (cc. 184-197; *Romanos*, 2, 29, y *Hechos*, 7, 51), mientras que otro, el ataque contra ricos y poderosos, casi una constante de la obra, se halla ya tanto en el Antiguo como en el Nuevo Testamento, de donde lo tomó el movimiento mendicante, actualizándolo (*Proverbios*, 11, 4; *Miqueas*, 2; *Salmos*, 49; *Mateo*, 6, 20-21; *Lucas*, 12, 20-21; *Santiago*, 5, 1-6). También la idea de persecuciones y sufrimientos como medio de perfeccionamiento (cc. 267-268, 358-360) es algo muy frecuente en el Nuevo Testamento: *Romanos*, 5, 3; 12, 12 y 14; *Corintios*, I, 4, 12, y II, 6, 4-5; *Tesalonicenses*, I, 3, 3-4, y II, 1, 7; *Hebreos*, 2, 14...

Debe tenerse en cuenta que muchas de estas ideas fueron desarrolladas por la literatura cristiana y medieval, de donde también pudo tomarlas el fraile Mendoza, ya más elaboradas, como inmediatamente digo.

Santos Padres. — El cuerpo de escritores cristianos de los primeros
siglos facilita numerosas e importantes aportaciones al pensamiento
religioso de Fr. Íñigo de Mendoza y a su *Vita Christi.* Aparte de las
acabadas de indicar como pertenecientes al Nuevo Testamento, K.
Whinnom ha señalado [25] cuáles pueden ser las fuentes del pasaje en
que Mendoza habla de la circuncisión espiritual (cc. 184-197): San
Agustín [26], San Bernardo [27], Hildeberto de Tours [28], Alcuino [29], Hilde-
brando [30], San Máximo de Turín [31] y San Bernardo de Claraval [32], a
los que todavía podría añadirse algún otro, como San Buenaventura,
esta vez como simple descripción del suceso y del dolor sentido por
la Virgen con tal motivo [33]. Esto revela la complejidad y dificultad que
supone tratar de buscar una fuente directa. Otros aspectos de la vida
de Cristo pudo también haber extraído Fr. Íñigo de estos autores;
así, de San Bernardo, las digresiones contra los poderosos y ricos a
propósito de la pobreza de Cristo en su nacimiento (cc. 106-121) [34];
o de San Buenaventura, las disquisiciones sobre el pudor de María
ante la salutación angélica (cc. 15, 28, 29, 37) y la purificación en el
templo (cc. 282-287) [35].

Del Seudo-Dionisio o Dionisio Areopagita procede la clasificación
de los diversos coros angélicos (cc. 80, 85-102) [36], y de San Juan Da-

25 "The Supposed Sources", págs. 281-284.
26 *De Praesentia Dei,* XII, PL, XXXIII, col. 845.
27 *Sermo III in Circumcisione Domini,* PL, CLXXXIII, col. 136.
28 *Sermo XII de tempore,* e *In festo circumcisione Domini,* PL, CLXXI,
cols. 399 y 401, respectivamente.
29 *De divinis officiis,* II, PL, CI, col. 1176.
30 Según K. Whinnom, "The Supposed Sources", *loc. cit.*
31 *Homilia XXXV De Baptismo Christi,* VII, PL, LVII, col. 299.
32 *Sermones* I-II, *in Circumcisione Dei,* PL, CLXXXV, cols. 131 y 138.
33 *Contenplaçion de la vida de Nuestro Señor Ihesuchristo segun el serafico
dotor Sant Buenaventura,* ms. 9560 de la B. N. de Madrid, cap. IX, fol. 17v.
34 *Sermonibus Nativitate Domini,* 3-5, PL, CLXXXIII, cols. 122-130.
35 Ms. cit., fols. 15v-16, 10v y 22, respectivamente. El asunto de la turbación de la Virgen puede proceder también de San Ambrosio, *In Expositionem
Evangelii secundum Lucam,* PL, XV, cols. 1636-1638.
36 *De Caeleste Hierarchia,* ed. P. Hendrix, Leiden, 1959. En el *Regestrum
Librorum* de Fernando Colón, ed. cit., constan con el número 3994 unas *Coplas
en español de la Çelestial Jerarchía compuestas por un religioso de San Francisco.* También una clasificación de los ángeles en Juan Bromyard, *op. cit.,* I,
capítulo 22, págs. 59-62.

masceno [37], entre otros, la defensa de las imágenes cristianas frente a la opinión iconoclasta (cc. 335-337), incluyendo Mendoza una alusión a la "christiana sentençia" del segundo Concilio de Nicea —año 787— en que se estableció definitivamente la adoración de aquéllas [38]. En la misma reunión conciliar nació oficialmente la definición de la fe, ligeramente comentada por Fr. Íñigo (c. 47), aunque creo que éste recuerda más bien a San Pablo [39]. Acerca del mismo tema, la fe, pero más concretamente sobre la ayuda divina a la flaca razón humana para comprender los misterios, Mendoza (cc. 46 y 52-54) ha tomado ideas de San Gregorio [40].

Las herejías de Sabelio, Maniqueo y Arriano son anotadas de forma reprobadora en la *Vita Christi* (c. 51): los ataques contra estos heterodoxos y sus errores son casi un tópico en la patrística cristiana; recordemos, como ejemplos más señalados y más generalmente conocidos en la Edad Media, los de San Agustín [41], San Ambrosio [42] y San Atanasio [43]. En la copla 173 insiste Fr. Íñigo sobre el "descomulgado error" de Maniqueo, atacando también a un nuevo hereje, el gnóstico Valentino [44].

No podía faltar en una obra de las características de la *Vita Christi* la presencia de antiguas leyendas cristianas de los primeros siglos. Las dos que el franciscano incorpora al poema son particularmente interesantes: la historia del castigo dado por Dios a San Jerónimo a causa de la extraordinaria afición de éste por los autores clásicos (por

---

[37] Según G. D. Mansi, *Sacrorum Conciliorum nova et amplissima collectio*, XIII, págs. 398 y ss. También J. Mendham, *The Seventh General Council, the Second of Nicaea*, Londres, s. a.

[38] Mansi y Mendham, *loc. cit.*

[39] El texto de San Pablo, en *Hebreos*, 11, 1. Cf. Mansi y Mendham, *ibid.*

[40] *Diálogo* 1, IV, c. 1. 3. 6. 7, PL, LXXVII.

[41] *Epistulam Manichaei*, IV, PL, XLII, col. 175. *De fide contra Manichaeos* (*passim*), en PL, XLI.

[42] *De Fide*, I, 6, y *passim*. En *Opera, Corpus scriptorum ecclesiasticorum latinorum*, LXXVIII, parte VIII, Viena, 1962.

[43] *Orationes contra arianos*, IV, 9-25, según *ops. cits.* de Mansi y Mendham; *Expositio fidei* (*ibidem*).

[44] Los autores más conocidos que reprueban las ideas de Valentino son: Tertuliano (*De praescriptione haereticorum*, PL, II, col. 21), San Ireneo (*Adv. Haereticorum*, I-1; I-7, 15; I-8, 23. Cf. Mendham, *op. cit.*

Cicerón especialmente), y la fábula de la milagrosa curación de la
lepra del emperador Constantino en gracia a su benignidad y buen
corazón. La primera anécdota (c. 6) tiene su origen preciso en el propio
San Jerónimo, aunque, comparando los textos, en la *Vita Christi* apa-
rece como consecuencia evidente de una lectura directa de la traducción castellana de Vicente de Beauveais titulada *La Storia de los
Quatro Dotores de la Sancta Eglesia* [45]. También consta en la *Legenda
Aurea* de Vorágine [46]. La segunda leyenda (cc. 383-385), inserta en la
Vita Silvestri de Mombritius [47] como primer texto occidental y en
la forma conocida, de finales del siglo VI —aunque ya aparece en
Jaime de Sarug, del V [48]— continúa su propagación por medio del *Liber
Pontificalis* del Papa Honorio, en el siglo VII [49], y otros, hasta llegar
a San Ambrosio [50] y San Jerónimo [51] especialmente, de donde pudo
llegar a Mendoza directamente o a través de algún otro intermediario
menor y más difícilmente identificable.

También se halla en la obra del franciscano algún suceso real de
la vida de los Santos Padres, como la excomunión decretada por San
Ambrosio contra el emperador Teodosio a consecuencia de la crueldad
de éste en Tesalónica (c. 119), con base en las epístolas del doctor de
la Iglesia [52], pero, como en el caso de la anécdota de San Jerónimo,
producto en la *Vita Christi* del texto castellano de Vicente de Beauvais [53].

---

[45] Cap. 47: "Que los libros de los sabios e de los philosophos son de me-
nospreciar por los libros santos", págs. 116-118, ed. F. Lauchert, Halle, 1897.
[46] Según ms. 4197 de la B. N. de Madrid, fols. 170-171. De aquí proce-
dería también el importante tema del rechazo de las musas paganas e invocación de las cristianas (cc. 4, 5, 7, 8).
[47] Cf. en Duchesne, *Liber Pontificalis*, I, París, 1886, págs. CX y ss.
[48] Cf. A. L. Frontingham, *L'omelia di Giacomo di Sarug sul battesimo di
Costantino imperatore*, Roma, 1883.
[49] Cf. en Duchesne, ed. cit., págs. 170 y ss.
[50] Según Duchesne, *op. cit.*
[51] *Epístolas*, PL, XXII, según Duchesne, *op. cit.* Estudio especialmente
el tema en "Leyendas cristianas primitivas en las obras de Fray Íñigo de Mendoza", de próxima aparición en *HR*.
[52] *Epístola*, LI, PL, XXII, según Duchesne, *op. cit.*
[53] Ed. cit., cap. XXI: "De la traycion de Theodosio contra los de Thesa-
lonica, por la qual es descomulgado de Sant Ambrosio", págs. 49-50. La exactitud de fray Íñigo llega incluso a anotar la cifra de tesalonicenses muertos por

Como hemos ido viendo a través de las líneas anteriores, las posibles fuentes directas de la *Vita Christi* en los aspectos comentados se entrecruzan y confunden de tal manera que es imposible afirmar rotundamente la influencia exacta de las mismas. No solamente idénticos temas y asuntos intervienen en varios textos patrísticos de una forma similar, sino que, a su vez, éstos forman el núcleo de centones religiosos europeos conocidos en la Península, cuando no traducidos al castellano, como sucede con la obra de Beauvais, muy difundida, que reúne comentarios, selecciones y anécdotas de San Agustín, San Jerónimo, San Gregorio y San Ambrosio [54]; por otro lado, conviene tener en cuenta que los Padres de la Iglesia se traducían directamente en Castilla, como demuestra la versión hecha de los *Morales* de San Gregorio por el Canciller Ayala [55].

Boecio. — Aparte de dos obras bien conocidas y utilizadas en la Edad Media, la *Legenda Aurea* de Jacobo della Vorágine, ya citada, y el franciscano *Speculum Laicorum*, del siglo XIII, traducido al castellano en la primera mitad del XV, al que también he aludido, y de las cuales hay algunos detalles en la *Vita Christi*, Severino Boecio con su *Consolación de la Filosofía* ejerce un poderoso influjo en el poema del fraile Mendoza (cc. 307-312): la primera de estas coplas aparece encabezada apropiadamente de la siguiente forma: "Comienza la huyda de nuestro redemptor en Egypt y en el prinçipio della el auctor descubre los secretos de las presentes prosperidades por que mas claro se paresca con quanta razon nuestro redemptor y sus seguidores les boluieron las espaldas"; en la copla 309, especialmente, es donde se concreta el recuerdo de Boecio, incluso por medio de la cita declarada. El tema es "importante, por cierto, en toda época, pero que atrajo como pocos la meditación europea en los siglos XIV y XV, actualizado,

---

orden del emperador: siete mil. Cf. también *Exenplos* de Sánchez de Vercial (ed. Keller y Zahn, Madrid, 1961, págs. 308 y 340, respectivamente).

[54] Las semejanzas de la *Vita Christi* con la *Estoria de los Quatro Dotores* no terminan con lo indicado, pero las reservo para la edición crítica del texto de Mendoza en la segunda parte de este trabajo.

[55] Por ejemplo, ms. 10136 de la B. N. de Madrid. Cf. M. Schiff, *La Bibliothèque*, pág. 162; P. L. Serrano. "Traducciones castellanas de los *Morales* de San Gregorio", en *RABM*, 1911, págs. 389-405.

probablemente, por las vicisitudes políticas que marcan el tránsito del predominio feudal al absolutismo monárquico, como lo insinúa la ilustración del tema de Fortuna con la caída de príncipes. Buena muestra de cómo los motivos que se reflejan en la literatura, lejos de ser temas abstractos, tienen su actualidad condicionada históricamente... Para un poeta del siglo XIII, el planteamiento teórico del problema de Fortuna es todavía superfluo, mientras que a partir del siglo siguiente el verso castellano lo acoge asiduamente" [56]. La desgraciada muerte de don Álvaro de Luna (de la que también hay constancia en la *Vita Christi*, primera versión), como es sabido, recrudeció notablemente el motivo en la literatura castellana, hasta el punto de que gran número de poetas y prosistas pagaron tributo al mismo. Con todo, el origen del asunto radica, naturalmente, en Boecio [57], tan conocido, comentado y citado en los finales de la Edad Media, tanto en Europa en general [58] como en España, donde las traducciones más habituales fueron las del Canciller Ayala en Castilla y la de Saplana y Ginebreda en Cataluña [59]. Además de la imagen de la rueda de la Fortuna (c. 309) y del fragmento citado, hay otros lugares de la *Vita Christi* con reminiscencia de la obra de Boecio, pero hay que tener en cuenta que son asuntos fácilmente encontrables en otros muchos autores cristianos: el menosprecio del dinero y de los ricos (ms. cit., libro 3, prosa 3, 4 y 5, folios 44v, 46v y 49; *Vita, passim*); las cualidades del buen rey (libro 3, prosa 6, fol. 50v; *Vita*, cc. 280B-280E, 386-392); el símil náutico (libro 4, metro 2, fol. 83v-84v; *Vita*, cc. 211, 234, 307); la metáfora

---

[56]   María Rosa Lida, *Juan de Mena*, págs. 20-21.

[57]   *Passim*, pero especialmente libro 2, prosa 2: "Rota volubili orbe versamus. Infime sumis suma infimis mutare gaudemus. Ascendesi placet escalege ne uti putes iniurias descendere cum mei ludicri?..." (según ms. 8211 de la B. N. de Madrid, fol. 17).

[58]   Cf. H. R. Patch, *The Godess Fortuna in the Mediaeval Literature*, Harvard, 1927; Ramiro Ortiz, *Fortuna labilis: Storia di un motivo poetico da Ovidio al Leopardi*, Bucarest, 1927; A. van der Vyver, "Les traductions du *De Consolatione Philosophiae* de Boèce", en *Humanisme et Renaissance*, 1939, páginas 268 y ss.

[59]   Cf. M. Menéndez Pelayo, *Bibliografía hispano-latina clásica*, I, Santander, 1950, págs. 274-353, y A. Farinelli, *Italia e Spagna*, I, Turín, 1929, páginas 22-31 y 106-148 (se refiere especialmente a la influencia de Petrarca y Boccaccio, pero es útil en cuanto al tema genérico). También M. Schiff, *La Bibliothèque*, págs. 174-186.

iluminista (libro 5, metro 2, fol. 113-113v; *Vita,* cf. comentarios al texto, c. 1); el falso canto de las sirenas (libro 1, prosa 1, fol. 2v; *Vita,* cc. 256 y 307)... Fray Íñigo de Mendoza incorpora así a su poema un elemento casi imprescindible en la poesía del siglo XV, hasta tal punto que resulta ya familiar para el lector moderno y no especializado de las obras de esa época.

Los Autores Clásicos. — Son muy escasas las referencias y débitos de Mendoza a autores de la Antigüedad griega y romana. Sin duda, esto se debe a su condición de franciscano y a su adopción de la teoría del rechazo de las musas poéticas, es decir, de las lecturas paganas, como ya vimos. Comparando la *Vita Christi* con otras obras del momento —sin necesidad de llegarnos a Mena—, notaremos inmediatamente esta falta de preocupación clasicista, lo que nos indica en buena medida la condición cultural e ideológica de su autor. Solamente tres casos deben considerarse aquí. Según afirma el propio Mendoza, Platón escribe que "bien andante es la region / a do gouiernan los magos". La referencia al Estagirita dice (hablando de la crueldad de Herodes): "por nombre dicho ynumano / en lengua de Aristotel". Finalmente, la alusión directa a Séneca, entre los consejos a los privados, indica elogiosamente la integridad del sabio cordobés con respecto a Nerón [60]. Ya sin indicación determinada, se hallan en la *Vita Christi* algunos otros pasajes que proceden del pensamiento senequista; así sucede con las teorías sobre el buen rey, ejemplificadas por medio de las abejas (c. 391) [61], o con la imagen de los metales "çendrados" por el fuego, para expresar la ventaja de las tribulaciones como perfeccionamiento (c. 268) [62]. Las ideas sobre los monarcas y su comportamiento abundan en la *Vita Christi,* y así, encontramos, además de la citada, la recomendación de clemencia a los soberanos, pues

---

[60] Respectivamente, en copla 202, 280E y 191. Para el conocimiento de las obras de Platón en Castilla, cf. Mario Schiff, *op. cit.,* págs. 8-15. De Aristóteles, *ibidem,* págs. 30-38.

[61] He utilizado las *Flores de Lucio Anneo Seneca traducidas de latin en romance castellano por Iuan Martin Cordero,* ed. de Amberes, 1555. Aquí es el folio 138v.

[62] *De Providentia,* V-10, según los *Cinco Libros de Seneca traducidos y comentados por Alonso de Cartagena,* Sevilla, Ungut y Polono, 1491. También *De Providentia,* V-1.

el rey airado es como loco con puñal en sus manos (cc. 280B y 390)[63]. Recordemos que el filósofo hispano-romano disfrutaba de gran fortuna en Castilla a partir —por citar sólo épocas cercanas a la de Fr. Íñigo— de las traducciones y apostillas de Alonso de Cartagena, tío-abuelo del franciscano[64]. Y no debe olvidarse que también Boecio recoge el asunto[65], lo cual supone la total expansión del mismo en la cultura medieval. Y, en fin, toda una antología del tema podría hacerse en Castilla[66]. Tampoco faltan ideas semejantes en los manuales de predicación, como sucede en el ya citado de Juan Bromyard[67]. También las ideas contra las riquezas, aunque abundantísimas en tantos y tantos autores cristianos, lo son asimismo en la obra de Séneca y pudieron, por otra vía, ser incorporadas así al acervo intelectual del siglo XV[68]. En el capítulo anterior he anotado las alusiones mitológicas que aparecen en la *Vita Christi*; todas ellas, desde luego, pertenecen al mundo de la seudo-erudición proporcionada por lecturas, normalmente de autores contemporáneos. Sin embargo, merece especial mención, siquiera sea ligerísima, la copla 380, en que Fr. Íñigo compara la "crueza" de Herodes con la de algunas de las fieras y seres más o menos fantásticos que venció Hércules en sus famosas aventuras: el león de Nemea, las sierpes marinas, la hidra, "los centauros del gigante", el

---

[63] Séneca, *De Ira*, según la glosa del doctor Pedro Díaz de Toledo en *Prouerbios y sentencias de Lucio Anneo Seneca y de Don Yñigo Lopez de Mendoza*, Amberes, 1552, núm. 114, fol. 57v.

[64] Cf. Cantera Burgos, *Álvar García de Santa María*, págs. 458-459. Ya he citado la edición de los *Cinco libros*, los cuales son los siguientes: *De la vida bienauenturada, De las siete artes liberales, De amonestamientos e doctrinas* y dos *De la providencia de Dios*. Cf. también Schiff, *op. cit.*, págs. 102-131. Al siglo XIV se remonta la traducción valenciana de Antoni de Vilaragut, editor M. Gutiérrez del Caño, Valencia, 1914.

[65] *Op. cit.*, libro IV, metro 2; libro III, prosa 4 y 5...

[66] A título de muestra: Sem Tob en sus *Proverbios morales* (ed. I. González Llubera, Cambridge, 1947, págs. 152-153); los consejos del canciller Ayala a don Pedro el Cruel (*Crónica del rey don Pedro*, BAE, LXVI, año XVIII, 1367, cap. 22); más cerca de los días de Mendoza, algunos aspectos del *Doctrinal de príncipes* de mosén Diego de Valera, por ej. en ms. 1341 de la B. N. de Madrid, fol. 130.

[67] Libro II, cap. III, págs. 304-308, artículo *Regimen*.

[68] Por ejemplo, *Epistola XVIII, LI y LXXXII*, págs. 14, 38 y 65v, respectivamente, ed. cit. de Martín Cordero.

ladrón Caco, "el puerco de Atalante"... Conviene tener presente que el marqués de Villena con *Los doze trabajos de Hércules* conseguiría gran fama en Castilla; a través de la misma llegarían a Mendoza, sin duda, las clásicas peripecias del héroe griego [69].

Contemporáneos. — Un aspecto muy interesante de la composición de las coplas de *Vita Christi* es el de las relaciones que el poema tiene con la obra de otros autores castellanos contemporáneos o anteriores. María Rosa Lida ha señalado [70] la influencia de Mena en la *Justa de la Razon* de Fr. Íñigo, y Márquez Villanueva [71] la semejanza, en algunos momentos, entre la vida y la obra de Álvarez Gato y la de nuestro franciscano; de esto último diré algo al final de este apartado.

A Juan de Mena se refiere explícitamente Mendoza en su *Vita Christi*, a propósito del rechazo de las musas paganas e invocación de las cristianas (c. 7), con argumentos que traen a la memoria las primeras estrofas de las *Coplas contra los pecados mortales* [72]. Pero otros muchos detalles de la *Vita Christi* denotan un conocimiento y cierta utilización de las obras de Mena [73], aunque es imposible determinar si Mendoza los tomó directamente de aquél, ya que casi todos, por no decir todos, pertenecen a los tópicos habituales de la poesía castellana del siglo XV. Sin embargo, anoto algunos ejemplos aquí, insistiendo en el carácter estereotipado de la mayoría [74]. En el *Laberinto de Fortuna*, el "tragar" riquezas (cc. 99 y 230; *Vita*, cc. 76, 118, 195, 344); el oro posee a su dueño, no éste a aquél (c. 218; *Vita*,

---

[69] Fue terminado en su primera versión, catalana, en abril de 1417; el mismo Villena lo traducía al castellano en setiembre de dicho año. La primera edición es la de Zamora, Centenera, 1483. Cf. Menéndez Pelayo, *Antología*, II, páginas 40-43, y ed. de M. Morreale, Madrid, 1958.

[70] *Juan de Mena*, págs. 114-116 y 426-427. También Cantera, *op. cit.*, páginas 576-577. Cf. cap. II, pág. 70, y apéndice II.

[71] *Investigaciones sobre Juan Álvarez Gato*, págs. 192-194.

[72] En NBAE, XIX, núm. 13, págs. 121-122.

[73] Antón de Moros, en un debate poético con Gonzalo Dávila, explica sucinta y claramente la admiración que la obra de Mena causó en la época: "En todas las comarcas / Johan de Mena vi alabar / en el arte de trobar" (ed. de A. Morel-Fatio, *Romania*, 1901, pág. 55).

[74] Todas las citas provienen de NBAE, XIX.

copla 115S); la metáfora de la mano derecha y la izquierda (c. 132; *Vita*, c. 157); el buen rey (c. 81; *Vita*, cc. 280B-280E y 386-392). En el *Razonamiento con la muerte* (págs. 206 y 208; *Vita*, c. 115U), la idea de la inutilidad de las riquezas, que el difunto deja necesariamente en este mundo. De las ya citadas *Coplas contra los pecados mortales:* el color de los avaros, amarillos por el ansia de oro (página 121; *Vita*, c. 343); los "arneses de Missalla" (pág. 132; *Vita*, c. 18); la hipocresía definida como "encubierta tiranía" (pág. 126; *Vita*, copla 276).

Ya conocemos (cf. capítulo I) el parentesco que une a Gómez Manrique con Fr. Íñigo de Mendoza y las buenas relaciones que entre ellos existían. Es necesario señalar ahora la presencia de ciertos elementos de la *Vita Christi* que pueden proceder de la obra del primero. He aquí algunos: en la *Esclamaçion e querella de la gouernaçion*, la metáfora de "las huestes sin capitanes" (pág. 51, *Vita*, c. 211). En la *Representacion fecha del Nacimiento de Nuestro Señor*, la anunciación del ángel a los pastores, de estilo similar e incluso con semejanzas literales (pág. 54; *Vita*, cc. 133 y 135); esta representación esquemática del episodio pastoril pudo muy bien influir en Mendoza, quien amplió y recreó el pasaje básico del Evangelio y, como digo, quizá también este de Gómez Manrique. En las *Coplas a Diego Arias Davila*, el ya citado tema, también presente en Mena, de las riquezas abandonadas al morir (pág. 89; *Vita*, c. 115U); la alusión a los peligros que en el mar sufren los comerciantes, llevados de su afán de lucro (pág. 90; *Vita*, c. 343). En el *Planto de las virtudes e poesia por el magnifico señor don Iñigo Lopez de Mendoza*, nuevamente el rechazo de las musas (págs. 68 y 72; *Vita*, cc. 4, 5, 8); la discusión sobre cual de las tres virtudes teologales debe empezar a razonar (página 74; *Vita*, c. 229, la misma situación pero referida a los Reyes Magos). En los *Loores e suplicaçiones a Nuestra Señora*, la metáfora de la vidriera y el rayo de sol para explicar el nacimiento maravilloso de Cristo (pág. 147; *Vita*, c. 30); la intercesión de María, "por la qual seran pobladas / aquellas sacras moradas / que despoblo Lucifer" (*idem; Vita*, cc. 86, 87, 98: Mendoza lo aplica a Cristo); la idea de que en el vientre de la Virgen se alojó milagrosamente la Trinidad (*idem; Vita*, c. 291). En *A Johan de Maçuela* (núm. 313; *Vita*, c. 217), el ejemplo de la candela que alumbra y se consume al propio tiempo...

También en el caso de Gómez Manrique, como vemos, numerosos ejemplos de similitud con Mendoza podrían explicarse gracias al acervo religioso y literario de un ambiente común, pero, comparados con los de Mena, estos parecidos se hacen mucho más exactos y menos genéricos: bastantes de ellos son claras reminiscencias de lecturas directas cuando presentan semejanzas literales [75].

Otro poeta de aquella época de quien podría afirmarse, con algún margen para el error, que fue conocido y hasta cierto punto imitado por Fr. Íñigo en su *Vita Christi* es Fernán Pérez de Guzmán, pero conviene recalcar que esta vez nos hallamos, como en el caso de Mena (a excepción del asunto de las musas poéticas), ante elementos comunes a otros autores varios. Sin embargo, es creíble que el buen sentido y autoridad moralista de Pérez de Guzmán encontraran posible eco en la obra de Mendoza. Así, en las *Coplas de Vicios y Virtudes* se hallan varios temas también presentes en la *Vita Christi*, como, entre otros que coinciden con los anteriores de Mena y Gómez Manrique, la idea de que los sabios y discretos deben gobernar los reinos (copla 197; *Vita*, c. 202); el recuerdo bíblico de que la misericordia es la virtud más apropiada para el rey (c. 286; *Vita*, c. 280D); la admonición evangélica del reino "en sí diviso" (c. 426; *Vita*, c. 119A). En la *Confession rimada* aparece la alusión a la sodomía, cuyo nombre "corrompe el ayre entero" (c. 40; *Vita*, c. 118); a la avaricia, ídolo de los cristianos (c. 73; *Vita*, cc. 340-355); el ejemplo de Salomón, cuya sabiduría fue cegada por la lujuria (c. 88; *Vita*, cc. 23, 117); la queja contra el mal uso que de sus riquezas hacen los poderosos, existiendo tantos pobres que remediar (c. 147; *Vita*, cc. 110-113). En la *Requesta fecha al magnifico marques de Santyllana... sobre la estruycion de Constantynopla*, Pérez de Guzmán incluye la leyenda de la lepra de Constantino y hace una referencia a San Ambrosio y Teodosio, así como al Concilio de Nicea, a Arrio y a la fe allí definida

---

[75] Esta diferencia entre la "influencia" de Mena y Gómez Manrique en la *Vita Christi* se aprecia bien comparando las partes que a cada uno de ellos corresponde en las *Coplas contra los pecados mortales*. Ya he citado lo referente a Mena; cf. ahora para Gómez Manrique: las ideas sobre la igualdad de todos los nacidos (pág. 138; *Vita*, c. 115K); el deseo de "sobir a la gloria" (página 144; *Vita*, c. 7); el hombre "criado de no nada" (pág. 146; *Vita*, c. 11)...

(página 679; *Vita,* respectivamente, cc. 383-385, 119, 47 y 51). En los *Loores de los claros varones de España,* el soñador que despierta y queda desengañado (c. 49; *Vita,* cc. 207 y 308; también c. 5 en b1); el castigo infligido a San Jerónimo por sus continuas lecturas clásicas (c. 50; *Vita,* c. 6); los secretos juicios de Dios, que tolera la prosperidad de los impíos (c. 333; *Vita,* cc. 266-268)... Por último, en las coplas *Contra los que dizen que Dios en este mundo nin da bien por bien nin mal por mal* volvemos a encontrar dos ejemplos de origen senequista y ya conocidos, el metal "çendrado" por el fuego (copla 41; *Vita,* c. 268) y el loco armado con puñal o espada (c. 2; *Vita,* cc. 280B y 390). Otro caso es utilizado por Pérez de Guzmán y por Mendoza exactamente con el mismo fin: los misterios divinos no deben ser escudriñados, pues después de intentarlo quedaremos cegados, lo mismo que quien ha mirado fijamente el sol o ha intentado llegar con su vista a un punto muy lejano (c. 54; *Vita,* c. 50).

Fray Íñigo cita directamente a su pariente Santillana, haciendo una verdadera paráfrasis del célebre fragmento de la *Comedieta de Ponza* en que el marqués imita el *Beatus Ille* horaciano (núm. 163, c. 16; *Vita,* c. 115F). Es indudable, por lo tanto, el conocimiento que de la obra de don Íñigo tenía el franciscano. Podría rastrearse alguna otra posible reminiscencia de ella en la *Vita Christi,* aunque ya, como siempre, de una forma más dudosa y diluida en lo genérico de la época. Así sucede con la misma *Comedieta,* en que Santillana explica las vacilaciones de las reinas de Navarra y Aragón y de la princesa Catalina para comenzar a hablar (c. 21; *Vita,* c. 229. Más arriba he anotado algo muy similar de Gómez Manrique en *El planto de las virtudes;* Mendoza coloca la misma situación entre los Reyes Magos), y trata también de la repulsa de las invocaciones paganas (c. 22; *Vita,* copla 7). En las coplas contra don Álvaro de Luna y en el *Doctrinal de privados* (núms. 166 y 167) se basa, naturalmente, la invectiva de Fr. Íñigo contra el Condestable, al que coloca también en las penas del otro mundo, como hace Santillana; dentro de las violentas requisitorias del señor de Hita, ciertos pasajes coinciden más especialmente con otros de la *Vita Christi,* como las referencias al ansia de "tragar" riquezas, a la movible rueda de Fortuna, a los tesoros de los que parten de esta vida, o el uso de la metáfora iluminista, de todo

lo cual ya he hablado en las páginas anteriores [76]; también hay alguna coincidencia más, como la alusión al cadalso infamante en que el
Condestable fue ajusticiado (núm. 167, c. 6; *Vita*, c. 115M y N);
la cita, de idéntica comparación popular —aunque adaptada a distinto
propósito—, del hombre que se viste equivocadamente, confundiendo
mangas y "cabeçon" (núm. 167, c. 30; *Vita*, c. 42).

De otros autores ya sería más difícil afirmar o siquiera sugerir su
posible influencia en la *Vita Christi*. Como he dicho repetidas veces,
muchas de las ideas, temas o asuntos citados son habitualmente típicos de la literatura de la baja Edad Media, y no sólo castellana. Debo
recordar, con todo, y de pasada, algunas semejanzas entre el poema
del franciscano y ciertas obras anteriores a su época. Así, en rápida
mención, de la cantiga CX de Alfonso el Sabio [77] procede el ejemplo
de "si fuese tinta la mar / y los peces escriuanos", aunque, en Mendoza, referido a los enormes daños causados por la lujuria (c. 119,
primera versión). En el *Libro de Buen Amor* [78] aparecen más coincidencias: la justificación de incluir elementos humorísticos —o, como
dice Fr. Íñigo, "chufas"— en una obra de tema serio (coplas 44-45
y 947-948; *Vita*, cc. 156-157); el asunto de las riquezas abandonadas
a la hora de la muerte (cc. 249, 1534-1535 y 1543; *Vita*, cf. 115U);
la ejemplificación de la intemperancia de David con Betsabé (cc. 947-
948; *Vita*, cc. 19 y 23). *Las siete edades del mundo*, del bisabuelo
materno de Fr. Íñigo, Pablo de Santa María, ofrece también ciertos
aspectos similares con el poema de Mendoza, como, entre otros, el de
la leyenda citada de la enfermedad del emperador Constantino (número 424, c. 224; *Vita*, cc. 383-385).

Otras semejanzas, en fin, con autores no citados o más de los incluidos aquí, las reservo para los comentarios oportunos al texto de la
Vita Christi, así como las explicaciones más amplias que exigen temas
tan importantes como el de la fortuna, el desprecio de las musas y
dioses paganos, la metáfora iluminista, etc. [79].

---

[76] Todas las referencias de este apartado, cuando no indico otra cosa, las
hago por NBAE, XIX. Las de Gómez Manrique y Pablo de Santa María,
NBAE, XXII. Cito número de composición o página.

[77] *Cantigas de Santa María*, I, Madrid, 1889, pág. 168.

[78] Ed. J. Cejador, I y II, Madrid, 1951, CC.

[79] De las *Coplas de Mingo Revulgo*, consideradas comúnmente como fuen-

Un caso especial con respecto a Fr. Íñigo es el de Álvarez Gato, coetáneo suyo, también converso y cortesano y con gran número de similitudes entre sus obras y las del franciscano. Como dice Márquez Villanueva [80], "no es posible ahora establecer cuál de ellos influye en el otro, ni tampoco si uno y otro reaccionan a estímulos literarios y ambientes comunes, pero el hecho de que se nos plantee precisamente este problema resulta ya de subido valor". Entre las afinidades que Márquez halla entre los dos poetas figura el uso de refranes y rimas semejantes, el torneo alegórico de la razón contra la sensualidad, y las excelencias de los Reyes Católicos. Concretándome a la *Vita Christi*, aparecen analogías: el oro purificado por el fuego (núm. 80, pág. 234; *Vita*, c. 268); la referencia al "perro escusero" (núm. 90, pág. 240; *Vita*, c. 312); la crítica de Enrique IV, "porque daua muy ligeramente lo de su corona real" (núm. 94; *Vita*, c. 107, primera versión); la exclamación maravillada ante el hecho de que el Niño-Dios naciera pobre y humildemente (núm. 114; *Vita*, cc. 62-63); la metáfora iluminista (núms. 75, 80, 85, 118; *Vita*, cf. notas al texto en copla 1), etcétera. Un tema común importante es el de la igualdad de los nacidos y el ataque contra las riquezas de los poderosos (núm. 96; *Carta a Hernán Mexía*; *Vita, passim*), que hacen dios del oro (*idem*, página 246; *Vita*, cc. 340-345 y 351-352), así como, ya en otro plano, el uso que ambos conversos hacen de la poesía "a lo divino", como ya dije en el cap. V. Es sugestivo que las características comunes a Mendoza y Álvarez Gato sean precisamente aquellas que se consideran típicas de la ideología y actitud de los conversos: utilización de refranes, metáfora iluminista, igualdad de los hombres y crítica social, divinización de temas vulgares y profanos... [81]. Aparte de esto, en la *Vita Christi* no consta ninguna alusión al problema de la sociedad castellana con respecto a los conversos, y muy escasas al pueblo he-

---

te de ciertos aspectos de la *Vita Christi*, me he ocupado especialmente en "Sobre el autor de las *Coplas de Mingo Revulgo*", ya citado.

[80] *Op. cit.*, pág. 194.

[81] Cf. Márquez Villanueva, *op. cit.*, pág. 280, para el tema de la luz y las tinieblas; Américo Castro, *La realidad histórica de España*, págs. 22, 53 y 531, para la protesta social; también *Origen, ser y existir de los españoles*, Madrid, 1959, pág. 23.

breo en general, aunque, sintomáticamente, a propósito de la ceremonia de la circuncisión escribe Fr. Íñigo:

> Asy este pueblo crudo,
> judayco, de mala boca,
> que fue syempre cabeçudo
> y en son del mas sesudo
> muchas vegadas mas loco,
> sy se hallaua holgado
> se tornaua tan hufano
> que para ser enfrenado
> era menester forçado
> de traer soberuia mano (c. 169) [82],

continuando en la copla siguiente, donde los judíos son tratados de
"gentes porfiosas" [83].

El condicionamiento histórico y social del momento vital de Fr.
Íñigo influye necesaria y básicamente en la *Vita Christi,* como he dicho en el cap. I. Me ocupo de ello específicamente en el siguiente.

* * *

Con todo lo anotado en las páginas anteriores creo haber ofrecido
un panorama bastante aproximado de las posibles fuentes e influencias
que presenta la *Vita Christi* de Fr. Íñigo, desde las Sagradas Escrituras hasta sus contemporáneos y situación personal. Insisto, a pesar
de haberlo repetido varias veces, en el hecho de que es muy difícil,

---

[82] En la primera versión la copla dice así: "Asi la conpaña cruda / judayca, de mala boca, / que fue syempre cabeçuda, / y en son de la mas sesuda / las mas vegadas mas loca, / con baruada deslabones / con la qual
tartaleaua / a vezes de ocupaçiones, / otras vezes de quistiones, / nunca es
bien enfrenada".

[83] Me he referido a esto en el cap. I. Con todo, en la copla 165 habla
Mendoza de la "alta perfecion" del pueblo judío. Bien conocida es la tenden-
cia de buen número de conversos castellanos a atacar violentamente a sus an-
tiguos correligionarios, comenzando por Pablo de Santa María en su *Scrutinium
Scripturarium,* siguiendo con Jerónimo de Santa Fe en su *Hebraeomastix* o
Açote de los judíos, y micer Pedro de la Caballería en su *Zelus Christi contra
judaeos et sarracenos.* Cf. Amador de los Ríos, *Historia social de los judíos,*
II, Buenos Aires, 1943, págs. 73-77, y A. A. Sicroff, *Les controverses,* pág. 31.

si no imposible, afirmar categóricamente que determinado autor o libro influye directamente en la *Vita Christi*. Las intersecciones y entrecruzamientos de la cultura religiosa y literaria del siglo XV con el trasfondo cristiano y humanista anterior impiden hacerlo de una forma clara y definida.

INFLUENCIA

Las *Coplas de Vita Christi*, como más abajo explico, tuvieron un gran éxito entre sus contemporáneos y posteriores. No es extraño, por tanto, que algunos de sus aspectos o elementos ejercieran una innegable y a veces considerable influencia en otros autores. En general, este influjo se presenta en dos importantes y diferentes grupos: el religioso, que aparece en posteriores obras poéticas moralistas y devotas, y el popular del fragmento pastoril, de gran eco en el teatro de fines del siglo XV y principios del XVI.

En la poesía religiosa. — He aludido ya varias veces a Fr. Ambrosio Montesino. Sus *Coplas sobre diversas devociones y misterios de nuestra sancta fe chatolica* [84] ofrecen algunas semejanzas con la *Vita Christi*, aunque debo apresurarme a añadir que muchas menos y de menor importancia de lo que generalmente se cree. Son las principales las siguientes: Cristo en el pesebre, a pesar del frío, "arde en caridad" (fol. b4; *Vita*, cc. 63, 101, 115); gracias a la Virgen María, se puebla de nuevo la gloria celestial (fol. b6; *Vita*, cc. 86, 87, 98); la estrella que guía a los Reyes Magos muestra en su interior al Niño-Dios con la cruz, pero también con su madre, según Montesino (folio c2; *Vita*, c. 205); la explicación de por qué Herodes se alteró ante el anuncio del nacimiento de un nuevo Rey, rival suyo (fol. c4v; *Vita*, c. 214); la Virgen es puerta del cielo y tiene "la muerte muerta" (fol. c7v; *Vita*, cc. 88, 134); las canciones angélicas y sus coros ante Cristo recién nacido (fol. d6v; *Vita*, cc. 80, 85-102)... Hay también en las coplas de Montesino un abundante uso de la metáfora iluminista, lo mismo que en la obra de Mendoza (fols. a2, a2v, a3v,

---

[84] Toledo, Juan Vázquez, hacia 1485. Utilizo la edición facsímil de Sir H. Thomas, Londres, 1936.

a5, b1v, c7, d3v; *Vita,* cf. notas al texto en copla 1), y no falta tampoco la del freno del caballo (fol. a4; *Vita,* cc. 13, 167-170, 233). Quizá el caso más claro de semejanza entre ambos franciscanos ocurra en el *Romance a reuerençia del naçimiento de Dios,* que recuerda inmediatamente no sólo el romance similar de Fr. Íñigo (c. 100; el de Fr. Ambrosio, en fol. d6v), sino también las coplas anteriores (80 y 99 especialmente): "los coros del parayso / a Dios dan gloria y loores; / los serafines muy altos / aqui sirven de cantores; / gloria dizen in excelsis / en concertados primores; / la primera gerarchia / lo servia de tenores, / la otra de contras altas, / la tercera de menores...". Ciertas similitudes menores y otras literales denotan claramente un simple recuerdo de la *Vita Christi* de Mendoza en el *Cancionero* de Montesino.

Ya he hablado de los parecidos existentes entre la traducción que de la *Vita Christi* del Cartujano hizo Fr. Ambrosio y el poema de Mendoza. El conocimiento que Montesino tenía de la obra de Ludulfo de Sajonia podría explicar ciertos rasgos comunes a los dos frailes menores (aparte de otros con origen en el fondo común medieval), pero también algunos de los de Fr. Ambrosio provienen de la *Vita Christi* de su coetáneo castellano [85].

El comendador Román se halla, respecto a la *Vita Christi* de Fr. Íñigo, en una situación parecida a la de Montesino. Se pueden encontrar en sus obras [86] bastantes parecidos de detalle con aquélla, como la metáfora iluminista (fols. b8, b8v, c1v, c2, c2v, d2, d5, e9; *Vita,* cf. notas al texto en copla 1); la puerta del cielo, abierta por Cristo a los hombres (fols. a4, c7v y d3v; *Vita,* cc. 88 y 134)... Hay algunos lugares en los que el influjo de la obra de Mendoza es incuestionable. En el fol. a7v, Román, hablando de Judas, dice lo siguiente:

> Pero tu como dañado,
> mostrando tu culpa a nos,
> de su fe desconfiado,
> heziste tan gran pecado
> como vender a tu Dios,

---

[85] En la segunda parte de mi trabajo, ed. crítica, me ocupo más detalladamente de estas semejanzas.

[86] He utilizado la ed. facsímil de la de Toledo, Juan Vázquez, hacia 1486-1494, por sir H. Thomas, Londres, 1936.

y despues por mas dañarte,
pecando por alto modo,
sin gouierno,
quesiste desesperarte
para perderte del todo
en el ynfierno.

Que si tu, graue, traydor,
sin tomar otro rreues
como propio mal hechor
boluieras a tu señor
y te echaras a sus pies,
por mas mal que rreçibiera
con su santa perfeçion
nuestra luz,
tan piadoso te fuera
como lo fue del ladron
en la cruz.

Basta comparar esto con las coplas 278-279 de la *Vita Christi* para hallar un paralelo con el caso de Herodes, aludido por Mendoza de una forma semejante. En el fol. dIv dice el comendador Román:

Aquella muerte y pasion
de nuestro sacro cordero
que por nuestra saluaçion
quiso leuar el pendon
de su martirio primero;
aquella vida bendita,
saluaçion de los humanos
y conorte
que del infierno nos quita
y nos haze cortesanos
de su corte,

de aspecto similar a la copla 2 de la *Vita Christi*. Por último, hay que recordar que Román incluye una serie de "rogativas" por los Reyes Católicos, a quienes dedica sus versos, de forma semejante a como Mendoza termina las partes de su poema con oraciones en nombre de su madre, doña Juana de Cartagena.

Pero es en las obras del cartujano Juan de Padilla donde puede ser perfectamente estudiada y contrastada la en este caso indudable influencia de la *Vita Christi* de Fr. Íñigo. Veamos en primer lugar el *Retablo de la Vida de Christo* [87]:

Fol. c2: rechazo de las musas poéticas paganas e invocación de las cristianas (*Vita*, cc. 4-8); "los vanos poemas que pueden dañar / dexemos aparte, tomado lo sano, / como quien quita la paja del grano / y mas de la cidra su mal amargar".

Fol. c2: la anécdota ciceroniana de San Jerónimo (*Vita*, c. 6).

Fol. c2: la reprobación de "la mucha escuridad de los versos" (*Vita*, c. 156).

Fol. c2: "Limita lo dicho contra la poesia" (*Vita*, c. 7).

Fol. c17: "Da razones porque fue Christo circuncidado" (*Vita*, cc. 173-175).

Fol. e2v: la circuncisión cristiana (*Vita*, c. 182); "Asy que deuemos los males y vicios / circuncidarlos por ser reprouados / y no los prepucios que son deuedados".

Fol. e4: las comparaciones de las reinas de este mundo con María, reina del cielo (*Vita* cc. 257-259).

Fol. f: descripción de la degollación de los Inocentes (*Vita*, cc. 374-375); "Alli los crueles verdugos andauan / con las espadas sangrientas sacadas / los braços e manos en sangre bañadas / de las heridas e golpes que dauan; / las miseras madres que alli se hallauan / queriendo sus hijos librar de la muerte, / ellas y ellos tirauan muy fuerte / tanto que quasi los despedaçauan". "Las madres amargas e muy doloridas / tras de los hijos andauan gritando, / quedauan en casa los padres llorando / porque perdian sus hijos las vidas, / las madres de graues dolores heridas / mordian con rauia las manos y braços / haziendo sus carnes mortales pedaços, / como rauiosas locas perdidas" (cf. también *Vita*, c. 394).

Fol. fv: comparación de los elefantes furiosos ante la sangre humana (*Vita*, c. 237).

Fol. f6: los poderosos que gastan sus caudales en sus cortes sin remediar miserias (*Vita*, c. 111); "...la vida callad / de grandes señores con su vanagloria; / aued de los pobres continua memoria / cubriendo sus carnes y cuerpos llagados; / dexad los juglares andar despojados, / pues dalles la ropa es locura notoria".

Hay otros muchos detalles que relacionan las dos obras, varios de ellos tan pertinentes como los citados, pero no quiero alargar la lista

---

[87] He utilizado la ed. de Sevilla, J. Cromberger, 1505.

innecesariamente. La importancia y abundancia de estas semejanzas (y debe tenerse en cuenta, insisto, que he dejado a un lado muchas otras, que pueden verse en la segunda parte de mi trabajo) revela en estos aspectos cierta dependencia del poema de Padilla con respecto al de Mendoza. Pues en la mayoría de ellas no se trata ya de una posible coincidencia debida al conocimiento de fuentes comunes [88], sino que nos hallamos ante clarísimas muestras de identidades y reminiscencias literales fundamentales, con alusiones incluso, más o menos veladas, a la obra del franciscano, como sucede en el fol. ev., donde Padilla explica "por que no pone las palabras pastoriles", es decir, por qué no cita el diálogo y discusiones de los pastores en el nacimiento de Cristo, al contrario de lo que, como sabemos, hace Mendoza:

> Yo bien dixera mas cierto non oso
> los simples sermones daquestos pastores;
> callo pues callan los sanctos doctores,
> ca no mes honesto hazer me donoso;
> notase mucho mal peligroso
> queriendo en las cosas de Christo dezir
> apocriphas chufas que hagan reyr
> los sensuales de poco reposo...
>
> ....
>
> assi los que quieren sus obras vender
> ponen palabras de poca sustancia,
> porque requieren alguna ganancia.

Esto tiene todo el aspecto de un ataque contra el propio Fr. Íñigo, el cual en las coplas 156-157 explica "por que razon ha puesto estas pastoriles razones prouocantes a riso", esperando que, "por ende, ningun liuiano / no lo juzgue a liuiandad".

También en *Los doze triumphos de los doze apostoles*, aunque en menor grado, encontramos ciertas semejanzas con la *Vita Christi*: la metáfora iluminista (págs. 292, 398; *Vita*, cf. notas al texto en c. 1); la alusión a "las armas de Misalla" (pág. 324; *Vita*, c. 18); San Mateo y el "theloneo" (pág. 377; *Vita*, c. 366), etc. Lo más interesante

---

[88] Por ejemplo, las oraciones que ambos poetas insertan al final de cada una de las partes de sus respectivas obras.

es otra más que probable alusión a Mendoza, esta vez a propósito del riesgo de criticar los vicios sociales:

> No te conviene, segun he pensado,
> hablar en aqueste vicioso tratado;
> es peligroso por muchas razones,
> y mas que nombrando los tales varones
> seria libelo de mal infamado,
> bien lo publican agenos renglones [89].

Creo que hay que ver en esto un eco de lo sucedido a Fr. Íñigo a consecuencia de la aparición de su primera versión de la *Vita Christi,* recibida por los nobles atacados de la forma que ya conocemos. La personalidad de Padilla, en todo caso, aparece así como más cauta y precavida que la arrebatada del franciscano.

Es posible afirmar, pues, según todo lo anterior, que el autor del *Retablo de la Vida de Christo* conoce y utiliza, a veces con copia casi directa, la *Vita Christi* de Mendoza.

Ya en un segundo plano, reminiscencias de menor importancia pueden hallarse todavía en ciertos autores religiosos de la época. En el *Cancionero musical de los siglos XV y XVI* [90] aparece una composición anónima, atribuida por Le Gentil [91] a Juan del Encina, que contiene varios conceptos y versos exactos a otros de la *Vita Christi:* "Tierra y çielos se quejaban, / el sol triste s'escondia; / la mar sañosa bramando / sus ondas turbias volvia / cuando el Redemptor del mundo / en la cruz puesto moria; / encomienda ell alma mia. / ¡Oh mancilla inestimable! / ¡Oh dolor sin compañia / quel criador no criado / criatura se façia / por dar vida a aquellos mismos / de quien muerte recebia! / ¡Oh madre excelente suya / sagrada Virgen Maria / vos sola desconsolada / cantareys sin alegria!". Las coincidencias con el romance de Mendoza (c. 100) y con las coplas 244-246 de su *Vita Christi* son evidentes.

---

[89] NBAE, XIX, triunfo VI, c. 15, pág. 376; las referencias anteriores, por igual edición, págs. 288-423.

[90] Ed. F. Asenjo Barbieri, Madrid, 1890, núm. 284.

[91] *Op. cit.,* pág. 320. Barbieri piensa también en el salmantino como autor de este pequeño poema, que consta ya en el *Cancionero General,* al final de las obras de Encina.

En *La Vida y la Muerte*, de Fr. Francisco de Ávila [92], consta la protesta contra los poderosos que malgastan sus dineros sin remediar las miserias, especialmente dirigida a los "prelados malos": "Ensanchais vuestros estados / con palacios mundanales, / en gastos desordenados / sobrados y curiales, / magnanimos liberales / en grandezas y que sobre, / y aculla que muera el pobre / triste por los hospitales. / Si pensais tesaurizar / son locuras detestables, / pues lo habeis de dispensar / con personas miserables". (Compárese con las coplas 111-113 de la *Vita Christi*).

Algo semejante ocurre en las *Coplas que fizo un fraile menor de la Obseruancia llamado fr. Antonio de Medina contra los vicios y deshonestidades de las mugeres* [93]: "Aquestos negros deleites, / aquestos negros aceites, / aquestos negros traeres, / aquestos negros brocados / ... Aquellos negros rincones, / aquellos negros vocablos, / aquellas negras razones, / aquellos negros establos, / aquellos negros salbajes, / aquellas negras usuelas, / aquellos negros de trages, / aquellos negros de pajes / y negros mozos despuelas...". (Compárese con las coplas 35, 186, 189).

El anónimo autor del *Cancionero Espiritual* [94], como señala Wardropper, "da fe de conocer —e imita— la literatura cancioneril y sentimental del siglo XV" [95]. De hecho, presenta innumerables semejanzas con la *Vita Christi*: los elogios bíblicos de la Virgen y las alusiones proféticas (*Vita*, cc. 30-33; *Cancionero*, págs. 16-17); la metáfora de la vidriera (*Vita*, c. 303; *Cancionero*, pág. 25); el "bocado" de nuestro padre Adán (*Vita*, c. 35; *Cancionero*, pág. 44); la metáfora iluminista (*Vita*, c. 1; *Cancionero*, págs. 49, 51, 59, 60); la imagen del "señuelo" (*Vita*, cc. 39, 275, 326, 338; *Cancionero*, pág. 55).

En *Las obras de Boscán y Garcilasso trasladadas en materias christianas y religiosas* por Sebastián de Córdoba [96], entre otras semejanzas menores: "O quantas vezes quisiera / vna muger virtuosa / nunca hauer sido hermosa / porque a su virtud no fuera / vna arma tan

---

[92] Cito por *Ensayo* de Gallardo, I, Madrid, 1863, núm. 304, cols. 319-344. La obra de Ávila fue publicada en Salamanca, 1508.
[93] Según ms. 4114, fols. 304-307, B. N.
[94] Valladolid, 1549. Cito por la ed. de W. Wardropper, Oxford, 1954.
[95] Ed. cit., Introducción, pág. XII.
[96] Granada, 1575.

peligrosa. / Bersabe quando lauaua / con lo que a Dauid vencia; / Dina, Thamar y la Caua / y otras mil con quien podia / mostrar que bien me fundaua" (fol. 24v; compárese con *Vita,* cc. 19-21).

Las similitudes tradicionalmente establecidas entre José de Valdivielso y su grupo —Alonso de Ledesma, Francisco de Ocaña, Juan López de Úbeda— y Mendoza no pueden ser llevadas más allá de una simple coincidencia de estilística religiosa, e incluso ésta sería muy discutible [97].

Finalmente, no puedo dejar de anotar en este apresurado catálogo, siquiera sea como mera curiosidad, la existencia de ligeras coincidencias entre el poema de Mendoza y el *Octavario* de la monja aragonesa del siglo XVII doña Ana Abarca de Bolea [98].

En el teatro. — El segundo grupo de influencias más o menos exactas de la *Vita Christi* es el que ejerció el fragmento pastoril de la obra de Fr. Íñigo en el teatro posterior. En efecto, la "Reuelacion del angel a los pastores" no es sino un diálogo entre rústicos, con recursos primitivamente escénicos, recubiertos de sencillez y cierta tosquedad agradables, "perfectamente representable", en la autoridad de Menéndez Pelayo [99], el cual añade que, a pesar de esto, los estudiosos de los orígenes de nuestro teatro nunca habían citado o nombrado estas coplas de la *Vita Christi.* Parecía que se ignorase no ya su auténtico valor precursor, como más abajo digo, sino su misma existencia, lo cual, por otro lado, no es muy extraño teniendo en cuenta el abandono en que se tenía la obra toda y la personalidad de Fr. Íñigo de Mendoza [100]. Pero después de la queja del gran polí-

---

[97] Cf. las obras de los citados en *Romancero y cancionero sagrados,* BAE, XXXV.

[98] He utilizado el texto anotado por Manuel Alvar en sus *Estudios sobre el "Octavario" de...,* Zaragoza, 1945. Cf., por ejemplo, el *Romance de la Virgen Santísima,* pág. 53 (cf. con coplas 31-33 de Mendoza); el *Romance a la Virgen Santísima,* pág. 57 (cf. Mendoza, c. 60), y el *Villancico al Nacimiento,* pág. 59 (Mendoza, c. 150). Es curioso que doña Ana escribiese también algunos de sus poemas en "sayagués" aragonesizado.

[99] *Antología,* II, pág. 48.

[100] Así, Schack, aunque se refiere a algunos extraños antecedentes del teatro castellano, no hace mención alguna de estas coplas de Mendoza (*Historia de la literatura y del arte dramático en España,* I, Madrid, 1885, págs. 227-230).

grafo, como sucede con tantas cosas por él dichas, se han repetido sus palabras continuamente. Bonilla y San Martín calificó el fragmento de "égloga de la Natividad", añadiendo que está formado por "unas cuantas coplas que, si bien no debieron de escribirse para ser representadas, constituyen una verdadera égloga de tanta condición dramática como otras de Juan del Encina o de Lucas Fernández... Claro es que apenas existe movimiento dramático; pero no es mayor la acción, como veremos luego, en obras que real y positivamente se representaban" [101]. Reconociendo estoy y siguiendo también a Menéndez Pelayo, se considera ya generalmente a Fr. Íñigo, en este aspecto, como antecesor clarísimo del teatro "pastoril" de los siglos XV y XVI. J. P. Wickersham Crawford dice [102] que Mendoza fue un precursor de Encina; Juliá Martínez, entre otras cosas, habla de la indudable influencia que ha ejercido en los dramaturgos posteriores [103]. Lo mismo afirman todos los modernos historiadores de nuestra literatura [104]. En realidad, este influjo se centra únicamente en algunas facetas, muy concretas y permanentes: "la pervivencia en el teatro del Siglo de Oro de campesinos y lugareños que se expresan de un modo popular no es otra cosa que la fidelidad a una de las normas primigenias del arte dramático" [105]. El origen básico del género en Castilla se halla, sin necesidad de remontarnos a casos más ambiguos y anteriores, en las *Coplas de Mingo Revulgo*. Si éstas pertenecen al fraile Mendoza, no es extraño que utilice el mismo artificio en su *Vita Christi*; si no es así, la influencia de aquéllas en esta parte del poema es evidente. Ya he hablado del lenguaje "sayagués" en que la "Reuelacion" está escrita (cap. IV) y de su tono incluso

---

[101] *Las Bacantes o del origen del teatro*, Madrid, 1921, págs. 89-90.

[102] *Spanish Drama Before Lope de Vega*, Londres, 1937, pág. 7.

[103] "La literatura dramática peninsular en el siglo XV", en *Historia General de las Literaturas Hispánicas*, II, págs. 244-245.

[104] En reciente trabajo se estudian seriamente los caracteres teatrales de este fragmento pastoril: Charlotte Stern, "Fray Íñigo de Mendoza and Medieval Dramatic Ritual", en *HR*, 1965, págs. 197-245. Cf. también Frida Weber de Kurlat, *Lo cómico en el teatro de Fernán González de Eslava*, Buenos Aires, 1963, págs. 33-37, y Lilia Ferrario de Orduña, "La adoración de los pastores", en *Filología*, 1964, págs. 153-178.

[105] M. García Blanco, "Algunos elementos populares en el teatro de Tirso de Molina", en *BRAE*, 1949, pág. 414.

vulgar, que es el que ha de prevalecer precisamente en el teatro posterior de características similares. Este tipo de diálogo pastoril es profundamente popular. Schack demostró que uno de los obstáculos más importantes para la evolución y crecimiento del teatro había sido la separación entre poesía popular y erudita, pero ya hemos visto más arriba que esta separación había sido eliminada en gran parte con la contribución de Fr. Íñigo, Fr. Ambrosio y otros poetas semejantes; por lo tanto, desaparecido el principal motivo de oposición, el teatro iba a desarrollarse de un modo extraordinario, siendo a través de toda su historia un arte esencialmente popular.

En Juan del Encina se hallan numerosas coincidencias con la "Reuelacion" de la *Vita Christi*. Sus églogas pastoriles, sus personajes, sus situaciones, e incluso las expresiones y palabras utilizadas, presentan repetidas semejanzas con aquélla, tantas que sería tarea larga enumerarlas aquí[106]. Basta dejar constancia de ello. Aparte de esto, otros aspectos de sus obras concuerdan con la *Vita Christi*. El primero de ellos, en lo escénico, es que, como Fr. Íñigo (c. 168), Encina explica sus ideas sobre el "baxo estilo", justificando la utilidad de éste y de las "pastoriles razones" (fols. 31-31v); se refiere a la discusión y dudas sobre las invocaciones poéticas a los dioses y musas paganas, recomendando la misma llevado de su espíritu renacentista, el cual lo separa radicalmente del de Mendoza (fol. 2v; *Vita*, cc. 4-8); usa la metáfora iluminista, quizá movido, como el franciscano, por su sentimiento de converso, como indica J. Richard Andrews...[107]. Existe también un evidente paralelismo entre la cuarta égloga de Encina (folios 113-116) y las *Coplas de Mingo Revulgo*, señalado asimismo por Andrews[108], como en el caso del diálogo de Fr. Íñigo.

Lo mismo podría decirse del teatro de Torres Naharro, cuyos "introitos" se asemejan notablemente, en los aspectos comentados, a las coplas pastoriles de la *Vita Christi*. Las características son similares a las citadas de Encina; es inútil decir aquí nada más existien-

---

[106]　Utilizo la *Copilacion de todas sus obras con otras añadidas*, Burgos, 1505.
[107]　*Juan del Encina, Prometheus in Search of Prestige*, Berkeley, 1959, página 173, nota. Para la metáfora, por ejemplo, fol. 48; *Vita*, comentarios al texto de la copla 1.
[108]　*Op. cit.*, págs. 134-135 y 138-139.

do la monumental y exhaustiva obra crítica de Joseph E. Gillet [109].
Digo lo mismo de otros autores del siglo XVI de menor importancia; puede servir de ilustración el anónimo *Aucto de la circuncisión
de Nuestro Señor* [110], donde merece señalarse esta explicación de uno
de los pastores: "Ya no lo puedo sufrir / que, par Dios, dezillo
quiero / qu'estando alla en el apero / vi un enjambre rebullir /
con un cantar plaçentero. / Groria y excelsis dezien / y corre presto, pastores, / que el señor de los señores / esta nacido en Belen"
(cf. con *Vita*, cc. 133 y 135).

Dentro del teatro del siglo XVI, pero aparte del asunto pastoril,
pueden rastrearse algunos posibles recuerdos del poema de Mendoza.
Así sucede en el *Auto chamado de Mofina Mendes*, de Gil Vicente [111]: los simbolismos de la virginidad de María (Gil Vicente, folio 24; Mendoza, cc. 30-33); metáfora iluminista (Gil Vicente, folios 24v-25; Mendoza, cf. notas al texto, copla 1), o en *Comedia
Salvage*, de Joaquín Romero de Cepeda [112], a propósito de las doncellas poco recogidas: "La doncella ventanera, / muy galana y muy
compuesta, / cuanto más de fuera honesta / es toque de vidriera
/ el amiga de ser vista / y de ver y componerse, / es ocasión de
perderse / aunque el padre le resista" (pág. 290; *Vita*, c. 17), e
insiste ejemplificando: "La mucha conversación / las más veces hace
mal / y es la yesca y pedernal / del fuego desta pasión, / que si
con mi madre Albina / encerrada yo estuviera, / a Anacreo nunca
viera / ni me engañara Gabrina" (pág. 296; *Vita*, c. 19). También
en un *Easter play by Juan de Pedraza* [113], en que, además de semejanzas con el asunto de los pastores, aparece otra con el romance de
la *Vita Christi* (c. 100): "Gozense en aqueste dia / todos los hijos
de Adam, / pues por librarles de afan / resurxe en el su Mesia;
/ siente ya grande alegria / humana naturaleza, / pues por la diuina

[109] *Propalladia and Other Works of Bartolomé de Torres Naharro*, ya citada. Cf., por ejemplo, IV, págs. 446-447.
[110] En Leo Rouanet, *Colección de autos, farsas y coloquios del siglo XVI*,
IV, Madrid-Barcelona, 1901, pág. 364.
[111] Cito por *Obras completas de Gil Vicente*, Lisboa, 1925, facs. de Lisboa, 1562.
[112] Cito por E. de Ochoa, *Tesoro del Teatro Español*, I, París, 1838.
[113] En J. E. Gillet, *R. H.*, 1933, págs. 576-577.

alteza / libertad oy conseguian. / Gozense con este dia / todos los
hijos de Adam / ... / Suene ya dulce armonia / en los cielos y en
la tierra, / pues oy della se destierra / el que daño la havia...".
Y en la *Nise Lastimosa* de Jerónimo Bermúdez, más posterior, hay
unas lamentaciones por la tragedia sangrienta ocurrida que recuerdan
automáticamente otras semejantes de la *Vita Christi* ante la muerte
de los Inocentes (cc. 380-381 y 393-394): "¿qué duros trogloditas,
/ qué caribes, / aquel divino rostro no ablandara? / ¿qué brava saña
no tornara mansa / un no sé qué de aquella dulce boca? / ¿Aquellos ojos en que piedras duras / blandura no imprimieran?; ¡O qué
cuita / o qué crueldad tan fiera y tan extraña! / La tierra llore lo
que el cielo goza, / moza inocente por solo amor muerta / con gente
de armas, la inocente sola / ¿qué más hacer podrían bravos turcos
/ o qué hicieran más a turcos bravos? / Tú Dios, que bien lo ves,
oye los gritos / de aquella sangre que te está pidiendo / justa venganza" [114]. En la *Nise Laureada* constan también algunos parecidos
insignificantes [115].

DIFUSIÓN

Las *Coplas de Vita Christi* de Mendoza alcanzaron una gran difusión. No afirmo esto apriorísticamente, sino basado en la existencia de unos pocos hechos que lo confirman. Los enumero a continuación en una nota rápida.

En primer lugar, el crecido número de manuscritos conocidos del
poema, amén de alguno probablemente perdido o no visto hasta hoy
y ciertos fragmentos sueltos (cf. cap. III), suponen ya algo. La cantidad de ediciones indica también la popularidad de la *Vita Christi*:
diez, que sepamos, hasta 1615, de las que cinco pertenecen al siglo XV. Añádase a esto la temprana fecha de la primera impresión
de la obra, 1482, y que la redacción primitiva es de 1467-1468.
Esto supone la continuidad incuestionable de la fama de la *Vita*.
Por otro lado, los ataques que los copleros de la época dirigieron al

---

[114] *Tesoro*, I, pág. 325.
[115] Más detalles sobre los autores citados y otros relacionados con la *Vita
Christi* se hallarán en la parte de este trabajo dedicada a edición crítica del
poema.

franciscano, precisamente criticando su poema, indican también algo importante (cf. cap. I). Sólo una obra conocida en gran medida puede provocar reacciones semejantes. Hay algunos motivos más desde el punto de vista estrictamente popular, dejando a un lado posibles méritos literarios, que pueden explicar esto: las violentas digresiones políticas y sociales del poema debieron de constituir un gran atractivo para los lectores, pero también el estilo y la ideología claramente sencillos, identificables con el gusto y pensamiento de Castilla (no de la Castilla oficial, probablemente, pero sí de la "inferior" y auténtica; cf. capítulo VII). La religiosidad de las coplas, en otro de sus aspectos, tampoco puede ser descartada al tratar de explicar la difusión de las mismas; recordemos, como ejemplo típico, la defensa de algo tan arraigado en el espíritu del momento como la Concepción Inmaculada de María. El interés con que Cataluña seguía esta cuestión puede, quizá, indicarnos el porqué de la existencia de una copia catalana de la primera versión (ms. a1).

Los elogios que otros autores hacen de Fr. Iñigo son escasos (y menos todavía las citas de su poema), pero son muy sugestivos. Avanzado el siglo XVI, Fr. Antonio de Valenzuela le llama "el predicador célebre", mientras el padre Francisco de Ávila dice de él hacia 1508:

> Moi alto predicador,
> moi gracioso decidor,
> de trovadores monarca,
> de profundos dichos arca
> y minero de dulzor.

Los elogios de su coetáneo mosén Diego de Olivares son más estereotipados y pedantescos. Por último, no debemos olvidarnos de la cita de Juan del Encina en su *Arte de Trobar:* "como dixo frey Iñigo, 'Aclara sol diuinal' ", para ejemplificar los versos de siete sílabas válidos como de ocho por ser agudos [116]. Si a estos pequeños datos unimos todo lo dicho en páginas anteriores sobre posibles influencias de la *Vita Christi* en otros autores, tendremos una visión aproximada de la fama y difusión del poema del franciscano.

---

[116] *Apud* Menéndez Pelayo, *Antología,* V, pág. 41. Cf. cap. I para todas estas referencias.

CAPÍTULO VII

EXACTITUD HISTÓRICA E IDEAS POLÍTICAS EN LAS OBRAS DE FRAY ÍÑIGO DE MENDOZA

Fray Íñigo de Mendoza, conocido y citado generalmente por la crítica como poeta religioso, es, para mí, un interesante e importante escritor político y moralista, especialmente lo primero. Las obras en que el franciscano se dedica declaradamente a este menester son varias: *Dechado... a la muy escelente reyna doña Ysabel nuestra soberana señora, Sermon trobado... al muy alto e muy poderoso principe rey y señor el rey don Fernando... sobre el yugo y coyundas que su alteza trahe por devisa,* y *Coplas... al... rey don Fernando de Castilla... e a la... reyna doña Ysabel... en que declara como por el advenimiento destos muy altos señores es reparada nuestra Castilla* [1]. Pero, además, en otros escritos de Mendoza aparece también su intención política; así sucede en la *Hystoria de la question y diferencia que ay entre la Razon y Sensualidad sobre la felicidad e bien aventurança humana...,* dirigido a la reina Isabel, con algunas alusiones al momento histórico; asimismo, referencias, pequeñas esta vez, a la moralidad ambiente aparecen en las *Coplas... en vituperio de las malas hembras... e... en loor de las buenas mugeres...* Pero donde la preocupación de Fr. Íñigo por su tiempo y su Castilla aparece dominante y avasalladora es en su obra más importante, las *Coplas de Vita Christi.* Es muy curioso y revelador, en este sentido,

---

[1] Cf. cap. II, págs. 75-76. La paginación en NBAE, XIX, siempre a continuación del número de copla.

el desarrollo creativo del poema. El propósito inicial del autor, como
él mismo nos dice, parece fácil de comprender :

> Los altos meresçimientos
> de aquella virgen y madre,
> y los asperos tormentos
> que sufren por ti contentos
> los que te tienen por padre,
> y la vitoria famosa
> de tus martires pasados,
> me alcançen que la prosa
> de tu vida gloriosa
> escriua en metros rimados (c. 3).

No hay que olvidar que la *Vita Christi* está escrita "a pedimento
de doña Juana de Cartagena", madre de Fr. Íñigo [2]. Hasta aquí, pues,
todo es normal : un fraile franciscano, casi medieval, escribe, a petición de su madre, unas coplas devotas sobre la vida de Cristo.
Bien ; todo *à la page*. Pero, repentinamente, el lector se encuentra
sin esperarlo con una serie de digresiones y sátiras completamente históricas y sociales, quizá, como el fraile indica, "pues todos andan
con mal / y de temor humanal / quien reprehenda no ay" (c. 110).
Esto sucede en las dos redacciones básicas existentes de la *Vita Christi*, pero con mucha mayor violencia en la más primitiva. Ambas pertenecen a la época de Enrique IV, como he dicho en otro lugar [3].
En la primera de ellas, escrita en 1467-68, Fr. Íñigo se deja llevar
a extremos insospechados en el ataque personal contra los creadores
de la crítica situación de Castilla ; ni el propio rey se libra de verse
señalado acusadoramente en las coplas, a pesar del evidente monarquismo innato, de fuente popular, del franciscano. Los privados y
los nobles ; la corte y sus inmoralidades de todo género ; la sublevación del príncipe don Alonso ; la situación de la Iglesia y de la re-

---

2 Como ya sabemos ; cf. cap. III, págs. 84 y ss.
3 Cap. III. Sobre Enrique IV en conjunto, cf., además de los trabajos citados más adelante, L. Suárez Fernández, "Los Trastamaras de Castilla y Aragón en el siglo XV (1407-1474)", en *Historia de España*, dirigida por R. Menéndez Pidal, XV, Madrid, 1964, págs. 219-318.

ligión, bien lejana de las virtudes evangélicas; la justicia corrompida; los oficios de los burgueses incipientes, corroídos por el afán de
lucro; los robos de todo estilo; los miedos y temores de época tan
revuelta; la vida, en fin, del pueblo sencillo, dominado tiránica-
mente por sus señores..., todo esto nos presenta Fr. Íñigo en las
Coplas de Vita Christi, así como sus propias ideas para la cura efi-
caz de tanto mal. A esta obra hay que acudir, por lo tanto, en
primer lugar, teniendo en cuenta su importancia y cronología, ya que
sus restantes poemas pertenecen al tiempo de los Reyes Católicos.

La accesión de la hermana de Enrique IV al trono de Castilla
señala el comienzo de una nueva época, radicalmente diferente. Fray
Íñigo comprende que algo ha cambiado, y, aunque estremecido todavía por el recuerdo de la etapa histórica anterior, alienta y aconseja a la reina, así como a Fernando de Aragón, ya correinante en
Castilla. Las vicisitudes de estos primeros momentos de los Reyes
Católicos, el triunfo de su partido frente a enemigos interiores y ex-
teriores y la reforma del reino, con su inicio de paz y justicia, junto
con sus pensamientos sobre cada situación, están presentes en las
obras y comentarios dedicados por Mendoza a Fernando e Isabel,
como hemos de ver.

ÉPOCA DE ENRIQUE IV

Las personas. — Fr. Íñigo cita expresamente al Impotente en la
primera versión de sus coplas, inmediatamente después de la genérica y violenta imprecación de la núm. 106, donde "reprehende las
ponpas y regalos de los grandes con la pobredad y pena del Señor"[4]:

> ¡Ay de vos, enperadores!,
> ¡ay de vos, reys poderosos!,
> ¡ay de vos, grandes señores,
> que con agenos sudores
> traes estados ponposos!,

---

[4] El título de esta copla en el ms. a2 es "Contra los grandes que usan
mal de sus rentas"; en el ms. a1 es "Repreende los ricos".

dice su primera quintilla. Fr. Íñigo atacará en otros muchos lugares
de su obra las grandes riquezas y lujos de los poderosos, incluyendo
entre éstos al rey, con lo que vemos que su sentimiento monárquico
se detiene ante el de justicia, aunque de una forma atenuada y retórica. Constan, naturalmente, numerosos datos históricos de este
"estado ponposo" de Enrique IV; recordemos, por ejemplo, lo que
dice Enríquez del Castillo: "labraba ricas moradas y fortalezas; era
señor de grandes tesoros, amigo y allegador de aquellos..." [5]. Pero,
como he dicho, a continuación de lo anterior critica Mendoza directamente al rey, exclamando:

> Segun esta piedad,
> ¡guay de vos, Enrique el Quarto!,
> aunque con liberalidad
> do sentis neçesidad
> repartis tesoro harto,
> quan llexos vos fallaran
> daquella summa pobresa,
> pues hartos no tienen pan
> y en Segouia os mostraran
> viçiosa mucha riqueza (c. 107, a1).

Alude aquí Mendoza a varios hechos conocidos del monarca, como
son, por un lado, la generosidad de que dio muestra durante toda
su vida hacia pobres y humildes, al mismo tiempo que se hace eco
de la fama que tenían los tesoros guardados por el rey en el Alcázar
de Segovia. Las citadas afirmaciones son fácilmente comprobables:
"tan grande su franqueza, tan alto su corazón, tan alegre para dar,
tan liberal para lo cumplir, que de las mercedes hechas nunca se recordaba, ni dexó de las hacer mientras estubo prosperado... Era...
a los enfermos caritativo y limosnero de secreto; rey sin ninguna
ufanía, amigo de los humildes, desdeñador de los altivos" [6]; de hechos semejante nos informa el cura de Los Palacios, Andrés Bernáldez: "era hombre franco y hacía grandes mercedes y dádivas y ni
repetía jamás lo que daba ni le placía que otros en su presencia se

---

5   *Crónica de Enrique IV*, BAE, LXX, cap. I, pág. 101.
6   *Loc. cit.*

lo repitiesen" [7]. Lo mismo dice Galíndez de Carvajal: "el rey... naturalmente era caritativo" [8]. También es totalmente histórica la alusión de Fr. Íñigo al tesoro de Enrique IV en Segovia, justificada, además, por la gran afición que el monarca sintió siempre por esta ciudad, "donde era mayor su contentamiento que en otro lugar de su Reyno" [9]. Y en el Alcázar de Segovia, efectivamente, guardaba el rey sus tesoros, donde hizo, en marzo de 1455 y ante varios nobles, alarde de los mismos: "el rey mandó que les mostrasen las labores que hazía en el alcázar de aquella ciudad y todas sus joyas y plata mandólas poner en una gran sala e podría aver en la plata labrada de diversas formas hasta doze mill marcos y aliende desto avía algunas piezas de oro en que podía aver hasta doscientos marcos sin las joyas de gran valor que allí vieron, ansi en joyeles como en collares guarnidos de perlas y piedras" [10]. Hay otras muchas alusiones a las riquezas de Enrique IV, duraderas, al menos, hasta las grandes luchas de la segunda parte de su reinado, momento en que ya no fueron, como dice Jorge Manrique a este mismo respecto, "...sino rocíos / de los prados" [11].

No podía faltar en Mendoza, al hablar de Enrique IV, la alusión a su impotencia y posible homosexualidad:

> Pues lo del viçio carnal
> digamoslo en ora mala;
> no basta lo natural,
> que lo contra natural
> traen en la boca por gala:
> ¡O Rey!, lo[s] que te estrañan
> tu fama con su carcoma
> pues que los ayres te dañan,
> y los angeles t'enseñan,
> quemalos como a Sodoma (c. 118, a1).

---

[7] *Historia de los Reyes Católicos*, BAE, LXX, cap. 1, pág. 568.
[8] *Crónica de los Reyes Católicos*, ed. Torres Fontes, Murcia, 1946, pág. 390.
[9] Enríquez, *op. cit.*, cap. 137, pág. 190.
[10] Galíndez, *op. cit.*, cap. 10, pág. 92.
[11] *Coplas a la muerte de su padre*. Cito por el texto del *Cancionero de Ramón de Llavia*, ed. R. Benítez Claros, Madrid, 1945, pág. 254.

Sin embargo, el fraile, de innegable monarquismo popular, como
demuestra en otros lugares, defiende al rey de lo que él parece in-
terpretar como maledicencia interesada de ciertos nobles. Si tenemos
en cuenta la fecha de composición de la primera versión de la *Vita
Christi*, 1467-68, veremos que coincide con la época en que, como
es bien sabido, el partido pro-Isabel hacía hincapié en las desviacio-
nes sexuales del rey, con evidente exageración muchas veces, "y
como esta especie de anécdotas arrastra siempre la trivialidad malsana
de las gentes, se convirtieron poco menos que en axiomas intangi-
bles la impotencia absoluta de Enrique IV, la libidinosidad de su segunda esposa, Juana de Portugal, y la ilegitimidad de la hija que
de ella nació" [12]. A pesar, pues, de la general creencia en la notoria
impotencia en "el ayuntamiento de las mugeres" y en la homosexualidad del monarca, creencia que le persiguió hasta el mismo borde
de la tumba —y la anterior frase de su confesor, Fr. Juan de Mazuela, es una prueba [13]—, Mendoza, sin duda sin más seguridad que
su fe en la institución real, rechaza tales acusaciones. Precisamente
el mismo espíritu monárquico que animaba a Fr. Íñigo a negar los
desvíos sexuales del rey le instaba —y aquí demuestra claramente
el franciscano su honradez histórica— a declarar taxativamente el
mal rumbo de Castilla y de la monarquía por culpa personal de
Enrique IV, que prostituía la autoridad real en manos de favoritos:

> Y circunçiden los reys
> el quebrantar de las leys
> por amor de sus priuados (c. 191).

Más adelante insistiré sobre esto al hablar de las ideas monárquicas
de Fr. Íñigo en relación con Enrique IV.

---

[12] F. Soldevila, *Historia de España*, II, Barcelona, 1952, pág. 345. El texto
de la copla, por otro lado, se aproxima mucho a un fragmento de la *Representación* enviada en 1464 a Enrique IV por los futuros sublevados, que dice,
refiriéndose a algo similar: "la abominación e corrupción de los pecados tan
abominables, dignos de no ser nombrados, que corrompen los aires e desfasen
la naturaleza humana". Lo tomo de *El cronista Alonso de Palencia*, de A. Paz
y Melia, Madrid, 1914, págs. 61-62.

[13] Diego de Valera, *Memorial de diversas hazañas*, BAE, LXX, cap. 100,
página 94.

No se nombra en las *Coplas de Vita Christi* directamente a doña Juana de Portugal, segunda mujer de Enrique, pero hay una evidente alusión a ella cuando el autor compara a la reina de los cielos con otras de este mundo:

> ¡O reyna delante quien
> las reynas son labradoras! ;
> tu las hazes almazen;
> tu, arca de nuestro bien,
> nos las desdoras y doras,
> porque quantas son nasçidas
> delante ti cotejadas
> son fusleras conosçidas,
> mas por tu causa tenidas
> deuen ser por muy doradas (c. 257).

Sin duda, y como he dicho en el cap. III, este menosprecio que el fraile siente por las reinas en general se explica pensando que Fr. Íñigo tenía presente la conducta de doña Juana; ya señalé entonces que, una vez Isabel la Católica en el trono, aquél cambió radicalmente de ideas a este respecto, simplemente porque también había una diferencia fundamental entre ambas soberanas. Ni en este caso ni en el anterior sobre Enrique IV es necesaria ninguna referencia que confirme el texto del franciscano.

Un buen número de coplas de la *Vita Christi* está dedicado a atacar violentamente, aunque de forma genérica, el poder, los desafueros y excesivas riquezas de los nobles de la época. Las coplas nos muestran la preocupación e inquina de Fr. Íñigo de Mendoza hacia una nobleza ambiciosa y revuelta que, con el pretexto de la legitimidad de la Beltraneja, no dudaría, para conservar y aumentar sus privilegios económicos y sociales, en desencadenar una guerra civil, e incluso, más adelante —como tantas veces en la historia de España— en buscar la ayuda extranjera para conseguir sus fines. En el poema figuran en primer lugar, como he dicho, las invectivas recubiertas de capa religiosa y retórica, pero no por eso menos violentas. Ya he citado anteriormente la copla 106, con la que Fr. Íñigo comienza sus imprecaciones contra los grandes, las cuales llegan hasta la 109, en que se arrepiente y pide perdón de haber citado por su

nombre a los nobles —incluyendo el rey— en la primera redacción.
Como he indicado, las quejas continúan ya genéricamente hasta la
copla 121, apareciendo otras muchas veces a lo largo del poema.
Anoto aquí algunos ejemplos únicamente, si bien de los más signi-
ficativos:

> mas hablando en general,
> de todos los grandes, ¡guay!,
> pues todos andan con mal
> y de temor humanal
> quien reprehenda no ay (c. 110):

> pasemos, tristes, pasemos,
> que en esta nuestra comarca
> los pilotos que tenemos
> enbaraçannos los remos
> estando rota la barca (c. 234):

> ¡O miraglosas tres cosas!,
> ¿quien puede tener el grito?,
> ¡O personas poderosas,
> con uestras glorias ventosas
> quan lexos days deste hito! (c. 313).

Como dice J. Huizinga, "junto a la Pasión y los Novísimos, era,
ante todo, la condenación del lujo y de la vanagloria el tema con
que los predicadores populares conmovían tan profundamente a su
auditorio" [14]. Pero esta actitud, encabezada por los franciscanos, como
es bien conocido, tenía en Castilla un fundamento totalmente exacto
y vitalmente importante en la caótica situación que la nobleza vieja
y nueva proporcionaba al país con su impresionante concupiscencia
material y social. Por lo tanto, en el fraile Mendoza confluían la corriente mental típica de su Orden en la época y la actualidad de la
triste postración de la sociedad y de la monarquía castellanas. Los
textos citados de la *Vita Christi* tampoco necesitan confrontación,
pues ya es un viejo tópico la circunstancia histórica de Castilla en el
reinado de Enrique IV. Pero, como he dicho, la crítica de Fr. Íñigo
va más lejos; no se detiene ante la valiente acusación directa y per-

---

[14] *El otoño de la Edad Media*, Madrid, 1930, pág. 17.

sonal contra los que él, desde su situación religiosa y desde su monarquismo de estirpe popular, consideraba causantes de todos los males que habían caído sobre el país. En la primera versión de su
poema, y mediante un artificio muy común en la literatura del momento —el condenado que habla desde el otro mundo con intención
moralizante—, Mendoza ataca violentísimamente a los más poderosos y revolvedores nobles, señalando —*vox populi, vox Dei*— certera y acusadoramente a los autores del desorden y la injusticia, comenzando por el durante cierto tiempo más poderoso de ellos, Pedro
Girón, maestre de Calatrava, a quien se cita directamente en dieci-
siete coplas del ms. a1. Se ve claramente que Girón es la *bête noire*
de Fr. Íñigo, no sólo porque le presenta purgando sus pecados —siguiendo el modelo de Santillana en su *Doctrinal de Privados*, modelo del que queda recuerdo evidente con la ejemplar colocación de
Girón al lado de don Álvaro de Luna, haciéndolos compañeros de
tormento—, sino porque es el grande de quien más se ocupa. Ataca
sus riquezas:

> Cauallero de gran renta,
> por darnos auisamiento[s]
> dezidnos quando ell afruenta
> que [librastes] de la quenta
> de vuestros quatorze quentos (c. 115B);
>
> Senyor de arto tesoro (c. 115H),

etc.

Si conocemos la potencia económica del maestrazgo de Calatrava,
encontraremos justificados los ataques del fraile; veamos lo que dice
mosén Diego de Valera a propósito de esto: "Don Pedro Girón,
maestre de Calatrava, no contento de la gran dignidad e rentas que
la fortuna le avía administrado..." [15]; o Enríquez del Castillo, cuando, hablando del proyectado casamiento del maestre con la futura
Isabel de Castilla, dice que aquél acudió a servir al rey "con tres
mil lanzas a su costa e le prestaría setenta mil doblas" [16]. Teniendo
en cuenta los ricos emolumentos del maestrazgo, los de los señoríos
que poseía y esas 70.000 doblas que la crónica señala, no debía an-

---

15 *Op. cit.*, cap. 26, pág. 39.
16 *Op. cit.*, cap. 85, pág. 154.

dar lejos su tesoro de los catorce cuentos que indica Fr. Íñigo simbólicamente [17]. Hay que recordar también que cuando los Reyes Católicos suprimieron la autonomía de las Órdenes Militares, en 1487-
1494, la de Calatrava disfrutaba de 40.000 ducados de renta [18].

También alude el texto del franciscano al gran poder político de
Girón:

> Ca harto era excellente,
> y en el reyno de Castilla
> senyor de la meyor gente,
> y reynaua enteramente
> desde Toledo a Seuilla (c. 115H).

Basta pensar en los extensos territorios que formaban el maestrazgo
—desde Toledo a Sevilla, literalmente— y en la absoluta libertad
con que en ellos gobernaba nuestro personaje, el cual, por añadidura,
era capitán general de Andalucía en la guerra contra Granada. Valido
de todas estas circunstancias, cuando comenzó la guerra civil, siguió
Girón el partido del infante don Alonso, y ya en 1465 "avía hecho
revelar muchos pueblos del Andaluzía, señaladamente la ciudad de
Córdova, que estaba por su hermano [Juan Pacheco, marqués de Vi-
llena], y avía alçado pendones...", un primer paso, ya que "penssó
ocupar y tiraniçar toda la Andaluzía" [19], intentando, entre otros desafueros, la conquista de Jaén y consiguiendo gran parte del priorazr
go de San Juan —Lora, Setesilla, Alcázar de Consuegra, Consuegra.
El maestre de Calatrava, en suma, llegó a poseer cuatrocientos lugares y ciento treinta encomiendas, tiranizando, realmente, gran parte
del sur del reino de Castilla [20]. Mendoza, más adelante, explica:

> Pues en dar los houispados
> era io segundo Papa,
> y por los tales pecados
> son agora los prelados
> ovispos despada y capa (c. 115L).

---

[17] La expresión de Mendoza es, naturalmente, proverbial. Cf. Gillet, *Propalladia*, III, pág. 53.

[18] A. Ramos Oliveira, *Historia de España*, II, México, s. a., pág. 11.

[19] Galíndez, *op. cit.*, cap. 66, pág. 242, y cap. 71, pág. 253.

[20] Francisco R. de Uhagón, *Órdenes Militares*, discurso de ingreso en la
Real Academia de la Historia, Madrid, 1898, pág. 25.

Si recordamos la *Representación* hecha a Enrique IV por los conspiradores y futuros autores de la guerra civil, nos daremos cuenta
de que la acusación de Mendoza coincide, en este caso, con la de
los nobles sublevados: en dicho documento se dice que los privados —entre los que se cuenta, naturalmente, Girón— procuraban
"dignidades pontificales e las otras inferiores para personas inhábiles
e de poca ciencia, indotos e alguna de ellas dadas por presçio que
rescibieron las personas que cerca de vuestra Alteza están"[21]. A los
que siguieron el partido de don Alonso se refiere sin duda Mendoza
cuando habla de obispos "despada y capa", siendo el primero de
ellos el inquieto primado de España Alonso Carrillo, como luego veremos, ejemplo típico de gran eclesiástico de la época[22]. También
nos dice Fr. Íñigo que el maestre de Calatrava era "muy viçioso
de mugeres" (c. 115H). Aparte de su frustrado intento de casamiento con la princesa Isabel, debido no a otra cosa que a su ambición
desorbitada, hay referencia a esta alusión en Galíndez, y también en
relación con otra dama de la realeza, esta vez la viuda de Juan II;
el maligno Palencia afirma que el propio Enrique IV incitaba y favorecía el propósito amoroso de Girón[23]. El mismo Palencia refiere
que en 1458 "el maestre de Calatrava robó de las habitaciones de
la reina a doña Brianda Váez con mengua de la magestad real y
del natural pudor"[24].

Por último (y éste es uno de los indicios fundamentales para la
data de la *Vita Christi*), Fr. Íñigo habla de Pedro Girón como
"...poderoso / de los mas cercanos muertos" (c. 115A), y, continuando con la ficción infernal, le hace decir:

> mas yo quen prosperidad
> rezebi la cruda muerte,
> antes de la veiedad,
> despues de la moçedad,
> en el peligro mas fuerte (c. 115N).

---

[21] Cit. por A. Paz y Melia en *El cronista Alonso de Palencia*, pág. 62.
[22] Para una relación, aunque incompleta, de los prelados que intervinieron
en la guerra civil, cf., por ejemplo, Valera, *Memorial*, cap. 30, pág. 34.
[23] *Op. cit.*, pág. 78 de Galíndez; en Palencia, *Décadas*, 1-3-2, I, Madrid,
1904, pág. 151, trad. de Paz y Melia.
[24] *Op. cit.*, 1-5-7-, I, pág. 299.

El ambicioso caballero murió casi repentinamente en 1466, cuando maquinaba su matrimonio con la princesa Isabel, sin duda "el peligro más fuerte" de toda su vida política, a los cuarenta y tres años de edad, "antes de la veiedad" y en el ápice de su poder [25].

Inevitablemente unida a la figura de Pedro Girón se halla la de su hermano Juan Pacheco, marqués de Villena, tanto en las crónicas de la época como en las *Coplas,* aunque en este caso Fr. Íñigo se limita a una rápida alusión:

> porque tal cosa podres
> contarnos, senyor Maestre,
> que vuestro ermano el Marques
> asi se imiende despues,
> quel diablo no l'encabestre (c. 115B).

El franciscano, no descaminadamente, condena por igual a los dos hermanos, cuya intervención en la vida castellana anterior a los Reyes Católicos fue tan lastimosamente importante; basta abrir las crónicas, favorables o no a Enrique IV, para constatarlo, incluso en la neutra semblanza de Hernando del Pulgar en sus *Claros varones de Castilla* [26]. Es éste un hecho tan conocido que resulta inútil su documentación aquí.

El arzobispo de Toledo y primado de España, Alonso Carrillo, es otro personaje en el desorden social del momento. Veamos cómo le trata Mendoza:

> ¡Guay de vos, nuestro priuado!
> ¡A[y] Don Alonso Carrillo!,
> por quel fauor del stado
> vos faze muy allongado
> del pezebre pobrezillo;
> vuestros costosos manjares,
> vuestros franquos benefiçios,
> a las personas setglares
> son virtudes singulares,
> mas en el çielo son viçios (c. 108).

---

25 Cf. Galíndez, *op. cit.,* cap. 78, págs. 270-273; Palencia, *op. cit.,* 1-9-1-, II, Madrid, 1905; J. B. Sitges, *Enrique IV y la excelente señora,* Madrid, 1912, página 161; F. R. de Uhagón, *op. cit.,* pág. 32.

26 Ed. J. Domínguez Bordona, CC., Madrid, 1923, págs. 59-66.

Creo, además, que entre los obispos guerreros aludidos anteriormente por Fr. Íñigo se halla Carrillo, como he dicho más arriba. Las afirmaciones que el autor de la *Vita Christi* hace en la última copla anotada son totalmente demostrables. Fernando del Pulgar escribe lo siguiente sobre el arzobispo: "Su principal deseo era fazer grandes cosas e tener gran estado, por haber fama e gran renombre... Rescibía muy bien e honraba mucho a los que a él venían, e tratábalos con buena gracia, e mandábales dar gran abundancia de manjares de diversas maneras, de las cuales fazía siempre tener su casa bien proveída, e tenía para ello los oficiales e menistros necesarios e deleitábase en ello... Era omme franco e allende de las dádivas que de su voluntad con gran liberalidad fazía, siempre daba a cualquier que le demandaba... Al fin, gastando mucho y deseando gastar más, murió pobre e adeudado" [27]. La concordancia no puede ser más exacta.

Quizá la única alusión oscura es la dirigida a un personaje que sólo es nombrado como "Duque":

Y a bueltas destos dos
aunque del rey mucho quisto,
tanbien, Duque, guay de vos,
que fazeys ropa de Dios
enforrada en Ihesuchristo;
no curemos de dudar
quen el pesebre comporte
....
que digays uos tal en corte (c. 109).

Creo poder identificar al noble aludido con "Juan de Acuña, duque de Valencia de Don Juan" desde 1465, pues de los duques existentes en 1467-68, fecha de composición de las coplas —dejando a un lado los de Alburquerque y Plasencia, que son citados posteriormente, si bien este último todavía como conde—, es el de Valencia el único "mucho quisto" del rey, a quien siguió y sirvió durante la guerra civil de forma muy diferente que, por ejemplo, el levantisco duque de Medina Sidonia [28]. Aparte de esto, el sentido de la copla

---

[27] *Op. cit.;* título XX, págs. 127-131.
[28] Cf. Galíndez, *op. cit.,* cap. 67, pág. 244, y cap. 70, pág. 252, por ejemplo.

queda oscurísimo, aunque parece indicar un cierto menosprecio del noble hacia la religión, o —teniendo en cuenta el tono general de los ataques del franciscano— hacia la pobreza evangélica, de lo que quizá quedó eco en alguna anécdota cortesana, de la cual no poseo noticia.

En este desfile de grandes no podía faltar el poderoso Beltrán de la Cueva, maestre de Santiago, siquiera sea muy superficialmente y puesto al lado, como casi todos los otros, de Pedro Girón, quinta-esencia de la maldad para el fraile:

> Maestre de Calatraua,
> en quien todos adorauan,
> di la congoxa en que staua
> tu alma quando miraua
> a lo[s] que callan y trauan
> por quel temor no[s] derrueque
> con el gran exemplo tuyo,
> y aquell Duque d'Alburqueque
> fata quiça que no peque,
> mas menospreçie lo suyo (c. 115C).

Fr. Íñigo, sintomáticamente, ataca a Beltrán de la Cueva solamente por sus riquezas y poder, y no por otras cosas por las que hoy —y entonces— es más conocido, como su posible amancebamiento con doña Juana de Portugal y su posible paternidad de "la Beltraneja", y esto, sin duda, porque don Beltrán fue, durante la guerra civil, defensor de Enrique IV. Es fácil documentar la riqueza del duque de Alburquerque, de la que encontramos memoria en todas las obras de la época: recordemos, por ejemplo, que don Beltrán —mayor-domo mayor hasta 1462— reunía las rentas de su condado de Le-desma, concedido ese mismo año, y de su ducado de Alburquerque; al mismo tiempo que esta última merced, Enrique IV "dióle las villas de Cuéllar, Roa, Molina, y Atiença y la Peña de Alaçar, con tres quentos y medios situados en Ubeda y Baeza y otros lugares del Andaluzía, donde él quiso" [29]. Sin duda por todo eso —dejan-do aparte ya los regalos personales del rey, como el de ochenta mil florines que se dice le fue hecho en 1461 con el dinero de la cru-

---

[29] *Ibidem,* cap. 60, pág. 227.

zada promulgada por Calixto III [30]—, Beltrán de la Cueva es señalado acusadoramente también por Fr. Íñigo. Asimismo aparece, en
la primera redacción de la *Vita Christi*, Álvaro de Estúñiga, conde
de Plasencia:

> E huyendo la sentençia
> daquell juyçio dretxo,
> nuestro Conde de Plazençia
> mirara mas su conçiençia
> que lo a fasta qui fetxo,
> e ya de algo siquiera
> faga la cuenta con pago
> y le tiemble la contera,
> que no es star en La Vera
> passar el hombre aquel drago (c. 115D).

Estúñiga, otro de los grandes ambiciosos de la época, y de una gran
habilidad para cambiar de bando conforme a sus intereses personales y familiares, es también uno de los más acaudalados nobles, como
correspondía a sus títulos y cargos: conde de Plasencia y duque de
Arévalo, envió en 1459 un gran donativo a Pío II para conseguir
la dispensa papal que le permitiese contraer matrimonio con su sobrina y ahijada, Leonor Pimentel, lo cual indica claramente su poder
económico, al que alude Mendoza [31]. Hay en la copla anterior una
referencia a La Vera, la comarca que señoreaba Estúñiga y de la
cual era Plasencia cabeza: en estos lugares se hallaba el conde en
vísperas de la batalla de Olmedo, "dándose a todo plazer y deleite
con la condesa, su muger" [32].

---

[30] *Ibidem*, cap. 25, pág. 125.

[31] *Ibidem*, cap. 35, págs. 151-152.

[32] *Ibidem*, cap. 86, pág. 294. Era inevitable, según el tono de las acusaciones que hemos visto, el recuerdo del condestable don Álvaro de Luna y de
su trágico final como ejemplo para los poderosos coetáneos del fraile Mendoza.
Así sucede en c. 115G, en que don Álvaro y Pedro Girón son compañeros
de tormentos de ultratumba. Más adelante se refiere Mendoza (c. 115H-N) al
poder del condestable y a su castigo. (Cf. sobre esto *Crónica de Juan II*, BAE,
LXVIII, *passim; Crónica de Don Alvaro de Luna*, ed. Mata Carriazo, Madrid,
1940, *passim;* César Silió, *Don Alvaro de Luna y su tiempo*, Madrid, 1935, y J.
Babelon, *Le connétable Luna*, París, 1938. Finalmente, para acabar este catálogo de nobles, Fr. Íñigo nombra al marqués de Santillana, no con intención

Los hechos. — Naturalmente, si Fr. Íñigo ataca a los poderosos nobles directamente, e incluso al propio monarca, lógicamente no podía pasar por alto los males de una corte corrompida. Como es bien sabido, no poca de la inmoralidad cortesana se debía a las damas portuguesas que vinieron con doña Juana a Castilla; el franciscano dice de ellas lo siguiente:

> Çircunçiden nuestras damas
> el anchor de sus faldillas;
> çircunçiden de sus camas,
> de sus carnes, de sus famas,
> las vergonçosas manzillas;
> los cortesanos, sus rallos
> juramentos y promesas
> deuen de çircunçidallos
> quando estan muy hechos gallos
> delante las portuguesas (c. 188).

Estas portuguesas son, sin duda, las "doce doncellas generosas" —en frase de Diego de Valera [33]—, damas de la reina, "desenvueltas e palancianas" [34], a las cuales trató tan dura, pero sin duda justificadamente, Alonso de Palencia: "jóvenes de noble linaje y deslumbradora belleza, pero más inclinadas a las seducciones de lo que a doncellas convenía, que nunca se vio en parte alguna reunión de ellas que así careciese de toda útil enseñanza... Ninguna ocupación honesta las recomendaba; ociosamente y por doquier se entregaban a solitarios coloquios con los galanes. Lo deshonesto de su traje excitaba la audacia de los jóvenes y extremábanla sobremanera sus palabras, aún más provocativas. Las continuas carcajadas en la conversación, el ir y venir constante de los medianeros portadores de groseros billetes, y la ansiosa voracidad que día y noche las aquejaba, eran más frecuentes entre ellas que en los mismos burdeles. El tiempo restante lo dedicaban al sueño, cuando no consumían la mayor

---

política o crítica, sino para citar, parafraseándolo, el conocido fragmento de la *Comedieta de Ponza* en que aquél imita el *Beatus Ille* horaciano; BAE, XIX, cc. 16-18, pág. 465.)

[33] *Op. cit.*, cap. 6, pág. 7.
[34] Enríquez, *op. cit.*, cap. 23, pág. 112.

parte en cubrirse el cuerpo con afeites y perfumes, y esto sin hacer de ello el menor secreto, antes descubrían el seno hasta más allá del estómago y desde los dedos de los pies, los talones, y canillas hasta la parte más alta de los muslos, interior y exteriormente, cuidaban de pintarse de blanco afeite, para que al caer de sus hacaneas, como con frecuencia ocurría, brillase en todos sus miembros uniforme blancura" [35]. En 1458 dio Enrique IV a una de estas jóvenes, doña Catalina de Sandoval, la abadía de San Pedro de las Dueñas, con resultado catastrófico para la moralidad y religión de las monjas allí recogidas; veamos cómo refiere el hecho el mismo Palencia: "ocurrio por aquellos días una gran contienda sobre la abadía de religiosas de San Pedro de las Dueñas, extramuros de Toledo. Había nombrado abadesa el Arzobispo a la noble y virtuosísima religiosa doña Marquesa de Guzmán, para que con sus costumbres ejemplares y su santidad reformase el convento, largo tiempo infamado por el desenfreno y vida disoluta de las monjas... Don Enrique... envio ministros inicuos que, violando la clausura y despreciando las excomuniones, arrojaron de él torpemente a la Abadesa y a las monjas de honesta conducta que se resistían a la infamia, y dejaron bajo la dirección de doña Catalina de Sandoval a las que vieron dispuestas a continuar en su vida de escándalo... Doña Catalina se resolvio a continuar hasta el fin su vida de infamia..." [36]. Un posible recuerdo de los sucesos de San Pedro de las Dueñas hay, quizá, en estos versos de la *Vita Christi*:

> ¡O monjas!, vuestras merçedes
> deuen de çircunçidar
> aquel parlar a las redes,
> el escalar de paredes,
> el continuo cartear,
> aquellos çumos y azeytes
> que fazen el cuero tierno,
> aquellas mudas y afeytes,
> aquellos torpes deleytes
> cuyo fin es el infierno (c. 189).

---

[35] *Op. cit.*, I, págs. 194-195.
[36] *Ibidem*, I, págs. 306-307.

Cerca de las damas cortesanas andan, necesariamente, sus galanes:

> los galanes y los pajes
> no çircunçiden los trajes,
> pues tan cortos son en corte
> quanto yo, sy se rompiesen
> las calças que andan de fuera,
> no siento que se cubriesen
> si como Adan no pusyesen
> las dos fojas de la higuera (c. 186).

Mendoza describe exageradamente la moda castellana con su uso de "calzas ceñidas como medias, marcando bien las piernas y los muslos, y una especie de chaqueta o jubón corto, fruncido en la parte alta... Eiximenis decía, gráficamente, que estos vestidos descubrían nalgas y vergüenzas..." [37].

En relación con las damas están los poetas cortesanos y nobles, "que en sus coplas y canciones / llaman dioses a las damas" (c. 346), y los enamorados, de cuyos trabajos dice Fr. Íñigo:

> su dançar, su festejar,
> sus gastos, justas y galas,
> su trobar, su cartear,
> su trabajar, su tentar
> de noche con sus escalas,
> su morir noches y dias
> para ser dellas bien quistos;
> sy lo vieses, jurarias,
> que por el dios de Macias
> venderan mill Jhesus Christos (c. 348).

La invectiva del franciscano contra los irreverentes poetas y enamorados tiene una total justificación, pues, como es bien sabido, la literatura de la época y posterior usa y abusa de la adoración amorosa, llegando a extremos sacrílegos [38]. La animada descripción de

---

[37] F. Soldevila, *op. cit.*, pág. 167. Cf. sobre este asunto J. Puiggarí, *Estudios de indumentaria española*, Barcelona, 1890, pág. 54, y Carmen Bernis Madrazo, *Indumentaria medieval española*, Madrid, 1956, págs. 45-47.

[38] Cf. María Rosa Lida, "La hipérbole sagrada en la poesía castellana", en *RFH*, 1946, págs. 121-130.

los "trabajos de amor" corresponde a la realidad del ambiente cortesano, tan bien estudiado por Le Gentil [39], y lo mismo sucede con la alusión a Macías, vivo en el espíritu de la época [40]. Personajes menores de la corte, pero también típicos de ella, son los bufones o "truhanes":

> trahen truhanes vestidos
> de brocados y de seda;
> llamanlos locos perdidos,
> mas quien les da sus vestidos
> por çierto mas loco queda (c. 111).

Menéndez Pidal, comentando la existencia de estos parásitos, escribe que en la *Declaratió del senher rey N' Amfos de Castela*, de 1275, respuesta a la *Suplicatió al rey de Castela per lo nom dels juglars*, aparecen "en último lugar los bufones o locos fingidos, como tipo menos análogo a los juglares", y en la *Primera Crónica General*, refiriendo la muerte del rey Teudis, dice que le mató "uno que se metía por alvardán et sandio" [41]. No lejos del tipo de individuo citado se halla el poco conocido de los caballeros salvajes, de los cuales sólo dice Mendoza, dentro del tono indignado contra la corte:

> çircunçiden los saluajes
> el su maldito deporte... (c. 186).

La mayor parte de los críticos que han tratado el asunto creen que los caballeros salvajes, teniendo en cuenta sus posibles orígenes goliárdicos y las referencias que de ellos aparecen en Cataluña, son una derivación juglaresca. M. Aguilar i Fuster identifica caballero salvaje con juglar [42]; Menéndez Pidal piensa que podría ser "un luchador y domador de fieras, remedo juglaresco del caballero guerrero y cazador" [43]; para J. Rubió Balaguer, aunque "tengan interés literario

---

[39] En *La poésie lyrique*, I, págs. 96-124.
[40] Cf. K. H. Vanderford, "Macías in Legend and Literature", en *MPh*, 1932-1933, págs. 35-63.
[41] I, Madrid, 1955, cap. 453, pág. 255b; cf. también M. Milá y Fontanals, *Obras completas*, II, Barcelona, 1889, págs. 240-245.
[42] *Diccionari Aguiló*, II, lletra C, Barcelona, 1916, pág. 145.
[43] *Poesía juglaresca y juglares*, Madrid, 1924, pág. 36. En la edición mo-

por sus concomitancias juglarescas..., no se sabe que fueran autores
ni recitadores... pertenecen al histrionismo más que a la literatura" [44];
H. V. Livermore, por último, vuelve a insistir en la misma idea
en un trabajo en que reúne y actualiza todos los datos por él conocidos [45]. Solamente A. de Bofarull piensa de otra forma: "los
caballeros salvajes serían, en los siglos medios, una especie de *con-
dottieri,* o más bien lo que llamamos ahora matones, es decir, que
trabajarían por su cuenta en ciertas empresas guerreras y decidían
siempre sus cuestiones a cuchilladas". Creo que esto se acerca más
a la realidad. Bofarull se basa en un fragmento de la crónica de
Muntaner en que éste habla de la visita de Alfonso el Sabio a Jaime
el Conquistador en Valencia, donde "nul hom no poría escriuir los
jochs e els alegres, taules redones, taules juntes de reylo de cava-
llers salvatges, borns, anar ab armas..." [46]. La descripción que Enríquez del Castillo hace del paso de armas que Beltrán de la Cueva
organizó en Madrid en honor de los reyes y del embajador del duque de Bretaña, y que dio origen a la fundación del monasterio de
San Jerónimo, favorece, en sus rasgos generales, la opinión de Bofarull: "estaba puesta una tela barreada en derredor, de madera con
sus puertas, por donde avían de entrar los que venían del Pardo en
cuya guarda estaban ciertos caballeros salvajes que no consentían
entrar a los caballeros e gentiles hombres que llevavan damas de
la rienda, sin que prometiesen de hacer con él seis carreras e si no
quisiesen justar, que dexasen el guante derecho..." [47]. A este género
de deporte alude, sin duda, Fr. Íñigo de Mendoza. Por otro lado,
tanto Menéndez Pidal [48] como Livermore [49] desconocían las alusiones

---

dificada de 1957, *Poesía juglaresca y orígenes de las literaturas románicas,* dice
prácticamente lo mismo, aunque actualizado y algo más vago.

[44] "Literatura catalana", en *Historia General de las Literaturas Hispánicas,*
I, pág. 667.

[45] "El caballero salvaje. Ensayo de identificación de un juglar", en *RFE,*
1950, págs. 166-183.

[46] Ed. de la *Crónica catalana* de Ramón Muntaner, Barcelona, 1860, pág-
ginas 45-46.

[47] *Op. cit.,* cap. 24, pág. 113.

[48] *Ops. cits.,* págs. 35 y 26, respectivamente.

[49] Este último más radicalmente: "en Castilla la única referencia es la del
poeta Villasandino", *art. cit.,* págs. 167-168.

del fraile Mendoza y de Galíndez, las cuales, como hemos visto, son
importantes para el conocimiento de los caballeros salvajes, al menos
tal como éstos eran en el siglo XV [50].

El hecho más importante del reinado de Enrique IV es la guerra
civil, comenzada en 1465 (aunque latente desde mucho antes) con
la sublevación del infante don Alonso, hecho que aparece claramente en las *Coplas de Vita Christi,* y que es la piedra de toque
de la indignación del franciscano, como luego veremos. Dice éste:

Sy vuestro reyno perdido
a de ser y destroçado,
quen la Scritura e leyido
todo reyno en si partido
sera de fuera azolado,
¿quales fueron causadores
deste comienço de bando?,
¿si fueron los llabradores
o endiablados senyores
con su soberbia de mando? (c. 115P) [51].

Segun la mala conciencia
de tales grandes stados,
bien se puede dar sentencia
que tienen sola apetencia
de christianos babtizados;
por aquestos con la guerra
pestilencia aiunta Dios,
pues los fructos de la tierra,
si no se ymiende quien yerra,
aiudaran a los dos (c. 115Q).

[50]   También Quirós habla de los *salvajes* en su *Metáfora en metros;* cf.
A. D. Deyermond, "El hombre salvaje en la novela sentimental", en *Filología,*
1964, págs. 97-111. Teniendo en cuenta que aparecen en Castilla procedentes
de la corona de Aragón, los caballeros salvajes podrían formar parte de "tanta
invicion / que truxeron" los infantes de Aragón, según Jorge Manrique:
justas, torneos, paramentos, cimeras... (Ed. cit., pág. 253.)

[51]   Fernán Pérez de Guzmán, en *De vicios e virtudes,* NBAE, XIX, c. 246,
página 603, dice algo muy similar: "Todo regno en si diviso / sera estruydo y gastado / assi lo dixo y lo quiso / el santo Verbo encarnado; / el
regno es pacificado / donde ay drecho asaz / Dauid dixo que la paz / e
justicia se han besado".

La explicación de la guerra civil identifica la opinión de Fr. Íñigo
con la del pueblo, que con su hondo sentido histórico veía en la
nobleza su enemigo natural y el culpable de todos los males que
ocurrían; no a otra idea respondía la popular Hermandad, que en
1476 "hizo otro ayuntamiento cerca de Fuensalida por restitución
del cetro real del rey don Enrique y de otras cosas graves que por
los pueblos se publicaron, mas todas fueron desparcidas y por industria de los grandes que seguian al rey don Alonso" [52]. Pero también debía de estar el franciscano de acuerdo con sus parientes, los
Mendoza, los cuales, altos y bajos, se mantuvieron fieles al monarca
en esta ocasión; el contenido de las dos coplas anteriores es muy
similar al discurso de Pedro González de Mendoza, obispo de Calahorra a la sazón, pronunciado ante los caballeros enriquistas: "...la
sacra Escriptura espresamente defiende rebelar y manda obedecer a
los reyes aunque sean indotos; porque sin comparación son mayores
las destrucciones que padecen los reynos divisos, que las que sufren
del rey inhábil. Y por esto los varones notables conformándose con
los mandamientos divinos, deben huir de toda división y, seyendo
leales a su rey, pugnar por el sosiego de su propia tierra, donde hubieron el nutrimiento; porque si rehusan de lo haber, allende de
ser ingratos a la tierra que los crio, necesario les será si ella padece,
padecer iuntamente con ella y por tanto es mejor trabajar por la paz
de los muchos que caer con el mal de todos..." [53].

En otro lugar, insistiendo sobre el tema de la guerra civil, dice
Fr. Íñigo:

> Al rey questa poderoso
> leuantarsele rey nueuo
> quanto le es muy doloroso,
> quanto le es peligroso,
> con nuestro Enrique lo prueuo,
> que puede ser buen testigo
> qual es causa de bolliçio;

[52] Galíndez, *op. cit.*, cap. 79, pág. 276. Cf. Sitges, *op. cit.*, pág. 160, y
J. Puyol y Alonso, *Las Hermandades de Castilla y León,* Madrid, 1913, páginas 107-125.

[53] Hernando del Pulgar, *Crónica de los Reyes Católicos,* BAE, LXX, capítulo I, pág. 230.

> ¿quieres saber lo que digo? :
> que dizen ques tu enemigo
> el ombre ques de tu ofiçio (c. 214, primera versión),

copla que es otra muestra del popularismo ideológico del franciscano, expresado también de forma sencilla por medio del proverbio
final.

En la obra de Mendoza no se ataca, como es natural, a la Iglesia
como institución, sino a los individuos que a ella pertenecen, por
un lado, y a la situación general de la religión en Castilla, por otro.
Respecto a los primeros, Fr. Íñigo acusa a los prelados de ser, como
hemos visto, "ovispos despada y capa" (c. 115L), junto con otras
alusiones, incluso personales (Alonso Carrillo, c. 108). Habla también
de las simonías de los clérigos y de las "ypocresias" de los frailes
(copla 184), pero reserva sus más acerbas críticas para las monjas,
como he anotado más arriba (c. 189). Y en fin, sobre la actitud general de las clases privilegiadas castellanas basta citar la copla siguiente :

> ¡O castellana naçion,
> çentro de auominaçiones!,
> ¡O christiana religion,
> ya de casa de oracion
> hecha cueua de ladrones!
> ¡O mundo todo estragado!
> ¡O gentes enduresçidas!
> ¡O templo menospreçiado!
> ¡O Parayso oluidado!
> ¡O religiones perdidas! (c. 183) [54].

En esta visión de la Castilla de Enrique IV no podía faltar el mosaico del desorden social, de acuerdo con la tradición poética castellana que ya estaba presente en el *Rimado de Palacio:*

---

[54] Cf. para la situación general de la religión y de la Iglesia en la Castilla
del siglo XV, Menéndez Pelayo, *Historia de los heterodoxos españoles*, III,
Santander, 1947, pág. 292; y la *Representación* dirigida a Enrique IV el 28
Pitas Payas" del *Libro de Buen Amor,* ed. Cejador, I, cc. 475 y 477, págs. 177-
páginas 60-69.

Çircunçiden los logreros
sus vsuras vergonçosas,
y los fructos los dezmeros;
çircunçiden los plateros
sus alquimias engañosas;
los questores lo que piden
do justa razon non syenten;
los traperos çircunçiden
no las varas con que miden,
mas las lenguas con que mienten (c. 185).

Más adelante insiste Mendoza en el tema de la justicia:

Circunçiden las justiçias
su garçisobaco fino;
los letrados las maliçias... (c. 190),

lo mismo que en las coplas 192 y 193, imitando aquí el simbolismo de *Mingo Revulgo* y la perra Justilla [55].

El comercio y el enriquecimiento subsiguiente al mismo es también condenado por el franciscano, y sobre todo la dedicación a aquél por parte de algún poderoso:

Çircunçiden los señores
el tornarse mercaderes,
que no son de vnos colores
virtudes, graçias, honores,
y los flamencos aferes (c. 190).

Referencias al comercio con Flandes aparecen también en la copla 344, mientras que las angustias de los mercaderes en época tan revuelta se describen gráficamente en la 343, enlazándose con el grave hecho de la inseguridad de los caminos ante la amenaza de señores poco escrupulosos:

———————

55 Para la relación entre las *Coplas de Mingo Revulgo* y Fr. Íñigo, cf. mi trabajo citado, "Sobre el autor de las *Coplas de Mingo Revulgo*".

> Comportar los omezillos
> que todos tienen con ellos;
> caminar syempre amarillos,
> y al pasar de los castillos
> erizarse los cabellos;
> mill peligros en el mar,
> en la tierra mill cohechos;
> pues lo sufren por ganar,
> ya podeis adeuinar
> qual Dios tienen en sus pechos (c. 343).

Esta grave dificultad, que ponía al comercio en trance de colap-
so, no fue causa pequeña en el restablecimiento de las hermandades
populares en 1471, año en que "con los buenos hombres de los pueblos e con la Hermandad de los caminos, se puso el Reyno en mucha
seguridad, e así podían las gentes caminar e tratar para vivir" [56].
Teniendo en cuenta el posible nacimiento de Fr. Íñigo en Burgos, su
educación en esta ciudad y su ascendencia familiar, no extrañan sus
alusiones a los "flamencos aferes", que radicaban especialmente en
la capital castellana. Como dice la *Crónica incompleta de los Reyes
Católicos,* "Burgos estava así rica y de tan grandes mercaderes po-
blada que a Veneçia y a todas las çibdades del mundo sobraua en
el trato, así con flotas por la mar como por los grandes negoçios
de mercadería por la tierra en estos reynos y en muchas partes del
mundo" [57]. Muchos mercaderes de Burgos "en el siglo XV eran ricos, habían ascendido de jerarquía social —su antigua cofradía de
Gamonal se convirtió en cofradía de 'caballeros mercaderes'— inter-
venían en el gobierno de la ciudad y perpetuaban su memoria con
casonas, capillas, altares y sepulturas. Pero no había cambiado su án-
gulo visual: eran burgueses y como tales actuaban" [58]. Quizá esta

---

[56]   *Crónica de Enrique IV,* cap. CL, pág. 207.
[57]   Ed. J. Puyol, Madrid, 1934, pág. 51.
[58]   C. Sánchez Albornoz, *España. Un enigma histórico,* II, Buenos Aires,
1956, págs. 145-146. Cf. también María del Carmen Carlé, "Mercaderes en
Castilla", en *CHE,* 1954, págs. 146-328, especialmente 248-264 y 282-298;
C. Viñas Mey, *Los Países Bajos en la política y en la economía mundiales de
España,* Madrid, 1944, págs. 77, y J. Klein, *La Mesta,* Madrid, 1936, págs. 46-56.

contradicción de los comerciantes burgaleses estaba presente en el ánimo de Mendoza al escribir sus coplas, sobre todo si recordamos que varios parientes cercanos del fraile se dedicaban a estos menesteres mercantiles [59]. Con todo, las alusiones a Flandes y a su comercio eran habituales en la última Edad Media; ya aparecían en la vieja *Danza de la Muerte:* "Dise la muerte [al mercadero] : De oy mas non curedes de pasar en Flandes", a lo que responde el aludido: "¿A quien dexare todas mis riquezas / e mercadurias que traygo en la mar...?" [60]. Y, naturalmente, después de trazar este cuadro del reinado de Enrique IV, tan cercano a la realidad, Fr. Íñigo no podía dejar de anotar cuál era la situación del pueblo castellano; así, compara las riquezas de la clase dominante con el estado de postración de los inferiores,

> ...los desuenturados
> hanbrientos, enuergonçados,
> teniendo por cama el suelo (c. 113).

Pero con esto entramos ya en el campo de las ideas políticas de Mendoza en relación con la Castilla de 1467-68, época en que escribe su primera versión de las *Coplas de Vita Christi.*

Las ideas políticas del franciscano se contienen básicamente en una sola copla de la primera versión (115P), citada anteriormente, en que su autor declara taxativamente la culpabilidad de la nobleza en el desorden político y social imperante en Castilla, los "endiablados senyores / con su soberbia de mando". Amplía su pensamiento en una copla similar de la misma versión:

> a que gentes se endereça
> la culpa bien claro es,
> pues quando el ombre stropieça
> los ojos de la cabeça
> han la culpa y non los pies (c. 119A),

[59]   Cf. F. Cantera Burgos, *Álvar García de Santa María,* pág. 386.

[60]   BAE, LVII, pág. 382. Cf. también, por ejemplo, "el enxiemplo de don Pitas Payas" del *Libro de Buen Amor,* ed. Cejador, I, cc. 475 y 477, págs. 177-178. Existe incluso un refrán sobre el tema entre los *que dizen las viejas tras el huego* recogido por Santillana: "o todo a Flandes o todo a fondo" (ed. U. Cronan, en *RH,* 1911, núm. 515, págs. 134-219).

muy semejante a lo expresado por el Obispo de Calahorra, Pedro
González de Mendoza: "Notorio es, señores, que todo el Reyno es
habido por un cuerpo, del qual tenemos el Rey ser la cabeza, la cual
si por alguna inhabilidad es enferma, parecería mejor consejo poner
las melecinas que la razón quiere que quitar la cabeza que la natura
defiende" [61]. Vemos aquí, otra vez, la coincidencia de Fr. Íñigo con
las ideas políticas del poderoso clan de los Mendoza, al cual, si bien
por la rama secundaria, pertenecía el franciscano. Corrobora esto el
hecho de que, de los nobles acusados en la primera versión de la
Vita Christi, sólo dos sean partidarios del rey Enrique en la guerra
civil, Juan de Acuña, duque de Valencia de don Juan, y Beltrán
de la Cueva; el fraile hace constar cuidadosamente del primero que
era "del rey mucho quisto", mientras que al segundo le acusa brevemente por sus riquezas. El resto de los grandes criticados lo son
precisamente por su vida pública, como vimos anteriormente, y son
los gerifaltes de la sublevación contra Enrique IV, los que intervinieron en la farsa de Ávila, en la que el rey fue destronado "en
efigie": "el arzobispo de Toledo, don Alonso Carrillo, subió en el
cadahalso y quitóle la corona de la cabeza, como primado de Castilla, y el marqués de Villena, don Juan Pacheco, le quitó el cetro
real de la mano...; y el conde de Placencia, don Alvaro de Estúñiga, le quitó el espada como Justicia Mayor de Castilla..." [62]. En cuanto a Pedro Girón, aunque no se hallaba presente en la deposición de
Ávila, era uno de los principales causantes y dirigentes de la rebe-
lión, como es bien notorio; por las mismas fechas que en Ávila se
atropellaba la dignidad real, Girón rompía "guerra con los caballeros
e çibdades e villas del Andaluzía que estaban por el Rey, en tal
manera que de los unos e de los otros se hacían muchas muertes e
robos: e lo que peor e más abominable paresció a las gentes fue
que no solamente se glorificaba de guerrear y alterar la tierra contra
su Rey natural, que lo hizo, más ponía rotamente la lengua en su
Real persona, tanto que ponía terror en los corazones" [63]. Por lo
tanto, la circunstancia familiar de Fr. Íñigo puede explicar bien la
posición del mismo ante la guerra civil y ante la situación de Cas-

61 *Loc. cit.*
62 Diego de Valera, *op. cit.*, cap. 28, pág. 33.
63 *Crónica de Enrique IV*, cap. 76, pág. 146.

tilla, aunque no debemos olvidar tampoco su condición de fraile
menor, atento, por tanto, y como demuestra en muchos lugares de
su obra, a la situación y pensamiento de la gente sencilla, situación
que describe así mosén Diego de Valera y que puede expresar bastante aproximadamente la del propio Mendoza: "los más de los
pueblos de Castilla e de León estouieron como atónitos maravillados
del caso en la cibdad de Ávila acaecido"[64]. Todo se une, pues, en
el franciscano para hacerle ser un acérrimo defensor de la realeza
encarnada en Enrique IV, aunque esto no evita que, como vimos
oportunamente y como veremos otra vez dentro de poco, ataque
directamente al monarca por sus desaciertos y errores, incluso por sus
vicios, si bien dejando a un lado los que considera producto de la
maledicencia, como anoté al principio. Fr. Íñigo parte del conocimiento del triste estado de Castilla y del convencimiento de la culpabilidad de sus gobernantes:

> que en esta nuestra comarca
> los pilotos que tenemos
> enbaraçannos los remos
> estando rota la barca (c. 234).

Ya hemos visto cómo Mendoza alude al inicuo poder de los privados; ahora nos explica sus ideas sobre la realeza, atacando la soberbia de los monarcas —en términos genéricos y con el clásico
ejemplo de Teodosio (c. 119)— y su crueldad, esta última por medio
de Herodes y la degollación de los Inocentes (cf. especialmente las
coplas 370 y 390), y con el recuerdo del fracaso de Faraón contra
los israelitas en el mar Rojo (c. 269), explicando "quan mortal pestilencia / es a la gente menuda / ... / la sobrada indignacion / en
los altos gouernalles" (c. 392), y considerando que depositar la confianza en monarcas crueles "es hazer los mismos males / que los
que ponen puñales / a los locos en sus manos" (c. 390). Naturalmente, a pesar de este senequismo (o, más bien, sentido de adaptación ante el gobernante), Mendoza prefiere al piadoso y clemente,
demostrándolo mediante la leyenda de la conversión de Constantino
(coplas 383-386). Y, por último, en las *Coplas de Vita Christi* apa-

---

[64] *Op. cit.*, cap. 29, pág. 33.

recen claramente expresadas las ideas de su autor sobre el buen rey,
con una curiosa y típica mezcla de técnica popular —las comparaciones con la vida cotidiana, por ejemplo— y erudición de segunda
mano, muy característica de la situación social y personal del franciscano. Así, dice de los monarcas:

> En los tales la grandeza
> tiene su proprio lugar;
> pues la honrra y la proeza,
> el estado y la nobleza
> todos andan a la par,
> han de dar de su estatura
> a la virtud el honor,
> como el sastre tiene cura
> de nos dar tal vestidura
> qual la pide nuestro altor (c. 386) [65],

añadiendo:

> Que la ponposa corona
> de la real celsytud
> es en qualquier persona
> vna señal que pregona
> como pendon la virtud,
> mas en el ombre maluado
> el estado muy creçido
> paresçe pinto parado
> pendon que quedo colgado
> do es [el] vino vendido (c. 387).

Otras ideas sobre el tema aparecen en las coplas 388-390; el recuerdo senequista surge otra vez en la 391:

> Deue ser del rey agena
> uindicatiua passyon,
> por lo qual natura ordena
> que se halle en la colmena

---

[65] El rabí Sem Tob dice algo semejante en sus *Proverbios Morales,* ed.
González Llubera, págs. 152-153: "Es meatad muy fea / poder con desmesura: / non quiera Dios que sea / luenga tal vestidura! / que sy muy luenga
fuese, / muchas acortaria / e el que la vistiese, / muchos despojaria".

> solo el rey syn agyjon,
> porque puedan abisarse
> todos los grandes señores
> que no deuen ayudarse
> del poder para uengarse,
> mas sujuzgar sus furores (c. 391),

por medio inmediato de la metáfora de las abejas: "Naturaleza hizo el rey, y que sea esto verdad de los otros animales es cosa fácil conocerlo, aún que las auejas cuyo rey tiene una casa mucho mayor que todas las otras y está en medio y guardado por todas las demás... Son muy iracibles y según la grandeza del cuerpezillo muy peleadoras; también dexan sus agujones en las llagas que hazen, pero el rey no tiene tal. No quiso Naturaleza que éste fuesse cruel, ni que pudiesse tomar gran vengança de sus subjectos; quitóle las armas y dexó su ira desarmada. Grande exemplo es este para los reyes..."[66]:

> Y entre las cosas que fazen
> fuerte la real colupna,
> con que al mundo satisfazen
> los reyes y a Dios aplazen,
> misericordia es la una,
> ca guarda su dignidad
> segun que della se ley
> do dize l' autoridad:
> "misericordia y verdad
> son la que guardan al rey" (c. 280D).

Por lo tanto, Fr. Íñigo recoge en sus ideas sobre la monarquía los lugares comunes de la predicación y la erudición de su época[67], pero, como hemos visto, se hace eco también de las ideas sencillas del pueblo —quizá las suyas personales— y responde al terrible choque producido por el desgobierno y la guerra civil con una afirmación en la autoridad del buen monarca, que, entre otras cosas, ha de acabar con la opresión de los inferiores por una clase social injusta, la nobleza oligárquica, "pues que nacimos yguales".

---

[66] *Flores de Lucio Anneo Séneca*, ed. cit., fol. 138v.
[67] Cf. cap. VI, *passim*.

ÉPOCA DE LOS
REYES CATÓLICOS

Las personas y los hechos. — En 1474 muere Enrique IV. Comienza con otra guerra civil, secuela de la anterior, el reinado de
Fernando e Isabel, guerra civil agravada por la intervención portuguesa esta vez. Pero los tiempos, y sobre todo las personas, son distintos; el final de la vieja época está cerca. Ya he dicho al comienzo de este capítulo cuáles fueron las obras poéticas que Mendoza
dedicó a su interés político. La primera de ellas cronológicamente es
el *Dechado... a la muy escelente reyna doña Ysabel nuestra soberana señora* [68], que, aunque impreso en Zamora por Centenera en
1483-84, debe ser de redacción bastante anterior, creo que de los
primeros momentos del gobierno de Isabel, según se desprende del
mismo texto. Después de las dos primeras coplas introductorias, Fr.
Íñigo escribe:

> Por eso, reyna excelente,
> muy prudente,
> determina mi rudeza
> de seruir a vuestra alteza,
> sin pereza,
> con este rudo presente,
> en el qual mi mano atiente
> e se afruente
> a labraros un dechado
> de do pueda ser sacado
> e labrado
> el modo con que la gente
> goberneis discretamente (NBAE, XIX, núm. 5, c. 3, pág. 72),

---

[68] El título en el *Cancionero de Ramón de Llavia,* según ed. de Benítez
Claros, es *Dechado del regimiento de Príncipes fecho a la señora reyna de
Castilla y Aragón,* título actualizado, pues Isabel no se llamó reina de Aragón
hasta 1479.

y más adelante :

> Pues sy no quereis perder
> y ver caer
> mas de quanto es recaydo
> vuestro reyno dolorido,
> tan perdido,
> que es grand dolor de lo ver... (c. 11, pág. 73),

encontrándose también referencias a "el mal de agora" (c. 9, página 73), es decir, a hechos no remediados todavía y originados en el reinado inmediatamente anterior, como la tiranía anárquica (c. 14, página 74), los nobles revueltos (c. 18, pág. 75), la deshonestidad de las damas cortesanas (cc. 30, 32 y 34, págs. 76 y 77)... Todo parece indicar, por lo tanto, que el *Dechado* fue escrito contemporáneamente al cambio de reinado. La segunda obra es el *Sermon trobado... al... rey don Fernando...*, también impreso en Zamora y en las prensas de Centenera, esta vez en 1482. Dedicado, como vemos, al rey Católico, hace *pendant* con el tratado anterior dirigido a Isabel; como en éste, su redacción es anterior a la fecha de impresión; basta fijarse en la alusión a los rebeldes a la autoridad de los Reyes Católicos y a su entendimiento con Portugal (NBAE, XIX, núm. 2, coplas 15 y 16, pág. 54), así como en la incitación que al nuevo monarca hace el franciscano para que tome "la lanza en la mano" (copla 18, pág. 55) contra aquéllos, y en el recuerdo de Aljubarrota, todavía sin vengar (c. 22, pág. 55), augurando la victoria (c. 47, página 58), lo cual indica que Fr. Íñigo compuso su *Sermon* antes de la batalla de Toro, dada en 1476. El título de la obra, en que se llama a Fernando rey de Castilla y Aragón, no siéndolo de este último reino hasta 1479, es, evidentemente, coetáneo de la impresión, no de la composición del poema.

Finalmente, el tercer tratado político son las *Coplas... en que declara como... es reparada nuestra Castilla*, ofrecidas esta vez conjunta y sintomáticamente a Fernando e Isabel, coplas impresas, otra vez, por Centenera en Zamora, 1483-84?, y también de incontestable redacción anterior. El título, por una vez, no ha sido modernizado y se llama a Fernando rey de Castilla, León y Sicilia y príncipe de Aragón, lo que nos dice que Fr. Íñigo redactó estas coplas antes de 1479, año, como sabemos, de la muerte de Juan II de Aragón y de la accesión al trono de este reino por parte del Católico. Probablemente fueron redactadas por los mismos años que los dos anteriores poemas, teniendo en cuenta los indicios textuales, así como —otra vez— la referencia a la guerra con Portugal (NBAE, XIX, número 4, c. 29, pág. 66) y con Francia (c. 36, pág. 67) y las numerosas incitaciones para que los Reyes Católicos no desmayen y pongan fin a la situación heredada de Enrique IV (*passim*). Por otro lado, los versos siguientes,

> Vos señora soys fiel
> heredera que esclaresce,
> el y vos y vos y el... [69]

pueden relacionarse, quizá, con algún motivo de la concordia de Segovia entre Isabel y Fernando, celebrada en 1476, para la gobernación de Castilla, donde, entre otras cosas, se acordó que en documentos, monedas, sellos, etc., "fuessen nombrados él y ella" [70].

La situación, por lo tanto, del franciscano ante los nuevos monarcas es meridiana; pertenece al grupo de poetas —Gómez Manrique (pariente de Fr. Íñigo), Montoro, Álvarez Gato...— que, como señaló Menéndez Pelayo, "pusieron dignamente su musa al servicio de la justicia y del orden social contra el anárquico desconcierto de que, con mano durísima, iba triunfando la reina católica" [71], pudiéndose así trazar una línea ideológica ininterrumpida desde las digresiones históricas, sociales y políticas de las *Coplas de Vita Christi* a los poemas de que estoy hablando.

Por tanto, con todo lo dicho ya es posible pensar que los nuevos reyes son tratados por Mendoza de forma bien diferente a como lo fue Enrique IV. Isabel es considerada, como no podía dejar de suceder, de muy distinta forma a como lo habían sido las reinas en la *Vita Christi*:

---

[69] Copla penúltima. Cito según art. de K. Whinnom, "The Printed Editions and the Text of the Works of fray Íñigo de Mendoza", en *BHS*, 1962, página 149. El texto de NBAE es incompleto.
[70] Pulgar, *op. cit.*, cap. 2, pág. 256.
[71] *Antología*, III, Santander, 1944, págs. 53-54.

Muy poderosa, muy alta
princesa, reyna y señora,
en quien la virtud sin falta
la cunbre real esmalta
con que a toda España dora,
de quien nace, de quien mana
tal remedio a nuestra vida
que la gente castellana,
que nunca penso ser sana,
es del todo guaresçida...

(*Razon y Sensualidad*, NBAE, XIX, núm. 6, c. 1, pág. 79),

llamándola, poco después, "reina toda real / de los pies a la cabeça"
(copla 6, pág. 80). Elogios del mismo corte aparecerán en numerosos
lugares de los textos de Mendoza, muchas veces unidos con otros
al rey Fernando (*Sermon*, c. 24, pág. 55; *Reparada*, c. 6, pág. 64;
coplas 10-15, págs. 64-65), y sería ocioso repetirlos aquí. Pero Fr.
Íñigo va más lejos en la alabanza desmesurada, acercándose peligrosamente a la irreverencia sacrílega, de acuerdo con una corriente poética de la época :

Alta reyna esclaresçida,
guarnecida
de grandezas muy reales,
a remediar nuestros males
desiguales
por gracia de Dios venida;
como quando fué perdida
nuestra vida
por culpa de vna muger,
nos quiere Dios guarnecer
e rehacer
por aquel modo y medida
que lleuo nuestra cayda (*Dechado*, c. 1, pág. 72).

Textos similares aparecen en otros lugares de las obras de Mendoza (*Reparada*, cc. 40-41, págs. 67-68; *Razon y Sensualidad*, copla 120, pág. 94). Esta forma desorbitada de elogio llegó a ser casi
un tópico en los tiempos de Isabel [72]. Lo curioso en el caso de Men-

_____

[72] Cf. María Rosa Lida, "La hipérbole sagrada", ya citado.

doza es que estas extremadas alusiones son empleadas también para
loar al rey Fernando, aunque sea conjuntamente con su esposa:

> En estos reynos de enojos,
> yllustres reyes de nos,
> hartos tristes con despojos,
> os tienen puestos los ojos
> ni mas ni menos quen Dios... (*Reparada*, c. 31, pág. 66).

Otras alabanzas al rey Fernando son también numerosas, aunque in-
útiles para el propósito de este trabajo.

Creo que el franciscano sigue, en estos elogios hiperbólicos, una
corriente poderosa en la época, pero también que —en su caso— se
trata no sólo de la adulación propia ante los monarcas, y especialmente ante unos monarcas de tan nuevo estilo, sino que hay algo
más, que concuerda perfectamente con la ideología del fraile. Recordemos cómo es tratado Enrique IV en la *Vita Christi*; la actitud
ante uno y otros reyes es significativa. Parece que Fr. Íñigo ha encontrado en Fernando e Isabel, y en su política contra los desafueros
de la nobleza, los reyes y la situación histórica que buscaba y de-
seaba para Castilla.

Aquellos pensamientos sobre la situación de su país y sobre la
monarquía se unen, en una línea totalmente recta y lógica, con los
expresados en estas obras posteriores, como el mismo Mendoza declara:

> las altas admiraciones,
> las muy suaues señales,
> aquellos fuertes pregones
> de leuantar los pendones
> por vuestros nombres reales;
> aquellas muertes pasadas
> en Castilla que no cuento,
> tan ayna despachadas,
> me hizieron mill vegadas
> trasportar el pensamiento (*Reparada*, c. 45, pág. 68).

En efecto, nuestro autor comienza por recordar los desastres del reinado anterior, males todavía presentes en los años en los que escribe sus nuevas obras; esto sucede tan numerosas veces en los tra-

tados de que vengo hablando que puede decirse es una constante
de los mismos, y un eco —en este sentido— de la *Vita Christi*. Los
desaciertos de Enrique IV, sin nombrarle directamente, y las turbu-
lencias de los nobles, continúan presentes en Fr. Íñigo, que los señala recordatoriamente a Fernando e Isabel (en los primeros momentos de su reinado a la sazón) para que eviten las causas que originaron tanto mal; esto sucede lo mismo genérica ("...que en el reyno
destruydo / de Castilla que cobraste...", *Reparada*, c. 4, pág. 63) que
detalladamente ("...que la gente castellana / es tan vfana / e tan
mal acostumbrada, / que nunca sera curada / si el espada / de la
justicia no afana / entre la gente tirana", *Dechado*, c. 5, pág. 73).

El primer problema de que Fr. Íñigo se hace cuestión es el can-
dente de la legitimidad sucesoria de Isabel al trono de Castilla; Mendoza defiende, como era presumible, el derecho de Isabel y Fernando
a la corona (*Sermon*, c. 18, pág. 55; cc. 45-47, pág. 58; *Reparada*,
copla 30, pág. 66), y afirmando que "...lo que ay de Portogal / no
uos puede hazer mal / para demandar lo vuestro" (*Reparada*, c. 29,
página 66). En íntima relación con este asunto, como es sabido, se
halla la guerra civil de sucesión provocada por los nobles; continuando la actitud iniciada en la *Vita Christi*, el fraile Mendoza ataca
otra vez a los poderosos señores que dirigen y alientan el nuevo conflicto, y que coinciden generalmente con los mismos inquietos personajes del tiempo de Enrique IV, tan cercano todavía, diciendo
de ellos:

> ¡O vergonçosa fealdad
> de renonbre lastimero,
> de quien juro lealtad
> con tan gran solenidad
> quando se armo cauallero!,
> porque segund que se ley
> en la Segunda Partida,
> por su grey y por su ley
> y por Dios y por su rey
> tienen los grandes la vida
> con juramento ofrecida.
>
> Por esto les dan los juros,
> los estados y las rentas,

porque detras de sus muros
los pueblos viuan seguros
y ellos sufran las afruentas;
pues quien a tanto se ofrece,
que me responda le ruego
que nonbre y pena meresce
quando no solo fallesce
en defender su sosyego,
mas antes le pone fuego (*Sermon*, cc. 19-20, pág. 55).

Otras invectivas contra los causantes de la guerra y contra la guerra misma abundan, pero lo más significativo son las coplas que acabo de anotar, en las que el franciscano exhibe su erudición leguyesca contra los rebeldes acudiendo al código por todos respetado, las *Partidas* de Alfonso el Sabio; la ley a la que se refiere Mendoza dice que los caballeros deben jurar en su toma de armas tres cosas, "la primera, que non recele morir por su ley, si fuese menester. La segunda, por su señor natural. La tercera por su tierra" [73]. En el prólogo del mismo título se dice que "señaladamente son establecidos [los caballeros] por defender la tierra e acrescentalla" [74], y más adelante que los mismos "son puestos por guarda e defendimiento de todos e non podrían ser buenos guardadores los que leales non fuessen" [75]. Este texto del franciscano sirve muy bien para ilustrar el carácter de la relación nobleza-monarquía en la sociedad feudal; la segunda de las coplas anotadas amplía dicho concepto.

Fr. Íñigo continúa así fiel a su pensamiento original, según el cual, como vimos, considera a la nobleza causante de los estragos producidos en Castilla, estragos ahora no reducidos al horror de una

---

[73] *Las Siete Partidas*, ed. Gregorio López, II-21-14, I, Barcelona, 1843, página 858. Cf. Gerónimo Martín Caro y Cejudo, *Refranes y modos de hablar castellanos con los latinos que les corresponden*, Madrid, 1675, pág. 325: "Por tu rey y por tu grey y por lo tuyo morirás; entiéndese por Dios y por el Rey y por la Patria y por su hazienda...". Cf. Pérez de Guzmán, NBAE, XIX, número 275, c. 42, pág. 668, *Coronación de las quatro virtudes cardinales:* "Por su rey e por su señor / por su patria e amigos, / quien no duda enemigos / es un fuerte defensor; / ¿qual destas es la mejor? / Si mi juyzio non yerra, / digo la ley e la tierra, / non cuydo que digo error".

[74] *Ibidem*, pág. 850.
[75] *Op. cit.*, pág. 855.

lucha interna, sino agravados por la intervención portuguesa —originada por los grandes— y por la guerra contra Francia, sucesos que tampoco olvida el fraile y que, en el primer caso, le hacen recordar airadamente el día triste de Aljubarrota, en lo que no han pensado los sublevados castellanos y por lo que "los huessos de los pasados / cruxen en la sepultura / con ansya de lastimados" (*Sermon*, c. 22, página 55). Pero Mendoza no se limita ya a anotar más o menos indignadamente los acontecimientos, sino que, habiendo tomado decidido partido, incita en su *Sermon trobado* repetidas veces a Fernando, brazo armado de Castilla, para que no ceje en la lucha contra sus enemigos (c. 14, pág. 54; c. 18, pág. 55; c. 44, pág. 58; copla 47, pág. 58), augurándole la victoria final (cc. 47-48, pág. 58). Una vez conseguida ésta, no deben dejarse a un lado a los buenos servidores y consejeros que han colaborado en ella (*Sermon, passim*). La victoria castellana de Toro en 1476 y la firma del tratado de Alcaçoba con Portugal en 1479 acaban el conflicto con el país vecino y la guerra civil; termina así la primera etapa del gobierno de los Reyes Católicos, la del afianzamiento en el poder. No corresponde aquí indicar nada en absoluto de cómo Fernando e Isabel —nuevos espíritus, especialmente Fernando, y nuevos tiempos— cumplieron eficazmente la segunda, la de reforma interior de Castilla, sino el nuevo orden que se implantó subsiguientemente, como hace Fr. Íñigo comparando los tiempos anteriores y los de ahora:

> los vnos llenos de males,
> los otros syn acidentes (*Razon y Sensualidad*, c. 3, pág. 80).

Otra cuestión de la que no podían ausentarse ni el pensamiento ni la pluma del fraile Mendoza es el de la unión de los reinos peninsulares, dentro de los límites que deben ponerse a esta idea. A tal cuestión alude Mendoza simbólica y poco intensamente en el *Sermon trobado* (c. 1, pág. 52). Forma parte importante de la estructura ideológica de las *Coplas... en que declara como... es reparada nuestra Castilla* (cf. especialmente c. 1, pág. 63; c. 18, pág. 65; c. 66, página 70), lo cual, sin duda, hizo decir a J. Vicens Vives: "I, si Ferrán deixara de llegir Valera, podía escoltar les coples que li endreçara Íñigo de Mendoza, on llorant Dèu per haver decidit 'soldar las quebraduras de nuestros reynos de España', aconsellava als Reis Catòlics que fessin justicia al poble per dar plazer sin pena a la espánica nación'. Certamente els Mendoza foren els homes que más ajudaren la causa dels Reis Catòlics des de 1475; pero malgrat saber ho, continua impressionant la lectura de les peces amb què el bon Iñigo cercara d'aprofundir en el secret de la integració hispànica" [76]. Y esta aproximación a la visión total de un conjunto hispánico se complementa con el deseo de acabar con el último territorio musulmán en la Península, el reino de Granada, a cuya conquista incita también Fr. Íñigo primero a Fernando:

> ...no solo ser subjuzgada
> a Castilla con Granada,
> mas con poca fuerça y maña
> vos podeys ver rey de España (*Sermon*, c. 53, pág. 59),

y luego a ambos reyes, exhortándoles

> a trauar lo destrauado
> quel pecado destrauo (*Reparada*, c. 18, pág. 65),

aludiendo, según la tradición medieval, a la violación de la Cava por don Rodrigo y a la subsiguiente traición del conde don Julián (*Reparada*, c. 9, pág. 64; c. 13, pág. 64; c. 16, pág. 65; c. 17, página 65; también *Sermon*, c. 52, pág. 59). Ya es sabido que las incitaciones a la conquista de Granada llegan también a ser usuales en la literatura castellana del siglo XV, ya desde los tiempos de Juan II, usándolas poetas como Gonzalo Martínez de Medina [77], Villasandino [78], Diego de Valencia [79], Cartagena [80], el comendador Román [81]... La reforma de Castilla, el nuevo viento precursor de gran-

---

[76]   *Els Trastamares* (*segle* XV), Barcelona, 1956, pág. 192.
[77]   *Cancionero de Baena*, ed. cit., núm. 335.
[78]   *Ibidem*, núm. 4.
[79]   *Ibidem*, núm. 35.
[80]   *Cancionero General de Hernando del Castillo*, ed. cit., fols. 77v-78.
[81]   *Coplas de la Pasión con la Resurrección*, ed. facsímil de la de Toledo, 1490?, Londres, 1936, fol. a2v. Cf., para estas incitaciones, J. M. Lacarra, *Ideales de la vida en la España del siglo XV; el caballero y el moro*, Zaragoza, 1949.

des acontecimientos históricos, el desarrollo mismo de éstos, los cambios sociales como consecuencia producidos, se reflejan en la literatura bajo los Reyes Católicos. La poesía pierde su afán crítico al haber desaparecido parte de las causas que la originaron, y adquiere, más y más, por el contrario, carácter histórico. Así, conquistada Granada, los poetas insisten, haciéndose eco del inconsciente colectivo; la nueva dirección será África. Este afán imperialista de Fr. Íñigo es compartido también, entre otros, por el comendador Román, Cartagena y, anteriormente, Gonzalo Martínez de Medina [82]. La "voluntad de Imperio" —frase usada muchas veces de forma equívoca y peligrosa— existía en los países peninsulares a fines del siglo XV, y la literatura no era ajena a la misma. Mendoza tampoco, como acabamos de ver.

Las ideas políticas. — Se contienen especialmente, teniendo en cuenta la intención con que fue escrito, en el *Dechado*, dedicado a la reina Isabel; toda la obra no es sino un vehículo de dicha ideología y de consejos para el arte del buen gobierno, escritos y pensados fundamentalmente en función de los sucesos del reinado inmediatamente anterior; por ello, las alusiones al mismo, como hemos visto, son continuas. Por medio de finas alegorías nos habla Mendoza "de la virtud de la justicia" (cc. 5-12, págs. 73-74), representada en una espada y sus aditamentos: de la fortaleza, comparada con una torre (cc. 13-24, págs. 74-76); de la templanza, con una brida de caballo (cc. 25-38, págs. 76-78), y de la prudencia, con la empuñadura de la espada (cc. 39-42, pág. 78), todo ello con nuevos ataques contra privados, avaricia, inmoralidades, etc. Recomienda Fr. Íñigo un poder fuerte para poner orden en los asuntos castellanos:

> pues sy no quereys perder
> y ver caer
> mas de quanto es recaydo
> vuestro reyno dolorido
> tan perdido,

---

[82]   *Loc. cit.* en notas 81, 80 y 77, respectivamente. La conquista de Jerusalén forma parte de este afán literario por la expansión política. Cf. sobre este asunto, Bataillon, *Erasmo y España,* págs. 60-68.

que es grand dolor de lo ver,
emplead vuestro poder
en hazer
justicias mucho conplidas,
que matando pocas vidas
corronpidas,
todo el reyno, a mi creer,
salvareys de perecer (c. 11, pág. 73).

El *Sermon trobado*, dedicado al rey Fernando, explica, también simbólicamente (por medio esta vez del "yugo e coyundas" de la divisa del Católico), la situación de Castilla ante la guerra civil y los remedios contra la misma, es decir, contra sus causantes, los nobles ambiciosos; toda la obra no es sino una continua insistencia en tal asunto, y su resumen podría muy bien ser éste:

o pues, rey muy virtuoso,
sy quereys bien gouernalles,
poned freno al que es brioso
y espuelas al perezoso,
que sabed que los vasallos
se rigen como cauallos (c. 49, pág. 59).

Por último, en las *Coplas... en que declara como... es reparada nuestra Castilla*, dedicadas conjuntamente a ambos monarcas, aparecen asimismo por todas partes las ideas de Mendoza sobre la gobernación. El franciscano, continuando otra vez con su primitivo pensamiento, pide a los reyes que sean justos con el pueblo y no caigan en manos de los privados:

hazlos, Dios, ser tan humanos,
que syendo mas soberanos
mas conseruen los menores;
hazlos de ti temerosos
por tu piedad comuna;
apartalos de viçiosos... (c. 8, pág. 64).

Más adelante, y mediante el habitual símil de la nave, Mendoza comienza otra vez sus alegóricos consejos, haciendo contender a la Justicia contra la Fortuna (cc. 47-57, págs. 68-69), contra la Codicia (coplas 58-67, págs. 70-71)... La obra es interesante, fuera ya del tema, porque relaciona a Fr. Íñigo con la escuela poética alegórica, pero no es éste el lugar apropiado para tratar de ello [83].

Insistir en cualquiera de los temas apuntados en las páginas anteriores no es ya pertinente; basta con lo anotado para comprender la situación ideológica de Mendoza, en quien se unen la condición de fraile menor, la actitud de su familia paterna y su mentalidad, muy cercana a lo popular, todo lo cual se inserta en la superestructura histórica y social de la época en que vivió. La obra del franciscano sirve, una vez más, para mostrar la íntima unión de literatura e historia, la unión de la circunstancia del escritor con su propio tiempo, expresada en el caso de nuestro autor por medio del inconformismo, el cual, como ha dicho muy adecuadamente A. Fernández Suárez, "es una reacción sana, desde el punto de vista social. El 'inconformismo' da una sensibilidad para los valores más fina que la del vulgo y responde a un sentido agudo y exigente de limpieza, de pureza y de verdad, contra la melaza pringosa, la hipocresía, la autocomplacencia y la vanidosa estupidez del grupo" [84].

[83] Cf. mi trabajo, de próxima aparición en *Symposium*, "Notas sobre vn poema poco conocido de Fray Íñigo de Mendoza".
[84] *España, árbol vivo*, Madrid, 1961, págs. 50-51.

APÉNDICES

APÉNDICE I

LISTA DE OBRAS GENEALÓGICAS CONSULTADAS

a) Archivo Histórico Nacional:

Gutiérrez Coronel, *Historia genealógica de la Casa de Mendoza* (Casa de Osuna, Libro 1196-F).

b) Real Academia de la Historia:

Castilla, Alfonso, *Recogimiento de nobleza* (C-48).

De Soto, *Títulos de España* (D-46).

Garibay, Esteban de, *Memorias Genealógicas que don Luis de Salazar y Castro extractó de las obras inéditas de don...* (D-47).

Haro, *Nobiliario* (C-21).

Mendoza, Francisco de, *Origen de la Casa de Mendoza* (D-22).

Montesino, Ambrosio, *Comentario de la conquista de la ciudad de Baeça y Nobleza de los conquistadores della* (H-13).

Salazar y Castro, Luis, *Apuntamientos Genealógicos de diferentes familias de España sacadas de escrituras i autores fidedignos* (D-26).

— *Arboles de costados de los títulos que an concedido nuestros reies hasta Phelipe IV el grande* (D-21).

— *Casa de Mendoza* (D-5).

— *Epitafios y Memorias que se hallan en los sepulcros y en las capillas de muchos ilustres personages de España* (D-17).

— *Pruebas de la Casa de Haro* (D-10).

— *Varios* (D-25).

Salazar de Mendoza, Luis, *Casa de Cartagena* (B-92).

Sotomayor, Antonio de, *Gracia Dei o De Armeria* (B-92) .

Varona de Sarabia, Luis, *Origen y descendencia de diferentes familias y casas de España* (C-1).

Vega, Malachías de la, *Cronología de los jueces de Castilla* (C-5).

Téllez, *Espejo de nobleza* (C-13).

— *Origen y principio de los linajes principales y illustres varones que florecieron en España en nobleza y grandeza de ánimo* (C-16).

Otros varios de la colección Salazar:

Libro de Armería (C-46).

Linages de España (C-19).

Varios (D-33).

Varios (D-34).

Sin título (E-66), (E-67).

Varios Genealógicos (C-33).

Historia de la Casa de Mondéjar para el marqués de Valhermoso por el de Mondéjar, su abuelo (B-73).

c)   Biblioteca del Monasterio de El Escorial:

García de Salazar, Lope, *Libro de los linages de España* (&-II-12).

d)   Biblioteca Nacional de Madrid:

Aponte, Gonzalo de, *Nobiliario* (Ms. 11859).

Aponte, P. J. de, *Casa de Mendoza* (Ms. 8226).

— *Luzero de nobleza* (Ms. 3326).

— y Bustos de Villegas, *Luçero de linages yllustres d'España* (Ms. 3323).

Cruz, Fr. Jerónimo de la, *Historia del rey D. Enrique quarto de Castilla* (Manuscrito 1776).

Fernández de Oviedo, Gonzalo, *Batallas y quinquagenas* (Ms. 12921).

García de Salazar, Lope, *Crónica de Vizcaya* (Ms. 2430).

— *Nobles familias* (Ms. 11639).

— *Segunda parte de los sumarios de la historia del mundo* (Ms. 625).

Garibay, Esteban de, *Origen, discurso e ilustraciones de las dignidades seglares de España* (Ms. 10530).

— y P. Alcántara de Toledo, *Obras no impresas extractadas por Pedro Alcántara de Toledo, marqués de Tavara y conde de Saldaña* (Ms. 11461).

Guz, Francisco de, *Recopilación de honra y gloria mundanas* (Ms. 1381).

Hernández de Mendoza, Diego, *Nobiliario* (Ms. 9330).

Hernández Pecha, *Historia... del Infantado* (Ms. 1756).

Mendoza y Bobadilla, Francisco de, *Memorial que dio el Cardenal Arzobispo de Burgos don... al rey don Phelipe segundo discurriendo contra las más casas ilustres de España, o Tizón de la nobleza* (Ms. 1443).

Ocampo, Florián de, *Nobiliario de España* (Ms. 11704).

Zúñiga, Juan H. de, *Adiciones a la genealogía verdadera de los ilustres de España de P. J. de Aponte* (Ms. 3324).

e) Impresos :

Arteaga y Falguera, Cristina de, *La Casa del Infantado, cabeza de los Mendoza*, I, Madrid, 1940.

Fernández de Oviedo, Gonzalo, *Las quinquagenas de la nobleza de España*, editor V. de la Fuente, I, Madrid, 1880.

García de Salazar, Lope, *Las bienandanças e fortunas*, Madrid, 1884.

Gutiérrez Coronel, Diego, *Historia genealógica de la Casa de Mendoza*, 2 vols., Madrid, 1946. (También he consultado el ms. de esta obra conservado en el Archivo Histórico Nacional).

Lampérez y Romea, Vicente, *Los Mendoza del siglo XV y el castillo del Real de Manzanares*, Discurso de ingreso en la Real Academia de la Historia, Madrid, 1916.

Layna Serrano, Francisco, *Historia de Guadalajara y sus Mendozas en los siglos XV y XVI*, I, Madrid, 1942.

López de Haro, Alonso, *Nobiliario genealógico de los reyes y títulos de España*, 2 vols., Madrid, 1622.

Salazar y Castro, Luis, *Historia genealógica de la Casa de Silva*, 2 vols., Madrid, 1865.

— *Historia genealógica de la Casa de Lara*, I, Madrid, 1696; II y III, Madrid, 1697.

— *Pruebas de la Casa de Lara*, Madrid, s. a.

Salazar de Mendoza, Pedro, *Monarquía de España*, I, Madrid, 1770.

— *Crónica del gran Cardenal de España don Pedro González de Mendoza*, Toledo, 1625.

Salazar de Mendoza, Luis, *Orígenes de las dignidades seglares de Castilla y León*, Madrid, 1657.

APÉNDICE II

Otras coplas que hizo Cartagena por mandado del rey reprehendiendo a Fray Iñigo las coplas que fizo a manera de justa. Y habla con el rey Nuestro Señor y dice asi:

Mezcla de tal perfeccion
son dos cosas, rey y ombre,
que quien bien sabe que son
no es mengua de coraçon
de que pensarlo se assombre;
porque el ombre es vn metal
que lo que siente consiente;
mas vuestro saber es tal,
que diferencia lo ygual
y yguala lo diferente.

A vuestra alteza loar
hallo que deue dexarse,
porque es cosa de escusar
ningun ombre començar
lo que no puede acabarse;
que en la fortuna no siento
que en si sienta tal grandeza
de tener atreuimiento
para dar a vuestra alteza
su justo merescimiento.

Avnque la real morada
en su rueda se contiene

sabe que esta amedrentada
de que vuestra sofrenada
dexe el officio que tiene;
assi que, rey soberano,
no podre loaros yo,
ni ninguno siendo humano,
pues sojuzga vuestra mano
lo que a todos sojudgo.

FIN

Pues mando vuestra excelencia
que mis coplas mal despiertas
le mostrasse,
perdone su reuerencia
del padre que abrio las puertas
por do entrasse.

Comiença la contradicion.

Señor, padre reuerendo,
vuestra justa es tan galana
y tan discreta que viendo
sus primores y leyendo
paresce bien de quien mana,
y avnque yo tanto no entienda,
pues la materia se ofresce
desta tal justa y contienda
hablando so vuestra enmienda
dire lo que me paresce.

Va muy bien inuencionado,
va tanbien digno de pena,
porque salio del dechado
que todos vimos labrado
de mano de Juan de Mena:
y de hurto qual aquel,
delante Dios soberano
sus huessos piden a el,
como la sangre de Abel
la vengança de su hermano.

Pues consintamos passar
por vuestro el ageno testo
por mejor poder hablar
apuntar y replicar
donde tocays desonesto,
porque segun vos hablastes
contra la razon razones
si vuestra regla guardastes,
no se de donde tomastes
tan claros gaçafatones.

Al vn justador sacastes
de defensas tan desnudo,
que si vos bien lo mirastes
cada vez os encontrastes
en la buelta del escudo:
quien de voluntad se doma
la razon saca de quicio;
este encuentro a vos desloma
y terrible reues toma
vuestro abito y officio.

Esto visto, en conclusion,
le distes ventaja clara,
y çiego de su afection
posistes a la razon
fuera del ristre la vara;
y assi passo su carrera
como quien del toro escapa,
tan sin tino, de manera
que el encuentro que el me diera
le esperara en vna capa.

La razon recibe injuria
y quantos la acompañaron,
por blasonar con tal furia
los primores que en luxuria
pocos legos alcançaron;
pues si en ser frayle se alcança
el dulçor tan infinito,
viendo la poca temprança

no hay raçon que tome lança
contra vos, padre bendito.

En otra cosa lo errastes
y mucho a mi paresçer,
que en el pleyto que tractastes
tan claramente abogastes
que no se puede esconder:
porque segun apuntastes
dulçor en su exercicio,
a los legos difamastes,
y a los frayles publicastes
por maestros del officio.

FIN

Otro yerro en especial
me paresce que hezistes;
este fue mas principal,
porque a reyna tan real
endereçays lo que escreuistes:
a reyna tan excelente,
extremo de onestidad,
nunca vi peor presente
que decirle lo que siente
vuestra flaca humanidad.

(*Cancionero General de Hernando del
Castillo*, ed. cit., fols. 85-85v).

APÉNDICE III

Otra obra de otro galan contra fray Yñigo de Mendoça

Discreto frayle, señor,
ya callar esto no puedo,
por que amores dan dolor
a vos, que sera mexor
cantar baxo vuestro Credo
y no dar la voluntad
do pierde merescimiento,
no hazer la libertad
agena de piedad
ni sufrille tal tormento.

No tomar officio ageno,
no curar de sus passiones,
catad que nos diran bueno
por que de penas me lleno
os muestran vuestras razones.
Quel amor del como vos
frayle professo y benigno,
todo deue estar con Dios,
no querella traer en pos
de quien tuerce tal camino.

Amor de ser el primero
a vuestras horas venir
mucho presto y muy ligero,

amor de ser postrimero
del monasterio sallir.
No el primero de los motes
con damas que dan desseo,
embidar, tener sus cotes,
las razones sin dar botes
rechaçarlas de boleo.

Amor de bien predicar
las cosas de buena ystoria,
amor de nos demostrar
camino para la gloria.
No amor ciego c'os ciega
el claro conoscimiento,
no amor de presto allega
a lugar donde se anega,
secandose, el pensamiento.

Amor de traer cilicio,
amor de gran abstinencia,
amor de hazer seruicio,
al señor de beneficio,
amor de buena conciencia;
no traer santos d'amores
las cartas por devocion,
no dar plazer y dolores,
su favor ni disffavores,
su gloria ni su passion.

Amor en siempre rezar
las oras deuotamente,
amor de muy bien guardar
vuestra regla sin errar;
amor de ser obediente;
no guardar mirar por donde
hablares la dama vuestra,
quel tal estilo cohonde
en pecar quando s'esconde
no gozar quando se muestra.

Amor en el contemplar
en aquel que vos crio;

amor en cierto pensar
como se ha de alcançar
el bien que nos prometio;
no querer enamorar
las gracias y gentileza
de la que os haze penar
por sabiamente loar
su acabada destreza.

Amor en todo hablar
este el gesto reposado,
amor desse assegurar
que por muy seguro estar
pudiesse ser salteado;
no por gracia el cecear
contrahaziendo el galan,
no el reyr, no el burlar,
no de muy contino estar
do amores vienen y van.

Amor en el trabajar
por vuestra orden crescer
amor en el procurar,
amor en el demandar
lo que ouieredes menester;
no pedir fauor a las damas,
no servirlas con canciones,
no encenderos en sus flamas,
que son peligrosas llamas
para sanar los perdones.

Amor en buenas hazer
las obras y los desseos,
amor en el despender
el tiempo en reprehender
los vicios malos y feos,
no que dandonos castigo,
diziendo mi deubda pago,
ayays de dezir: "amigo,
complires lo que y'os digo;
no cures de lo que hago".

Amor de bien confessar
y las culpas castigallas,
amor en el alumbrar
las almas si van a errar
y de males apartallas;
no con risueño mirar
viendo gracia en la muger
desealla festejar
y dalle bien a mostrar
que cartas la yran a ver.

Amor amar la pobreza
y tan bien la castidad,
y la obediente nobleza
amalla y tener franqueza
de la limpia caridad;
no rebtar los amadores
desseando vos amar,
pues no les falta valores,
ni quitalles sus fauores
pensandolos d'engañar.

Amor es, frayle discreto,
conoser quien ha pecado
no publico, mas secreto,
dalle consejo perfecto
con amor le sea dado;
amor quiere concluyr
en fin de las sus razones
que tal se piensa reyr
que deuiera bien plañir
y no curarse d'amores.

Amor en el estoruar
los males aparejados,
amor d'aquellos quitar,
amor en el consolar
los qu'estan desconsolados;
no las monjas requerir
muchas veces a menudo,
ni a quien sabe seruir

con obras y con dezir
no le motejar de mudo.

Amor bien deuoto ser
en la orden que teneys,
dexar de mal conoscer,
curad bien de reprehender
las obras que vos hazeys.
y pensad que quantos son
los que siguen esta via;
no creays que diga, non,
otra cosa en conclusion
sino esta mi porfia.

Cabo

Con solo buena razon
entendeys auer amores;
quitallos de discrecion
ternes con esta inuencion
muchas gracias y primores,
pues si una perfection
presume ganar victoria,
alli deue el coraçon
do las gracias muchas son
de la dama dar la gloria.

(*Cancionero General de Hernando del
Castillo*, ed. cit., fols. 170-170v).

APÉNDICE IV

Otras coplas de Vazquez de Palencia contra fray Yñigo de Mendoza sobre las coplas de Vita Christi. Endreçalas a su amiga por que le embio a pedir la obra de Vita Christi y no estando el en casa se las dio vn moço. Y el dize:

Por las coplas que qu'embiastes
si yo las viera pedir
no fuera como mandastes,
mas aunque las leuastes
no las consintiera yr.
Aunques buena y santa obra,
es celada en campo raso,
açucar buelto en çoçobra;
no haze mucho a mi caso.

Que lo mas que dello he visto
discordes van las razones,
pues que va rebuelto y misto
la vida de Ihesu Christo
con el que suffre passiones;
bien bastara que siguiera
como el tema su sermon,
si que mas s'entremetiera
en cosas que mejor fuera
no hazer dellas mencion.

Que los tristes que padescen
lo que yo sufro conmigo,

aunque yerren ni tropiesçen,
pues que mueren, no merescen
sobre muerte más castigo.
Quel frayle reboluedor
con lengua muy lastimera,
como quien sabe de açor,
mucho le fuera mejor
que nunca tal escriuiera.

Que yo le quiero prouar
que sus dichos van fundados
d'un extremo tan sin par
de que deuen reclamar
quantos son enamorados,
porque Dios con gran bondad,
todo llegado al examen,
mouido con piedad
manda con fe de verdad
unos a otros se amen.

Que cuando El ordeno
todas las cosas por orden,
a los ombres enseño,
les mando e defendio
no biuiessen en desorden,
Mas antes su poderio
no Dios merced sin pedir
supiesse nuestro aluedrio
a qualquier desuario
libremente resistir.

Aunque sus diez mandamientos
juezes de nuestras penas
nos puso defendimientos
por obra ni pensamientos
tomar las cosas agenas,
yo no se si me condeno
por le dar intento tal
que no he tomado lo ageno
en querer y amar lo bueno,
pues es nuestro natural.

Y pues que para morir
nascimos sin mas debate,
nascimos para seruir,
amores no rehuyr
podemos deste combate
y qualquier que nos procura
lo qu'el nos ha procurado
digo ques contra natura,
pues quen este caso apura
las cosas en tanto grado.

Que quien busca tal hazienda
como su sentencia toca,
en sus dichos no ay contienda,
que segun tiene la rienda
muy pocos se iran de boca,
queste sembrador de males
entre razones derechas
puso otras que son tales
quen los debdos mas carnales
assento mas las sospechas.

Comparacion por lo que dixo
de hermano a hermana

Como haze el confessor
por mostrar ques entendido
que pregunta al labrador
pecado d'arte mayor
que jamas oyo ni vido,
el qual por nunca sabello
de lo tal esta diviso
que despues de conoscello
cayo de rostros en ello;
fue la causa el mal aviso.

Que al señor bien le bastara
consejar que buenas sean
y que desto contractara
sin que spresso defensara
que fuyan que no las vean,

do hallo mas ocasion
de las tales su huyr
que sus espantares son
dar fuerças al coraçon
para mas las requerir.

Que la ques mala de suyo
de su honrra no recelo
por mucho que diga "huyo";
tal sera en esto, concluyo,
aunque le suban al cielo.
Que su guarda es un prouecho
y los tales que se prenden
que no pierden su derecho:
quando estan mas en estrecho
sus fuegos muy mas s'encienden.

Que la regla es natural
que al questa libre a su grado
libertad le pone tal
que no se le haze mal
d'estar de pie ni assentado,
y si por caso se ordena
que si algun detenimiento
le apremia la tal cadena
que muere trabaja y pena
con rauia de verse esento.

Pues aqui s'entiende luego
que se puede bien prouar,
pues desuariado ruego
quien por fuerza quiere el huego
con las estopas matar,
que los antiguos maestros
que aprouaron mal tal yerro
dizen quen los dias nuestros
no sanan tales siniestros
sino con pena de hierro.

Pues las buenas estimadas
que virtud haze seguras,

estas para ser guardadas
no quieren estar selladas
de muy fuertes cerraduras,
quel que pone a tales freno
su bondad convierte en vicio[s];
quien pone sospecha al bueno
le hazen con falso sueño
del todo sallir de quicios.

Pues el frayle lastimero,
digno de mucho castigo,
mucha gente y mas conmigo
ha puesto por un rasero
las cosas como enemigo,
de lo qual presumo yo,
puede ser quiça que acierto,
que con rauia lo scriuio
porque alguna le burlo
y falto de algun concierto.

Y como el señor fulano
quedo con esta sospecha,
es el perro de ortellano
que muriendo ladra en vano
por lo que no le aprovecha.
Este por no grandescellas
usa de maluada seta:
no osa como Torrellas,
pero mas mal dize dellas,
buelto con guerra secreta.

Oyd que linda inuencion,
cosa tan abominable
que puso por deffension
con su dañada intincion:
quermana a ermano no hable.
Aprouado por ystorias
si tal yerro hizo uno,
ved si son d'altas memorias
hablar daquestas victorias,
pues no las sabe ninguno.

Esta se refiere a la del confessor
y del pastor

Que si en los tiempos passados
Amon peco con Tamar,
no fueron los dos culpados,
quel uno amos pecados
le quedan c'a de pagar:
que Tamar si fue forçada
no fue por su voluntad;
puedese llamar robada,
mas no por cierto maluada
que consintio en la maldad.

Que no es de marauillar
quen dos mil millones d'ombres
dos o tres puedan errar
porque su culpa quedar
le haze tan feos nombres.
Mas aya desto vergüeña
este inventor de pecados
que nuevos males enseña
quentre tanto ençahareña,
que sus tiros ha errados.

Que ningun biuo no biue
quen este caso en que hablo
no se arriedre y no s'esquiue
por mucho mal que s'escriue,
saluo si fuere diablo.
Y daquesto creed vos,
si lo tal vieredes hazer,
que podra ser una o dos
y no mas, pues que ay Dios,
aunque no le ha menester.

Torna al frayle

Queste religioso santo
metido en vanos plazeres

es un lobo en pardo manto;
como entiende y sabe tanto
del tracto de las mugeres
tiene los ojos por suelo
con muy falsa ypocresia,
y con esto haze buelo,
que todo viene al señuelo
de su gentil fantasia.

Quel que haze buen seruicio
a Dios por alto misterio,
deue apartar el bollicio
y vsar de su officio
en su celda e monesterio,
que si parlan o cartean,
calle y deles buen espacio,
ca los que desto se arrean
es necessario que sean
frayles lindos de palacio.

Que lo que con rauia acusa
aquel çapato le mata,
no puede poner escusa,
quel que lo sabe lo usa
y el que lo quiere lo tracta.
Que no penseys por las ramas,
mas ante dentro en el bayle
vi de sus perversas ramas
en afeytes de las damas,
qual diablo puso al frayle.

Dize que deve hazer

Y pues toma el contrario
por officio glorioso,
tomelo con el salario,
sea el frayle boticario
y el que vende religioso,
que pues todauia ensiste
en malicias y s'entabla,

y pues anda el frayle triste
embuelto con *Vita Christi,*
vistase segun que habla.

Que como el encantador
haze quando entra en cerco
al comienço del rigor
llama Dios Nuestro Señor
y despues invoca al huerco,
assi el frayle que guerrea
començo en el bien eterno
y solto la tal ralea
por darnos buelto en oblea
enxeplo para el infierno.

Habla con las señora a quien va dirigida la obra

Y pues veys por espiriencia
esta obra donde tira,
vos la dama de excelencia
sabed hazer diferencia
de la verdad a mentira;
dexad sus coplas malignas,
n'os enlazen, n'os enfoguen,
y comed las que son dignas;
guardad vos de las espinas,
que a la buelta n'os ahoguen.

Desculpacion de las que hizo buenas

Aunque muchas coplas destas
van en daño de mi cejo,
sacando las mal propuestas
loo yo las otras puestas
a nuestra fe por espejo,
que la vida y nascimiento
de nuestro Dios que tracto,
en aquesto no consiento

que se me cuente en el cuento
daquesto que digo yo.

Y daquella sin manzilla
la Virgen nuestra Señora
mi culpa no'sta senzilla,
que por mi poco seruilla
mi alma contino llora;
aquesta santa donzella
pido con lloro perdon
y merced le pido a ella
que oya la mi querella
daquesta dicha razon.

Que si vos leer quereis
deuotas tienen dulçuras
daquestas, muy bien haris
que leays que vos hartis,
mas quecheys las mondaduras,
que las que fueren erradas,
si bien mirades en ello,
las veres tan señaladas
que del frayle estan selladas
todas de su falso sello.

Pues vos de bondad el toque,
de las honestas lo honesto,
de las hermosas el roque,
porque nadie osar nos toque
se haze y escriue esto,
por atajar los errores
deste frayle desembuelto
doliendo de mis dolores,
quel molino pescadores
ganan en el rio buelto.

Cabo

Y si mal de mi dixeren,
vos sed mi amparo y defe[n]sa,
y digan quanto quisieren:

los que desto se dolieren
tomen por suya la ofensa,
que si osa responder
la causa sobre que fundo,
es que quiero mas querer
por vos a cualquier muger
que al mejor frayle del mundo.

(*Cancionero General de Hernando del
Castillo*, ed. cit., fols. 168v-169v).

APÉNDICE V

*Coplas que fizo Romero a Fray Yñigo porque un dia le convido el
Abad de Vall[adare]s que comiese con el y no lo açebto porque estaba
en casa de doña Maria Manrique fablando con su hija doña Elvira*

Una ley que vos firmasteis,
señor Padre, que hecistes,
vos primero la quebrasteis
que primero la complistes,
si dexais por caridad,
ques de nuestra ley centella,
de comer con el Abad
por folgar con la doncella,
que m'acuerdo haber leido
una obra santa vuestra
do se muestra y amonesta
ser grand caso defendido
en este mundo mundano
dueña que debe guardarse
con el mas lexos que hermano,
ni con el nunca apartarse.
Pues que tal doctrina days
que tan santo fin concluye,
sois el doctor que culpais,
y con su culpa se concluye
que segund el vulgo alega
de lo tal pueden contar
lumbre que a si mesma ciega
por [do] los otros alumbran.

FIN

Mas si esta ley non prende
los de vuestra religion,
la respuesta se atiende
que declare esta razon,
que sera tan bien sabello,
pues sabida la tal ciencia,
mas frailes sabran por ello
que por cargo de conciencia.

Respuesta del dicho fray Iñigo

Porque os contaron los trastes
quando vos tañer quesistes,
allabarda vos tornastes
pues hablar no podistes,
y por cierto a la verdad,
aunque no detenga en ella
ni deudo con su bondad
condenan vuestra querella:
la razon que no s'adiestra
y mill veces ha rompido
el cabestro quien cabestra
con nudo ciego el sentido,
quien no le tiene en la mano
no debe comunicarse,
mas el llano por lo llano
no yerra por pasearse.
Todo esto que machacais
que de la razon se fuye,
he miedo que lo digais
porque el gozo vos destruye,
y que mucho vos desplega
no es de marauillar,
que la enuidia a de llegar
sin fuego, suele quemar.

FIN

Esta ley que nos defiende
la mala conuersacion,
por tal como vos s'entiende,
que sois de tal condicion
que por el menor cabello
prendera tal pestilencia;
pues a tal onbre, ni vello,
hablando con reverencia.

(Manuscrito 4114 de la B. N. de Madrid, fols. 427-429. En cuarto, con letra del siglo XVIII, copia, sin duda, de otro ejemplar más primitivo. Una nota final del copista dice: "Del Cancionero manuscrito de Pedro Guillén en la Librería de Cámara del Rey".)

APÉNDICE VI

Reproducimos en la lámina adjunta el único autógrafo conocido de fray Íñigo de Mendoza; cf. cap. I y apéndice VII.

APÉNDICE VII

Sentencia dictada por fray Martin de Boulier, vicario general de la Observancia de Sant Francisco, sobre las diferencias existentes entre las provincias franciscanas de Castilla y de Santoyo. Año 1502.

In Dei nomine. Amen. Sepan quantos este publico ynstrumento de sentencia vieren como en el Monesterio de Sant Francisco de Madrid de la Custodia de Toledo y provincia de Castilla. A siete dias del mes de otubre Año del nascimiento de nuestro Saluador Ihesu Christo de mill e quinientos e dos años. En presencia de mi el Notario y de los testigos de yuso escriptos. El Reuerendo Padre fray Marcial de Boulier vicario general de los frayres me

p(or) la q(ua)l dicha Se(n)a. Andada o Reo
mirada en la mana que dicha es. luego todas
las dichas p(ar)tes. q(u)e p(re)sentes estaua(n) dixero(n) q(ue)
la consintiria(n) e consintiero(n). y la ap(ro)varon. y loaua(n).
y estaua(n) p(re)stos. de la complir. Segu(n) que en ella
se contiene. E pidiero(n). a mi el escriu(an)o n(o)t(ari)o. q(ue) les dixe
ese dos instrumentos ambos de vn t(e)n(o)r p(ar)a q(ue)
cada p(ar)te llevase el suyo. testigos. q(ue) a ello fuero(n)
p(re)sentes. d.

[signatures and rubrics]

los venerables e d(is)cretos varones...

nores de obseruancia desta familia cismontana de consentimiento de las prouincias de Castilla e de Santoyo e por virtud de vn compromisso que ambas
las dichas partes ante mi el dicho notario ouieron fecho en la cibdat de
Granada, por el qual ouieron dexado en manos del dicho padre Reuerendo
vicario General las diferencias que estauan entre las dichas prouincias de Castilla e de Santoyo sobre la edificacion de la casa de la concebcion de nuestra
Señora de la villa de Aranda, que es de la dicha horden, para que el las
viese e determinase como quisiese y por bien touiese. Y por virtud otrosi de
otro compromisso que en presencia del dicho reuerendo padre vicario general
hizieron sobre el dicho negocio los reuerendos padres, conuienen a saber de
la prouincia de Castilla el vicario principal frei Juan de Tolosa, frei Diego de
Benalcarcel, Custodio de la Custodia de Burgos, frai Hernando de Molina,
Custodio de la Custodia de Murcia, frai Martin de Ascudia, Custodio de la
Custodia Domus Dei, frai Antonio de Marchena, guardian de Sant Francisco
de Murcia, frai Martin d'Escobosa, guardian de Sant Francisco de Soria, fray
Johan del Campo, guardian de Sant Francisco de Caçeres, frai Martin de Ver-
gara, guardian de Sant Francisco de Escalona y frei Cristobal de Burgos.
Y desta prouincia de Santoyo los reuerendos padres FRAY YÑIGO DE MENDO-
ÇA, COMISSARIO DEL REUERENDO PADRE FREI JUAN DE OLMEDO, VICARIO PROUIN-
CIAL DE LA PROUINCIA DE SANTOYO, frai Juan de Leonis, guardian de Sant
Francisco de Valladolid, frai Diego de Astudillo, guardian de Sant Francisco
de Seguouia, fray Diego de Najara, guardian de Sant Francisco de Auilla e
frai Francisco de Santoña, los quales como dicho es comprometieron en el
dicho padre reuerendo vicario general para que su reuerencia con consejo y
parescer de los reuerendos padres fray Francisco de Ledesma, vicario prouincial de la prouincia de Santiago, e frei Juan Bezerro, Custodio de la Custodia
de los Angeles, e fray Francisco de Madrid, guardian de Sant Francisco de
Benavente, e fray Juan de Argumanes, guardian de Sant Francisco de Cace-
res, que presentes estauan, los quales poniendo a Dios ante sus ojos dieron
e pronunciaron la sentencia del thenor siguiente:

Primeramente. Que la dicha casa de Aranda que asi nueuamente se començo a edificarse aya edificar en el lugar y sitio que la reina nuestra Señora
mandare. Y que desde agora para sienpre jamas sea de la Custodia de
Domus Dei.

Iten por quitar los inconuinientes y escandalos que podria aver concu-
rriendo alli los frayles de la casa y conuento de Santo Domingo de Silos de
la prouincia de Santoyo, la qual tiene derecho de demandar alli sus limosnas
y se podrian turbar, de que los seglares no rescibirian buen exemplo, que
desde agora asi mesmo para sienpre jamas el dicho conuento de Santo Domingo sea incorporado en la custodia de Domus Dei y sea de su obediencia
con los libros, sacristia e todas las otras cosas muebles que tienen en comun.
Las quales el dicho padre prouincial de Santoyo y guardian del dicho conuento
de Santo Domingo sean obligados sin arte ni engaño de las hazer dar al padre
custodio de la Custodia de Domus Dei o al que halli enbiare por guardian, e
si algunas ouieren lleuado desde el dia de la data desta sentencia fielmente
se las hagan tornar.

Iten para en recompensacion desta dicha casa y conuento de Santo Domingo y de la casa de Aranda mandaron y pronunciaron que desde agora
para sienpre jamas el conuento de Sant Francisco de Carrion quede encor-
porado en la provincia de Santoyo y sea de su obediencia con los libros e
sacristia y todas las otras cosas muebles que tienen en comun, las quales el
custodio de la Custodia de Domus Dei sea obligado sin arte ni engaño de
las hazer dar al padre vicario prouincial de la prouincia de Santoyo o a quien
su poder ouiere. E si algunas ouieren lleuado desdel dia desta sentencia fielmente se las hagan tornar.

Iten mandaron los dichos reuerendos padres que si los dichos conventos
tienen fechas algunas debdas, que cada vna destas partes sea obligada a pagar las que ouiere fecho. Otrosi mandaron que porque los conuentos de He-
rrera y Corpus Christi quedan juntos al conuento de Carrion que los frayres
destos dichos conuentos puedan demandar y demanden sus limosnas en los
lugares y terminos que fasta aqui las demandarian.

Iten por que no quede materia alguna de escandalo entre las dichas prouincias y frayres dellas mandaron y pronunciaron que los frayres del conuento del Abroxo que de aqui adelante no hagan questas ni demandas en la
villa de Valladolid publicas ni priuadas, pecunias, ni de pan, ni de vino, ni
de carne, pero que puedan demandar para los enfermos que en la casa ouiere
todo lo que ouieren menester, asymesmo para azeyte y otras pequeñas nece-
ssidades. Con los frayres de la casa del Abrojo y los otros frayres destas

otras casas desta dicha custodia de Domus Dei y prouincia de Castilla como
se acostumbra en la orden no vayan a posar en los monesterios de Sant Pablo
e Sant Benito e Santa Clara ni a otra casa particular ni parte alguna si alli
ouieren de estar de noche e pernotar, saluo que se vayan al dicho monesterio de Sant Francisco y sin licencia del guardian del dicho conuento no fagan
otra cosa. Y si el dicho guardian touiere alguna sospecha de los frayres del
Abrojo, que les puede dar vn compañero al vno dellos con quien vaya a
negoçiar las cosas que ouieren menester. Y eso se entienda so que el guardian
de Valladolid los trate a los frayres del Abrojo y destas otras casas destas
dicha Custodia y prouincia benigna e caritatiuamente, y no los impida salir
fuera a la villa quando les sera necessario.

Otrosi mandaron que la casa que los frayres del Abrojo y de Aguilera
han tenido fasta aqui en la villa de Valladolid se dexe y no usen de ella ni
vayan a posar en ella para siempre jamas.

Otrosi mandaron que las partes de la vna prouincia y la otra renuncien
como de hecho renunciaron desde agora a qualquier derecho que ayan tenido
y tengan o esperan tener los vnos contra los otros e los otros contra los otros
asi desta sentencia apostólica como de otra cualquiera parte que se pueda
aprouechar.

Otrosi ordenaron y mandaron que el reuerendo padre vicario prouincial de
Castilla, fray Juan de Tolosa, y fray Diego de Najara, guardian de Avilla,
por la parte de Santoyo lemiten los terminos en que han de mandar los de
Aranda.

Y por esta su sentencia e capitulos en ella contenidos ansy lo pronunciaron
e mandaron en estos escriptos y por ellos y el del reuerendo padre vicario
general mando en virtud de santa obediencia a cada vna de las dichas partes
que asi lo tengan guarden y cumplan agora e para siempre jamas y no vayan
ni vengan contra ello ni protesten dello agora ni en ningun tiempo ni por
alguna manera, e para mayor firmeza firmaron aqui sus nombres...

Por la cual dicha sentencia dada e pronunciada en la manera que dicha
es luego todas las dichas partes que presentes estaban dixeron que la con-
sentian e consintieron y la aprobaban y loauan y estauan prestos de la cumplir segun que en ella se contiene, e pidian a mi el dicho notario que hizie-

se dos instrumentos ambos de un tenor para que cada parte llevase el suyo. Testigos que a ello fueron presentes: F. M. Boulier, Vicarius Generalis, Fr. Iohan de Tolosa, fray ENECUS DE MENDOÇA, fr. Hernando de Molina...

(Documento conservado en la Biblioteca del convento de San Francisco de Valladolid, cajón 2, legajo 3, número 81.)

APÉNDICE VIII

Papeles relativos a las riñas y disputas que hubieron en Valladolid los frailes franciscos con los dominicos acerca de la Inmaculada Concepcion y en especial el guardian de San Francisco, fray Martin de Alva, con el prior de San Pablo a principios del siglo XVI

Lo que esta legitimamente probado de lo que ha pasado entre los fraires de San Francisco e de Santo Domingo en Valladolid cerca de la materia de la Concepcion de Nuestra Señora segun parece por una pesquisa que el reverendisimo señor Arzobispo de Toledo mando fazer al provincial de la provincia de Santoyo e a Fray Juan de Enpudia, predicador de San Francisco de Valladolid, es lo siguiente: primeramente que el guardian de San Francisco de Valladolid, Fray Martin de Alva, es buen predicador e non escandaloso, mas de mucha e santa doctrina e buen christiano e mui acepto a todos en vida e fama e doctrina, e en tal posesion esta en toda su provincia e ante los seglares por ventidos testigos. Ytem que el sermon que el dicho guardian predico el dia de la Concepcion de Nuestra Señora del año pasado de quinientos e dos en la yglesia mayor de Valladolid fue mui grato al pueblo todo e del non ovo escandalo nin alteracion, mas el escandalo que ovo en Valladolid fue de unos sermones que despues fizieron los dominicos e demas questiones que pusieron, e que todo el pueblo quedaba loando a Dios de aquel sermon de la concepcion e muy contento, e esto por quince testigos. Ytem lo que predico en el dicho sermon de la concepcion el dicho guardian de sobre lo qual los dominicos pudieron tratar o sentir fue esto: que en esta materia hay dos opiniones de doctores; unos dicen nuestra Señora ser concebida en pecado original; otros dicen que no, lo qual dicho guardian queria en esta cabsa ser abogado de nuestra Señora e llegarse a los doctores que la defienden porque ella fuese su abogado. Ytem que injuria seria a Nuestra Señora decir que fue concebida en pecado original como si una muger loasedes mucho y luego dijesedes en algund tiempo fizo sus mañas; ansi por semejable decir que Nuestra Señora es madre de Dios, Reina de los angeles e a mas en algund tiempo fue pecadora, y asi disminuyen sus loores. Ytem que qualquiera que dixere Nuestra Señora ser concebida en pecado original es obligado a decir so pena de heregia que fue en aquel tiempo subjeta al diablo enemigo de Dios, obligada a ir al infierno. Ytem que tener esta opinion contra Nuestra Señora era heregia... Ytem... en todo el sermon nunca fizo mencion de los dominicos, e todo esto por mas de diez o doce testigos. Ytem el dicho guardian en el sobredicho sermon dixo como la opinion contraria de la concepcion de Nuestra Señora de (*sic*) podia bien tener sin pecado e que dos opiniones contrarias se podian bien sustentar sin quebrarse la caridad, e traxo para probarlo muchas cosas, por esto que no se debian maravillar por la contrariedad de esta materia. Ytem fizo una protestacion que todo lo que predicase en aquel sermon entendiesen ser predicado sin injuria de ninguno, salvo por declarar la materia, porque la solepnidad lo requeria, y esto por diez o doce testigos. Ytem como el prior de San Pablo en la iglesia mayor e un fraie de Santo Domingo en el pulpito de Sant Pablo se desonestaron mucho contra el dicho guardian por palabras de muchas e graves injurias llamandole majadero porro, badaxo e discipulo del Ante Christo e necio que mentia. E esto, como pusieron los dominicos unas questiones en molde publicamente en muchos lugares de la villa de lo qual ovo mui grand escandalo e alboroto en la villa... Ytem los dominicos dijeron en Valladolid como los fraires de Sant Francisco predicaban la ley de Mahoma, por dos testigos. Ytem como de estas conclusiones de los dominicos en tradicion en la materia de la concepcion han sentido los fieles mucho daño en sus conciencias e aun los moros diciendo que como se volveria a nuestra fe, por dos o tres testigos. Ytem que como los dominicos cometieron muchas injurias por palabra e por obra contra los alcaldes de sus altezas llamandolos judios, herejes, e a[n] tomado recio de la vara a un alcalde para se la quebrar, e de lo qual ovo mucho escandalo e algunos dixeron al alcalde si queria que tapiasen a los dichos fraires de Sant Pablo...

(Archivo Histórico Nacional, Universidades y Colegios, Libro 1196. Epígrafe general: *Papeles relativos a la Purísima Concepción.*)

APÉNDICE IX

Sentencia de la Cancilleria de Valladolid sobre la disputa anterior (cf. apéndice VIII)

Esto es lo que don Juan de Medina, Obispo de Cartajena, presidente de la Audiencia e Chancilleria de sus Altezas, que resido en esta villa de Valladolid, e del su consejo, paresce que debemos ordenar por bien de paz entre los venerables padres e devotos prior e convento del monasterio de Sant Pablo de la dicha villa de la una parte e el vicario provincial e convento del monasterio de Sant Francisco de la otra sobre las diferencias pasadas entre ellos a causa de las proposiciones e conclusiones publicadas e predicadas por Fray Martin de Alva, religioso del dicho monasterio de Sant Francisco e por algunos otros predicadores del dicho monasterio de San Pablo.

Primeramente rogamos e encargamos a los dichos padres... que vivan e esten en paz y sosiego segund pertenesce a varones de tanta religion, e que los unos ni los otros... murmuren de las cosas pasadas e proposiciones publicadas hasta tanto que el reverendisimo señor Arzobispo de Toledo y el reverendo Padre Vicario de la Orden de Santo Domingo... ayan determinado e sentenciado en ellas... Otrosi que por evitar toda materia de escandalo el padre fray Martin de Alva en este medio tiempo no aya de predicar ni predique en la dicha villa de Valladolid ni en su comarca y que el dicho su provincial le mande que asi lo cumpla so pena de obediencia e descomunion.

Ytem que estando en esta Villa de Valladolid el dicho fray Martin de Alva en el dicho medio tiempo hasta que los dichos señores ayan determinado e sentenciado no salga ni pueda salir del dicho monasterio de San Francisco e de su ambito salvo en compañia de fray Juan de Olmedo, provincial, o del guardian del monasterio o del PADRE FRAY IÑIGO DE MENDOZA o de fray Juan de Enpudia o de fray Francisco Tenorio, delante de los cuales ni aparte dellos no hable ni platique sobre las cosas pasadas. Ytem que los dichos venerables padres vicario provincial de San Francisco e prior de San Pablo manden ansi a los religiosos que de presente moran en los dichos sus monasterios como a los que de nuevo vinieren como huespedes o en otra manera que tengan silencio en las dichas diferencias e mantengan la dicha paz tratandose bien los unos a los otros e los otros a los otros porque desto Nuestro Señor primeramente e despues sus Altezas seran mucho servidos e los fieles cristianos bien edificados. Firmaron este contrato los siguientes:

> Joannis, episcopus cartaginensis.
> Fray Johan de Olmedo, provincial.
> Fray Pedro de Mendoza, prior.
> Fray Antonio de la Peña, vicario general de la Vida Reglar e observancia de la orden de los predicadores en Castilla.

> (Archivo Histórico Nacional, Universidades y Colegios, Libro 1196. Epígrafe general: *Papeles relativos a la Purísima Concepción.*)

APÉNDICE X

Tabla de concordancias entre los manuscritos de la *Vita Christi* a1, a2, b1, *y edición* A. Las comillas indican redacción casi distinta; paréntesis, redacción absolutamente diferente, con relación a A.

Secuencia de coplas en a1:

1-16, 18, 17, 19-22, 24-31, 33, 32, (37), 38-40, 45-51, 55-56, (57), 58, 41, 42, 44, 43, 59-63, 64, 67, 68, 65, 66, 77-99, (100), 102-105, 106, (107-109), 110-115, (115A-115v), (116-119), (119A), 120-123, 125-126, (131), 132, (133), 134, (135), 136, (137), 138-142, "143-144", "146", (148), 150, "151-152", 153-155, 158, (159), 160, (161-162), (162A-162E), 163, "164", 168, (169), 170, (171), 172, (173), 283-289, (176), 177-178, (178A), (179A), 180-181, (181A-181E), (182-186), 188, 187, 189, 190-201, 208-209, 211-213, (213A-213B), "214", 215, 218, 226, (228), 229-232, (233-234), 235-245, (245A), 246-263, (263A-263B), 360-361, (362), (263C), (264), (265A-265B), 275, 266-267, (268), 269-270, "272", 273, (274), "278-279", (280), (280A-280B), "387", (280C-280D), 393-394, 379, 378, (365A), (366), (366A), "373", (376).

Secuencia de coplas en a2:

1-16, 18, 17, 19-22, 24-31, 33, 32, (37), 38-40, 45-51, 55-56, (57), 58, 41-42, 44, 43, 59-62, 64, 67, 63, 65-66, 106, 110-112, 114-115, (116-119), (119A), 120-123, 125-127, (131), 132, (133), 134, (135), 136, (137), 138-142, "143-144", "146", (148), 150, "152", "151", 153-155, 158, (159), 160, (161-162), (162A-162E), (163-164), 168, (169), 170, (171), 172, (173), 283-289, (176), 177-178, (178A), 179,

180-181, (181A-181E), 182-186, 188, 187, 189, 190-195, 198, 197, 199-201, 208-209, 211-213, (213A-213B), "214", 215, 218-226, (228), 229-232, (233-234), 235-245, (245A), 246-263, (263A-263B), 360-361, (362), (263C), (264), (265A-265B), 275, 266-267, (268), 269-270, "272", 273, (274), "278-279", (280), (280A-280B), "387", (280C-280D), 393, 394, 379, 378, (365A), (366), (366A), "373", (376).

Secuencia de coplas en b₁:

"1", 2-3, (4-8), 9-10, "11", 12-124, 127, 131-141, 143-217, 225-268, 270-275, 280-365, 370-373, 366-369, 378-381, 374-377, 382-394.

Secuencia de coplas en A:

1-371, 384-394. Faltan las coplas 372-383 en el ejemplar conservado en la Biblioteca Nacional, suplidas por las equivalentes de C. Cf. cap. III, págs. 93-94.

APÉNDICE XI

Alonso de Fuentes, *Miscelánea de anécdotas y curiosos casos,* manuscrito de 1540-1570. Anécdotas relativas a Fray Íñigo de Mendoza.
Debo el conocimiento de estos textos a la amabilidad de don Antonio Rodríguez-Moñino, poseedor del códice de Fuentes.

1 (núm. 26). "Fray Iñigo de Mendoza tenia vna dama en su
cama y otra dueña vino muy de mañana a visitarle y a comunicar
cierto negocio. El, assi de sobresalto, hizo que se escondiesse su dama
cubierta con la ropa, y entrando la otra, dexose oluidada la dama la
vasquiña a la entrada de la cama, y viendola, dixo: 'Padre, ¿y cuya
es esta almatica?'. El, no pudiendo encubrirla, descubrio toda la cama
y dixo: 'Señora, de este subdiacono'."

2 (núm. 27). "Mandauale la Reyna que passase adelante yendo
camjno, diziendo que le ofenderia el poluo. Respondio el: 'El poluo
de la oueja, alcohol es para el lobo'."

3 (núm. 28). "Estaua vna dama pegando vnos botones a vn jubon y entro el mismo Fray Iñigo y pregunto que que hazia alli. Dixo
ella: 'Aquj estoy, que de diez puntadas no acabo de poner este
boton'. Dixo el: 'Pues, ¿que me dareis y mostraros e a poner dos de
vna puntada?'."

4 (núm. 113). "Dixo vna bez Fray Yñigo: 'no es harta desuen-
tura la que tenemos los frayles, que vemos nuestros hijos en los braços de vuestras mugeres y no les osamos hablar'."

5 (núm. 114). "Diziendo vn cauallero a vna dama en vna estaçion que le dixesse vn auemaria, dixo fray Yñigo: 'A la mi fe, hija, no lo as sino por el *frutus bentris tuj*'."

6 (núm. 115). "Diziendo mal de vn portero del rey, fray Yñigo dixo: 'Si alli estuuiera por portero Mansilla, hasta agora el verbo diuino no uujera encarnado'."

7 (núm. 118). "Dixo Fray Iñigo: 'Si en mucho es de estimar Santa Elena porque hallo la cruz, en mucho la Reyna Nuestra Señora, que hallo tres: Alcantara, Santiago y Calatraua'."

8 (núm. 119). "Predicando vn sermon de la Magdalena, dixo el mismo la Magdalena era la marquesa de Moya."

9 (núm. 120). "Estando predicando, dixo a vn mancebo de mal gesto: 'Vete de ay, que mejor estuvieras a los pies de San Bartolome, que no ay haziendo ruydo'."

SEGUNDA PARTE

TEXTO DE LA *VITA CHRISTI*

*1

Inuocacion del actor

Inuocacion d'l auctor

1 Aclara, sol diuinal,
   la çerrada niebla obscura
   que en el linaje humanal,
   por la culpa paternal,
5 desdel comienço nos dura;
   despierta la voluntad,
   endereça la memoria,
   porque syn contrariedad
   a tu alta magestad
10 se cante diuina gloria.

Aclara...
la...
quen...
por...
desdel...
enciende la voluntad,
repara nuestra memoria,
porque con mas libertad
a tu alta magestad
cantemos deuida gloria.

(b1)

*2

1 Aquella grand conpasyon,
   aquel amor entrañal
   que por nuestra saluaçion
   hizo sofrir tal passion
5 a tu fijo natural;
   aquella bondad diuina
   que le forço a ser ombre

Copla 1. — Verso 2, escura (b1, F2) / V. 3, quen (a1); linage (a1) /
V. 5, tura (b1) / V. 7, enderesçe (a2), Y endreça (a1) / V. 8, sin (a1); con-
trarietad (a1) / V. 10, deuida (a1, a2).

Copla 2. — Hay título en a1: *Prosigue* / V. 1, compaçion (a1), gran con-
pasion (b1) / V. 4, fizo (a1); sufrir (a1, b1); paçion (a1), pasion (b1) / V. 7,

enmiende lo que se inclina
en esta carne mesquina
10   a offender el tu nombre.

*3

Prosigue

1   Los altos mereçimientos
de aquella virgen y madre,
y los asperos tormentos
que sufren por ti contentos
5   los que te tienen por padre,
y la vitoria famosa
de tus martires pasados,
me alcançen que la prosa
de tu vida gloriosa
10   escriua en metros rimados.

*4

Despide las Musas poeticas	*Despide las fisiones poeticas por*
e inuoca las christianas	*el conoscimiento de la verdad*
	cristiana

1 Dexemos las poesias	Dexemos las niñerias
y sus musas inuocadas,	de las musas inuocadas
por que tales niñirias	⅂ las otras fantasias
por humanas fantasias	quen las huecas poesias
5 son çierto temorizadas,	suelen ser chimirizadas,
y veniendo a la verdad	y biniendo a la berdad

---

hombre (a1) / V. 8, ymiende (a1); sinclina (a1); refrene lo que se inclina
(b1) / V. 10, a ofensar al tu nombre (a1); en ofensa de tu nombre (b1); ofensar a2).

   Copla 3. — Título: *Inuocaçion del attor* (a2); falta en a1 / V. 1, mereçimientos (a1), merecimientos (b1) / V. 2, daquella (a1) / V. 3, "hi los asperos
turmientos" (a1); "y los muy fieros tormentos" (b1) / V. 6, victoria (a1, a2)
/ V. 7, "de tus martirios passados" (a1) / V. 8, alcance (b1) / V. 10, scriua
(a1); "diga por..." (b1).

   Copla 4. — Título: *Despide las musas e inuoca las crestianas* (a1) / V. 1,
poezias (a1) / V. 2, Y sos (a1); de sus (a2) / V. 3, ninyerias (a1) / V. 4,
umanas (a1) / V. 5, chimerizadas (a1); chemerizadas (a2) / V. 6, vieniendo

de quien puede dar ayuda,   de...
a la sola Trinidad   a...
que mana siempre bondad   que...
10 gela pidamos sin duda.   la supliquemos sin duda.

(b1)

*5

Prosigue   *Da la razon de despedirlas*

1 Non digo que los poetas,   No digo que los poetas,
los presentes y pasados,   los dagora y los pasados,
non fagan obras perfectas,   non agan obras muj netas,
graciosas y bien discretas   graçiosas, dulces, discretas,
5 en sus renglones trobados;   en sus renglones trobados;
mas afirmo ser herror,   mas destas sciencias seglares,
perdonen si bien non fablo,   al fin de los entendimientos
en su obra el trobador   quedan como paladares
inuocar al dios de amor   que sueñan dulçes manjares
10 para seruicio del diablo.   y al fin despiertan ambrientos.

(b1)

*6

Prosigue y prueua con Sant   *Prueualo por enxemplo*
Iheronimo

1 Sant Iheronimo acusado   Por auer mucho seguido
porque en Çiçeron leya   al poetico dulçor,
en spiritu arrebatado,   fue de Dios reprehendido,
fue duramente açotado   açotado y desmentido
5 presente Dios, quel dezia: Sant Jeronimo Doctor,
"sy piensas que eres christiano   asta que de sus entrañas

(a1); verdat (A) / V. 7, a quien (a1) / V. 8, eternidad (a1); Trinidat (A)
/ V. 9, bondat (A) / V. 10, pidamus (a1).

Copla 5. — Falta el título en a2 / V. 1, "hon" por "non" (a1) / V. 2,
passados (a1) / V. 3, no fagan (a1); no agan (F2); "discretas" por "perfectas" (a1) / V. 4, "perfectas" por "discretas" (a1) / V. 6, error (a1) / V. 7,
no (a1) / V. 9, el dios d'amor (a1) / V. 10, pora servir el diablo (a1); para
servir al diablo (F1).

Copla 6. — Título: "San Jeronimo" (a2); *Prosigue probando con Sant Geronimo* (a1) / V. 1, Geronimo (a1) / V. 2, porquen (a1) / V. 3, arrabatado
(a1); en b1 "reprendido", lo que hace un verso de 7 sílabas; he corregido la
lectura / V. 4, acosado (a1) / V. 5, "delante Dios, quel dezia" (a1); delante

segund la forma deuida,
es vn pensamiento vano,
que eres çiçeroniano,
10 pues es Çiçeron tu vida".

despidio la tal porfia,
guardando baras estrañas
para los juegos de cañas
de la sacra theologia.

(b1)

*7

Limita lo sobredicho

*Limita el despedimiento de las
poesias*

1   Con todo no rehuyamos
    lo que la razon ordena,
    mas tal templança tengamos
    que la carrera siguamos
5   que nos mostro Juan de Me-
    alimpiandola por via, [na,
    quitada fuera la ystoria
    de la dulçe pohesia,
    tomemos lo que nos guia
10 para llegar a la gloria.

Con...
lo...
mas tal tenpraança tengamos
que guardemos, que sigamos
la regla de Juan de Mena,
alimpiandola...
quitada fuera el escoria
de la dulce poesia,
tomemos...
para sobir a la gloria.

(b1)

*8

Concluye la inuocaçion

Concluye e inuoca

1   Asy que la inuocacion
    al solo eterno se faga,
    que espira en el coraçon
    y el da la discreçion
5   cada y quando que se paga.
    Pues do comienço a la obra
    en nombre de aqueste solo

Asi que la jnuocaçion
al Dios de todos se faga,
pues jnspira al coraçon
y le da la discreçion
quanta y quando que se paga.
Pues començemos la obra
en nonbre deste Dios solo

(a2) / V. 6, si (a1); queres (a1) / V. 8, "o que" por "es vn" (a1), que no
hace sentido / V. 9, falta "que" (a1, a2).

Copla 7. — Título: falta en a1 / V. 1, refuyamos (a1) / V. 3, temprança (a1) / V. 5, Johan (a1) / V. 6, "allinpiando la porfia" (a1) / V. 7, la istoria (a1); el historia (a2) / V. 8, poezia (a1); poesia (C, F1).

Copla 8. — V. 1, Ansi (a1) / V. 3, inspira al (a1) / V. 4, y le da (a1) /
V. 5, "quanta e quando que se paga" (a1) / V. 7, aquesto (a1) / V. 9, sot-

de quien todo bien se cobra, de...
dexada toda çoçobra dexando toda çoçobra
10 de Venus, Mares y Apolo. de...

             (b1)

*9

*Pone la causa e effecto de la
passion del Señor*

1 Por la culpa cometida
del que quiso offenderte,
¡O bondad tan sin medida!,
tu diste muerte a tu vida
por darnos vida sin muerte:
5 ¡O iustiçiera piedad!,
¡O piadosa iustiçia!,
fartaste la Trinidad,
saluaste la Humanidad,
10 sobraste nuestra maliçia.

*10

*Confiesa el actor la diuinidad
e humanidad del Señor*

1 Eternalmente engendrado,
temporalmente nasçido,
eternalmente hordenado
para ser nuestro enbiado;
5 temporalmente venido,
eternal gouernador
de las cosas tenporales,

---

sobra (a1) / V. 10, "Maris" (A, B, C; "Mares" es el uso habitual en la época); Apollo (a1).
 Copla 9. — Título: "...*y efecto de la paçion del senyor*" (a1) / V. 1, acometida (a1) / V. 2, por el que (a1, b1); quizo (a1) / V. 6, piadad (A, B, C); corrijo el descuido. / V. 8, fartaste (a1); hartaste (F1); placaste (b1) / V. 9, vmanidad (a1) / V. 10, "uenciste" por "sobraste" (b1).
 Copla 10. — Título: falta en b1; senyor (a1); "...*de nuestro Redentor*" (a2); humanidat (A) / V. 2, naçido (a1) / V. 3, ordenado (a1, a2, b2, C) / V. 4, "pora sernos..." (a1); "para sernos..." (b1) / V. 9, immortal (a1, a2)· senyor (a1).

por saluar al peccador
vestiste, inmortal Señor,
10   la carne de los mortales.

*11

Reprehende de ingrata a la
humanidad nuestra

1   ¡O çiega natura humana,
quan nada son tus seruicios,
ca segund siempre te mana
de la bondat soberana
5   la fuente de beneficios,
ca te crio de no nada
doctada de fermosura,
y mas, despues de criada
por remediar tu errada
10   se vestio la carne tuya!

*12

1   En la virgen sin manzilla,
syn ayuntamiento alguno,
¡O graçiosa a marauilla!,
¿que lengua podra dezilla
5   nin de mill cuentos el vno?
Forçado de caridad
encarno el fijo de Dios;

Copla 11. — Título: *Reprende de ingratitud* (a1); *Exclamaçion contra nues-*
tra ingratitud (b1) / V. 1, ciegua (a1) / V. 2, "baxos" por "nada" (a1, a2)
/ V. 3, "ca segunt que siempre..." (a1, a2); "para segund que te mana"
(b1) / V. 4, "desta" por "de la" (a1, a2, b1); bondad (a2, b1); sobirana (a1)
/ V. 7, "a la sacra ymagen suya" (b1); dotada (a1) / V. 8, falta "y" (a2) /
V. 9, "por reparar tu errada" (a1); "por reparo de tu errada" (a2) / V. 10,
"se te fizo creatura" (a1; a2 —criatura—). Hay mala rima en los versos 7 y
10: "fermosura" / "tuya" en todos los textos impresos, es decir, en la tercera versión. Corregida en a1 y a2 (la primera versión): "fermosura" / "creatura" o "criatura", y en b1 (segunda versión), "suya" / "tuya".

Copla 12. — Hay título en a2: *Continua la ystoria* / V. 1, mançilla (a2)
/ V. 3, falta "a" (a1, a2, b1); gracios (a2) / V. 5, "ni de mil cuento el
vno" (a1) / V. 6, charidad (a2) / V. 7, "al" por "el" (a2) / V. 8, quand (a2)

¡O quan nueua nouedad,
parir con uirginidad
10 y conçebir sin ser dos!

*13

*Loa a Nuestra Señora en co-
mienço de la ystoria*

1 De nuestra noche candela,
de nuestras cuytas abrigo,
de nuestra virtud escuela,
de nuestras graçias espuela,
5 freno de nuestro enemigo,
muerte de nuestra tristeza,
vida de nuestros plazeres,
arca de nuestra riqueza,
fuerça de nuestra flaqueza,
10 corona de las mugeres.

*14

*Comiença la ystoria de la In-
carnaçion*

1 De los culpados perdon,
guarda de los perdonados,
de los tristes compassion,
julepe de perfeçion,
5 triaca de los peccados,
nuestra torre de omenaje,
claro sol de nuestro dia,
a ti el alto mensaje
fve traydo por el paje
10 que te dixo *Ave Maria.*

Copla 13. — Título: falta en a1; *Loa a Nuestra Señora en comienço de
la hystoria y pone el modo de la Encarnacion* (a2) / V. 3, squela (a1) / V. 4,
spuela (a1) / V. 8, arqua (a1) / V. 10, mujeres (a1).

Copla 14. — Título: falta en a1: *Continua los loores* (a2) / V. 2, "gia"
por "guarda" (a1); "las" por "los" (b1) / V. 3, compaçion (a1) / V. 4, "ju-
llepe de perfeccion" (a1) / V. 5, triaqua (a1); culpados / peccados (b1) /
V. 6, domenage (a1, b1) / V. 9, page (a1).

*15

1 Con cuya sancta vision   Con...
    se altero toda tu cara,   se...
    porque forma de varon   porque...
    dentro de tu abitaçion   jamas en tu abitacion
5 nunca ver se acostumbrara;   de mirar se acostumbrara.
    ¡O cosa muy de notar,   ¡O paso quan de notar,
    do claro se nos enseña   do tal dotrina se enseña
    que en todo tiempo y lugar que...
    deue la virgen estar   deue...
10 sospechosa y çahareña!   sospechosa...

                                  (—a1, a2)

*16

Amonesta las donzellas a en- Amonesta...
çerramiento a proposito de
esquiuidad y alteracion de
Nuestra Señora

1 Por la gigante maldad   Por temor de la maldad
    del viçio que aqui non nom- del...
    en tan flaca humanidad [bro, en...
    syenpre la virginidad   syenpre...
5 este la barba en el onbro,   este...
    y la que quiere guardarse   ca las que quieren guardarse
    de enturbiar su claro nombre de ensuziar tan linpio nombre,
    asy cure de ençerrarse   asi deuen encerrarse
    que tenga cierto espantarse que puedan marauillarse
10 cada vez que viere onbre.   quando vieren algun onbre.

                                    (—a1, a2)

Copla 15. — V. 1, vizion (a1) / V. 2, saltero (a1, b1) / V. 6, passo (a1) / V. 7, ensenya (a1) / V. 8, falta "en" (a1) / V. 9, star (a1).

  Copla 16. — Título: falta en a1 / V. 1, "Con temor de la maldad" (a1) / V. 2, "no" por "non" (b1); "del vicio qua qua no nombro" (a1) / V. 3, flaqua (a1) / V. 4, siempre (a1) / V. 7, suziar (a1); limpio (a1) / V. 8, ansi deuen (a1); asi cure (b1) / V. 10, bieren (a1).

*17

Conparaçion

1 La liebre por no encobarse
   a vezes pierde la vida;
   la virgen por demostrarse,
   auemos visto tornarse
5 de virgen en corrompida;
   por salir de la barrera
   muchos mueren nesçiamente;
   la virgen mucho plaçera
   es impossible que fuera
10 no quiebrel asa o la fruente.

*18

1 La estopa no esta segura
   en burlas con los tizones;
   la virginidad no tura
   en la muger que procura
5 pendencias con los varones:
   huylla, que no esperalla;
   tal guerra de mi consejo,
   do valen menos syn falla
   los arneses de Missalla
10 que las armas del conejo.

Copla 17. — Falta en a1 y b1; *Prosigue* (a2) / V. 1, non coruarse (a1); encoruarse (F1) / V. 4, hauemos (a1) / V. 6, sallir (a1) / V. 7, neciamente (b1, B, C) / V. 8, plazera (b1) / V. 10, l'asa (a1); ansa (b1); frente (a2).— *Copla invertida con respecto a la siguiente en a1 y a2. Cf. cap. III, página 107, y apéndice X.

Copla 18. — V. 1, "La stopa no sta segura" (a1) / V. 2, "en fablas" por "en burlas" (a1, a2) / V. 3, "nunca" por "no" (a2; verso, así, imperfecto); dura (a1) / V. 4, mujer (a1) / V. 5, "las fablas con los varones" (a1); "la fabla con los onmbres" (a2; verso, así, imperfecto); barones (b1) / V. 6, "fuyr" por "huylla" (a1); speralla (a1) / V. 7, conseio (a1) / V. 9, Mysalla (a1); Misalla (b1) / V. 10, coneio (a1).—*Copla invertida con respecto a la anterior. Cf. copla 16.

*19

Esfuerça su amonestaçion con
exemplos

1 Ca Dina sy no saliera
   a mirar y ser mirada,
   ni de ser virgen perdiera
   ni menos por ella fuera
5 tanta sangre derramada;
   Bersabe sy se lauara
   do no la viera Dauid,
   ni el con ella peccara
   ni sv marido matara
10 con infiel mano en la lid.

*20

1 De la hermosa Thamar,
   su hermana de Absalon,
   leemos por se apartar
   a solo dar de yantar
5 al doliente hermano Amon
   ser del dicho Amon forçada
   y con grand auiltamiento
   luego en punto desechada,
   causa de la cual errada
10 fue su neçio apartamiento.

Copla 19. — Título: *Exemplifica en Dina y en Bersabé* (a1); *Enxempl*
e Dina, fija de Jacob, e Bersabe, muger de Urias (a2); *Prueua su amonesta*
cion con exemplos (b1) / V. 1, Si (a1); salliera (a1); "Que Digna si no sa
lliera" (b1) / V. 2, "a esser de gente mirada" (a1); "de ser de gente mirada"
(a1) / V. 5, desramada (a1) / V. 6, leuara (a1); "huera" por "lauara" (b1
/ V. 8, ell (a1); "ni ella con ella peccara" (a2) / V. 9, ni a su (a2) / V. 10
"con mano agena en la lid" (a1, a2, F1).
Copla 20. — V. 1, fermosa (a1, b1); Atamar (a1) / V. 2, "su erman
d'Absalon" (a1) / V. 3, sapartar (b1) / V. 4, "solo dar de yantar" (a1)
V. 5, "a otro su" por "al doliente" (a1, a2) / V. 8, "prestamente desechada
(a1); "presto" por "en punto" (a2) / V. 9, qual (a1); herrada (b1).

*21

Descubre un engaño castellano

1 Vn muy donoso partido
   han tomado todas ya,
   de traer por apellido,
   y las mas dellas fingido,
5 "primo aca, primo aculla":
   pves si debdo tan çercano
   a Thamar hizo burlarse,
   es vn consejo muy sano
   con el mas lexos que hermano
10 ni aun con el nunca apartarse.

*22

Prosigue

1 Que en achaque de nuestra ama,
   segund es nuestra Castilla,
   la muy parentera dama
   en la cama o en la fama
5 siempre resçibe manzilla,
   ca o çiega o pierde el tiento
   hasta dar consigo en menguas
   o resçibe detrimento
   en la fama o casamiento
10 con lo que dizen las lenguas.

Copla 21. — Título: Falta en a1 y a2 / V. 1, "Es vn graçioso partido" (a1 —gracioso—, a2) / V. 2, "el que trayen todas ya" (a1); "el qual siguen todas ya" (a2) / V. 3, "en tener por apellido" (a1); traer (b1) / V. 4, fingindo (A) / V. 5, "Primero aca..." (b1, v. imperfecto); aqua (a1) / V. 6, deudo atan (a1) / V. 7, Tamar (a1, b1); fizo (a1) / V. 8, "sera consejo muy sano" (a1) / V. 9, quermano (a1) / V. 10, "ni con ell nunqua apartarse" (a1, a2, b1; "el", "nunca", en a2, y b1).

Copla 22. — Título: falta en a1, a2, b1 / V. 1, "Qven achaque de nuestrama" (a1); nuestrama (b1); falta "que" (a2) / V. 2, segun (a1, b1) / V. 3, "la mucho placera dama" (a2) / V. 4, "quen la cama, quen la fama" (a1); "que en..., que en..." (a2) / V. 5, recibe (a1) / V. 6, falta "ca" (a1); "que" por "ca" (a2); pierdel (a1); "tino" por "tiento" (F1, haciendo la rima mperfecta) / V. 7, asta (b1) / V. 8, reçibe (B); detruimento (a1) / V. 9, "su" por "la" (a2, b1).

*23

Prosigue

1   Es toda la conclusion
    de la presente doctrina
    que con sola la occasion
    esta gigante passion
5   al mas sabio desatina;
    aquesto solo sentid:
    que no basta discreçion
    ni coraçon a la lid
    que desatento a Dauid
10   y enloquesçio a Salomon.

*24

Conclusion

1 Asi que deue esquiuar	Deue mucho desechar
con esquiuo continente	con estudio diligente
la donzella por casar	la...
el parlar y cartear	el...
5 del pariente y no pariente;	del...
pero la virgen donzella	pero...
quando tales ademanes	quando...
hallan buena cara en ella,	hallan...
desde entonçe fiat della	entonces no fiar della.
10 vn buen saco de alacranes.	un saco dalacranes.

(—a1, a2)

Copla 23. — Título: falta en b1 / V. 2, dotrina (b1) / V. 10, falta "y" (b1).—*Falta en a1 y a2. Cf. Cap. III, pág. 27 y ap. X.

Copla 24. — Título: falta en a2 y b1 / V. 1, esquibar (b1); muncho (a1); studio (a1) / V. 4, "el hablar ho cortear" (a1) / V. 5, "con" por "del" (a2); "o" por "y" (a1) / V. 7, "si los tales ademanes" (a1) / V. 8, allan (b1) / V. 8 allan (b1) / V. 9, fiar (b1); fiad (C, D...) / V. 10, vn (a1).

*25

Torna a la ystoria

1   ¡O cunbre de las mejores,
    del fijo de Dios morada,
    madre de los peccadores!,
    tornemos a los amores
5   de que fueste requestada
    quando de rodillas puesto
    el angel que a ti venia
    con grand mesura de gesto,
    en son de varon modesto,
10 te saludaua y dezia:

*26

Pone la salutaçion angelical

1   "Dios te salue, virgen llena
    de la graçia de Dios Padre;
    ¡O virgen, de culpa agena!,
    sabete que Dios ordena
5   de resçebirte por madre,
    de cuya parte te digo
    estas nueuas plazenteras:
    nuestro Señor es contigo
    y te requiere conmigo,
10 pues te quiere que le quieras.

Copla 25. — Título: *Torna a la istoria de la Incarnacion* (a1); *Torna a la hystoria de la Encarnacion* (a2) / V. 1, "Pues cumbre..." (a1, a2) / V. 5, iyste (b1) / V. 7, patge (a1); paje (a2) / V. 8, gran (a1, b1); "soçiego" or "mesura" (a1); sosiego (a2).

Copla 26. — Título: *Prosigue la ystoria* (a2) / V. 4, orduena (a1) / V. 5, çebirte (a1, b1, C) / V. 7, novas (B) / V. 8, senyor (a1) / V. 9, "e te..." 1); "que te..." (a2); reqvire (B).

*27

1   Eres bendita muger
    entre las mugeres todas,
    mas mas bendito ha de ser
    el fijo que ha de nascer
5   destas diuinales bodas,
    ca este sera llamado
    hijo del muy alto rey,
    el Mexias prophetado,
    el que teneys figurado
10 y prometido en la Ley".

*28

Prosigue la ystoria

1   Con tan grand nueua a desora,
    ¡O virgen, mas no mañera!,
    tu color se descolora,
    tu descolor se colora,
5   tu alma toda se altera
    y engendra la humildad
    en el sancto coraçon
    un temor de indignidad
    por tu baxa humildad
10 y la grandeza del don.

Copla 27. — Hay título en a1: *Continua la estoria* / V. 1, eras (a1); be
nedicta (B, verso, así, imperfecto); muier (a1) / V. 3, a de (b1); "mas ben
dito a de ser" (a1) / V. 4, a de (a1, b1) / V. 5, "excelentes" por "diuina
les" (a2; excellentes en a1) / V. 7, fijo (a1, b1) / V. 8, profetizado (b1)
prophetizado (A, B, C...): ambas lecturas hacen el verso imperfecto; corr
gido en F1: "el Messias prophetado"; correcto también en a1: "aqueste
el demandado", y a2: "segund fue profetizado" / V. 9, "desseado y sper
do" (a1); "deseado y esperado" (a2).

  Copla 28. — Título: *Pone la alteraçion de nuestra Señora* (a1, a2;
a1, lalteraçion, senyora) / V. 1, "tanta" por "tan grand" (a1); "rara" p
"tan grand" (a2) / V. 2, "y" por "mas" (a1, a2) / V. 4, "e tu color..." (F
/ V. 5, saltera (a1, b1) / V. 6, "y rebuelbe la umjldad" (a1); "y te buel
umilldat" (a2) / V. 7, "justo" por "sancto" (a1, a2) / V. 9, "por la baxa h
manidad" (a1; umanidat en a2); humanidad (b1).

*29

1 El mudar de la color
en tu rostro virginal
le descubre tu temor
al discreto enbaxador
5 de la essençia diuinal,
el qual con inspiraçion,
alunbrado desde suso,
con una viua razon
de dulçe comparaçion
10 esfuerça lo que propuso:

*30

Comparaçion

1 "Tu quedaras tan entera
de la preñez del infante,
qual queda la vidriera
quando en ella reuerbera
5 el sol y passa adelante,
que la dexa en aquel son
que la hallo quando vino;
pues asy sin corrupçion
seras de la encarnaçion
10 del sacro Uerbo diuino.

Copla 29. — Título en a2: *Continua la ystoria* / V. 2, "el" por "tu" (a1, a2) / V. 3, "ha publicado el temor" (a2; texto estragado en a1: "a publica el temor") / V. 6, spiraçion (a1) / V. 7, allumbrado (a1) / V. 8, "dulce" por "viua" (a1, a2 —dulçe—) / V. 9, "propia" por "dulçe" (a1, a2) / V. 10, "declara" por "esfuerça" (a2).

Copla 30. — Título: *Fabla ell angel con Nuestra Senyora* (a1); *Fabla el angel a Nuestra Señora por conparaçion* (a2) / V. 2, del prenyado (a1); "deste" por "del" (b1) / V. 3, vedriera (a1); bedriera (b1) / V. 5, pasa delante (b1) / V. 6, aquell (a1); allo (b1) / V. 7, fallo (a1); allo (b1) / V. 8, asi (a1); coropçion (a1) / V. 9, incarnacion (a1) / V. 10, "daqueste beruo..." (a1, a2 —verbo—).

*31

*Prueua el angel su enbaxada
con las reuelaçiones que fueron della hechas antes a los
prohetas*

Prosigue el angel...

1   La çarça que vio en su vida,
    seyendo pastor Moyses,
    abrasada y ençendida,
    de biuas llamas ardida
5   mas toda verde despues;
    la puerta que vio çerrada
    Ezechiel el propheta,
    ¡O virgen marauillada!,
    destierren de tu morada
10 qualquiera dubda secreta.

La mata que vio en su vida
seyendo...
abrasada...
de biuos fuegos ardida
mas...
la...
Ezechiel...
alcançen de tu morada
qualquier trasito o pisada
de toda dubda secreta.

(—a1, a2)

*32

1   En la victoria campal
    que resçibio Gedeon,
    esforçado en la señal
    de la lluuia çelestial,
5   en la hera y en el vellon,
    quando en tinajas de tierra
    fue la lumbre secretada
    hasta el tiempo de la guerra,
    ¡O virgen!, toda se ençierra
10 la verdad de mi enbaxada.

Copla 31. — Título: falta en a1; *Prueua... que fueron dellas antes de los
profetas* (b1) / V. 7, profeta (a1) / V. 8, alcançan (a1) / V. 9, qualquiere
(a1); "rostro" por "trasito" (a1) / V. 10, duda (a1, a2).
Copla 32. — Hay título en a2: *Las profecias* / V. 1, vitoria (C) / V. 2,
reçebio (a1, B) / V. 3, "despues de aquella señal" (a1 —"...daquella senyal"—
a2) / V. 4, luuia (A) / V. 5, "qual era en el vellon" (a2; bellon en a1) /
V. 7, secrestada (a1) / V. 8, fastal (a1) / V. 9, todo (b1); s'ençierra (a1)
/ V. 10, inbaxada (a1); "la berdat de tu enbaxada" (a2).—*Copla invertida
con respecto a la siguiente en a1 y a2; cf. Cap. III, pág. 107 y ap. X.

*33

1　La marauilla mostrada
　　en la verga de Aaron;
　　aquella fuente sellada,
　　aquella huerta çerrada
5　de quien habla Salamon,
　　y la çierta propheçia
　　que de ti dixo Ysaias,
　　¡O sancta virgen Maria,
　　reyna de todos y mia!,
10　yguale nuestras porfias.

La...
en...
aquella...
aquella...
de que fabla Salamon,
y la dulçe profecia
de Ysaias y Ezechias,
¡O...
reyna...
atajen nuestras porfias.

(—a1, a2)

*34

1　En el primer casamiento
　　de vuestro primero padre,
　　quando le dio el sacramento
　　añudado ayuntamiento
5　con vuestra primera madre,
　　fue sabido y señalado
　　que seria con mucha gana
　　despuelas de amor forçado,
　　el hijo de Dios casado
10　con vuestra natura humana.

Copla 33. — V. 2, Aron (a1) / V. 3, "huerta" por "fuente" (a1); fabla (b1) / V. 7, "...e, estorias" (a2) / V. 9, todas (a1) / V. 10, "ygualen a nuestras porfias" (b1); ataian (a1).—*Copla invertida con respecto a la anterior en a1 y a2; cf. copla 32.

Copla 34. — V. 1, primero (A, B...; verso, así, imperfecto; acepto la lectura de b1) / V. 9, fijo (b1).—*Falta en a1 y a2, así como las coplas 35-36; cf. c. 37.

*35

Prueua el angel por razon
natural

1   Por aquel negro bocado
    que Adan ouo comido,
    el mundo quedo llagado
    de un infinito peccado
5   por razon del offendido,
    pves nunca podra cobrarse
    la ya perdida corona,
    ni la tal debda pagarse
    saluo si viene a encarnarse
10 una infinita persona.

36

1   Asy que virgen mas alta
    que los mas altos del çielo,
    hermosa, buena, sin falta,
    de cuyas gracias se esmalta
5   para ser hermoso el suelo,
    amansen tu alteraçion
    las prueuas con que concluyo,
    por Escriptura y razon,
    la diuina encarnacion
10 en el sacro vientre tuyo".

Copla 35. — V. 4, infinido (B) / V. 8, deuda (b1) / V. 9, falta "a" (b1).—
*Falta en a1, a2; cf. c. 37.
   Copla 36. — V. 4, falta "se" (b1).—*Falta en a1, a2; cf. c. 37.

*37

Prosigue el actor la ystoria

1   Las fuerças del sancto ruego,
    el manifiesto prouar,
    han hecho que torne luego
    el desterrado sosiego
5   a su primero lugar,
    y del todo despedida
    de peligrosas repuntas,
    la miraglosa venida
    del hijo de Dios creida,
10 el como verna preguntas.

Pero como tu temor
no andaua titubando
sobre el poder del Señor,
mas con congoxa de amor
por saber el como y cuando,
creyendo lo prinçipal
preguntas de lo açesorio,
la respuesta de lo qual
lleva el paje angelical
al eterno consistorio.

(—a1, a2)

38

1   Y lo que mas entre todo
    altercauades los dos,
    hera disputar el modo
    como se puede del lodo
5   hazer saya para Dios,
    y tan bien otra question,
    dificil, ardua, escura:
    como podra sin varon
    hazerse generacion,
10 pues no lo sufre Natura.

Copla 37. — Título: *Prosigue* (b1) / V. 2, magnifiesto (b1) / V. 3, fecho (b1); sobrel (a1); senyor (a1) / V. 4, damor (a1) / V. 5, quando (a1) / V. 6, falta en a1, cortado al encuadernar el códice / V. 7, accesorio (a1) / V. 9, fijo (b1); "dexa" por "lleva" (a1).—*Versos 6-8-9 hacen mala rima en A y B; despedida / venida / criada.—**En a1 y a2 faltan, como hemos visto, las coplas 34-36. Cf. cap. III, pág. 107, y ap. X.

Copla 38. — Hay título en a1: *Prosigue el attor* / V. 2, alterquauades (a1) / V. 3, era (a1, b1) / V. 4, de lodo (a1) / V. 5, "fazer sayo..." (a1) / V. 6, quistion (a1, a2, b1, C...) / V. 7, "...ardua y escura" (b1) / V. 8, "puede" por "podra" (a1, a2) / V. 9, fazerse (a1, b1) / V. 10, "no" por "lo" (a2, b1, C...).

*39

1   Estas dubdas remontadas,   Ya las dubdas remontadas,
     metidas dentro en el çielo   metidas...
     por aues tan esmeradas,   por...
     boladas y porfiadas,   boladas...
5   mas no vencidas de buelo,   mas...
     al no poder alcançar   entramos luego a la par
     heziste lo que dire: fezistes lo que dire:
     vyendo vano el porfiar,   a mas no poder bolar,
     desçendiste te a hartar   baxastes bos a furtar
10   al señuelo de la fe,   del señuelo de la fe,

                                                   (—a1, a2)

*40

1   a do, temiendo, creyste,
     ¡O virgen!, a la enbaxada,
     y creyendo respondiste
     respuesta por do saliste
5   del hijo de Dios preñada.
     ¡O flaco seso humanal,
     no te de miedo el espanto,
     que sy fue carnal el metal,
     las manos del official
10   son del Spiritu Sancto!

Copla 39. — V. 3, smeradas (a1) / V. 4, "hi" por "y" (a1) / V. 5, del (a1, b1) / V. 7, fesistes (a2); "dize" por "dire" (a1) / V. 8, veyendo (B) / V. 9, deçendiste (b1, C...); fartar (b1) / V. 10, "el" por "del" (a2); senyuelo (a1).

Copla 40. — V. 1, "con miedo" por "temiendo" (b1) / V. 2, lambaxada (a1) / V. 3, respondiest (B) / V. 5, fijo (a1, b1); prenyada (a1) / V. 6, flaquo (a1); umanal (a1) / V. 7, "dee" por "de" (A, B); deuda (b1); "a quien non çiegas despanto" (a1); "no te aguce de espanto" (a2) / V. 8, "que si fue carne el metal" (a1, b1); "fue fue" por "fue carnal" (a2) / V. 9, hoficial (a1) / V. 10, spiritu (a1).

*41

Exclamacion y comparaçion a loor de nuestra Señora	Continua y compara

1   ¡O sancto vientre bendicto!,   ¡O...
    quanto de ti yo magino   quanto...
    y todo lo que es escripto   y todo quanto es escripto
    es quanto lieua un mosquito   es quanto beua un mosquito
5   de muy grand cuba de vino,   de muy grand cuba de byno,
    que nunca le haze mella   y nunca le faze mella
    aunque beua cuanto pueda,   aunque...
    sy mill vezes entra en ella,   sy mil bezes...
    el sale borracho della,   el...
10 mas ella llena se queda,   mas...

                                                    (—a1, a2)

*42

1   y con todo su beuer
    aun no acaba las espumas,
    asi contigo, a mi ver,
    es nuestro corto entender
5   y nuestras lenguas y plumas,
    speçial en el secreto
    de tan alta encarnaçion,
    que quando en el me entremeto,
    sy por la manga le meto,
10 vase por el cabeçon.

Copla 41. — V. 1, ventre (a1); bendicto (a1); benedicto (B) / V. 2, quando (a1) / V. 3, scrito (a1) / V. 4, lieua (a1) / V. 5, gran (a1, b1); vino (a1) / V. 6, nunqa (a1); faze (a1); aze (b1) / V. 7, quanto (a1) / V. 8, "si mil..." (a1); "si mill..." (b1) / V. 9, ell (a1).—*Las coplas 41-44 aparecen colocadas en a1 y a2 tras la número 58; cf. cap. III, pág. 107, y ap. X.

Copla 42. — Hay título en a2: *Completa la comparacion* / V. 1, "tanto" por "todo" (a2) / V. 2, falta "aun" (a1, a2); spumas (a1) / V. 3, assi (a1) / V. 4, "es corto nuestro entender" (a2) / V. 5, "en" por "y" (a1) / V. 8, mentremeto (a1) / V. 9, si (a1, a2, b1); mangua (a1) / V. 10, vasse (a1); baje (a2).—*Cf. c. 41 para colocación en a1 y a2.

*43

Comparaçion

1   ¡O muy alto sacramento
    de nuestro Dios encarnado!,
    en quien nuestro entendimiento
    ni sabe do esta el cimiento
5   ni puede ver el tejado,
    y con quanta çiençia aprende
    y se desvela y trasnocha,
    quanto mas lexos se estiende
    tanto de ti se le entiende
10   como al asno de melcocha.

*44

Comparaçion

1 ¡O fecho tan soberano!,	¡O fecho tan sobirano!,
¡O cosa toda diuina!,	¡O cosa sola diuina!,
en quien nuestro seso huma-	con quien...
es asy como aldeano [no	es asi...
5 metido en real cortina,	metido en reyal cortina,
que se altera y se demuda	que se altera hi demuda
y se açora y çahareña	empestido de verguenya,
y su lengua torna muda	y aun ell toma duda
y aun a el le toma dubda	con su intelligencia ruda
10 sy lo mira o sy lo suena.	si lo duda o si lo ensuenya.

(a1)

Copla 43. — Título: falta (a1) / V. 1, sagramento (a1) / V. 3, "en que..."
(a1, a2) / V. 5, ber (a2); tegado (a1) / V. 6, "e" por "y" (a1); "tanta" por
"quanta" (b1); "astucia" por "çiençia" (a1); falta en a2 / V. 7, falta "y"
(a1); desuella (a1) / V. 8, lejos (a2); sestiende (a1, b1) / V. 9, "tu sala"
por "ti se le" (a2) / V. 10, "quanto" por "como" (a2); "el" por "al" (a1);
miel cocha (a1); metrocha (a2).—*Cf. c. 41 para colocación en a1 y a2. Al
mismo tiempo, invertida con respecto a la siguiente.

Copla 44. — V. 2, "¡O sola cosa diuina!" (a2) / V. 3, "tu que en..."
(a2) / V. 6, saltera (b1) / V. 7, "espanta" por "açora" (a2) / V. 10, "bee"
por "mira" (a2).—*Cf. c. 41 para colocación en a1 y a2. Al mismo tiempo,
invertida con respecto a la anterior.

45

Exclamaçion

1   ¡O marauilloso sy
     que hizo tal casamiento!,
     ca seyendo dicho por ty
     "O angel, cunplase en mi",
5   segund tu prometimiento
     encarno en ese punto
     el que era hijo eternal;
     el como no lo pregunto,
     que no se puede trasunto
10   sacar deste original.

*46

*Que la fe ha de ser creyda y
no escudriñada*

1   Ca tal cosa como fue
     es locura escodriñarla;
     la cosa que çierto se
     basta creerla por fe
5   sy mas no puedo alcançarla,
     porque es una conclusion
     que Sant Gragorio nos muestra
     que la fe non ha gualardon
     a do la hvmanal razon
10   por sus sendas nos adiestra.

Copla 45. — Título: falta (a1); *Continua* (a2) / V. 1, maravelloso (a1); si (a2) / V. 2, "causo" por "hizo" (a1); "cuajo" por "hizo" (a2) / V. 3, siendo (a1); ti (a1) / V. 4, "al angel 'cumplasen mi'" (a1); "O angel, cumpla sin mi" (b1) / V. 6, "este" por "ese" (a1) / V. 7, fijo (b1); "la persona filial" (a1, a2) / V. 9, transsunto (a1) / V. 10, saquar (a1); oreginal (b1).

Copla 46. — Título: *Que la fe a de ser creyda e no escondrinyada* (a1); "fecha" por "fe ha" (b1) / V. 1, "Tan gran cosa..." (a1) / V. 2, scodrinyar- la (a1); escudriñarla (b1) / V. 4, creerlo (b1) / V. 5, alcançalla (b1) / V. 6, conclosion (a1) / V. 8, "a" por "ha" (a1); galardon (b1) / V. 9, umana (a1, a2); humana (b1) / V. 10, "passo" por "sendas" (a1); pasos (a2).

*47

1   Dize la difinicion
    de la fe, letor, que crees,
    que es la fe diuino don
    sobre toda discreçion
5   con que creas lo que no vees;
    pues si pruebas a entender
    cosa que tanto te sobra,
    seras tan loco, a mi veer,
    como quien quiso hazer
10 la babilonica obra.

48

                                Da passo a lo dicho

1   Ca con lo poco que alcança   Ca por lo poco que alcança
    nuestro sesso deleznable,   nuestro seso delesnable,
    no era justa balança   no era justa ordenança
    poder ver la semejança   de poseer la folgança
5   del resplandor inestable,   de la gloria perdurable,
    ni la diuinal essencia   ni...
    infinita podra ser   infinita puede seer
    sy nuestra finita sçiençia   si nuestra finita siencia
    con humana esperiençia   con humana speriencia
10 la puede conprehender,   la puede compreender.

                                                    (a1)

Copla 47. — Hay título en a1 y a2: *Prosigue* / V. 1, "Porque la..." (a1);
definicion (a2) / V. 2, lector (a1); "creys" por "crees" (b1) / V. 3, "dize
que es..." (a1); "dice..." (a2) / V. 4, descreçion (a1) / V. 5, "por do crees..."
(a1); "por do creas..." (a2); "veys" por "vees" (b1) / V. 6, "pues quier
busqua dentender" (a1); "pues que busca a entender" (a2) / V. 7, "le" por
"te" (a1, a2) / V. 8, sera (a1); ver (A) / V. 9, quin (a1); fazer (b1) /
V. 10, babiloniqua (a1).—*Para la rima "creys" / "veys" de los versos 2-5
cf. cap. IV, pág. 142.

Copla 48. — V. 1, alcanza (a2) / V. 3, ordenança (a2) / V. 4, folganza
(a2) / V. 5, "inefable" por "inestable" (b1) / V. 6, esencia (a2) / V. 8, "si
con humana ysperiencia" (a2); sçiençia (b1) / V. 9, "nuestra finita ciencia"
(a2); yspirençia (b1) / V. 10, "la pudiste comprehender" (a2); conpren
der (b1).

*49

1   Mas conviene ser creyda
    en tanto que la miseria
    desta miserable vida
    nos tiene el alma vestida
5   de vil y gruesa materia
    por aquel don gratuyto
    que por nonbre fe llamamos,
    el qual guia el apetito
    a dar en medio del hito
10 syn que su blanco veamos.

*50

Comparacion

1   No busquemos otra arenga,
    sy no que la vista çiega
    sy por algo que conuenga
    a mirar lexos se aluenga
5   entonçes muy menos llega,
    y queda tan mal librada
    de la su loca porfia
    que despues en si tornada
    apenas puede ver nada,
10 ni lo poco que antes via.

Copla 49. — Hay título en a2: *Continua* / V. 1, "abasta" por "conviene" (a1, a2) / V. 5, "daquesta gruesa materia" (a1, a2 —de aquesta—) / V. 7, "cuyo" por "que" (a1) / V. 8, "que nos" por "el qual" / V. 10, sin (a1).
  Copla 50. — Título: falta en a1; *Conparaçion* (a2) / V. 1, "No curemos dotra..." (a1); "No curemos de..." (a2); "renga" por "arenga" (b1) / V. 4, saluenga (a1, b1) / V. 5, entonçe (a2); entonces (b1) / V. 6, "muy" por "tan" (a1) / V. 7, "daquesta loca..." (a1) / V. 10, ni (a2, b2, B...); veya (a1).

*51

1   Asy la vista desmaya
    del entender natural
    quando comete o ensaya
    de pasar algo la raya
5   de la flaqueza humanal,
    con el soberbio deseo
    que çego el sabeliano
    y con aquel deuaneo
    que se perdio Manicheo
10 y dañado Arriano.

*52

1   Mas, ¡o flaca humanidad!,   Nuestro Dios que nunca niega
    aunque no puedas ver claro,   el su socorro benino
    no temas tu çeguedad,   aclare mi vista çiega,
    que la diuina bondad   pues conosce que no llega
5   no te dexo sin reparo,   a poder ver lo diuino,
    porque el diuino alunbrar,   porque su claro lumbrar,
    como el alua quando quiebra, como alua quando quiebra,
    nos haze claro mirar   nos haga claro mirar
    lo que por nuestro peccar   lo que por nuestro peccar
10 ha cubierto la tiniebra,   ha cubierto...

                                (B. N., ms. 4114)

Copla *51*. — Hay título en a2: *Declara* / V. 1, assi (a1) / V. 2, "dest
sesso natural" (a1, a2) / V. 3, "comiença" por "comete" (b1) / V. 6, "co
aquell loco deseo" (a1, a2 —aquel—) / V. 7, "erro" por "çego" (a1) / V. 8
aquell (a1) / V. 10, "y fue damnado Ariano" (a1); "y fue dañado Arriano
(b1); dapñado (A, B).

Copla *52*. — V. 2, puedes (b1) / V. 4, falta "la" en A, B, C, lo qu
hace imperfecto el verso / V. 5, dexa (b1) / V. 10, teniebra (A).—*Falt
en a1 y a2, así como las 52-53; cf. cap. III, pág. 107, y ap. X.—**Par
la versión del ms. 4114 de la B. N. de Madrid en esta copla y en las 52-54
cf. cap. III, pág. 92.

*53

1   ¿Qual entendimiento humano
    puede ver nada de Dios
    sy la poderosa mano
    del mismo Dios soberano
5   no haze vno de dos?:
    o sobre nuestra natura
    leuantar nuestro entender,
    o abrir la çerradura
    a la çerrada escriptura
o   por que le podamos ver.

*54

1   Mas esto que digo verlo
    en tal modo se declara
    que llamo ver al creerlo,
    llamo ver al conosçerlo,
5   pero no en sv propia cara,
    y segund mi entendimiento,
    este ver llamarse deua
    no claro conosçimiento,
    mas vn conosçer a tiento,
o   como çiego blanca nueua.

Copla 53. — V. 2, "ser" por "ver" (A, B...) / V. 3, si (b1, B. N., ms.
114) / V. 5, una (B. N., ms. 4114) / V. 7, lebantar (B. N., ms. 4114) /
V. 10, la (B. N., ms. 4114).—*Falta esta copla en a1 y a2; cf. c. 52.—**Para
B. N., ms. 4114, cf. c. 52.

Copla 54. — V. 1, "Y" por "mas" (B. N., ms. 4114) / V. 5, "non" por
"no en" (B. N., ms. 4114) / V. 7, debe B. N., ms. 4114) / V. 8, "un" por
"no" (b1) / V. 9, falta "mas" (b1) / V. 10, nueba (B. N., ms. 4114).—*Falta
en a1 y a2; cf. c. 52.—**Para B. N., ms. 4114, cf. c. 52.

*55

1   Por esta causa escriuamos
    lo palpable que entendemos;
    lo alto que no alcançamos,
    firmemente lo creamos,
5   pero no lo escudriñemos;
    bien me plaze que a las horas
    las razones naturales
    en son de disputadoras
    alleguen por valedoras,
10 pero no por naturales.

*56

1   Pues con muy justo temor,
    al presente me despido,
    por no caher en error
    de buscar cosa mayor
5   de quanto tengo el sentido,
    mas es sola mi intençion
    en estos groseros rimos
    de contar la saluaçion
    que por tu vida y passion
10 los humanos resçebimos.

Copla 55. — V. 1, "Pues solamente digamos" (a1, a2) / V. 2, quentende
mos (a1) / V. 5, scodrinyemos (a1) / V. 6, "consiento" por "me plaze" (a1
a2); oras (a1) / V. 9, "se alleguen..." (a1); aleguen (a2) / V. 10, "prinçipa
les" por "naturales" (a1, b1).
    Copla 56. — V. 1, "un" por "muy" (a1, a2) / V. 3, "venir" por "caher
(a1); caeer (b1); / V. 5, "al" por "el" (a1) / V. 6, falta "es" (a1); entençio
(b1) / V. 9, "su" por "tu", (a1); paçion (a1) / V. 10, recebimos (a1).

*57

Comiença a loar a nuestra Se-   *Comienza el nascimiento de*
ñora para entrar en la ysto-   *nuestro Señor*
ria de la natiuidad del Señor

1   Ronceando a la muger,   Si necesario es cimiento
     un angel de los caydos   para que la obra asiente,
     nos hizo todos caher   para tanto sacramento
     en çeguedad de entender   como es tu nascimiento
5   y en mill causas de gemidos;   razon esta que çimente,
     por esta causa yo quiero   y no siento qual mejor,
     vsar de su artelleria,   en ningun metro ni prosa,
     haziendo guerra al ronçero   pueda poner trobador
     con ronçe muy verdadero   que çimiento de loor
10 de nuestra virgen Maria.   de tu madre gloriosa.

                                          (—a1, a2)

*58

1   En el mar de tu exçelençia,
     ¡O virgen, nuestra abogada!,
     la mas cresçida prudençia,
     la mas prudente eloquençia,
5   como corcho ençima nada,
     en espeçial en aquel
     hondo pielago sin suelo,
     do fue tu vientre el batel
     que nos passo a Hemanuel
10 quando nos vino del çielo.

    Copla 57. — Título: falta en a1 / V. 3, sagramento (a1) / V. 5, sta (a1);
çimiente (a1) / V. 6, "y" por "yo" (b1); "e" por "y" (a1); meyor (a1) /
V. 7, busar (b1); artilleria (b1) / V. 9, laor (a1).
    Copla 58. — V. 2, aduocada (a1); nuestra a abogada (C) / V. 5, corco (a1)
/ V. 6, "specialmente" por "en espeçial" (a1) / V. 7, "fondo pelago..." (a1)
/ V. 8, batell (a1) / V. 9, "truxo" por "passo" (a1); "traxo" por "passo"
(a2); falta "a" en a1; ha (b1); Emanuel (a1).—*Como hemos visto, las coplas 41-44 aparecen en a1 y a2 tras la c. 58; cf. c. 41.

*59

1   ¡O cabo de nuestra pena,
    comienço de nuestra gloria!,
    ¡o tu sola siempre buena!,
    llaue de nuestra cadena,
5   causa de nuestra victoria,
    sospiro de los dañados,
    del purgatorio consuelo,
    carrera de los errados,
    faznos bien auenturados,
10 pues eres reyna del çielo.

*60

1   Que todo linaje deua
    loarte, virgen bendita,
    podemos traher por prueua
    aquella culpa de Eua
5   que por tu causa se quita,
    porque sy tu no parieras
    al Justo hecho suaue,
    ni tan excelente fueras
    ni la puerta nos abrieras
10 de do tu hijo era llaue.

Copla 59. — Hay título en a1: *Continua y conpara* / V. 3, solo (a2) /
V. 6, danpñados (b1); "manzilla de los damnados" (a1) / V. 8, erratos (C).
    Copla 60. — Título: *Que qualquiere persona lloe tu graçia infinita* (a1);
Comiença el çimiento (a2) / V. 1, deeua (b1) / V. 2, "loar tu graçia ynfinita" (a1, a2 —infinita—) / V. 3, traer (a1); "creer" por "traher" (a2) / V. 4,
deua (b1) / V. 7, "fijo" por "hecho" (a1); fecho (b1) / V. 8, fueres (B, lo
que hace mala rima) / V. 9, hobrieras (a1) / V. 10, fijo (a1, b1).

*61

1 Cunbre de las gerarchias,
de nuestras tiniebras luz,
madre de nuestro Mexias,
tu que mas parte sentias
5 de la passion de la cruz,
tu que virtud exçelente
toviste para sufrirla,
porque la llore la gente
fazme, señora, eloquente,
10 para que sepa dezirla.

*62

*Comiença la ystoria de la
natiuidad del Señor*

1 De sus entrañas vençido
por nuestro solo interesse
y de las tuyas salido
para ser muerto nasçido
5 porque el muerto renasçiesse,
la diuinal magestad
de nuestro muy alto rey,
luego en su natiuidad
quiso estar por humildad
10 entre vn asno y vn buey.

Copla 61. — Hay título en a2: *Continua el çimiento* / V. 1, "gozo de..." (a1); "poso de..." (a2) / V. 2, tinieblas (a2, b1) / V. 3, del (a1); Mesias (a1) / V. 5, "de las penas..." (a1, a2) / V. 6, "...virtut excellente" (a1) / V. 7, "houiste pora sofrirllas" (a1); svfrillas (a2); sofrilla (b1) / V. 8, las (a1) / V. 9, "azeme, senyora..." (a1) / V. 10, dezirllas (a1); dezillas (a2); dezilla (b1).

Copla 62. — Título: falta (a1); "...de nuestro Señor" (a2) / V. 1, entranyas (a1); "naasçido" por "vençido" (a2) / V. 3, sallido (a1, b1) / V. 4, "bençido" por "nasçido" (a2) / V. 5, "por quel muerte renasisse" (a1, totalmente estragado) / V. 6, "con sobra de pobredat" (a1, a2; "sobre" en a1) / V. 7, "tu fijo e nuestro rey" (a1); "tu fijo segund es ley" (a2) / V. 9, "fue puesto" por "quiso estar" (a1, a2); homildad (a1) / V. 10, buy (b1).

*63

1   ¡O fijo de Dios eterno!,
    ¿quien piensa tal desuario,
    que seyendo niño tan tierno
    y en lo peor del inuierno
5   no estauas muerto de frio?
    Mas aquel fuego de amor
    en el portal de Bethleem
    te escalento, redemptor,
    que despues, cuando mayor,
10 te mato en Iherusalem.

*64

1   La tu alta señoria,
    ¡O muy grand hijo de Dios!,
    en tanto resplandeçia
    en el lugar do yazia
5   con los animales dos,
    que sy el sol se cotejara
    contigo, sancto luzero,
    tan disforme se fallara
    como la hermosa cara
10 en el espejo de azero.

Copla 63. — V. 1, falta en a2, cortado al encuadernar el códice / V. 3, siendo (a1, b1); ninyo (a1) / V. 4, ynvierno (a2, b1) / V. 5, stauas (a1); estarias (a2) / V. 6, aquell (a1); damor (a1, a2) / V. 7, Bellem (a1); Belen (a2); Bethlen (b1) / V. 8, scalento (a1); redepntor (a1); redenptor (b1) / V. 9, "y" por "que" (a2); quando (a1) / V. 10, Iherusallem (a1); Ierusalem (b1).—*En a2, la secuencia de coplas 63-67 es: 64, 67, 63, 65, 66. En el lugar de la 63, por lo tanto, aparece la 64. Cf. cap. III, pág. 103, y ap. X.

Copla 64. — V. 1, "muy" por "tu" (a1, a2); senyoria (a1) / V. 2, "daqueste fijo de Dios" (a1); "de aqueste hijo..." (a2); fijo (b1) / V. 4, iazia (a1, b1) / V. 6, si (a1); cocteyara (a1); contejara (B) / V. 7, "con este santo luzero" (a1); "con esse..." (a2) / V. 9, fermosura (a1, a2) / V. 10, "...espeio dazero" (a1).—*Para secuencia en a2, cf. c. 63.

*65

1 Qual estauas, quien te viera
    çercado de resplandor ;
    ¡O!, quien presente estouiera
    para ser, sy ser podiera,
5 pesebre de su Señor ;
    pues llorad, fieles varones,
    en este duro comienço,
    la durez de los vigones,
    la falta de los colchones
10 y la pobreza del lienzo.

*66

1 La conpassyon de natura
    llorad, y la de bondad
    con que la virgen procura
    de enpañar su criatura
5 llagada de piedad,
    y mientra lo esta enbolviendo,
    aved conpassyon del viejo,
    que quebrantado, moriendo,
    anda el peccador barriendo
10 aquel sancto portalejo.

Copla 65. — Hay título en a2: *Otra esclamaçion* / V. 1, stauas (a1);
"lo" por "te" (b1); biera (a2) / V. 2, cercada (a1); "cubierto" por "çercado"
(b1) / V. 3, estuuiera (a2, b1) / V. 4, pora (a1); pudiera (a2, b1) / V. 5,
senyor (a1) / V. 6, llorat (a1); barones (a1); falta en a2, cortado al encuadernar el códice / V. 7, comento (a2) / V. 8, bigones (a1).—*Para secuencia en a2, cf. c. 63.—**La secuencia de las coplas 65-68 es así en a1: 67,
68, 65, 66. En el lugar de la 65 aparece, por lo tanto, la 67. Cf. cap. III,
página 104, y ap. X.
Copla 66. — Hay título en a2: *Prosigue* / V. 4, denpanyar (a1) / V. 6,
"y mientre lo sta embolviendo" (a1) / V. 7, "llorad a Josep el viejo" (a1, a2;
"vieio" en a1) / V. 8, muriendo (b1) / V. 9, falta en a2, cortado al encuadernar el códice / V. 10, aquell (a1); "pobre" por "sancto" (a1, a2).—*Para
secuencia en a2, cf. c. 63.—**Para secuencia en a1, cf. c. 65.

67

1   Que pensaua, que dezia
     en aquel tiempo y sazon
     la madre virgen Maria,
     ningun seso no podria
5   recontarlo al coraçon;
     con el alma lo adoraua,
     con el cuerpo lo seruia,
     y con amos se alteraua
     quando ser Dios contenplaua
10   el hijo que ella paria.

68

1   ¡O tan çelestial muger
     que en el mundo meresçio
     syn dexar de virgen ser
     ver de sy mesma nasçer
5   al mismo que la crio!;
     ¡quan digno de ser loado
     es el vientre de tal madre,
     do quiso ser encarnado
     el mismo Dios engendrado
10   eternalmente del Padre!

    Copla 67. — V. 1, pensauas (a2); "Que pensays lo que hazia" (a1) /
V. 2, aquell (a1) / V. 4, nengun (a1); poria (a1) / V. 6, "su" por "lo" (a2);
"su alma lo..." (a1) / V. 7, "le" por "lo" (b1); "su discrecion lo temia" (a1)
/ V. 8, "su sentido salteraua" (a1) / V. 9, "Dios ser" por "ser Dios" (a1)
/ V. 10, fijo (a1, b1).—*Para secuencia en a2, cf. c. 63.—**Para secuencia
en a1, cf. c. 65.
    Copla 68. — V. 1, mujer (a1) / V. 3, sin (a1, b1); sy (A...); seer (a1)
/ V. 4, misma (a1) / V. 6, ¡O quan... (a1) / V. 7, ventre (a1) / V. 8,
seer (a1).—*Para secuencia en a1, cf. c. 65.—**En a2 faltan las coplas 68-
105. Cf. cap. III, pág. 104, y ap. X.

69

Comiençan las razones de la
virginidad de nuestra Señora

1 ¡O cosa jamas oyda!,
¡O miraglosa verdad!,
quedo despues de parida
guardada, no corrompida,
5 su sacra virginidad,
por darnos a conosçer
quel hijo de quien hablamos
es aquel cuyo nasçer
del diuinal entender
10 es sin corrupçion de entramos.

*70

1 En su mismo entendimiento,
el alto padre eternal
sin ningund corrompimiento
causa siempre el nasçimiento
5 del su hijo natural;
pues era muy grand razon
quien asi nasce en el çielo
en su santa encarnaçion
syn ninguna corrupçion
10 fuese nasçido en el suelo.

Copla 69. — V. 3, quando (A, B..., indudable error por "quedo") / V. 7, fijo (b1); fablamos (b1).—*Falta en a2; cf. c. 68.—**En a1 faltan las coplas 69-76; cf. cap. III, pág. 107, y ap. X.

Copla 70. — V. 9, sin (b1); sy (A...).—*Falta en a1 (cf. c. 69) y a2 (cf. c. 68).

*71

Pone la segunda razon

1   Y tanbien, pues que venia
     a curar lo corronpido,
     en señal desto deuia
     ser de la virgen Maria
5   syn corromperla nasçido,
     por quel niño diuinal,
     guardando su madre pura,
     con el parto virginal
     consoladora señal
10   nos diese de nuestra cura.

*72

Pone la terzera razon

1   Sy han de partiçipar
     con el medio los estremos,
     esta virgen singular
     las cumbres deue lleuar
5   de las dos leys que tenemos;
     pues osemos dezir della
     que fue razon de le dar,
     porque estaua en medio ella,
     de la nueua, el ser donzella,
10   de la vieja, el engendrar.

Copla 71. — V. 5, sin (b1); sy (A...).—*Falta en a1 (cf. c. 69) y a2 (cf. c. 68).

Copla 72. — V. 4, leuar (B) / V. 5, leyes (b1, lo que hace el verso imperfecto).—*Falta en a1 (cf. c. 69) y a2 (cf. c. 68).

*73

Torna a la ystoria

1 Dexemos estas razones
   porque tornemos al cuento
   del que esta entre los vigones
   syntiendo ya las passyones
5 de nuestro meresçimiento,
   començando a trabajar
   en establo entre animales,
   porque viene a desatar
   a los que torno el pecar
10 de razonables, bestiales.

*74

Conparacion

1 Como en cas del boticario
   el buen fisico prudente
   escudriña en el almario
   el xarope que es contrario
5 a la passion del paçiente,
   asy, para quien se enpina
   a querer diuinal nombre
   hallo la çiençia diuina
   ser muy sana mediçina
10 que se tornase Dios onbre.

Copla 73. — V. 4, sentiendo (B).—*Falta en a1 (cf. c. 69) y a2 (cf. c. 68).
Copla 74. — V. 9, melezina (b1).—*Falta en a1 (cf. c. 69) y a2 (cf. c. 68).

*75

1 Tras esta purga perfecta
   que sola nos dio la vida,
   fue mediçina discreta
   ordenar alguna dieta
5 por huyr la recayda;
   por esta causa mouido,
   el que cura nuestros males
   seyendo luego nasçido
   fue tan en dieta regido
10 que apenas touo pañales.

*76

1 Asy que ponpa humanal,
   de vanas honrras hanbrienta,
   la magestad diuinal
   en un mostrenco portal
5 entre bestias se aposenta
   por darte muy claro auiso,
   para curar la dolençia
   que heredaste de quien quiso
   en el baxo paradiso
10 procurar loca exçelençia.

Copla 75. — V. 3, medeçina (b1) / V. 5, oyr (b1) / V. 8, siendo (b1).—
*Falta en a1 (cf. c. 69) y a2 (cf. c. 68).

Copla 76. — V. 5, aposienta (b1) / V. 8, eredastes (b1) / V. 9, parayso
(b1).—*Falta en a1 (cf. c. 69) y a2 (cf. c. 68).

*77

*Exclamaçion a loor de la vo-
luntaria pobreza*

1   ¡O muy alta pobredad,
de la sancta paz hermana,
causa de tranquilidad,
torre de seguridad
5   a quien te sufre de gana;
de la soberbia enemiga,
de los prodigos cadena,
de los humildes amiga,
a los viçiosos fatiga,
10 a los buenos mucho buena!

*78

1   ¡O mediçina secreta
de muchas enemistades!,
¡O, tu, fisica discreta,
que con vn poco de dieta
5   sanas mill enfermedades! ;
es tu purga muy amarga,
mas puesto que nos destiempre,
el alma nos desenbarga
de la peligrosa carga
10 que nos mata para syempre.

Copla 77. — Título: falta en a1 / V. 2, santa (a1); ermana (a1) / V. 3, "casa" por "causa" (a1) / V. 4, "açerca de sanedad" (a1) / V. 6, soverbia (b1); "cupdicia" por "soberbia" (a1) / V. 9, fadiga (a1).—*Falta en a2 (cf. copla 68).

Copla 78. — V. 1, medecina (a1); melezina (b1) / V. 5, mil (a1) / V. 7, destempre (a1) / V. 8, ell alma (a1) / V. 10, pora siempre (a1).—*Falta en a2 (cf. c. 68).

*79

1   ¡O virtud tan abiltada
    y desechada entre nos,
    muy digna de ser amada
    despues que fueste casada
5   en el pesebre con Dios,
    do el frio fue el padrino
    y la hanbre la madrina,
    las ropas de grueso lino,
    y los colchones de pino
10 y de barro la cortina!

*80

1   Do fueron los conbidados
    a cantar, que no a yantar,
    los nueue coros sagrados
    de angeles confirmados
5   en ya no poder pecar,
    los quales con alegria
    lleuauan de lo cantado
    la boz y la melodia,
    y los tenores Maria,
10 las contras su desposado.

Copla 79. — V. 1, "Eras verdad auiltada" (a1) / V. 3, "de los angeles amada" (a1) / V. 4, fuestes (b1) / V. 6, "era" por "fue" (b1) / V. 7, fambre (a1); anbre (b1) / V. 8, ruepas (b1); "del" por "de" (a1, b1) / V. 9, falta "y" (a1; verso, así imperfecto).—*Falta en a2 (cf. c. 68).

Copla 80. — V. 2, "a çena" por "a cantar" (a1); iantar (b1) / V. 3, "los benditos nueue grados" (a1) / V. 7, leuaron (a1).—*Falta en a2 (cf. c. 68).

*81

1 Eran todas las cançiones
de aqueste suaue canto
humilldes adoraçiones,
muy altas contemplaçiones
5 del rezien nasçido sancto;
y la madre del infante,
con gozoso coraçon,
antes que ninguno cante
ella comiença delante
10 la su syguiente cançion:

*82

*Cançion en nombre de nues-
tra Señora*

1 "Adoro tu magestad
en la tierra y en el çielo,
pues por tu sola bondad
has tomado humanidad
5 de mi, tu sierua, en el suelo.

Adoren todos agora
la bondad tan soberana,
que de las mas seruidora
ha hecho mayor señora
10 de toda la carne humana,
acatando mi humilldad
desdel su trono del çielo
y por su sola bondad
resçibiendo humanidad
15 de mi, su sierua, en el suelo."

Copla 81. — V. 2, daqueste (a1) / V. 3, humildes (a1) / V. 7, "alegre"
por "gozoso" (a1) / V. 9, adelante (a1) / V. 10, "a cantar esta cançion" (a1).—
*Falta en a2 (cf. c. 68).

Copla 82. — Título: falta (a1) / V. 1, Adorote (a1) / V. 3, "la" por "tu"
(a1); "su" por "tu" (b1) / V. 4, a tomado (b1) / V. 5, "sv" por "tu" (a1,
b1) / V. 7, sobirana (a1) / V. 8, la (a1) / V. 9, fecho (a1); senyora (a1)
/ V. 11, humildat (a1) / V. 12, "desde su trueno..." (a1) / V. 14, rezebien-
do (a1).—*Falta en a2 (cf. c. 68).

83

Otra suya.

1 "Adorote, Dios y ombre,
hijo del eterno padre,
que syenpre virgen y madre
me diste por sobrenombre.

5 Que por tu sola clemençia,
quantos venieren de nos
virgen y madre de Dios
me diran por exçelençia;
loando tu sancto nombre
10 daran graçias a tu padre,
porque soy virgen y madre
12 y tu fijo de Dios y ombre."

*84

Otra suya

1 "Eua de fin a su lloro;
tu, Adan, sey sin cuydado,
que yo he parido el thesoro
con que seras delibrado
5 de la pena del peccado.

Gozense de tanto bien
los sanctos que estan contigo,
que en el pesebre esta quien
vençera vuestro enemigo:

<hr>

Copla 83. — Título: falta (a1) / V. 1, hi (a1) / V. 2, fijo (a1, b1) / V. 6, quanto (a1); vienieren (a1); "vos" por "nos" (b1) / V. 8, excellencia (a1) / V. 10, "al" por "a" (b1) / V. 12, "hi" por "y" (a1); falta "de" (a1).— *Falta en a2 (cf. c. 68).

Copla 84. — Título: falta (a1) / V. 1, dio (a1); da (b1) / V. 2, Adam (a1) / V. 3, "e" por "he" (a1); tesoro (a1, b1) / V. 4, desliurado (a1) / V. 7, "los santos questan..." (a1) / V. 8, quen el (a1); sta (a1) / V. 9,

10 por Luçifer hos lo digo;
    no cures de buscar oro
    para pagar el bocado,
    que yo he parido el thesoro
    con que seras delibrado
15 de la pena del peccado".

*85

1   Cantado lo que dezia
    la virgen nuestra Señora,
    la primera gerarchia
    con toda su conpañia
5   al diuino niño adora,
    y despues de adorado
    suavemente prosyguen
    en vn son muy reposado,
    con dulce canto flautado,
10 las canciones que se syguen.

*86

*Cançion de la prima orden de
la primera gerarchia angelical*

1   "Estas son las maravillas
    que Dios se sabe hazer,
    que por reparar las syllas

---

vencra (a1) / V. 10, "vos" por "hos" (a1, b1) / V. 11, cureys (a1) / V. 13,
"e" por "he" (a1); "tesoro" (a1, b1) / V. 14, desliurado (a1).—*Falta en a2
(cf. c. 68).

  Copla 85. — V. 1, Catado (A1) / V. 2, senyora (a1) / V. 3, "prima" por
"primera" (A, B, C...), con verso imperfecto); geraryia (a1) / V. 4, companyia (a1) / V. 5, "la carne del niño adora" (a1, b1) / V. 6, adorada (1a)
/ V. 7, prosigue (b1); "todos a una prosiguen" (a1) / V. 8, "con" por "en"
(a1) / V. 9, "en canto flautado" (a1, verso imperfecto).—*Falta en a2 (cf.
copla 68).

  Copla 86. — Título: falta (a1); "primera" por "prima" (b1, B); "angelical" (falta en b1) / V. 2, falta "se" (b1); fazer (a1) / V. 3, "y" por "que"

que trastorno Luçifer
5 es naçido de muger.

El qual infante sagrado,
con diuinal poderio,
poblara lo despojado
del lugar que esta vazio
10 por el primer desuario;
todos puestos de rodillas
le confessemos Dios ser,
reparador de las syllas
que trastorno Luçifer
15 y naçido de muger."

*87

*Cançion de la segunda orden
de la primera gerarchia*

1 "Bendiçion y claridad,
honor y gloria y virtud
a la humana juuentud
y vieja diuinidad.

5 Loores y mill merçedes
a esta madre donzella,
pues nos ha parido ella
aqueste niño que vedes,
que puebla nuestra çibdad
10 y obra vuestra salud
con su humana juventud
12 y vieja diuinidad."

(a1) / V. 5, mujer (a1) / V. 8, "despoblado" por "despojado" (a1, b1) /
V. 9, "de" por "del" (b1); questa (a1); bazio (b1) / V. 12, seer (a1) /
V. 13, sillas (a1) / V. 15, mujer (a1).—*Falta en a2 (cf. c. 68).
    Copla 87. — Título: falta (a1); *Cancion de la segunda orden* (b1) /
V. 1, claredad (a1) / V. 3, "a la ninya iouentud" (a1); joventud (b1) / V. 4
vieia (a1) / V. 5, mil (a1) / V. 6, "a esta virgen donzella" (a1) / V. 7
"no" por "nos" (b1) / V. 8, ninyo (a1) / V. 9, cuidad (a1); pueebla (b1)
/ V. 10, nuestra (a1) / V. 11, "con su ninya jouentud" (a1) / V. 12, vieia
(a1).—*Falta en a2 (cf. c. 68).

*88

*Cançion de la terçera orden
de la primera gerarchia*

1   "Cantad todos los humanos
    con esta corte del cielo,
    pues teneys entre las manos
    el parayso en el suelo
5   en el cuerpo de vn moçuelo.

    Pues teneys la puerta abierta
    de la çelestial morada;
    pues teneys la muerte muerta
    que ouistes heredada
10 por la primera herrada;
    pues soys hechos cortesanos
    de nuestra corte del çielo;
    pues teneys entre las manos
    el parayso en el suelo
15 en el cuerpo de vn moçuelo."

*89

1   Acabando los cantores
    de cantar desta manera
    las cançiones de loores
    de los dulçes trobadores
5   de la gerarchia primera,
    todos ellos juntamente

Copla 88. — Título: falta (a1); *Cançion de la tercera orden* (b1) / V. 4,
"el parayso del cielo" (a1) / V. 5, "en un cuerpo dun muxaxelo" (a1) /
V. 6, teñys (A) / V. 8, falta (a1); teñys (B) / V. 9, eredado (a1) / V. 10,
errada (a1, b1) / V. 11, fetchos (a1); fechos (b1) / V. 13, tenes (B) /
V. 14, "el parayso del cielo" (a1).—*Falta en a2 (cf. c. 68).

Copla 89. — V. 1, "Acabadas las canciones" (a1) / V. 2, "del" por "de"
(a1) / V. 4, "sabios" por "dulçes" (a1) / V. 5, gerarxia (a1) / V. 7, "co-

començaron de adorar,
con tal habla y continente
qual acostumbra la gente
10 quando alçan al altar.

*90

1 Y fecha la adoraçion,
   muy humilde, muy profunda,
   començo en suaue son
   toda la congregaçion
5 de la gerarchia segunda,
   en tal orden repartidos
   y sus bozes conçertadas,
   que nunca oyeron oydos
   en tan diuersos sonidos
10 cançiones tan acordadas.

*91

1 Y començo Sant Miguel,   Y leuanto Sant Miguel
   principe muy soberano   con una boz soberana,
   del grand pueblo de Israel   capitan de Isdrael
   y agora, despues del,   hi agora, despues del,
5 de nuestro pueblo christiano,   de nuestra yglesia christiana,
   las cançiones que tenia   las...
   sacadas del cancionero   sacadas...
   de aquella sabidoria   daquella...
   que en el pesebre yazia   quenel...
10 tornada manso cordero: tornado...

                                                        (a1)

---

mençantes adorar" (a1) / V. 8, fabla (a1, b1) / V. 9, costumbra (b1, verso
imperfecto).—*Falta en a2 (cf. c. 68).
   Copla 90. — V. 1, ladoracion (a1) / V. 2, "con una cara jocunda" (a1)
/ V. 4, falta en a1 / V. 5, gerarxia (a1) / V. 6, horden (a1) / V. 8, "...ho-
yeron hoydos" (a1) / V. 10, acordados (b1).—*Falta en a2 (cf. c. 68).
   Copla 91. — V. 8, sabiduria (b1) / V. 10, tornado (b1).—*Falta en a2
(cf. c. 68).

*92

Cançion de la primera orden
de la segunda gerarchia

1   "Tu eres nuestra corona,
tus obras, nuestra memoria,
y tu, diuina persona,
subiras a nuestra gloria
5 los ombres con tu victoria.

Tu as de juzgar el mundo,
y de los linajes dos,
lançaras en el profundo
el que cayo de entre nos
10 porque se ygualo con Dios,
y sera nuestra matrona
esta virgen syn escoria,
y tu, divina persona,
subiras a nuestra gloria
15 los onbres con tu vitoria".

*93

Cançion de la segunda orden
de la segunda gerarchia

1   "Con tu vista corporal,
¡O infante!, reçebimos
mayor gozo açidental
que jamas nunca sentimos
5 despues que te conosçimos.

Copla 92. — Título: falta (a1) / V. 1, excepto en a1, el verso dice: "Tu
que eres nuestra corona", lo que no hace buen sentido con el resto de la
copla. / V. 2, tu eres (a1) / V. 4, sobiras (b1) / V. 5, vitoria (b1) / V. 7,
linages (a1) / V. 9, dentre (a1) / V. 12, sin storia (a1) / V. 15, ombres (a1);
victoria (a1).—*Falta en a2 (cf. c. 68).

Copla 93. — Título: *Cancion de la segunda gerarchia* (b1) / V. 1, "su"
por "tu" (a1) / V. 3, accidental (a1) / V. 4, nunqua (a1) / V. 6, "special"

Aquel esençial plazer
que de vida nos guarnesçe,
ni le podemos perder
ni jamas nunca fallesçe
10   ni menos mengua ni cresçe,
mas despues del esençial
en este portal sentimos
mayor gozo açidental
que jamas no reçebimos
15   despues que te conosçimos."

*94

Cançion de la terçera orden
de la segunda gerarchia

1   "¡O miraglosa bondad!,
¡O infinito poder!,
¡O eterna caridad!,
¿quien te puede engrandesçer
5   segund es tu meresçer?

Ca nuestras bozes finitas
tienen finito loar;
tus grandezas infinitas
no se nos dexan tomar,
10   syno solo remontar;
desta causa, en la verdad,
el mas subido entender
ha de loar tu bondad
con falta de grandesçer
15   por el tu grand meresçer."

_____

por "esençial" (a1) / V. 8, "lo" por "le" (a1) / V. 9, "ni iamas nunqua fa-
leçe" (a1) / V. 11, "deste" por "del" (a1).—*Falta en a2 (cf. c. 68).

   Copla 94. — Título: falta (a1) / V. 4, gradecer (a1) / V. 5, merecer (a1)
/ V. 7, "lugar" por "logar" (a1) / V. 8, "virtudes" por "grandezas" (a1) /
V. 10, "syn" por "syno" (A, B, verso imperfecto) / V. 12, "creçido" por
"subido" (a1) / V. 14, engrandecer (a1, b1) / V. 15, mereçer (a1); merecer (b1).—*Falta en a2 (cf. c. 68).

*95

1 Quando los cantos çesaron
 desta segunda compaña,
 los terçeros se llegaron
 cuyos rostros semejaron
5 a los pajes de Alemania,
 por la cual hermosa grey
 vna tal grita se haze:
 "¡ Biva Dios y biva el rey
 que entre vn asno y vn buey
10 en este pesebre yaze!".

*96

1 La qual grita ressono
 hasta dentro en los infiernos,
 y luego que se acabo
 esta gente repartio
5 sus bozes todas en ternos,
 y despues que conçertaron
 sus cantos y menistriles,
 primero luego adoraron
 y tras esto començaron
10 estas canciones gentiles:

Copla 95. — V. 2, companya (a1) / V. 3, salegraron (a1) / V. 4, "quen
sus gestos semejaron" (a1) / V. 5, "lindos pages dalemanya" (a1) / V. 6,
ermosa (a1) / V. 7, faze (a1); aze (a2) / V. 8, viua (a1); biual rey (a1)
/ V. 9, quentre (a1); "buy" por "buey" (C) / V. 10, pezebre.—*Falta en
a2 (cf. c. 68).

Copla 96. — V. 1, resono (a1) / V. 2, fasta (a1); "a" por "en" (a1) /
V. 6, començaron (b1) / V. 7, ministriles (a1, b1) / V. 8, lluego (a1).—*Falta
en a2 (cf. c. 68).

*97

*Cançion de la primera orden
de la terçera gerarchia*

1 "Sy tu grandeza despide
   el cabo de tu loar,
   esa misma nos conbide
   a jamas nunca çesar
5 de te seruir y adorar.

   Lo mesmo que nos arrienda
   con freno de no poder,
   eso mesmo nos entienda
   a muy mas te conosçer,
10 honrrar, amar y querer;
   pues a todos nos enrride
   a cantar y no acabar
   lo mesmo que nos despide
   de jamas poder hallar
15 el cabo de te loar."

*98

*Cançion de la segunda orden
de la terçera gerarchia*

1 "¡O primero y postrimero
   redemptor y criador,

Copla 97. — V. 1, si (a1) / V. 2, lloar (a1); "que acabo de tu loar" (b1
/ V. 3, "esto" por "esa" (a1) / V. 4, "a iamas nunqua cessar" (a1) / V. 5
hi (a1) / V. 6, mismo (b1) / V. 7, "confio de no poder" (a1); "ferno po
"freno" (b1) / V. 8, "eso mismo nos ençienda" (a1) / V. 10, "y quieren ama
hi onrrar" (a1); "amar, honrar y querer" (b1) / V. 11, enride (a1) / V. 13
mismo (a1) / V. 14, "de nunqua poder fablar" (a1) / V. 15, "de acabart
de loar" (a1).—*Falta en a2 (cf. c. 68).
   Copla 98. — Título: falta (a1) / V. 1, "O" por "y" (a1) / V. 2, "crea

Dios y ombre verdadero,
tu moriras en madero
5 porque biua el peccador!
Tu seras cruçificado,
pero despues que murieres
el limbo sera robado,
el çielo todo poblado
10 con los que tu redimieres,
mas es de fuerça primero
que tu, forçado de amor,
Dios y ombre verdadero,
seas muerto en el madero
15 porque biua el pecador."

*99

1 Los nouenos, mas perfectos
y de mas alta ralea,
seraphines muy discretos
que los diuinos secretos
5 juegan syempre de bolea,
con honesto continente,
acabado el canto todo,
cantaron muy dulçemente
este romançe seguiente
10 en un muy suabe modo:

---

tura e creador" (a1) / V. 5, "por saluar..." (a1) / V. 7, morieras (a1) / V. 8, rouado (b1) / V. 9, "y el..." (a1) / V. 10, redimieras (a1); redemieres (b1) / V. 12, damor (a1, b1) / V. 14, "mueras puesto en el madero" (a1); "seras muerto en madero" (b1).—*Falta en a2 (cf. c. 68).

Copla 99. — V. 2, realea (a1; originalmente la lectura era "realeza", pero la z ha sido tachada posteriormente) / V. 3, serafines (a1) / V. 6, oneste (a1); onesto (b1) / V. 8, dulçamiente (a1) / V. 9, "este romanço siguiente" (a1); siguiente (b1) / V. 10, suaue (a1).—*Faltan los versos 4 y 10 en A, B, C, D...; los tomo de a1 y b1.—**Falta en a2 (cf. 68).

*100

*Romançe que canto la noue-
na orden, que son los se-
rafines*

1 "Gozo muestren en la tierra
y en el linbo alegria,
fiestas hagan en el cielo
por el parto de Maria,
5 no halle lugar tristeza
en tan plazentero dia,
pues que oy de vna donzella
el hijo de Dios nasçia
humillado en carne humana,
10 para que por esta via
se repare en nuestras syllas
lo que en ellas fallesçia.
¡O alta fuerça de amor!,
pues que tu dulce porfia
15 no solo le hizo ombre
mas a la muerte le enbia,
digamos al sacro niño
con suaue melodia:

20

25

30

32

"Gozo muestren en la tierra
y en el limbo alegria,
fiestas fagan en el cielo
por el parto de Maria,
todos canten alabanças
de tan miragloso dia,
todos adoren y loen
al infante que naçia,
fagan todos grandes graçias
al su padre que lo embia
y a la virgen donzella
de cuyo ventre sallia
y tanbien al Spiritu Santo,
que dellos dos procedia.
¡O marauillas de Dios,
quien recontaruos poria!;
¡O diuinales misterios
de alta sabiduria!:
el eterno Criador
creatura se fazia;
la temporal criatura
al fijo de Dios vistia
de pasible carne umana,
la qual nunqua lexaria,
con la qual pueston la cruz
al ombre redimiria,
y despues de redimido
al çielo lo subiria,
y en el mas excelso trono
de todos lo assentaria,
a do con la Trinidad
pora siempre regnaria."

(a1)

_____

Copla 100. — V. 1, muestran (b1, F2) / V. 3, fagan (b1) / V. 8, nacia
(F2) / V. 9, omillado (b1) / V. 11, nuestra silla (F1) / V. 14, profia (b1) /
V. 16, "lo" por "le" (b1).—*Falta en a2 (cf. c. 68).

*101

Deshecha del romance

1   Heres niño y as amor;
    ¿que faras quando mayor?

    Pues que en tu natiuidad
    te quema la caridad,
5   en tu varonil hedad,
    ¿quien sufrira su calor?

    Heres niño y as amor;
    ¿que faras quando mayor?

    Sera tan biuo su fuego
10 que con inportuno ruego
    por saluar el mundo çiego
    te dara mortal dolor.

    Heres niño y as amor;
    ¿que faras quando mayor?

15 Ardera tanto tu gana,
    que por la natura humana
    querras pagar su mançana
    con muerte de malhechor.

    Heres niño y as amor;
20 ¿que faras quando mayor?

    ¡O amor digno de espanto!,
    pues que en este niño sancto
    has de pregonarte tanto,
    cantemos a su loor:

25 Heres niño y as amor;
    ¿que faras quando mayor?"

Copla 101. — Título: *Desfecha* (b1) / V. 1, Eres (b1, F1; también en vv. 7, 13, 19, 25) / V. 2, haras (F1); aras (b1; en ambos casos también en versos 8, 14, 20, 26) / V. 5, edad (b1) / V. 9, "tu huego" (F1) / V. 17, "la" por "su" (b1) / V. 18, malechor (b1) / V. 21, despanto (b1) / V. 23, "as" por "has" (b1).—*Falta en a1 (cf. cap. III, pág. 107, y ap. X) y a2 (cf. c. 68).

*102

Torna a la ystoria

1   Acabadas las canciones
    y ya çesados los cantos,
    hyzieron dos proçesyones
    las çelestiales legiones
5   de aquellos angeles sanctos,
    y despues de despedidos
    de la madre y del infante
    con alegres alaridos,
    supito fueron sobidos
10 al çielo mas elegante.

Acabadas las cançiones
e ya çessados los cantos,
puestas en sus proçeçiones
las magnificas legiones
de aquestos angeles santos,
despues de ya despedidos
de...
con...
subito fueron subidos
a la gloria que morauan ante.

(a1)

*103

1   Quedaron aca en el suelo,
    en la casa pobrezilla,
    aquella reyna del çielo,
    aquella nuestro consuelo,
5   virgen madre sin manzilla,
    y tanbien su desposado
    con el niño diuinal,
    en aquel portal honrrado
    que fuera mejor llamado
10 parayso eternal.

Copla 102. — V. 3, fizieron (b1); proscesiones (b1) / V. 9, subidos (b1) / V. 10, imperfecto en a1.—*Falta en a2 (cf. c. 68).

Copla 103. — V. 1, aqua (a1) / V. 2, pobrecilla (a1) / V. 4, nuestra (a1) / V. 5, syn (C); mancilla (a1) / V. 6, "y el vieio desposado" (a1) / V. 7, ninyo (a1) / V. 8, aquell (a1); hondrado (a1) / V. 9, "que podiera ser llamado" (a1) / V. 10, parayss0 (a1); terrenal (a1); terenal (b1).—*Falta en a2 (cf. c. 68).

*104

1 Pasauan tan pobremente
   y con tan estrecha mengua,
   que de piedad la gente
   les diera de buenamente
5 quanto pidiera su lengua,
   mas el pobre, verdadero
   redemptor Adam segundo,
   menospreçiaba el dinero
   por mostrarnos el sendero
10 del menospreçio del mundo.

*105

1 Pues la su cama qual era
   en solo dezirlo peno:
   vna dura pesebrera,
   vigones por cabeçera,
5 y por colchones el heno,
   do estaua con tal affan
   nuestro sacro sancto niño,
   que syn dubda del podran
   dezir bien aquel refran:
10 "como galgo en el escriño".

Copla 104. — V. 1, "Do stauan..." (a1) / V. 2, strecha (a1) / V. 4, buenamente (a1) / V. 5, quando (a1) / V. 7, redenptor (b1); "ombre" por "Adam"
(a1); Adan (b1).—*Falta en a2 (cf. c. 68).
   Copla 105. — V. 1, hera (A, F1) / V. 2, "pensarlo" por "dezirlo" (a1) /
V. 5, colxones (a1); colchones (B); feno (a1) / V. 6, questaua (a1) / V. 7,
"...santo ninyo" (a1); santo sacro (b1, B) / V. 8, "que sin duda bien poran"
(a1) / V. 9, "de aquell" por "bien aquel" (a1) / V. 10, "gallo" por "galgo"
(a1); scrinyo (a1); "como el galgo..." (b1).—*Falta en a2 (cf. c. 68).

*106

Reprehende las ponpas y re-
galos de los grandes con la
pobredad y pena del Señor

1   ¡Ay de vos, enperadores!,
     ¡ay de vos, reys poderosos!,
     ¡ay de vos, grandes señores,
     que con agenos sudores
5   traes estados ponposos! ;
     ¡O grandes, quan de llorar
     es a vos lo del pesebre! ;
     ¡O pobreza syngular!,
     ¿quien te puede contemplar
10   que su soberuia no quiebre?

*107

1   ¡O locos deuariados,   Segun esta piedad,
     si pensays, por ventura,   ¡guay de vos, Enrique el Quar-
     que de ser muy delicados   aunque con liberalidad   [to!,
     que viuays tan regalados   do sentis neçesidad
5   os demanda la natura! ;   repartis tesoro harto,
     ¡O çegado entendimiento,   quan llexos vos fallaran
     llegate al pesebre y vey   daquella summa pobresa,
     en su tierno nasçimiento   pues hartos no tienen pan
     quan poco regalamiento   y en Segouia os mostraran
10   ha de menester el rey!   viçiosa mucha riqueza.

                                                        (a1)

   Copla 106. — Título: "reprende" (b1); "repreende" (B); "probedad" (B);
Reprende los ricos (a1); *Contra los grandes que usan mal de sus rentas* (a2)
/ V. 1, "los" por "vos" (b1, F1); emperadores (a1) / V. 2, "los" por "vos"
(b1, F1); falta "vos" (B); "y de vos..." (a1); reyes (a1) / V. 3, "los" por
"vos" (b1, F1); senyores (a1) / V. 5, trays (a1); "teneys stados pomposos"
(a1; a2) / V. 8, singular (a1).—*En a1, tras esta copla —fol. 143v— una
nota dice: "Aqui han de entrar las coplas con este signo que debaxo estan ⸪ ". Son tres que sustituyen al texto conocido en 107-109 (cf. cap. III
página 104, y ap. X. Cf. también c. 107).
   Copla 107. — V. 2, aventura (F1) / V. 4, biuays (b1, B, C).—*En a1 —folio 189— una nota dice, encabezando la copla: "Esta copla ha de entrar arri-

*108

1 ¡O niño rezien nasçido
   de dos reales linajes!,
   ¡quan regalo conosçido
   son al cuerpo enduresçido
5 nuestros delicados trajes [dos
   quando tus miembros sagra-
   con tan poco se conportan:
   ¡O grandes, quan condena-
   son en esto los brocados [dos
10 que los vuestros sastres cor-
                           [tan!

¡Guay de vos, nuestro priuado!,
¡A[y] Don Alonso Carrillo!,
por quel fauor del stado
vos faze muy allongado
del pezebre pobrezillo;
vuestros costosos manjares,
vuestros franquos benefiçios,
a las personas setglares
son virtudes singulares,
mas en el çielo son viçios.

                                    (a1)

*109

*Desculpase del auer nombra-
do en el primero trasunto*

1 Algunos grandes auia
   en este paso nombrados,
   a quien yo [reprehendia]
   la sobrada demasya
5 de sus sonados estados,
   y la conçiençia me afruenta,
   que paresçe infamaçion:
   pues por tenella contenta
   yo los rayo desta cuenta
10 y les demando perdon.

Y a bueltas destos dos
aunque del rey mucho quisto,
tanbien, Duque, guay de vos,
que fazeys ropa de Dios
enforrada en Ihesuchristo;
no curemos de dudar
quen el pesebre comporte
no tener que couinyar
el que quiere comportar
que digays uos tal en corte.

                                    (a1)

---

ba en este signo :|: y tan bien las dos siguientes" (cf. c. 106).—**Falta en
a2 (cf. cap. III, pág. 104, y ap. X), así como las dos coplas siguientes.
   Copla 108. — V. 3, conocido (F1) / V. 4, endurecido (F1).—*Para a1,
cf. c. 106.—**Falta en a2 (cf. c. 107).
   Copla 109. — V. 1, allgunos (F1); auria (F1) / V. 2, passo (F1); nombrado (F2) / V. 3, reprendia (b1, lo que hace el verso imperfecto); reprehen-
deria (A, B...; verso imperfecto también; debe aceptarse "reprehendia") /
V. 5, soñados (b1) / V. 6, mafruenta (b1); "a la conçiençia me afrenta" (F1)
/ V. 7, parece (F1) / V. 9, "les" por "los" (b1, B, C) / V. 10, "los" por
"les" (b1, F1).—*Para a1, cf. c. 106.—**Falta en a2 (cf. c. 107).—***Falta
en B, así como las cc. 110-114 (cf. cap. III, pág. 95 y ap. X).

*110

Prosygue las reprehensyones

1   Mas hablando en general,
de todos los grandes, ¡guay!,
pues todos andan con mal
y de temor humanal
5   quien reprehenda no ay.
¡O brocados mal gastados
en las faldas de las dueñas,
quando los descomulgados
van al infierno dañados
10   por vnas deudas pequeñas!

*111

1   Trahen truhanes vestidos
de brocados y de seda;
llamanlos locos perdidos,
mas quien les da sus vestidos
5   por çierto mas loco queda,
y muchos sanctos romeros
porque no dizen donayres
con pobreza de dineros
andan desnudos en cueros,
10   por los campos, a los ayres.

Copla 110. — Título: "reprensiones" (b1); *Prosigue* (a1, a2) / V. 1, "E fablando..." (a1); "y" por "mas" (a2); fablando (b1) / V. 3, andays (a1, a2, b1) / V. 5, "quien vos reprenda..." (a1) / V. 7, duenyas (a1) / V. 8, escomulgados (a1) / V. 9, damnados (a1) / V. 10, pequenyas (1).—*Falta en B (cf. c. 109).

Copla 111. — V. 1, "Traeys truanes..." (a1); truanes (b1) / V. 3, "por unos locos perdidos" (a1, a2) / V. 4, "los" por "les" (a1) / V. 8, "por la mengua de..." (a1); "por mengua de..." (a2).—*Falta en B (cf. c. 109).

*112

1 En galas y en conbidar
    que se gasten diez mill cuentos;
    pues al tiempo del justar,
    bia sastres a cortar
5 y rastren los paramentos,
    y las doblas a montones
    que baylen por los tableros;
    mas las sanctas religiones
    que pasen tres mill passyones
10 a falta de limosneros.

*113

*Exclamaçion contra la des-
troydora costumbre de nuestros grandes*

1 ¡O dolor digno de lloro,   ¡O dolor digno de lloro,
    que las entrañas lastimas!;   que los piadosos llastimas!;
    ¡O tan perdido thesoro!;   ¡mal empleado tesoro,
    ¡colorar las vigas d'oro,   do cubren las vigas d'oro,
5 de seda vestir las rimas,   de seda visten las rimas,
    y los pobres lazerados   quando los pobres cuytados
    mostrar las carnes al çielo,   sus carnes muestran al çielo,
    andar los desuenturados   fambrientos, desuenturados,
    hanbrientos, enuergonçados,   corridos, envergonçados,
10 teniendo por cama el suelo!   teniendo por cama el suelo!

                                          (a1)

Copla 112. — V. 1, "En fiestas y conbidar" (a2); falta "en" (b1) / V. 2, mil (a1) / V. 3, justrar (a1) / V. 4, "vayan" por "bia" (a1); via (A, F1) / V. 5, paramentos (a1) / V. 6, hi (a1) / V. 7, "vallen" por "baylen" (b1); tabbleros (a1) / V. 9, mil paçiones (a1) / V. 10, "por falta da llimosneros" (a1).—*Falta en B (cf. c. 109).—**En a1, tras esta copla una nota dice: "Aqui han de estar las coplas que debaxo stan con este signo ·×·". Son dos que sustituyen al texto conocido de 113 y 114 (cf. cap. III, pág. 104, y ap. X. También cf. c. 113).

Copla 113. — Título: destruydora (b1); falta en a1 / V. 3, tesoro (b1) / V. 6, lazdrados (b1; verso imperfecto) / V. 9, hambrientos (b1, C, D...); desuergonçados (F1).—*Falta en a2 (cf. cap. III, pág. 104, y ap. X).—**Falta en B (cf. c. 109).—***En a1 —fol. 189v— encabeza la copla la siguiente nota: "·×·". Esta cobla ha de estar arriba en este signo" (cf. c. 112).

*114

*Exclamaçion a la paçiençia de
nuestro Señor*   *Exclamaçion*

1 ¡O Señor, di qual bondad   ¡O Señor y qual bondad
   detiene la tu justiçia!,   detiene...
   ¡O Señor, qual piedad   ¡O Señor...
   enfrena la crueldad   detiene la crueldad
5 que meresçe tal maliçia!,   que...
   mas mucho temo, Señor,   mas...
   o me engaña el pensamiento,   que tu rauia mas dañosa
   que les dexas por peor   es dexar al pecador
   el su ponposo dulçor   turar mucho en el dulçor
10 como el del rico avariento.   daquesta ponpa engañosa.

                                                    (—a1, a2)

*115

1 Avnque paresca en aquesto
   del proposyto apartarme
   del sacro niño propuesto,
   que en el pesebre fue puesto
5 a temblar por calentarme,
   pero pues su pobredad
   agora me da occasyon,
   quiero dezir la verdad
   por peligro y çeguedad
10 de aquellos que grandes son.

Copla 114. — V. 1, senyor (a1) / V. 2, josticia (a1) / V. 3, "O senyor y qual piedad" (a1) / V. 6, senyor (a1) / V. 7, "que tu sanya mas sanyosa" (a1) / V. 9, "criar mucho en el dolçor" (a1) / V. 10, enganyosa (a1).—*Falta en B (cf. c. 109).—**Para a1, cf. cc. 112 y 113.

Copla 115. — Título en a2: *Prosigue* / V. 1, paresça (A) / V. 3, "daquell jnfante propuesto" (a1); "daquel ynfante..." (a2) / V. 4, pezebre (a1); "esta" por "fue" (a1) / V. 5, "temblando por..." (a1, a2) / V. 9, "del" por "por" (a1, b1) / V. 10, daquellos (a1).—*En a1, tras esta copla, una nota dice: "Siguen las coplas deste signo ·A·". Son veintiuna contra la nobleza, que deben colocarse entre las cc. 115 y 116 (cf. cap. III, págs. 104 y 110, y ap. X; cf. también c. 116). La copla 115V pertenece también a este grupo; cf. en su lugar correspondiente.

*115 A

1   ¿Que aprofechan, caualleros,
      este tesoro que sobra,
      pues todos vuestros dineros
      quedan a los erederos
5   quando la tierra vos cobra?
      ¡O cobre tan enganyoso!,
      por que seamos mas çiertos
      quanto eres mentiroso,
      digalo algun poderoso
10 de los mas cercanos muertos.

(a1)

*115 B

1   Cauallero de gran renta,
      por darnos auisamiento[s]
      dezidnos quando ell afruenta
      que [librastes] de la quenta
5   de vuestros quatorze quentos,
      porque tal cosa podres
      contarnos, senyor Maestre,
      que vuestro ermano el Marques
      asi se imiende despues,
10 quel diablo no l'encabestre.

(a1)

Copla 115 A. — En fol. 190, una nota dice, encabezando la copla: "Entran arriba en este signo asta a la de los pastores ·A·". Cf. c. 115.
    Copla 115 B. — V. 2, la lectura es "auisamiento", claro descuido del co-
pista / V. 4, creo que la lectura correcta debe ser "librastes", teniendo en
cuenta el número de sílabas del verso, aunque el texto dice "deslibrastes".—
*Cf. cc. 115 y 115A.

*115 C

1   Maestre de Calatraua,
    en quien todos adorauan,
    di la congoxa en que staua
    tu alma quando miraua
5   a lo[s] que callan y trauan
    por quel temor no[s] derrueque
    con el gran exemplo tuyo,
    y aquell Duque d'Alburqueque
    fata quiça que no peque,
10 mas menospreçie lo suyo.

                    (a1)

*115 D

1   E huyendo la sentençia
    daquell juyçio dretxo,
    nuestro Conde de Plazençia
    mirara mas su conçiençia
5   que lo a fasta qui fetxo,
    e ya de algo siquiera
    faga la cuenta con pago
    y le tiemble la contera,
    que no es star en La Vera
10 passar el hombre aquel drago.

                    (a1)

_____

Copla 115 C. — V. 5, hay un descuido del copista, "lo", que no hace sentido para indicar los demonios, alegóricamente representados / V. 8, sie
por "Alburquerque" / V. 9, "fata", sic, por "fara".—*Cf. cc. 115 y 115A
    Copla 115 D. — *Cf. cc. 115 y 115A.

*115 E

1 Al tiempo que parecieste
    antel justo consistorio,
    ¡guay de ti, Maestre triste,
    si daquell no mereçiste
5 ser juzgado a porgatorio!,
    quen los fuegos infernales,
    si stas alla lo sabras,
    tanpoco somos yguales,
    que a las almas maestrales
10 ponen diez tizones mas:

                      (a1)

*115 F

1 "El Marques de Santillana
    llama bien auenturada
    aquella vida villana
    que come bien lo que gana
5 luchando con el azada;
    ¡O cosa tan verdadera,
    qua la pobreza es ataio,
    por cuya senda si fuera
    en Parayso estouiera
10 con muy pequenyo trabaio!

                      (a1)

*115 G

1 Es muy peligroso estado
    el que gouierna Fortuna;
    aqua despues de finado
    mil vezes lo e fablado

Copla 115 E. — *Cf. cc. 115 y 115A.
Copla 115 F. — *Cf. cc. 115 y 115 A.
Copla 115 G. — *Cf. cc. 115 y 115A.

5   con Don Alvaro de Luna;
    porque los grandes viuir
    no pueden sin mil recelos,
    pues al tiempo del morir
    ozar hose yo dezir
10 que parten con artos duelos.

                    (a1)

    *115 H

1   Ca harto era excellente,
    y en el reyno de Castilla
    senyor de la meyor gente,
    y reynaua enteramente
5   desde Toledo a Seuilla;
    senyor de arto tesoro;
    muy viçioso de mugeres;
    mas aqua do agora moro
    so senyor de tanto lloro
10 quanto alla fuy de plazeres.

                    (a1)

    115 I

1   Ny con tanta amargua cara
    la triste muerte sofriera,
    ni despues que la tragara
    sobre ella no me quedara
5   que llorando padeçiera
    tormentos incomparables,
    tienebras, llamas, fadiga,
    dolores innumerables,
    pero si son perdurables
10 no quiera Dios que os lo diga.

                    (a1)

_____

Copla 115 H. — *Cf. cc. 115 y 115A.
    Copla 115 I. — V. 10, "vos" es la lectura del ms., lo cual hace imperfecto
el verso.—*Cf. cc. 115 y 115A.

*115 J

1　Con desdonosos renglones
　　no quiero seros prolixo,
　　¡o poderosos barones!;
　　si mirays a las razones
5　quel Senyor nuestro dixo,
　　conocereys la verdad
　　de la enganyosa locura
　　de vuestra prosperidad,
　　y conoçida, acostad
10　a la parte mas segura.

　　　　　　　　　　　　(a1)

*115 K

1　E la soberuia lexad,
　　pues que naçimos yguales;
　　por alcançar humildad
　　al pesebre vos atad
5　entre los dos animales,
　　ca daquella perfecçion
　　diuinal, marauillosa,
　　alcançares algun don,
　　speçial a petiçion
10　de la virgen gloriosa.

*115 L

1　Pues en dar los houispados
　　era io segundo Papa,
　　y por los tales pecados
　　son agora los prelados

Copla 115 J. — *Cf. cc. 115 y 115A.
Copla 115 K. — *Cf. cc. 115 y 115A.
Copla 115 L. — *Cf. cc. 115 y 115A.

5   ovispos d'espada y capa;
mas a tan pocos perdona
esta muerte vniversal,
que quando vino en presona
ni me valio su corona
10 ni aun mi cruz maestral.

(a1)

*115 M

1   Estotro tanbien tenia
sobrado mando y moneda;
quando en el reyno dezia,
en aquell son se fazia
5 quan Scalona y Maqueda,
mas todos sopiendo quando
este vuestro mundo falso
torno en suenyo su mando,
pregonando, degollando,
10 ençima dun cadafalço.

(a1)

*115 N

1   Aunque segund que morio
este grande de quien fablo,
la verguença que sofrio
munxos renglones rayo
5 de los scriptos del diablo,
mas yo quen prosperidad
rezebi la cruda muerte,
antes de la veiedad,
despues de la moçedad,
10 en el peligro mas fuerte,

(a1)

Copla 115 M. — *Cf. cc. 115 y 115A.
Copla 115 N. — *Cf. cc. 115 y 115A.

115 O

1 Yo triste soy de llorar,
 yo triste soy de doler,
 yo triste soy de mirar,
 para nunqua confiar
5 en el mundano plazer;
 acretme, pues que so
 circunçiano, acutxillado,
 que en este llugar do sto
 el que alla meyor libro
10 esta aqua peor librado.

(a1)

*115 P

1 Sy vuestro reyno perdido
 a de ser y destroçado,
 quen la Scritura e leyido
 todo reyno en si partido
5 sera de fuera azolado,
 ¿quales fueron causadores
 deste comienço de bando?,
 ¿si fueron los llabradores
 o endiablados senyores
10 con su soberbia de mando?

(a1)

*115 Q

1 Segun la mala conciencia
 de tales grandes stados,
 bien se puede dar sentencia
 que tienen sola apetencia

Copla 115 O. — *Cf. cc. 115 y 115A.
Copla 115 P. — *Cf. cc. 115 y 115A.
Copla 115 Q. — V. 4, "Apetencia", posible lectura errónea por "aparien-
cia".—*Cf. cc. 115 y 115 A.

5   de christianos babtizados;
    por aquestos con la guerra
    pestilencia aiunta Dios,
    pues los fructos de la tierra,
    si no se ymiende quien yerra,
10 aiudaran a los dos.

                                        (aI)

        115 R

1   Por lo qual daqui os auiso
    con entranyas de dolor
    que quien quiere el Parayso
    a de fazer como fizo
5   en el pesebre el Senyor:
    desuariar la voluntad
    de las cosas desta vida,
    y la santa pobredad,
    la fambre y desnuydad,
10 amallos muy sin medida.

                                        (aI)

        *115 S

1   Ca si io pobre viuiera,
    mal gouernado y mal quisto,
    si en el pezebre stouiera,
    si las pisadas siguiera
5   daquell pobre Jhesuchristo,
    ni yo tezoros touiera,
    ni tezoros me touieran,
    ni sin tezoros moriera,
    ni mis tezoros perdiera,
10 ni tezoros me perdieran.

                                        (aI)

_____

Copla 115 R. — *Cf. cc. 115 y 115A.
Copla 115 S. — *Cf. cc. 115 y 115A.

*115 T

1   E si vuestra humanidad
     ençiende suzia sentella,
     contemplad la breuedad
     de la su vil suziedad
5   y la luenga pena della
     y la presençia diuina
     y del angel que vos guarda,
     y con esta medezina
     la podreys matar ayna,
10 por muxo rezio que arda.

                       (a1)

*115 U

1   La codiçia me pareçe
     bien ligera de matar
     al que pensa si adoleçe
     y adoleçiendo falleçe:
5   que no a nada de leuar
     y que por mandas que faga
     si no lo da quando viu[e]
     despues que so tierra yaga
     las mas vezes la paga
10 dentro do l'agua sescriue."

                       (a1)

*115 V

1   Segun esto, cauallero,
     tu muerte y la de los tales

Copla 115 T. — *Cf. cc. 115 y 115A.

Copla 115 U. — V. 7, el ms. dice, erróneamente, "viuo", que estropea la rima y no hace sentido.—*Cf. cc. 115 y 115A.

Copla 115 V. — *Esta es la última copla del ms. a1, copiada de mano diferente; debe colocarse, evidentemente, tras la c. 115U. (Cf. cap. III, página 104, y ap. X.)

bien nos dize que el dinero
deue ponerse al tablero
5 por los bienes çelestiales,
pues Ihesus nuestro Señor,
embuelto en tan pobres paños,
tambyen dize quel mayor
deue tornarse menor
10 para fuyr de tus daños.

(a1)

*116

Pone las peligrosas occasyo-
nes de las grandezas

Pone tres pecados que andan
embueltos con grandes estados

1 Sy nunca falta en la tienda
de qualquier estado grande
luxuria para que ençienda,
codiçia para que prenda,
5 soberuia para que mande,
con estas tales vezinas
de las grandezas ponposas,
¡O letor!, tu te adeuinas
que tras las ricas cortinas
10 moran syerpes peligrosas.

Que nunca falta en la tienda
de...
codiçia para que prenda,
luxuria para que encienda,
soberuia...
desta sola copla mia
pueden claro conozer
que pomposa senyoria
por gran miraglo seria
fuyr de no se perder.

(—a1, a2)

Copla 116. — Título: "...*stados*" (a1); "...*de los grandes*" (b1) / V. 1,
nunqua (a1) / V. 2, stado (a1) / V. 3, "cobdicia pora que..." (a1) /
V. 4, pora que (a1); cobdicia (F1) / V. 5, "soperbia pora que..." (a1) /
V. 6, cobla (a1) / V. 7, "se puede dar a conoscer" (a2, verso imperfecto)
/ V. 8, "que ponposa señora" (a2, verso imperfecto) / V. 9, "por grand
miraglo sepa" (a2, verso imperfecto) / V. 10, foyr (a1).—*En a2, el texto
está totalmente estragado: tres versos imperfectos, faltas de rima...

*117

Pone exemplo de la luxuria   *Prueua lo del primero viçio*

1 El dulçor y abastança
    de la cama y paladar
    engendro la malandança
    por do vino la vengança
5 do se llama el Muerto Mar;
    ser tan grande Salomon,
    dio lugar a sus passyones,
    por do su grand discreçion
    la quemo fornicaçion
10 hasta tornarla carbones.

Concluyo por acortar,
que al que renta sobrepuja
es muy peor de salvar
que un camello de entrar
por el cabo duna aguja;
mas no son palabras mias
que las podays reprochar,
mas daquell nuestro Mesias
que dixo en aquellos dias
quando nos vino a salvar

(—a1, a2)

*118

Prucua lo de la codiçia por razon   *Del segundo viçio.*

1 Es la codicia yo creo
    en los baxos la mas poca,
    porque refuerça el deseo
    como las fuerças Anteo
5 cada vez que en tierra toca,
    y por esta falsa maña
    el tragar de la moneda
    a quien della mas apaña
    le pone mas braua saña
10 para robar lo que queda.

Pues lo del viçio carnal
digamoslo en ora mala:
no basta lo natural,
que lo contra natural
traen en la boca por gala:
¡O Rey!, lo[s] que te estrañan
tu fama con su carcoma
pues que los ayres te dañan,
y los angeles t'enseñan,
quemalos como a Sodoma.

(—a1, a2)

Copla *117.* — Título: falta (a2) / V. 2, soprepvia (a1) / V. 4, dentrar (a1) / V. 5, "por cabo de un aguja" (a2, v. imperfecto) / V. 6, "pues" por "mas" (a1); Salamon (b1, B) / V. 8, "mas son nuestros Mexias" (a2) / V. 10, "quanto nos bino salvar" (a2).

Copla *118.* — Título: falta (a1) / V. 5, traes (a2); bocha (a1) / V. 6, "¡O Regno!, los que te stranyan" (a1); "lo" (a2; evidentemente debe ser "los") / V. 7, corcoma (a1) / V. 8, "pues que los danyos te danyan" (a1); "dellas" por "della" (b1) / V. 9, "a los angeles te dañan" (a2).

*119

Exemplo de la soberuia   *Continua*

1   Hizo ser la dignidad   Si fuese tinta la mar
    muy soberuio a Theodosyo;   y los peces escriuanos,
    quanta fue la crueldad   era miraglo contar
    que le dio la potestad   [syo,   quantos hiço condepnar
5   preguntaldo a Sant Ambro-   la luxuria en los humanos,
    porque su poder mandar   mas esto solo sentid:
    con desuocado alvedrio   que no basta distinçion
    le hizo, sin delibrar,   ni coraçon a la lid
    syete mill ombres matar   do firieron a Dauid,
10 por vn solo desuario.   mataron a Salamon.

                                                        (—a1, a2)

*119 A

Del terçero viçio

1   Y assi a de ser perdido
    este reyno y destroçado,
    porque segund es leydo
    todo reyno en si partido
5   tiene de ser despoblado;
    a que gentes se enderesça
    la culpa bien claro es,
    pues quando el ombre stropieça
    los ojos de la cabeça
10 han la culpa y non los pies.

                    (—a1, a2)

Copla 119. — Título: falta en a1; *Enxemplo de la codicia por razon*
(b1; evidente error de colocación del título, pues, sin duda, corresponde
a la c. 118) / V. 2, "y los pexos scriuanos" (a1) / V. 4, fizo condenar (a1)
/ V. 5, preguntalo (b1) / V. 6, falta en a2, cortado por la encuadernación
del códice; "sentit" es la lectura catalanizada de a1, que corrijo / V. 7,
"discreçion" por "distinçion" (a1); "descotado" por "desuocado" (b1) / V. 8,
corazon (a1) / V. 9, fueyron (a1). La lectura de a2 es "fisieron", que considero errónea, teniendo en cuenta la metáfora de la lid contra la lujuria que
Fr. Íñigo presenta.
    Copla 119 A. — Título: falta (a1) / V. 1, "y si ha..." (a2) / V. 2, esto
(a1) / V. 3, leyto (a1) / V. 4, toto (a1); partito (a1) / V. 5, "asolado" por
"despoblado" (a2).—*Cf. ap. X.

*120

1   Y por estas occasyones
    tan prestas para caer,
    ¡O poderosos varones!,
    mas vale no tener dones,
5   mas vale grande no ser,
    mas vale poco tener,
    pues que quando el alma bote
    es muy çierto que ha de ser
    qual el preçio del comer
10 tal la paga del escote.

*121

Concluye con la ystoria

1   Por aquesto el Redemptor
    la carrera de salud
    en portal de labrador,
    de bestias, que es lo peor,
5   començo en su juventud,
    en lo qual, mira que hablo,
    nos mostro doctrina tal
    que para huyr del diablo
    es mas seguro el establo
10 que no la casa real.

Copla 120. — V. 1, "Pues" por "Y" (a1); falta "y" (b1); ocasiones (a1)
/ V. 2, pora creer (a1) / V. 3, "axo" por "o" (a2); barones (a1, a2) / V. 4, bale
(a1); "donde" por "dones" (a2) / V. 5, grandes (a1); bale grandes (a2); "mas
vale poco tener" (b1) / V. 6, bale (a2); "mas vale pequeno ser" (b1) / V. 7,
"...ell alma vote" (a1); quanto (a2) / V. 8, "a" por "ha" (a1); falta "muy"
(a2) / V. 9, "la costa" por "el preçio" (a1, a2).

Copla 121. — Título: falta (a1); falta "con" (b1) / V. 1, Redemtor (a1)
/ V. 2, "...de nuestra salud" (a1, verso imperfecto) / V. 3, llabrador (a1) /
V. 4, ques (a1) / V. 5, comienço (a1, B); falta "en" (F1); iouentud (a1); joventud (b1) / V. 6, fablo (a1); ablo (b1) / V. 8, por foyr (a1); "al" por "del"
(b1) / V. 9, stablo (a1) / V. 10, reyal (a1).

*122

Comiença la reuelaçion del
angel a los pastores

1   Pasemos de los señores,
    quel angel dellos pasado
    es ya ido a los pastores,
    pobrezillos peccadores,
5   a do estan con su ganado;
    andemos ayna, andemos,
    con congoxoso deseo,
    porque a tal hora lleguemos
    que todos juntos cantemos
10 *Gloria in exçelsis Deo.*

*123

1   Corramos por ver syquiera
    aquella gente aldeana
    como se turba y altera
    en ver de nueua manera
5   en el ayre forma humana,
    diziendo con grand temor
    el vno al otro temblando:
    "Cata, cata, Juan Pastor,
    y juro a mi, peccador,
10 vn ombre viene bolando".

Copla 122. — Título: falta (a1); *Prosigue* (a2) / V. 1, senyores (a1) /
V. 3, ido (a1); yto (a2) / V. 4, pobrezicos (b1) / V. 5, stan (a1) / V. 6,
"ay" por "ayna" (a1) / V. 7, "con gozoso deseo" (b1, verso imperfecto); falta
"con" (B, verso imperfecto) / V. 8, lleguemos (a1).

Copla 123. — Hay título en a2: *Continua* / V. 1, siquiera (a1) / V. 3,
"sespanta" por "se turba" (a1); se espanta (a2); "como se espanta" (b1, verso
imperfecto) / V. 6, deziendo (a1); gran (a1) / V. 8, Joan (a1) / V. 9, "yo"
por "y" (a1, b1, F1) / V. 10, "que un..." (a1).

*124

Responde el otro pastor

1   "Si, para Sant Julian,
    ya llega somo la peña;
    purraca el çurron del pan;
    acogerme he a Sant Millan,
5   que se me eriza la greña
    y mi muça colorada,
    para que sy a mi se llega,
    porque no me haga nada
    le haga la reuellada
10 a huer de la palaçiega."

*125

Respondio otro pastor

1   "Yo lo veo, prometo a mi,
    de que puedo aquellotrar
    que del dia en que nasçi
    yo nunca tal cosa vi,
5   nin pastor deste lugar;
    daca yergete, Minguillo,
    enantes que el nos vea
    y nuestro poco a poquillo
    por tras este colladillo
10 vamos dillo al aldea."

Copla 124. — V. 3, purre el (A); "de" por "del" (F1) / V. 4, "acogerme
ha San Milian" (b1) / V. 6, nunça (b1) / V. 7, allega (b1); llegue (F2) /
V. 9, rebellada (B) / V. 10, "al" por "a" (b1); falta "la" (b1).—*Falta en
a1 y a2; cf. cap. III, pág. 107, y ap. X.

Copla 125. — Título: falta (a1, a2) / V. 1, "Yal veo, prometo a ti" (a1);
falta "yo lo veo" (a2, verso imperfecto) / V. 2, "Dios quel..." (a2, verso totalmente corrupto) / V. 4, "nunqua yo..." (a1); "nuca" por "nunca" (A) /
V. 6, "daqua yerguete..." (a1); "daca yzemos..." (a2) / V. 7, "enentes que
ell no nos vea" (a1); "aquel" por "el" (a2) / V. 10, "...dezirllo all aldea"
(a1); dezillo (a2).—*Falta en b1, así como la copla siguiente; cf. cap. III, página 112, y ap. X.

*126

Habla el otro pastor

1   "A la he, bien lo querria,
    mas estoy tan pauorido
    que mudar no me podria,
    segund es la medrosya
5   que en el cuerpo me ha metido,
    y tanbien sy mientras vamos
    bolando desaparesçe,
    cata, Juan, diran que entramos
    o que borrachos estamos
10 o quel seso nos fallesçe."

*127

Replicale el otro

1   "Tu eres hi de Pascual,
    el del huerte coraçon;
    torna, torna en ti, zagal,
    se que no nos hara mal
5   tan adonado garçon;
    ponteme aqui a la pareja
    y venga lo que viniere,
    que la mi perra bermeja
    le sobara la pelleja
10 a quien algo nos quisiere.

Copla 126. — Título: falta en a1; *Responde el otro pastor* (a2) / V. 1, "Cata Joan, bien lo querria" (a1, a2 —Juan—); "A lla he..." (F1); "bie" por "bien" (A, B) / V. 2, "esto" por "estoy" (a1) / V. 3, poria (a1) / V. 4, segun (a1) / V. 5, "ma" por "me ha" (a1) / V. 6, si mientre (a1) / V. 7, desapareçe (a1, A) / V. 8, Joan (a1) / V. 9, "que borrachos çierto estamos" (a2); falta "o" (A, B; verso imperfecto).—*Falta en b1; cf. c. 125.

Copla 127. — Título: *Fabla el otro pastor* (a2); *Replica el otro* (F1) / V. 1, eras (A); "y" por "hi" (b1) / V. 5, adornado (b1) / V. 7, veniere (b1) / V. 9, sobrara (B); peleja (b1).—*Falta en a1, así como las coplas 128, 130; cf. cap. III, pág. 105, y ap. X.

*128

1 Y si de aqui nos mudamos
  a dezillo a la villa,
  por mucho que nos corramos
  como crees, Domingo Ramos,
5 buela como aguililla;
  mas paresçe mejor es
  conuidallo a vn presado
  y sabremos bien quien es,
  porque quiça despues
10 espantarnos ha el ganado."

*129

Respondio el otro pastor

1 "¡O, pesete mal grado!,
  calla, calla, Juan Pastor,
  que sy es algund peccador
  que viene asy asombrado
5 a meternos en pauor...
  Mas ponte la tu çamarra,
  la que tienes de holgar,
  y tienpla bien tu guitarra,
  y yo con vna piçarra
10 començemos de baylar,

Copla 128. — V. 2, para dezillo (F1).—*Falta en a1 (cf. c. 127).—**Falta
en a2, así como las coplas 129-130 (cf. cap. III, pág. 107, y ap. X).—***Falta
en b1, así como las coplas 129-130 (cf. cap. III, pág. 112, y ap. X).

Copla 129. — V. 3, "peccado" (A, B, C, F1). Con la lectura "peccador"
(D, E), la rima es ABBAB. Con "peccado" es ABAAB, que es el esquema que
corresponde al tipo de coplas de la *Vita Christi*, pero se pierde el sentido
del verso. / V. 7, "del" por "de" (B).—*Falta en a1 (cf. c. 127), a2 (cf. copla 128) y b1 (cf. c. 128).

*130

1   Y saquemos el cucharal
     y tanbien mi caramillo,
     y llamemos a Pasqual,
     porque nunca vio atal,
5   y a su hermano Minguillo;
     mas juro a mi, peccador,
     que me tiene aquellotrado,
     que ni se sy es encantador
     o sy ombre malhechor,
10   que todo esto espantado."

*131

                                          Responde el otro

1   "Aturemos, jura Diego,   "Pues asmo que jura diez,
     pues que te estay en gasajo,   bien sera que no fuyamos
     y si nos habla bien luego   mas que sepamos quien es,
     haras presto del huego   porque podamos despues
5   para guisalle vn tasajo,   jurar como le fablamos,
     que no puedo ysmaginar,   que no...
     hablando, Mingo, de veras,   fablando...
     que ombre sepa bolar   que...
     sy no es Juan escolar,   sy...
10   que sabe dencantaderas."   que...

                                                       (—a1, a2)

Copla 130. — V. 7, aquellotrato (B).—*Falta en a1 (cf. c. 127), a2 (cf. 128) y b1 (cf. c. 128).

Copla 131. — Título: falta (a2); *Responde el otro* (F2) / V. 1, "atura dies" (a2); "juro a Diego" (b1) / V. 2, "esta" por "sera" (a2); estoy (D...); "pues que estay en gasajo" (b1); non huyamos (a2) / V. 3, abla (A) / V. 4, faremos (b1); fuego (b1) / V. 6, ymaginar (a1, b1) / V. 7, "agora fablando en veras" (a2) / V. 8, "supies" por "sepa" (a1) / V. 9, Johan scolar (a1); Johan escolar (b1) / V. 10, de encantaderas (a2, B...).

*132

1 "Minguillo, sy as mirado,
iñoras su vestuario:
veras quanto pinto y parado
al que se viste el vntado
5 para entrar al sanctuario;
jura hago que ysmagino,
avnque nesçio rabadan,
que este a Zacharias vino
en el offiçio diuino
10 a dezille lo de Juan."

*133

Torna a la hystoria y pone   Torna...
la reuelaçion del angel

1 Mientras [estan] altercando   Mientras...
con su rudez innocente,   con...
llega el angel relumbrando   llega...
y començoles cantando   y...
5 a dezir muy dulçemente: a...
"O, pobrezillos pastores,   "Alegria y alegria,
todo el mundo alegre sea,   gozo, plazer sin dolor,
quel Señor de los señores   quen este precioso dia,
por saluar los peccadores   quedando virgen Maria,
10 es nasçido en uestra aldea.   ha parido el Redemtor.

                                    (—a1, a2)

Copla 132. — Hay título en a1: A los pastores / V. 1, si (a1) / V. 2,
e ignoras..." (a1) / V. 3, "otro tal pinto y parado" (a1); pintoparado (b1)
V. 4, "como se viste ell mirado" (a1) / V. 5, "par" por "para" (a1); san-
uario (a1) / V. 6, "yura ago que ymagino" (a1); juro (b1); ymagino (b1)
V. 7, neçio (a1); necio (b1) / V. 7, rabadam (A) / V. 8, Zaquarias (a1)
V. 9, oficio (a1) / V. 10, "a dezirle lo de Sant Johan" (a1, verso imper-
ecto).—*En a1, que tiene 196 folios, esta copla aparece en el 195, entre la
ran confusión final.

Copla 133. — Título: falta (a1) / V. 1, "estauan" por "estan" es la lec-
ura general, que hace el verso imperfecto; Mientre (a1); Mientra (b1) /
. 2, ygnocente (a1); inoçente (b1); inñocente (A) / V. 3, llego (a1, b1);
ll (a1) / V. 4, comiençoles (a1) / V. 6, falta "y" (a2) / V. 7, "yo so" por
gozo" (a2) / V. 8, que en (a2) / V. 10, al Salvador (a2).

*134

1 Es ya vuestra humanidad
   por este hijo de Dios
   libre de captividad,
   es fuera la enimistad
5 dentre nosotros y vos,
   y vuestra muerte primera
   con su muerte sera muerta,
   y luego que aqueste muera
   sabe quel çielo os espera
10 a todos a puerta abierta.

*135

*Señas del angel que daua a
los pastores*

1 No cureys de titubar;   Y porque non lo dubdeis,
   yo os dare çierta señal: partid con esta señal:
   yd a do suelen atar   quando a Belen llegueis
   los que vienen a conprar   luego al niño fallareis
5 sus bestias en el portal,   en un bien pobre portal,
   do syn mas pontifical,   tan pobre y desigual.
   ¡O varones syn engaños!,   ¡O...
   vereys en carne mortal   vereys...
   la persona diuinal   la...
10 enpañada en pobres paños."   enpañada...

                                        (—a1, a2)

Copla *134.* — Hay título en a2: *Prosigue el angel* / V. 2, fijo (a1, b1)
V. 3, cativedad (a1, b1) / V. 4, "y es..." (F1); enamistad (a1) / V. 5, d
entre (b1) / V. 8, que este (a1); qeste (b1) / V. 9, sabet (a1).

Copla *135.* — Título: falta (a1) / V. 1, "E" por "Y" (a1); dudeys (a1)
V. 2, partit (a1); senyal (a1); "y nos..." (b1) / V. 3, quanto (a2); Betler
(a1); llegareys (a1) / V. 4, "...ninyo fallareys" (a1) / V. 6, "e sin mas por
tifical" (a1); sin (b1) / V. 7, "¡O barones sin enganyos!" (a1) / V. 10, "en
penyada en viles panyos" (a1).

*136

1   El angel questo dezia,
     angelical muchedumbre
     se llego a su compañia,
     que cantauan a porfia
5   con çelestial dulçedumbre
     las eternas marauillas
     de la bondad soberana,
     el reparo de las syllas,
     el lauar de las manzillas
10   de toda la carne humana.

*137

1   Y despues que asy cantaron
     muy grand gloria al Dios eter-
     y la paz nos predicaron, [no
     subieron por do baxaron
5   al su reygno sempiterno;
     quedaron con sus ganados
     los pastores de consuno
     medio muertos, espantados,
     mas despues en sy tornados,
10   començo a dezir el vno:

Y despues que ya cantaron
la gloria al Dios eterno
y la paz nos denunciaron,
sobieron por do entraron
a su reyno sempiterno;
los pastores competian
sobrel mando angelical,
sobre si yran o no yran,
ca ser burlados temian
como nunca vieran tal.

(—a1, a2)

Copla *136.* — V. 3, se allego (b1); companyia (a1) / V. 7, sobirana (a1) / V. 8, sillas (a1) / V. 9, lleuar (a1).

Copla *137.* — V. 1, "E" por "Y" (a1) / V. 2, "a" por "al" (a1, b1) / V. 3, paç (a1); "desnudaron" por "denunciaron" (a2); pedricaron (b1) / V. 4, dondentraron (a1); abaxaron (b1) / V. 5, reyno (C...); sinpeterno (b1) / V. 7, "sobre el manto..." (a2) / V. 8, "si yrian o no yrian" (a2) / V. 9, "car" por "ca" (a1) / V. 10, vieron (a1).

*138

Torna a hablar Juan Pastor

1 "Minguillo, daca leuanta,
no me muestres mas enpacho,
que segund este nos canta
alguna cosa muy sancta
5 deue ser este mochacho,
y veremos a Maria,
que, jura, hago a mi vida,
ahun quiçal preguntaria
en que manera podia
10 estar virgen y parida."

*139

Responde Mingo

1 "Para Sant Hedro, te digo
que puedes asmar de tanto,
que sy no fueses mi amigo
alla no hueses contigo
5 segund que tengo el espanto,
que oy a pocas estaua
de caer muerto en el suelo
quando el ombre que bolaua
oyste como cantaua
10 quera Dios este moçuelo.

Copla 138. — Título: *Continua* (a2); falta (a1) / V. 1, Mynguillo (a1); day te (a1); di te (a2) / V. 2, "no mestes mas en enpacho" (a1); "no me estes en mas enpacho" (a2) / V. 7, "y iura ago a my vida" (a1); juro hago (a2, b1) / V. 8, "quiça le..." (a1); "quiza lo..." (a2); "aun quiza..." (b1) / V. 9, "esto como ser podria" (a1, a2); podria (F1) / V. 10, "quedar" por "estar" (a2).

Copla 139. — Título: falta (a1, a2); *Responde Minguillo* (b1) / V. 1, "A buena fe salva digo" (a1, a2); Saedro (b1); Sant Pedro (D, E...) / V. 2, "creer" por "asmar" (a2) / V. 3, si (a1); fuesses (a1); fuesse (a1, b1); fuese (a2); hvse (B) / V. 5, "...tengol spanto" (a1); V. 6, "en" por "oy" (a2) / V. 9, "biste como nos cantaua" (a1, a2 —"viste"—); "oyste que nos cantaba" (b1) / V. 10, que era (a1); que hera (b1).

*140

1 Mas no quiero estorçejar
   de lo que tu, Juan, as gana,
   pues que tu fuiste a baylar
   quando te lo fue a rogar
5 para las bodas de Juana;
   mas lleua tu el caramiello,
   los albogues y el rabe,
   con que hagas al chequiello
   vn huerte son agudiello,
10 que quiça yo baylare.

*141

1 Pues luego de mañanilla
   tomemos nuestro endeliño
   y lleua tu en la çestilla
   puesta alguna mantequilla
5 para la madre del niño,
   y sy estan ay garçones,
   como es dia de domingo,
   haras tu, Juan, de los sones,
   que sabes de saltejones,
10 y veras qual anda Mingo.

Copla 140. — V. 1, "Mas no lo puedo escorteiar" (a1); "Mas no puedo estorçijar" (a2); estorçijar (b1); estorçear (B) / V. 2, Joan (a1) / V. 3, "que tu bien fueste a baylar" (a1, a2 —"fuyste"—); huiste (b1) / V. 4, fuy rogar (a1); fue rogar (a2); huy (b1) / V. 5, "alla a las bodas de Joana" (a1) / V. 6, "mas lleva alla el caramillo" (a1, a2, b1); lieua (B...) / V. 8, agas (a1); chiquillo (a1, a2); chiquiello (b1) / V. 9, "fhuerte son agudillo" (a2); fuerte (a1); agudillo (a1) / V. 10, "y" por "que" (a1, a2).

Copla 141. — V. 1, "Y luego por la mañanilla" (a1, verso imperfecto) / V. 2, andeliño (a1); endiliño (b1) / V. 3, "y vaya en esta cestilla" (a1); "vaya nuestra canastilla" (a2); "lieua" (b1) / V. 4, "con de alguna..." (a2) / V. 5, pora la (a1); ninyo (a1) / V. 6, "y si estan ende garçones" (a1); "alla" por "ay" (a2) / V. 8, "façme" por "haras" (a1); fasme (a2); Joan (a1) / V. 9, "a" por "de" (a2); salteiones (a1); saltejoñes (C) / V. 10, "bayla" por "anda" (a2).

*142

1   Por ende, daca vayamos,
     quede a Perico el ganado,
     mas cata sy alla llegamos
     que entremos juntos entramos,
5   que estoy muy amedrentado,
     que segund el embaraço,
     medrosya y pauor
     que con aquel su collaço
     que vimos, todo me enbaço
10 de yr delante el Señor.

*143

1   Llamemos a Pascualejo,
     el hi de Juan de Trascalle,
     para que mire sobejo
     aquel claror tan bermejo
5   que relumbra todo el valle;
     ¡quan claro que esta el ote-
     te juro a Sant Pelayo [ro!;
     para ser cabo el enero
     nunca vi tal relumbrero
10 ni aunque fuese por el mayo.

Llama a los otros pastores que bayan a la demuestra do estaua la luz

Deya de jugar al tejo,
amigo Johan de Trescalle,
entruja huerte sobejo
aquel claror tan bermejo
que relumbra todol valle;
a Sant Millan de Llotejo
te juro y a Sant Pelayo
que por ser cabe ell enero
nunca vi tal rellumbrero
ni lo vimos por el mayo.

             (—a1, a2)

Copla 142. — V. 3, "Mas cata que..." (a1, A, B, C..., verso, así, imperfecto; el texto de a2 es el correcto); si (a1) / V. 4, falta "que" (a1) / V. 5, amedrantado (a1) / V. 6, segunt (a2) / V. 7, "y medrosia y..." (a1) / V. 8, aquell (a1) / V. 9, "houimos todo membaço" (a1); "ovimos todo menbaraço" (a2) / V. 10, "...delantel Senyor" (a1); "dir delant del Señor" (a2).— *Falta en b1 (cf. cap. III, pág. 112, y ap. X).

Copla 143. — Título: falta (a1) / V. 1, Dexa (a1); teio (a1) / V. 2, "a Mingo de Juan de Trascalle" (a2, totalmente corrupto); "y" por "hi" (b1) / V. 3, entruia (a1); sobeio (a1) / V. 4, aquell (a1); bermeio (a1) / V. 5, en todo el (a2); relumbro (B) / V. 6, "a Sa Milan del otero" (a1) / V. 7, falta "y" (a2) / V. 8, "...cabo el genero" (a1); cabe (F1) / V. 9, bi (a2) / V. 10, bimos (a2).

*144

1 Garçones de branca bria	Mançebos de braca bria
trobejan con vn moçuelo;	trebejan con un moçuelo;
cata, cata, que alegria,	jura mi que juraria,
jura mi que juraria	y aun asmo que lo diria,
5 que son angeles del çielo;	que son angeles del çielo;
lieua, lieua, reuellado,	de riso me estoy asmado,
que yo te juro a Sant Hedro	cata que para Sahedro
de te apostar el cayado,	bamos alla, reuellado,
sy quiero correr priado,	y apuestote mi cayado
10 de llegar antes de Pedro.	que corra mas que tu y Pedro.

(—a1, a2)

*145

1 ¡O bien de mi, que doncella
que canta cabo el chequito!,
¡mira que boz delgadiella!,
¡mal año para Juaniella,
5 aunque cante boz en grito!;
¡O hi de Dios, que gasajo
abras, Mingo, sy la escuchas,
ni avn comer migas con ajo,
ni borregos en tasajo,
10 ni sopar huerte las puchas!

Copla 144. — V. 1, brassa via (a1); guarçones (B) / V. 2, trabaian (a1); trebejan (b1) / V. 4, falta "aun" (a1); "le" por "lo" (a1); juro a mi (b1) / V. 5, "de" por "del" (A, B) / V. 6, mestoy (a1) / V. 7, "tanto que pora Sant Hedro" (a1); Saedro (b1); Sant Pedro (D...) / V. 8, vamos (a1); rebellado (a1) / V. 10, "que" por "de" (b1, F2).

Copla 145. — V. 2, chiquito (b1) / V. 3, delgadilla (b1) / V. 5, ahunque (A) / V. 6, "y" por "hi" (b1) / V. 7, "lo" por "la" (b1) / V. 8, "...sopas con ajo" (b1, F2).—*Falta en a1 y a2 (cf. cap. III, pág. 107, y ap. X).

*146

	Responde el otro pastor

1   ¿No syentes huerte plazer
en oyr aquel cantar?
¡O, cuerpo de su poder,
no me puedo contener
5   que no lo vaya a mirar!;
mira quanto grand luziello
en Belem el aldyuela;
llama, llama a Turibiello,
tañera su caramiello
10 y tu la tu cherumbella.

"No lo puedo contener
que no lo vaya a mirar,
que ignoro a mi'ntender,
¡O cuerpo de su poder!,
a do suena aquel cantar
y esta aquel grant luziello
es Belen el aldehuela;
llama, llama a Turibiello,
tañera su caramiello
y tu la cherumbela."

(—a1, a2)

*147

1   Yo tañere mi arrabe
que tengo en la mi hatera,
el que viste que labre,
despues que me despose,
5   andando en el enzinera;
quanto yo todo macuetro
con su cantiga perheta,
ca tu, Mingo Galleta,
repica la çapateta
10 a huer de marras apuetro".

Copla 146. — Título: falta (a1) / V. 2, baya (a2) / V. 3, "que ynoro a
mi entender" (a2) / V. 5, "que" por "a" (a2); "que no vaya a lo mirar" (b1,
F2) / V. 6, "y sta aquell gran lozillo" (a1); gran lucillo (b1) / V. 7, "es
Bellem ell Aldeyuela" (a1); "en Bethleem ell aldehuela" (F1); aldeyuella (b1)
/ V. 8, "llamemos a Tornuillo" (a1); Turebillo (b1) / V. 9, tanyera (a1);
caramillo (a1, b1) / V. 10, xaramela (a1); "y yo la mi cherumbela" (b1);
"y yo la tu cherunbuela" (F1).
Copla 147. — V. 1, rabe (b1, F1) / V. 2, atera (b1) / V. 7, pereta (b1)
/ V. 8, verso imperfecto / V. 10, a guer (b1).—*Rima abbba en la segunda
quintilla, en lugar del esquema general abaab (cf. cap. IV, pág. 120.—**Falta
en a1 y a2 (cf. cap. III, pág. 107, y ap. X).

*148

Habla el auctor

1 Ençendidos y animados
con sus matiegas razones,
dexaron desamparados
sus hatos y sus ganados
5 los pastoriles varones,
y llegados al lugar
con deseoso talante,
meresçieron de hallar,
de mirar y de adorar
10 nuestro diuinal infante.

Quando llegaron, prosigue el actor

Andouieron y llegaron
segun les era mandado
y entraron y miraron
y en toda berdat fallaron
quanto les era contado,
y en tanto se alteraron
con la bysta del ynfante
que despues quando tornaron
palabra no se fablaron
fasta donde stauan dante.

(—a1, a2)

*149

1 Tornados ya de groseros
de conosçer tan sabido,
quieren ser los primeros
christianos y pregoneros
5 del grand misterio ascondido;
todos tres en continente
despues del niño adorado
comiençan publicamente
a descubrir a la gente
10 el secreto reuelado.

Copla 148. — Título: falta (a1); *Fabla el autor* (b1); "...*el autor*" (F1) / V. 1, falta en a2, cortado al encuadernar el códice / V. 2, "segund les esta mandado" (a2) / V. 4, "y toda la..." (a1) / V. 6, "mas tanto..." (a1) / V. 7, "de la vista del infante" (a1) / V. 10, "...estauan antes" (a2; rima imperfecta); dibinal (A).
Copla 149. — V. 2, subido (b1) / V. 3, "que quieren..." (b1) / V. 5, escondido (b1) / V. 8, puplicamente (b1) / V. 9, descobrir (b1).—*Falta en a1 y a2 (cf. cap. III, pág. 107, y ap. X).

*150

Cuenta el vn pastor todo lo
que avia visto

1   El vno dixo en consejo:
    "O, sy vieras, hi de Mingo,
    nieto de Pascual el Viejo,
    en un pobre portalejo
5   lo que oymos el domingo;
    con los cantares que oy
    tan huerte me aquellotraua
    que, juro al poder de mi,
    del gasajo que senti
10 el ojo me reylaua.

*151

1   Vi salir por el collado
    claridad relampaguera,
    avunque estaua ençamarrado
    dormiendo con mi ganado
5   en esta verde pradera;
    los zagales con la dueña
    cantauan tan huertemente
    que derrame so la peña
    el leche de mi terreña
10 por mijor parallo miente.

Lo que fablavan despues que bol-
vyeron y se juntaron con los otros
pastores

El...
"O...
nieto...
el cantar del portalejo
que oymos el domingo;
del gasajo que senti
tan...
que, para el poder de mi,
con los cantares que oy
el ojo me rehylaua."

                              (—a1, a2)

Otro pastor

"Vi...
claridad...
yo que estaua solapado
dormiendo...
en esta...
y a solapa de la peña
tanto la vi relluziente
derrame yuso la breña
la nata de mi terreña
por mejor parallo miente."

                              (—a1, a2)

Copla 150. — Título: falta (a1) / V. 1, Ell (a1); conseio (a1); conçejo (a2); concejo (F1) / V. 2, si (a1); "fi" por "hi" (a1); "y" por "hi" (b1) / V. 3, Pasqual (a1); vieio (a1) / V. 4, portaleio (a1); "en pobre..." (C...); "en el pobre..." (F1) / V. 6, ygasajo (a1); cantos (b1, F1) / V. 7, me quellotraua (a1); maquellotraua (b1) / V. 8, poral (a1) / V. 9, "oyi" por "oy" (a1) / V. 10, reillaua (a1); rehillaua (F1).

Copla 151. — Título: falta (a1) / V. 1, sallir (a1) / V. 2, "claredad rellampeguera" (a1) / V. 3, "questaua solapado" (a1); ençarramado (D...) / V. 4, durmiendo (a2) / V. 5, essa (a1); esa berde (b1) / V. 6, falta "de" (a2); penya (a1); çagales (b1) / V. 7, "bi luziente" (a2) / V. 8, "que derrame yo so la breña" (a2, verso imperfecto); brenya (a1) / V. 9, terreya (a1); tarreña (b1); la leche (b1) / V. 10, "por meior pararle mente" (a1); mejor (b1).— *En a2, copla invertida con respecto a la siguiente; cf. ap. X.

*152

1　Y mas te digo de veras, 　　que aun antes rodeando 　　las ouejas parideras, 　　de somo las conejeras 5　vi los angeles cantando; 　　yo te juro y te rejuro 　　que un niño relumbraua, 　　quel rebollar de trasmuro 　　y el cotarro mas escuro 10　huerte lo yñoraua.	El otro dize de beras: "Yo que estaua rodeando las ouejas parideras, de sorno las conegeras bi los angeles cantando, y te... que un... que rebollar... y el... huertemente lo yñoraua.

　　　　　　　　　　　　　　　　(—a1, a2)

*153

1　El tempero ventiscaua 　　de cabo del regañon; 　　el çierço asmo que elaua; 　　el gallego llouiznaua 5　por todo mi çamarron, 　　mas viendo cantar de vero 　　con la gayta los garçones, 　　desnuye la piel de cuero 　　por correr asmo ligero 10　a notar las sus canciones.	Y el tempero ventiscaua del cabo... el... el... por... con las canticas de vero que yo bi y los relumbrones, desnude del piel de cuero por correr mas de ligero a notar las sus canciones.

　　　　　　　　　　　　　　　　(—a1, a2)

Copla 152. — V. 1, ueras (a1) / V. 2, questaua (a1) / V. 3, oveias (a1) /
V. 4, falta en a2, cortado por la encuadernación del códice. La lectura de a1
está, evidentemente, estragada; conegeras (b1) / V. 5, vi (a1) / V. 6, iuro
(a1); reiuro (a1) / V. 7, ninyo (a1) / V. 8, rebolar (a1) / V. 9, "y el cu-
cano mas scuro" (a1, estragado); cutarro (b1) / V. 10, fuertemente (a1); ig-
noraua (a1); ynoraua (b1).—*En a2, copla invertida con respecto a la anterior; cf. c. 151.

Copla 153. — V. 1, falta "y" (a1) / V. 2, "de" por "del" (b1); reganyon
(a1) / V. 3, çerço (a1); eleva (B) / V. 4, llouisnaua (a1); lloveznaba (b1) /
V. 6, "musicas" por "canticas" (a1) / V. 7, vi (a1); rellumbrones (a1) / V. 8,
"...la piel del cuero" (a1) / V. 9, "asmo" por "mas de" (a1).

*154

1   Vilos claros como el rayo,
    y al muedo de sus cantares,
    ¡a la he!, dexe el mi sayo
    y bayle syn capisayo
5   por somo los escobares,
    y tome tanta alegria
    con su linda cantadera,
    que a sobejo paresçia
    que panar se derretia
10 por la mi gorgomillera.

*155

1   Avn tengo en la mi mamoria   Y aun...
    sus cantos, asmo que creo   svs canticos, asmo creo
    vnos gritauan *vitoria*,   vnos anuncian *bitoria*,
    los otros cantauan *groria*,   los...
5   otros *indaçielçis Deo*,   otros...
    otros *Dios es pietatis*,   *omnibus veritatis*,
    otros *et in tierra paz*   otros *et in terra paz*,
    homanibus vanitatis,   otros *bone voluntatis*,
    otros *buena voluntatis*,   otros *Dios es pietatis*,
10 otros abondo que mas."   otros abondo que mas."

                                                    (—a1, a2)

Copla 154. — V. 2, modo (a1) / V. 3, a la fe (a1); "deyel" por "dex
el" (a1); falta "el" (a1) / V. 4, vayle (A); vale (B) / V. 5, cabnyales (a1)
V. 6, legria (a1) / V. 8, "que paresçie que comia" (a1, a2; "parecia" en a1
/ V. 9, "la miel y se derramaua" (a1, a2; "derretia" en a1); revertia (b1
F2) / V. 10, gargomillera (a1).

Copla 155. — V. 1, "E tengo en la mi memoria" (a1) / V. 2, cançione
(a1); falta "que" (b1) / V. 3, victoria (a1, B, C...) / V. 4, gloria (a1, C
D...) / V. 5, *in excelsis Deo* (a1); *in exçelsis Deo* (b1); indacielcis (B, C, D
/ V. 6, *hominibus* (a1) / V. 7, pax (a1, F1); *in terra paz* (b1); terra (B, F2
/ V. 8, *hominibus* (b1); *beritatis* (F2) / V. 9, *bone* por *buena* (b1) / V. 10
hotros (a1); abundo (b1).

*156

Muestra el actor por que ra-
ron ha pvesto estas pastoriles
razones prouocantes a riso

1   Porque no pueden estar
    en vn rigor toda via
    los arcos para tirar,
    suelenlos desenpulgar
5   alguna pieça del dia;
    pues razon fue declarar
    estas chufas de pastores
    para poder recrear,
    despertar y renouar
10 la gana de los lectores.

*157

1   Por ende, ningun liuiano
    no lo juzgue a liuiandad,
    pues nuestro linaje humano
    tiene tan flaca la mano
5   despues de sv enfermedad
    que sy la nuestra derecha
    non consuela la esquierda,
    es por fuerça que quien flecha
    nuestra natura contrecha
10 le quiebre el braço o la cuerda.

    Copla 156. — Título: "autor" (b1); "risu" (B); "pastoriales" (b1) / V. 2, vigor (F1) / V. 3, archos (b1, C...) / V. 6, de mezclar (b1) / V. 10, lectores (C, D...).—*Falta en a1 y a2, así como la c. 157; cf. cap. III, pág. 107, y ap. X.

    Copla 157. — V. 1, liuano (B) / V. 7, "no consuela la dizquierda" (b1); consuele (B); ezquierda (C); izquierda (D...) / V. 8, frecha (b1) / V. 9, uvestra (A, B, sin sentido con el pronombre en primera persona utilizado en toda la copla).—*Falta en a1 y a2; cf. c. 156.

*158

Oracion en fin de la natividad
en nonbre de la dicha señora
doña Juana de Cartajena

Oracion a nuestra Señora
en nombre de su madre del actor

1   Con la alta señoria
    del sancto niño nasçido,
    ¡O gloriosa Maria!,
    por el gozo deste dia
5   con reuerencia te pido
    que me hagas tal seruienta
    del sacro hijo admirable
    que en la ora de la afrenta
    yo, peccadora, le syenta
10 piadoso y fauorable.

Por la pobre conpañia
del santo niño nasçido,
¡O...
por...
con...
que me fagas tal siruienta
daqueste hijo durable
que en la ora del afrenta
yo...
piadoso...

(—a1, a2)

*159

Comiença la ystoria de la
circuncisyon del Señor

Sale del nasçimiento y comienza
la circunçision del Señor

1   Avnque en estillo grosero
    contado como nasçiste,
    contemos, sancto cordero,
    aquel martirio primero
5   que en tu niña hedad sufriste
    quando con tu grand dolor,
    pasados los dias ocho,
    por nuestra culpa, Señor,
    del pedaço engendrador
10 cortaron el esgamocho.

Aunque...
contado...
contemos, Señor cordero,
aquell martirio primero
que en tu terna edad sofriste
por complir la ordenaçion
de la ley que estableçieras,
por dar la consolaçion
al buen biejo Simeon
que dante le prometieras.

(—a1, a2)

Copla *158.* — Título: *Oracion en nombre de Duenya Joana* (a1); falta "dicha" (b1) / V. 1, companyia (a1) / V. 2, "Señor" por "santo" (a2); ninyo (a1) / V. 6, su seruienta (a2); "mi" por "me" (B) / V. 7, fijo (a1) / V. 8, del afruenta (a1); dela afruenta (b1) / V. 9, lo senta (a1).

Copla *159.* — Título: falta (a1) / V. 1, estilo (a1) / V. 2, contando (F1); naçiste (a1, C...) / V. 3, "senyor" (a1); señor (b1) / V. 4, "aquel maltraje primero" (a2) / V. 5, hedat (a2); "feziste" por "Sofriste" (a2); "tierna" por "niña" (F1) / V. 6, "por conplir lo ordenado" (a2, haciendo rima imperfecta); "tan" por "tu" (b1) / V. 9, vieio (a1) / V. 10, "que ante lo..." (a1).

*160

1 Porque de tu humildad
nos quedase claro modo,
que no por necessydad,
pues tu sacra humanidad
5 estaua linpia del todo,
ni por la madre bendicta,
de la carne enfeçionada
agena, librada, quita
por la tu gracia infinita
10 que la touo preseruada.

*161

Dexa de hablar de la concep-   Continua
cion por no hazer cosquillas
a ninguno

1 Sobre esta preseruacion   Sobre cuya concepcion
por excelentes doctores   por excelentes doctores
ay muy grand disputacion   muy disputada question
entre nuestra religion   es por nuestra religion
5 contra los predicadores;   contra los predicadores;
mas pues todos nos fundamos   sobre lo qual Salamon
en la catholica intencion,   en sus cantares por prosa
por amor que no riñamos   contrahaze su opinion:
es bien que sobreseamos   llamala con gran razon
10 las prueuas desta question.   amiga toda fermosa.

                                            (—a1, a2)

Copla 160. — Hay título en a2: *Prosigue* / V. 1, homildad (a1); humill-
dat (a2) / V. 2, "nos quedase enxemplo y modo" (a1, a2; "exemplo" en a1)
/ V. 3, neçesidat (a2); nescesidad (b1) / V. 4, "santa" por "sacra" (a1,
a2) / V. 5, staua (a1) / V. 6, nin (a1); "virgen" por "madre" (a1); birgen
(a2); bendita (a1) / V. 7, infecçionada (a1); ynfecçionada (a2); inficionada (F1)
/ V. 8, librada y quita (a1) / V. 10, tuuo (a1, a2, F1).

Copla 161. — Título: falta (a1); *Dexa fablar... fazer...* (b1) / V. 2, excellentes (a1); dotores (a1) / V. 3, quistion (a1) / V. 4, "region" por "religion" (b1) / V. 5, pedricadores (a2) / V. 6, "la" por "lo" (a1) / V. 7, pro
posa (a1); falta "la" (b1) / V. 8, "contrastando su..." (a1) / V. 9, grant (a2).

*162

Toca sola vna razon de la   Conpara
concepcion de nuestra Seño-
ra en general

1   Mas mi pobre parescer,   Pves por pequeña çentella
    salua su mejor sentencia,   quel dicho sabio fallara
    es que la sacra muger   de alguna manzilla en ella,
    de quien auia de nascer   no todo, mas solo della
5   la diuinal excelencia,   lo que esta limpio loara,
    no solo la concepcion   mas el todo lo solvio
    syn peccado original,   sin fazer cosa partida;
    mas es suya de razon   claramente nos mostro
    la mas alta perfecion   que toda linpia nasçio
10 despues de la diuinal.   y linpia fue conçebida.

                                                    (—a1, a2)

*162 A

1   Para vencer su porfia,
    saluo juyzio mejor,
    harto bastarles deuia
    conosçer, Señora mia,
5   queres madre del Señor;
    tal çeguedad desigual,
    ¿que lengua osa dezilla,
    que persona diuinal
    tomase carne umanal
10 de la carne que ha manzilla?

                    (—a1, a2)

_____

Copla 162. — Título: falta (a1) / V. 1, pequenya (a1) / V. 4, sola (a1) /
V. 5, "era" por "esta" (a1) / V. 6, ell (a1); scriuio (a1) / V. 9, naçio (a1) /
V. 10, limpia (a1).—*En a1 y a2 continúa el texto con cinco coplas más, en
que Mendoza amplía el tema de la Concepción, continuando lógicamente lo
expresado en esta c. 162; son las núm. 162A-162E (cf. cap. III, pág. 108,
y ap. X).

Copla 162 A. — V. 1, "Pora bençer..." (a1) / V. 2, "...el juyçio meior"
(a1) / V. 4, "conoçer, Senyora mia" (a1) / V. 5, Senyor (a1) / V. 6, falta
en a2, cortado por la encuadernación del códice / V. 9, "mortal" por "vma-
nal" (a1) / V. 10, "con" por "que ha" (a1).—*Cf. c. 162.

*162 B

1 No se si saben los tales
    que los sabios han escripto
    que nunca fueron yguales
    los coros angelicales
5 con ella en lo grattuyto,
    y si los dones mayores
    siguen siempre a lo mejor,
    yo no se como, señores,
    llaman linpios los menores
10 y no linpia la mayor.

        (—a1, a2)

*162 C

1 Y puesto que la verdad
    en esto estouiese escura,
    mas cercano a la bondad
    es pintar la fealdad
5 y afear la fermosura
    qual jamas no fue pintada,
    el fijo de Dios sacado;
    ¡O gente desuariada!,
    que afeas la enamorada
10 de quien Dios es namorado.

        (—a1, a2)

   Copla 162 B. — V. 2, an scrito (a1) / V. 3, nunqua (a1) / V. 5, gratvyto
(a1) / V. 6, "menores" por "mayores" (a1) / V. 7, "mayor" por "mejor" (a1)
/ V. 8, senyores (a1) / V. 9, limpios (a1) / V. 10, "y no limpian lo…" (a1).—
*Cf. c. 162.

   Copla 162 C. — V. 1, "E" por "Y" (a1); berdat (a2) / V. 2, stouiesse scu-
ra (a1) / V. 3, bondat (a2) / V. 5, "que" por "y" (a1) / V. 6, non (a1) /
V. 7, sagrado (a1) / V. 9, "faze yo la enamorada" (a2, totalmente estragado);
'enamorado" en a1, lo que hace imperfecto el verso.—*Cf. c. 162.

*162 D

1   Ca por ella desçendio
    a lo mas baxo de nos;
    pues della, ¿que dire yo?,
    que por ella se subio
5   a lo mas çerca de Dios:
    pues conoces, pecador,
    que por mucho que se alaba
    aquesta preçiosa flor
    la obra de su loor
10 es la que nunca se acaba.

(—a1, a2)

*162 E

Conpara

1   Es çierto gran neçiedad
    el que tiene al rey yrado
    no ganar la voluntad,
    mas tomar la enemistad
5   entonçe con el priuado:
    ¡O frayle preycador,
    daqui comiença a temblar,
    que aquel Dios del temor,
    aquel justo juzgador,
10 ella lo ha de amansar!

(—a1, a2)

Copla 162 D. — V. 1, qua (a1); deçendio (a1) / V. 4, sobio (a1) / V. 6, falta, cortado por la encuadernación, en a2 / V. 7, salaba (a1) / V. 10, "es que nunqua..." (a1).—*Cf. c. 162.

Copla 162 E. — Título: falta (a1) / V. 1, falta "es" (a2); nescedat (a2) / V. 2, "el" por "al" (a1) / V. 3, boluntad (a1) / V. 4, falta "la" (a1) / V. 6, pedricador (a2) / V. 7, "desque comiença a fablar" (a2) / V. 8, "que aquel dia del temor" (a2) / V. 9, aquell (a1); judgador (a2) / V. 10, a damansar (a1).

*163

Torna a la ystoria de la cir-
cuncision

  1 Para su tiempo y sazon
     oluidada esta disputa,
     veamos en conclusyon
     la sacra circuncisyon
  5 porque causa se secuta
     y como quando el cuchillo
     rompe la carne diuina
     el niño llora en sufrillo,
     el viejo tiembla en oyllo,
10 la uirgen madre se fina.

*164

  1 Quando la muger paria   Quando...
     en aquel tiempo pasado,   en...
     al primer octauo dia   si niño varon nasçia
     qualquier varon que nasçia   en el templo lo ofresçian
  5 le hazian circuncidado   para ser circuncidado
     por diuinal mandamiento   segund el ordenamiento
     hecho a solo el judaysmo,   de la ley y judaismo,
     el qual circuncidamiento   el...
     estonces por sacramento   estonces...
10 les valia del baptismo.   les...

                                  (—a1, a2)

Copla 163. — Título: falta (a1, a2); "concepcion" por "circuncision" (A,
B, C...), evidente error; *Circuncision* (b1) / V. 1, Pora (a1) / V. 2, "desechada" por "oluidada" (a1, a2) / V. 3, conclusion (a1) / V. 4, "aquella çircunçision" (a1) / V. 5, "en que modo se..." (a1); "en que modo se escuta"
(a2) / V. 8, ninyo (a1); sofrillo (a1) / V. 9, vieyo (a1); "oyrllo" (a1) /
V. 10, "la madre toda se fina" (a1, a2).

Copla 164. — V. 1, muier (a1) / V. 2, aquell (a1) / V. 3, "si ninyo baron
naçia" (a1); primero (b1) / V. 4, loferecia (a1); naçia (b1) / V. 5, por esser
(a1) / V. 7, judaysmo (a1); fecho (a1) / V. 8, circundamiento (b1) / V. 9,
"entonçe por sagramento" (a1) / V. 10, "de" por "del" (a1); bautismo (b1).

*165

*Pone la cabsa principal porque
mando Dios a los judios circuncidarse*

1   La causa deste mandar
    en esta razon la fundo:
    que fue querer señalar,
    apartar, santificar,
5   este pueblo en todo el mundo,
    porque entre toda naçion
    syngularmente se nombre
    la su alta perfecion,
    pues de su generacion
10 se esperaua el Dios y ombre.

*166

*Pone la segunda causa y la
razon della*

1   Allende de ser senal
    por la cabsa ya nombrada,
    fue medecina del mal
    de la culpa original
5   desel comienço heredada,
    y por çierto asy conuiene
    porque justa cura aya,
    que por el miembro que viene
    quanto mal ombre sostiene,
10 por aquel mesmo se vaya.

Copla 165. — Título: "causa" (b1).—*Falta en a1 y a2, así como las coplas 166-167 (cf. cap. III, pág. 107, y ap. X).

Copla 166. — V. 2, causa (b1) / V. 4, oreginal (b1) / V. 5, eredada (b1)
/ V. 7, causa (b1).—*Falta en a1 y a2 (cf. c. 165).

*167

1 Otras mill ordenaciones
acordo Dios de les dar
por quitar las occasiones
con tales ocupaciones
5 del su presto ydolatrar,
que sin deuerles ser dadas
por figuras del Mexias,
eran gentes mal domadas,
que en no estando exerçitadas
10 buscauan mill gullurias.

*168

*Pone que las muchas cerimo-
nias de los judios dexado de
ser figuras, las pedia su rexo-
sa condiçion. Comparaçion*

1 La bestia desenfrenada
que non tiene boca buena,
ha, para ser sujuzgada,
de menester la baruada
5 de eslauones de cadena,
mas la bestia que se vmilla
a lo que su dueño manda,
abasta para regilla
vna pequeña lesnilla,
10 pues tiene la boca blanda.

Copla 167. — V. 9, falta en A, B, C, D... (lo tomo de b1) / V. 10, go-
llorias (b1).—*Falta en a1 y a2; cf. c. 165.

Copla 168. — La explicación preliminar falta en a1 y a2; "cirimonias",
"dexaron" (b1) / Título: *Compara* (a1) / V. 2, no (a1); "buena boca" (A,
B), lo que hace mala rima con "cadena" en el verso 5 / V. 3, por esser (a1);
soiuzgado (a1); sojudgada (a2) / V. 4, barbada (a1) / V. 5, deslauones (a1)
/ V. 6, "...que omilla" (a1); "...que se omilla" (b1) / V. 7, duenyo (a1) /
V. 8, pora regirlla (a1) / V. 9, "una pequeña feuilla" (a1); heuilla (a2, b1).

*169

Aplica

1 Asy este pueblo crudo,
   judayco, de mala boca,
   que fue syempre cabeçudo
   y en son del mas sesudo
5 muchas vegadas mas loco,
   sy se hallaua holgado
   se tornaua tan hufano
   que para ser enfrenado
   era menester forçado
10 de traer soberuia mano.

Asi la conpaña cruda,
judayca, de mala boca,
que fue syempre cabeçuda,
y en son de la mas sesuda
las mas vegadas mas loca,
con baruada deslabones
con la qual tartaleaua
a vezes de ocupaçiones,
otras vezes de quistiones,
nunca es bien enfrenada.

(—a1, a2)

*170

1 Ante si Dios los tratara
   con la mano blanda sola,
   en tanto los estragara
   que despues tanto montara
5 el freno como la cola,
   mas segund la ceruiz dura
   destas gentes porfiosas,
   dauales siempre en figura
   en la su ley de escriptura
10 cerimonias trabajosas.

Copla 169. — Título: *Prosigue* (a1) / V. 1, Assi (a1); companya (a1) /
V. 3, siempre (a1) / V. 4, falta "y" (a1); falta "en" (b1) / V. 5, los versos
2 y 5 hacen mala rima, "boca" / "loco". En b1, "loca" por "loco", con lo
que se arregla la rima, pero se pierde la corrección gramatical: "boca" /
"loca". La primera versión —a1, a2— no presenta este problema; veguadas
(a1) / V. 6, "sin barbada deslauones" (a1) / V. 9, con questiones (a1) / V. 10,
"nunqua se..." (a1).

Copla 170. — V. 1, si los Dios (a1, a2) / V. 3, stragara (a1) / V. 5,
"coda" por "cola" (b1) / V. 6, segun (a1); ceuiz (A, B...) / V. 7, profiosas
(a1) / V. 8, siempren (a1) / V. 9, "exa" por "la su" (a1); scritura (a1) /
V. 10, çirimonyas (b1); trabaiosas (a1).

*171

Torna a la ystoria

1 Dexemos ya de hablar
   de su pasada miseria
   porque podamos tornar
   a proseguir y contar
5 nuestra prinçipal materia
   para ver por qual razon
   tu fueste çircunçidado,
   o por qual obligaçion
   sufriste la puniçion
10 syendo libre del peccado.

Por la culpa original
de aquel pecado de Adan,
a este pueblo carnal
mando Dios en espeçial,
primero por Abrahan,
por espeçial punyçion
de la culpa del pecado,
el que nasçiese varon
fuese por circumçision
de la tal culpa alinpiado.

(—a1, a2)

*172

Pone dos razones por que la
ley del circuncidar no obli-
gaua a Jhesuchristo

1 Que tu, Señor, obligado
   no eras a esta ley
   por no ser enfeçionado
   en el tiempo que engendrado,
5 y por ser diuinal rey,
   que por razon natural,
   saliendo de linpia madre
   es tu materia humanal
   syn la culpa paternal,
10 pues no touo ombre padre.

Copla 171. — Título: falta (a1, a2) / V. 1, Dexomos (A) / V. 2, "daquell
pecado dAdam" (a1) / V. 4, falta "en" (a1); "e" por "y" (b1) / V. 5, Abram
(a1) / V. 6, "quen speçial punicion" (a1) / V. 7, fuiste (b1) / V. 8, "...na-
çiesse baron" (a1) / V. 9, fuesse (a1) / V. 10, allimpiado (a1).

Copla 172. — Título: falta (a1); en a2, erróneamente, dice: *Pone dos*
causas por do nuestro Señor era obligado a la circuncision / V. 1, "Mas tu,
Senyor, hobligado" (a1); "Mas" por "que" (a2) / V. 2, "estas" por "eras"
(a2); heras (A) / V. 3, enfecçionado (a1) / V. 4, quengendrado (a1) / V. 5,
diuino (a1, a2); "que por ser diuino rey" (b1) / V. 7, salliendo (a1); limpia
(a1) / V. 10, "pues no tuuo hombre por padre" (a1, a2 —touo, ombre—).

*173

*Pone la primera razon de la
çircunçision del Señor*

1   Pero tu, que desçendiste   Pero...
    a ser luz de perfeçion,   a nos ser entero enxenplo,
    avnque no lo mereçiste,   avnque...
    entre los otros quesiste   entre nosotros quesiste
5   sofrir la çircunçisyon   çircunçidarte en el templo
    para que puedan mejor,   por confonder la maldad
    ¡O sacro niño diuino!,   daquellos a quien aplazes,
    conoscer en tu dolor   ¡O alta diuinidad,
    su descomulgado error   con quan perfecta bondad
10 Manicheo y Valentino.   obras las obras que fazes!

                                                          (—a1, a2)

*174

Añade otras tres razones

1   E fue tanbien por demostrar
    a la Ley la obediençia,
    fue tanbien por aprouar
    el legal çircunçidar
5   con tu pena y tu presençia,
    fue tanbien porque querias
    demostrarles claramente
    que de aquellos desçendias
    a los quales fue el Mexias
10 prometido de su gente.

Copla *173.* — Título: falta (a1, a2) / V. 1, deçendiste (a1) / V. 3, me-
reçieste (a1) / V. 6, "por cohonder la maldat" (a2) / V. 7, "de aquellos a
quienes aplazes" (a2) / V. 8, diuinidat (a2) / V. 9, perfetta bondat (a2).—
*En la primera versión (a1, a2), después de esta copla corresponden las nú-
meros 283-289 de la segunda y tercera versiones, y continuando seguidamente
con la c. 176, puesto que las 174 y 175 no constan en a1, a2. Anoto en
coplas 283-289 las variantes del texto a1 y a2 (cf. cap. III, págs. 106-107, y
ap. X; cf. también c. 176).

Copla *174.* — V. 1, falta "E" (b1) / V. 2, obidiençia (b1).—*Falta en a1
y a2, así como la c. 175 (cf. cap. III, pág. 107, y ap. X; cf. también copla 173).

*175

Pone otra razon

1 Fue tanbien porque tomando
   sobre ti tal pena amarga
   tu, la carga conportando,
   nos fueses ya descargando
5 la pesada legal carga,
   porque en tu mayor tormento
   se confirme y se concluya
   lo del Viejo Testamento,
   do tomara nasçimiento
10 el dulçor de la ley tuya.

*176

Prosygue la hystoria

1 Por aquesto, en conclusion,	Acabada su razon,
¡O infante diuinal!,	ya leuantado el buen uiejo,
vn venerable varon,	aquel anciano uaron,
segund la constituçion	segun la costituçion
5 de aquel consejo eternal,	de aquel eternal consejo,
tomo su cultro en la mano	tomo su cultre en la mano
para te çircunçidar,	para te circunçidar,
¡O redemptor soberano!,	¡O redemtor soberano!,
¿qual fue coraçon humano	¿qual...
10 que tal pudo comportar?	que...

(—a1, a2)

Copla 175. — V. 2, "si" por "ti" (B, C...) / V. 5, leal (A, B, C...). Creo
más correcta la lectura de b1, "legal".—*Falta en a1 y a2; cf. cc. 174 y 173.
   Copla 176. — Título: falta (a1, a2); *Prosigue* (b1) / V. 1, aquesto (b1) /
V. 2, vieio (a1) / V. 3, aquell (a1) / V. 4, "aquel de justa yntencion" (a2) /
V. 6, culter (a2) / V. 8, "remedio" por "redemtor" (a2) / V. 9, corazon
(a1).—*En a1 y a2 puede parecer que no hace sentido el comienzo de esta
copla con el final de la 173 (puesto que 174 y 175 faltan en esta primera
versión), pero debe tenerse en cuenta que, en realidad, en dichos códices
las cc. 283-289 aparecen intercaladas entre la 173 y 176. Por lo tanto, este
texto de a1 y a2 debe leerse a continuación de la c. 289 (cf. c. 173; cf. también cap. III, págs. 106-107, y ap. X).

*177

Exclamaçion a la çircunçisyon   *Exclamaçion*
del Señor

1   ¡O mano syn compassyon,   Esse cultre, Simeon,
    un solo poco te ten,   un poco solo deten,
    ca no consyente razon   ca...
    pasar syn exclamaçion   pasar...
5   vn tan esmerado bien! ;   vn...
    ¡O preçioso redemptor!,   ¡O...
    ¡O deydad encarnada!,   ¡O...
    ¡que dire yo, peccador,   ¡que...
    de tan aspero dolor   de...
10 en carne tan delicada?   en...

                                                    (—a1, a2)

*178

1   Mejor sera que no fable
    y llore amargosamente,
    pues mi culpa abominable
    te çircunçida inculpable
5   y te tormenta innoçente ;
    ¡O loable curador!,
    ¡O nueuo modo de cura,
    que traspase el Criador
    sobre sy todo dolor
10 por sanar la criatura!

Copla 177. — Título: falta (a1) / V. 1, "Ese cultro..." (a2) / V. 3, consiente (a1) / V. 4, "passar sin sclamaçion" (a1) / V. 7, "diuinal" por "dey-
dad" (a1, a2); deytad (B).
    Copla 178. — V. 1, meyor (a1); hable (a2); able (b1) / V. 3, my (a1) /
V. 4, circuncidada (a2); "te çircunçido..." (b1) / V. 5, "y te atormenta yg-
noçente" (a1); "tu" por "te" (a2) / V. 6, lloable (a1) / V. 8, traspasa (a1);
traspassase (b1) / V. 9, "sobre si todol..." (a1) / V. 10, saluar (a1, a2, b1).

*178 A

1   ¡O viejo de vieja hedat,
     viejo de viejo reposo,
     viejo de vieja umildat!,
     ¡O viejo de abtoridat!,
5   ¡O viejo tan virtuoso!,
     ¡O viejo, quan viejo eres
     esperando aquestos bienes!,
     ¡O viejo!, pues ¿como quieres
     dar ya fin a tus plazeres
10   con esse cultre que tienes?

*179

1   ¡O soberana bondad!,   Mas la vieja discreçion
     ¡O nuestro mayor abrigo!, mas viejamente lo mira,
     ¡O diuina caridad!,   tamaña es la conpasion
     sufre ya la crueldad   por la qual la saluaçion
5   que tienes junta contigo, de todo el mundo se tira,
     que la culpa cometida   que...
     de nuestro padre primero de...
     no puede ser remetida   no...
     syn ser tu carne ferida,   sin ser la carne ferida
10   ¡O nuestro sancto cordero! de aqueste sancto cordero.

                                (—a1, a2)

   Copla 178 A. — V. 1, vieio, vieia, edad (a1) / V. 2, vieio, vieio (a1) /
V. 3, vieio, vieia homildat (a1) / V. 4, "O vieio dactoridad" (a1) / V. 5,
Ho vieio (a1) / V. 6, vieio, vieio (a1) / V. 7, sperando (a1) / V. 8, vieio
(a1) / V. 10, viejo (a1).—*Cf. ap. X.
   Copla 179. — V. 1, viera (a1); distinçion (a2) / V. 2, vieiamente (a1) /
V. 3, "tamala" por "tamaña" (a1); compaçion (a1) / V. 8, remitida (a2) /
V. 9, ofeçida (a2); "syn ser la carne ferida" (b1); "syn tu carne ferida" (C)
/ V. 10, "daqueste sancto..." (a1).

*180

Concluye la çircunçisyon

1 Con vn tan triste dolor
qual su grand lloro demuestra,
el viejo, con grand temor,
te çircunçido, Señor,
5 por la sola culpa nuestra,
y la tu madre sagrada
con la sangre que corria,
ençendida y ensañada,
la color toda mudada,
10 con grand angustia dezia:

*181

Exclamaçion llorosa de nuestra Señora	*Lloro de nuestra Señora*
1 "¡O dolor muy razonable!,	"¡O...
¡O razon muy dolorosa!,	¡O...
¡O hijo tan venerable,	¡O viejo...
no syento como te hable	buscame lengua que fable,
5 mi passyon muy ansiosa!;	que escriua en metro o prosa
¡O tormento apassyonado!,	mi...
¡O pena tan desmedida,	mi...
quel dolor desordenado	quel...
del hijo çircunçidado	del fijo...
10 el alma me çircunçida!"	el...

(—a1, a2)

Copla 180. — Título: falta (a1, a2) / V. 1, falta "tan" (a1) / V. 2, "dolor" por "lloro" (a1) / V. 3, "el vieio, con el gran..." (a1) / V. 4, senyor (a1) / V. 5, culpa sola (a1, a2) / V. 8, ensanyada (a1) / V. 9, "embeuida y alterada" (a1, a2 —enbeuida—) / V. 10, "al santo vieio dezia" (a1, a2 —viejo—).

Copla 181. — Título: "senyora" (a1) / V. 2, "De" por "O" (a2) / V. 3, "ho vieio muy..." (a1) / V. 5, "o por metro o por prosa" (a1); "no siento lengua que able" (b1) / V. 6, "mi turmiento apasionado" (a1) / V. 7, "ni paçion..." (a1) / V. 8, "tal" por "quel" (a2) / V. 9, "el" por "del" (a1); fijo (b1).—*En a1 y a2, tras esta copla y la 182, aparecen cinco más, que

*181 A

1 Y llorad, amigas mias,
   la breuedad de mi gozo,
   pues a cabo de ocho dias
   heme aqui sin alegrias,
5 ya mi gozo en el pozo;
   heme aqui profetizada
   segund este viejo canta,
   pero tanto fatigada,
   perseguida, apasionada,
10 quanto me tenes por santa.

               (—a1, a2)

*181 B

1 Todos cantan mi plazer,
   todos mis gozos escriuen,
   y por mas me enoblesçer
   la mas bendita muger
5 me llaman de quantas biuen;
   mas la que ha de pasar
   lo que tu, viejo, dixiste,
   puedese mejor llamar
   la mas llena de pesar,
10 la mas de las tristes triste.

               (—a1, a2)

---

anoto como 181A-181E, que, evidentemente, confunden el tema de la presentación con el de la circuncisión (cf. cap. III, pág. 106, y ap. X).

   Copla 181 A. — V. 1, llorat (a1) / V. 2, breuedat (a2) / V. 3, docho (a1) / V. 4, "veme" por "heme" (a1) / V. 5, "y" por "ya" (a1) / V. 6, profetitzada (a1) / V. 7, segunt (a2); vieio (a1) / V. 8, "para" por "pero" (a2) / V. 10, tienen (a1).—*Cf. c. 181.

   Copla 181 B. — V. 2, scriuen (a1) / V. 3, nobleçer (a1) / V. 4, mujer (a1) / V. 6, "mas lo que pudo escuchar" (a1) / V. 7, vieio (a1); dexiste (a1) / V. 8, meyor (a1) / V. 9, "la llena mas..." (a1).—*Cf. c. 181.

*181 C

1 Mas pues por la Trinidad
    esta ya ordenado asi,
    con su santa magestad
    conformo mi voluntad;
5 por ende, vamos daqui."
    Y asi juntos se vinieron
    al portal do en la mañana
    a resçebirte salieron,
    y alli se despidieron
10 de ti, Simeon, y Ana.

(—a1, a2)

*181 D

Ofrenda

1 Aquesto todo acabado,
    ofresçio de su fazienda
    el Josepe desposado,
    mucho viejo, mucho onrrado,
5 dos palominos de ofrenda,
    que de pobre no podia
    ofresçer aquel cordero
    que en la Ley se contenia,
    lo qual solo se entendia
10 a los que tenien dinero.

(—a1, a2)

    Copla 181 C. — V. 1, "si" por "pues" (a1); Trinidat (a2) / V. 2, "ia" por "ya" (a1) / V. 6, "y ansi juntos vienieron" (a1) / V. 7, manyana (a1) / V. 8, rescebirlo (a1) / V. 9, y de alli (a2); despiederon (a1) / V. 10, falta "ti" (a1); y de Anna (a1).—*Cf. c. 181.—**La segunda quintilla de esta copla y la primera de la c. 181D forman, aproximadamente y en orden invertido, el texto de la c. 305 en las versiones segunda y tercera (cf. c. 305, cáp. III, página 107, y ap. X).

    Copla 181 D. — Título: falta (a1) / V. 2, façienda (a1) / V. 3, "aquell Josep..." (a1) / V. 4, vieio (a1); onrado (a1) / V. 5, dofrenda (a1) / V. 7, "hofrescer aquell..." (a1) / V. 8, quen (a1) / V. 9, "todo" por "solo" (a2) / V. 10, tenian (a1).—*Cf. cc. 181 y 181C.

*181 E
Comparacion

1 Quales van los combatientes
quando presos, destroçados;
quales van las tristes gentes
quando dexan los parientes
5 en la yglesia soterrados,
con aquel mismo llorar,
con aquel dolor y saña
vieras partir a yantar,
con aquel ronco fablar,
10 aquella santa conpaña.

(—a1, a2)

*182

Exclamaçion para començar   *Muestra el actor en que se deuen*
a hablar de la çircunçisyon   *circunçidar los christianos*
christiana

1 Contenplad, desconoçidos,   Conosçed, desconosçidos,
en este lindo dechado,   abaste ya lo pasado,
¡O ombres mal gradesçidos,   ¡O pecadores nasçidos!,
borrachos enbeueçidos   ¡O onbres adormesçidos
5 en el dulçor del peccado!,   con el sueño del pecado!,
contenplad la reuerençia   conosçed la reuerençia
que a su mesma ley Dios   que a su ley Dios mismo
       [muestra,   [muestra,
contenplad la obediençia   contenplad...
de tan sangrienta sentençia,   de su biuir en presençia,
10 contenplad la poca vuestra.   y llorad la poca vuestra.

(—a1, a2)

Copla 181 E. — Título: falta (a1) / V. 2, "siendo prestos desrrotados" (a2)
/ V. 3, o quales (a1) / V. 6, aquell (a1) / V. 7, aquell (a1); sanya (a1) /
V. 9, aquell roncho (a1) / V. 10, companya (a1).—*Cf. c. 181.
    Copla 182. — Título: falta (a1); "fablar" (b1) / V. 1, "Conoçed, desco-
noçidos" (a1) / V. 2, abasta (a2); passado (a1) / V. 3, naçidos (a1) / V. 4,
"¡Ho ombres adormeçidos!" (a1) / V. 5, suenyo (a1); dolçor (B) / V. 7,
"que su mesma ley nos muestra" (a1); misma (b1) / V. 8, en la obediençia
(a1) / V. 9, beuir (a1) / V. 10, llorat (a1).

*183

Otra exclamaçion

1   ¡O castellana naçion,
    çentro de auominaçiones!,
    ¡O christiana religion,
    ya de casa de oracion
5   hecha cueua de ladrones!
    ¡O mundo todo estragado!
    ¡O gentes enduresçidas!
    ¡O templo menospreçiado!
    ¡O Parayso oluidado!
10 ¡O religiones perdidas!

*184

1   Venid y çircunçidad
    no la carne, que es vedado,
    mas las obras de maldad,
    la peruersa uoluntad,
5   el tienpo non bien gastado,
    los clerigos, las symonias,
    el robar los caualleros,
    los frayles, ypocresias,
    las henbras, hechizerias,
10 y los ricos sus dineros.

Copla 183. — Título: falta (a1); *Prosigue el actor* (a2) / V. 2, "llena de abominaçiones" (a1, a2); "abominaçion" en A, B, C..., que hace mala rima / V. 3, crestiana (a1) / V. 4, doraçion (a1) / V. 5, fecha (a1, a2, b1); lladrones (a1) / V. 6, "reyno" por "mundo" (a2); stragado (a1) / V. 7, ho (a1); desconoçidas (a1) / V. 8, "holuidado" por "menospreçiado" (a1); verso invertido con respecto al siguiente (a1, a2) / V. 9, ho (a1); verso invertido con respecto al anterior (a1, a2).

Copla 184. — V. 1, venit hi (a1) / V. 2, ques (a1); vedada (A, B, C..., que hace mala rima) / V. 3, hobras (a1); maldat (a1) / V. 5, tiempo (a1, a2, b1, C...); no (a1, a2, b1, C...) / V. 6, clericos (a1); simonias (a1) / V. 7, "las fuerças" (a1, a2); caualleros (a1) / V. 8, frayres (a2, b1, C...) / V. 8, yprogresias (a2); ypocrisyas (b1) / V. 9, "las freyras fechizerias" (a1); "las viejas fechizerias" (a2) / V. 10, "los robos los escuderos" (a1 —scuderos—, a2, b1).

*185

1 Çircunçiden los logreros
   sus vsuras vergonçosas,
   y los fructos los dezmeros;
   çircunçiden los plateros
5 sus alquimias engañosas;
   los questores lo que piden
   do justa razon non syenten;
   los traperos çircunçiden
   no las varas con que miden,
10 mas las lenguas con que mienten.

*186

1 Çircunçiden los saluajes
   el su maldito deporte;
   los galanes y los pajes
   no çircunçiden los trajes,
5 pues tan cortos son en corte
   quanto yo, sy se rompiesen
   las calças que andan de fuera,
   no siento que se cubriesen
   si como Adan no pusyesen
10 las dos fojas de la higuera.

Copla 185. — V. 1, llogreros (a1) / V. 2, "las sus vsuras dañosas" (a1
—danyosas—, a2); husuras (b1) / V. 3, fruytos (a1) / V. 4, circunçidan (a1)
/ V. 5, "las" por "sus" (a1, a2); enganyosas (a1) / V. 6, "los que coxgan lo
que piden" (a1); "los que gastan los que piden" (a2); texto estragado en
ambos casos; quistores (b1); "los questores que lo piden" (B) / V. 7, "neçesidat" por "justa razon" (a1); neçesidad (a2); no (a1, b1); sienten (a1) /
V. 9, piden (b1; una mano posterior ha escrito una *m* encima de la primitiva *p*).

Copla 186. — V. 1, çircunçidan (a1); salvages (a1) / V. 2, "bellaco" por
"maldito" (a1, a2) / V. 3, "ni" por "y" (a1); pages (a1) / V. 4, çircunçidan
(a1); trages (a1) / V. 5, "que bien cortos..." (a1, a2) / V. 6, "tanto que si
se ronpiesen" (a1 —"rompiessen"—, a2) / V. 8, "no se con que se cobriesen"
(a1); "no se como..." (a2); falta "se" (b1) / V. 9, Adam (a1, b1); andan
(B); posiessen (a1) / V. 10, "una foja de figuera" (a1 —"foia"—, a2); "las
dos fojas de yguera" (b1); hojas (B, C...).

*187

1   Çircunçiden las mugeres
    aquella llama ençendida,
    aquellos locos tañeres,
    aquellos breues plazeres
5   que a vezes cuestan la vida;
    çircunçiden las orejas
    las donzellas por tal arte
    que no oyan las consejas
    de las alquiladas viejas
10 que vienen de mala parte.

*188

1   Çircunçiden nuestras damas   Çircunçiden las justiçias
    el anchor de sus faldillas;   aquel su garcisobaco;
    çircunçiden de sus camas,   los letrados, las maliçias,
    de sus carnes, de sus famas,   y los viejos las cobdiçias,
5   las vergonçosas manzillas;   conformes al rey Caco;
    los cortesanos, sus rallos,   los cortesanos sus rallos,
    juramentos y promesas   juramentos...
    deuen de çircunçidallos   deuen...
    quando estan muy hechos ga-   quando...
10 delante las portuguesas. [llos   delante...

                                                (—a1, a2)

Copla 187. — V. 1, Cjrcuncidan (a1); muieres (a1) / V. 3, llocos (a1);
"traeres" por "tañeres" (a1, a2, b1) / V. 4, "buenos" por "breues" (a1) /
V. 5, ca vezes (a1) / V. 6, circuncidan (a1); oreias (a1) / V. 7, "orejas"
por "donzellas" (a2, b1) / V. 8, coseias (a1) / V. 9, "de las falsas malas viejas" (a1 —vieias—, a2) / V. 10, viene (a1).—*En a1 y a2, copla invertida con
respecto a la siguiente (cf. cap. III, pág. 107 y ap. X).

Copla 188. — V. 1, falta (a2, cortado al encuadernar el códice) / V. 2,
aquell (a1); faldrillas (A, B) / V. 3, "legados" por "letrados" (a1) / V. 4,
vieios (a1); copdiçias (a1) / V. 5, "conformes con el rey", que ha sido ta-
chado posteriormente y sustituido por el verso de la segunda y tercera versiones: "las vergonçosas..." / V. 7, "prejuras" por "promesas" (A, B, C), que
hace mala rima, corregida si aceptamos la lectura "promesas" de a1, a2, b1
y D / V. 8, çircunçidarllos (a1); çircundallos (B) / V. 9, fechos (a1, b1) /
V. 10, portoguesas (b1).—*En a1 y a2, copla invertida con respecto a la an-

*189

1   ¡O monjas!, vuestras merçedes
    deuen de çircunçidar
    aquel parlar a las redes,
    el escalar de paredes,
5   el continuo cartear,
    aquellos çumos y azeytes
    que fazen el cuero tierno,
    aquellas mudas y afeytes,
    aquellos torpes deleytes
10 cuyo fin es el infierno.

*190

1   Çircunçiden las justiçias
    su garçisobaco fino;
    los letrados las maliçias,
    y los viejos las codiçias,
5   pues estan ya de camino;
    çircunçiden los señores
    el tornarse mercaderes,
    que no son de vnos colores
    virtudes, graçias, honores,
10 y los flamencos aferes.

_____

erior; cf. c. 187.—**En a1 y a2, esta copla está formada así: la primera
quintilla es la primera quintilla de la c. 190; la segunda corresponde a la segunda quintilla de la c. 188. Desaparece, por tanto, una copla en a1 y a2:
primera quintilla de la núm. 188 y segunda quintilla de la núm. 190; cf.
opla 190.

   Copla 189. — V. 1, "¡O monias!, tan bien deuedes" (a1); "¡O monjas!,
ambien deuedes" (a2) / V. 2, "vosotras de..." (a1, a2) / V. 3, aquell parar
a1) / V. 4, "aquell romper de paredes" (a1 —aquell—, a2); de las paredes
C, D, E), verso imperfecto / V. 5, "aquel negro..." (a1 —aquell—, a2) /
'. 6, zumos (a1); atzeytes (a1) / V. 7, "para" por "fazen" (a1); "tornan"
or "fazen" (b1); hazen (C, D...) / V. 8, "...vazios afeytes" (a1); "...vanos
feytes" (a2) / Versos 8 y 9, invertidos en a1 y a2.

   Copla 190. — V. 7, mercadores (A, B), que hace mala rima / V. 8, non
1); "unas" por "vnos" (b1) / V. 10, averes (F1).—*Cf. c. 188 para a1 y a2.

*191

1   Y los viçios de sus greys
    çircunçiden los perlados,
    y circunçiden los reys
    el quebrantar de las leys
5   por amor de sus priuados,
    y el priuado verdadero
    çircunçide este resabio:
    que no sea mas lisonjero
    con su rey que fue con Nero
10 el de Cordoua el grand sabio.

*192

Que se çircunçide la mala guar-
da de la Justiçia

1   Y çircunçide Castilla
    el atreuerse del vulgo
    contra la perra Justilla
    que vistes en la traylla
5   del pastor Mingo Revulgo,
    sy no, pues han barruntado
    que no esta la perra suelta,
    vos vereys como priado
    nunca medrara el ganado,
10 y el pastor con ello a buelta.

Copla 191. — V. 1, falta "y" (b1); greyes (a1, a2, C, D...) / V. 2, "çi
cunçidan los prelados" (a1) / V. 3, çircunçidan (a1); reyes (a1, a2, C, D...)
V. 4, crebantar (a1); leyes (a1, a2, C, D...) / V. 5, "los" por "sus" (a1, a2
b1) / V. 7, circunçida (a1) / V. 8, "no sia mas lisoniero" (a1) / V. 10, "nue
tro Senequa gran sabio" (a1); "Seneca nuestro grand sabio" (a2); falta
segundo "el" (b1).

Copla 192. — Título: falta (a1, a2); *Que çircunçide Castilla la mala gua
da de la Justiçia* (b1) / V. 1, circunçida (a1); "E" por "Y" (F1) / V.
atrauarse (B) / V. 5, Rebulgo (a1) / V. 6, "si nos que a barruntado" (a1)
"que si an barruntado" (b1); ha (a2) / V. 7, sta (a1) / V. 8, "vereys com
muy priado" (a1); veras (a2) / V. 9, nunqua (a1) / V. 10, "ni" por "
(a1, a2); ella buelta (a1).

*193

*Que circuncide el dormir de
la Temprança*

1   Justilla no sale afuera,
¡ay que guay de nuestro hato!,
porque mala muerte muera
duerme la otra tempera
5   perra de Gil Arribato;
¡O nigligente pastor,
ve, circuncidale el sueño,
que en el dia del dolor
hasta el cordero menor
10   te hara pagar su dueño!

*194

Y la ceguedad de la Prudencia

1   Pues la prudente ventora,
¡ay de la nuestra manada!,
ciega esta la peccadora,
enloquecida a desora,
5   que ya no rastrea nada;
¡O cuytado rabadan!,
entraste en mala semana,
que todas te las conbran
quantas reses aqui estan
10   sy esta perra no sana.

Copla 193. — Título: falta (a1, a2); "tenplança" (b1) / V. 1, salle (a1, b1) / V. 2, "ay guay..." (a1); "ya" por "ay" (a2); gay (B, D) / V. 4, "tenerme" por "duerme" (a1); "tambien" por "duerme" (a2) / V. 5, Arriuato (a1) / V. 6, negligente (a1, a2) / V. 7, "circuncidete del suenyo" (a1); "circunçidate del sueño" (a2); "be circuncidar el sueño" (b1); "ve a circuncidar el sueño" (F1).

Copla 194. — Título: falta (a1, a2); "ceguedat" (b1) / V. 1, "Ved" por "Pues" (a1) / V. 2, "O guay..." (a1); "Guay..." (a2); "morada" por "manada" (a1) / V. 3, sta (a1); pecadora (a1) / V. 5, "la qual..." (a1); rastra (a1, b1) / V. 7, entrete (a1) / V. 8, "que todas las comeran" (a1); "que todas las tomaran" (a2); comeran (C, D...) / V. 9, "las ovejas que aqui estan" (a1 —oveias, stan—, a2) / V. 10, si (a1); "se ensaña" por "no sana" (a2).

*195

Y los cohechos de la Fortaleza

1   Azerilla desmayo,
     ya, pastor, otra no queda,
     y dicen que adolesçio
     porque del agua beuio
5   en Burgos de la Moneda,
     ca es vn agua que empacha
     a qualquiera que la cata;
     tiene otra peor tacha:
     que como vino emborracha
10   y jamas la sed amata.

*196

1   Ouejas, grand miedo he
     que vendra presto la saña
     do nos valdra dezir "me"
     ni a los pastores syn fe
5   asconderse en la cabaña;
     pues es la causa delito,
     ¡O ouejas castellanas!,
     al remedio vos remito
     daquel pastoril escripto
10   de las coplas aldeanas.

Copla 195. — Título: falta (a1, a2) / V. 2, "quan" por "ya" (a1, a2); non (a1) / V. 3, "que" por "y" (a1, b1); dizen (a1); adoleçio (a1) / V. 6, quenpacha (a1); "ques" por "ca es" (a2) / V. 7, qualquier (a2) / V. 8, y tiene (a1, a2) / V. 9, "que como a vino enborracha" (a1) / V. 10, iamas (a1); set (a1); no mata (b1).

Copla 196. — V. 1, Oveias (a1); gran (a1, b1) / V. 2, berna (b1); presta (a1); sanya (a1) / V. 3, nous (a1); mehe (a1) / V. 4, sin (a1) V. 5, esconderse (b1); cabanya (a1) / V. 6, "pues la causa es el delicto" (a1) / V. 7, "oveiavas" por "o ouejas" (a1); castellañas (A, B) / V. 8, "el" por "al" (b1) / V. 9, "daquell pastoril scrito" (a1); "de aquel pastorial escripto" (b1) / V. 10, coblas (a1).—*En a1 aparece como la antepenúltima copla de todo el códice; tras la c. 195 una nota indica, refiriéndose a ésta y a la c. 197: " ⊹ aqui entran dos coplas que estan en el fin con este signo".—**Falta en a2. Cf. cap. III, pág. 105, y ap. X.

*197

Fin de la Circuncisyon   *De la Circunçision*

1   Pues todos çircunçidemos   E todos...
     el pecar, pues nos alexa   aquello que nos allexa
     de la gloria que sabemos   de...
     al punto que la alcançemos   al...
5   ser libres de toda quexa;   ser...
     porque los glorificados   porque...
     nunca estan sin alegria,   nunca syenten perjuizio,
     ¡O quan bienauenturados   ¡O...
     seran los çircunçidados   los asi çircumçidados
10   en el espantoso dia!   son el dia del juyzio!

                                                        (—a1, a2)

*198

Oracion en fin de la çircunçi-
sion en nombre de la señora
Doña Juana

1   Redemptor, pues que sufriste
     que por mi te atormentasen
     en el tiempo que quisyste
     por mi, peccadora triste,
5   que asy te çircunçidasen,
     por el dolor que a desora
     sentiste y sentio contigo
     la Uirgen Nuestra Señora,
     suplico yo, peccadora,
10   que mores syempre comigo.

Copla 197. — Título: falta, cortado al encuadernar el códice (a2) / V. 2, "todo quanto nos alexa" (a2) / V. 4, lalcançemos (a1) / V. 7, "nunqua sienten periuycio" (a1) / V. 9, ansi (a1) / V. 10, yuycio (a1).—*En a1 aparece como la penúltima copla de todo el códice; cf. c. 196.—**Copla alternada con respecto a la siguiente en a2; cf. cap. III, pág. 105, y ap. X.

Copla 198. — Título: *Oracion en nombre de Duenya Joana* (a1); *Oraçion en nombre de la Señora Dona Juana de Cartajena* (a2) / V. 1, "quesiste" por "sufriste" (a1, a2); quisiste (b1) / V. 3, "sofriste" por "quisiste" (a1, a2); sufriste (b1) / V. 7, sintio (a2) / V. 8, senyora (a1) / V. 9, "te pido yo, pecadora" (a1) / V. 10, syempre mores (a1 —siempre—, a2).—*Copla alternada con respecto a la anterior en a2; cf. c. 197.

*199

*Comiença la ystoria de los tres
Reys Magos*

1 Dicho tu primer tormento,
  ¡O nuestro claro miralle!,
  aquel alto adoramiento,
  aquel sabio ofresçimiento
5 no esta razon que se calle,
  que los tres reys que venieron
  de la parte oriental
  con la mas fe que podieron
  te adoraron, te ofresçieron,
10 como a su rey diuinal.

200

*Aplicalo a reprehensyon de
nuestra poca deuocion*

1 ¡O quan grand reprehensyon
  para los tiempos de agora!,
  ¡O quan poca deuocion
  daquesta nuestra nacion
5 sy el Señor no lo mejora!:
  de tanta tierra paganos
  venieron por le adorar,
  y los nuestros castellanos
  no quieren salir de ufanos
10 desde su casa al altar.

Copla 199. — Título: *Comiença ell ofrecimiento de los tres reyes* (a1);
Comiença el ofresçimiento de los reyes (a2); "reyes" (b1, C, D...); magros
(b1) / V. 1, turmiento (a1) / V. 3, aquell (a1) / V. 4, "aquell santo offres-
çimiento" (a1) / V. 5, "es" por "esta" / V. 6, reyes (a1, a2, b1, D...), que
hace imperfecto el verso; falta "que" (a1, b1); vienieron (a1); vinieron (b1)
/ V. 9, "y" por "te" (a1, a2, b1); ofreçieron (a1).

Copla 200. — Título: *Reprension de los presentes* (a1); *Reprehende a los
presentes* (a2); "a reprension" (b1) / V. 1, gran reprençion (a1); reprension
(b1) / V. 2, "pora los tiempos dagora" (a1) / V. 4, de aquesta (a2) / V. 5,
"sil Senyor no lo meiora" (a1); "la" por "lo" (a2, b1) / V. 7, vienieron (a1);
vinieron (a2, b1, C, D...); "lo" por "le" (a1, a2); falta "por" (b1) / V. 9,
sallir dufanos (a1).

*201

1 Pues a su grand confusyon
   contemplen los tales fieles
   con que amor de coraçon
   de tan estraña region
5 vinieron los reys infieles
   por camino no sabido
   syn poner dubda ninguna;
   ¡O amor tan encendido,
   dar tres reynos a oluido
10 por ver vn niño de cuna!

*202

Pone la razon porque llamaron
a estos tres reys magos

1 Con una sabia prudençia
   para conseruar sus leys
   a los varones de sciencia
   se daua la preminencia
5 en aquel tiempo de reys,
   y con esta discrecion
   se guardauan syn estragos.
   ca segund dize Platon,
   bien andante es la region
10 a do gouiernan los magos.

Copla 201. — Hay título en a2; *Prosigue* / V. 1, gran confusiçion (a1) / V. 2, "scuchen los…" (a1); "escuchen tales fieles" (a2) / V. 4, stranya (a1) / V. 5, vienieron (a1); "vinieron los infieles" (a1, a2); reyes (C, D…), lo que hace imperfecto el verso / V. 6, non (a2) / V. 7, sin (a1); duda (a1) / V. 9, "…reynos en oluido" (a1); "reyes en" por "reynos a" (a2, b1) / V. 10, "por vn ninyo de cuna" (a1).

Copla 202. — Título: "reyes" (b1, C, D…); "magros" (b1) / V. 2, leyes (C, D…) / V. 5, reyes (C, D…) / V. 7, guardan (b1) / V. 10, magros (b1).— *Falta en a1 y a2, así como las coplas 203-207; cf. cap. III, pág. 109, y ap. X.

*203

1   Pues estos gouernadores
    de quien habla nuestro metro
    por ser grandes sabidores
    alcançaron los honores
5   del ponposo real çetro;
    pues sy nuestro San Matheo
    les da magos sobrenombres,
    fue la causa, segun creo,
    porque magos en caldeo
10 quiere decir sabios ombres.

*204

Prosygue la ystoria

1   Los altos entendimientos
    destos varones reales
    los mas estan intentos
    en mirar los mouimientos
5   de los cursos çelestiales,
    ca segund la profecia
    de Valan y del estrella,
    por çiençia de astrologia
    entendian saber el dia
10 del parto de la donzella.

Copla 203. — V. 2, fabla (b1) / V. 6, falta "sy" (b1) / V. 7, magros (b1) / V. 9, "mas" por "magos" (b1).—*Falta en a1 y a2; cf. c. 202.

Copla 204. — V. 3, estaban (b1) / V. 7, de la (b1, C, D...) / V. 8, sciencia (b1, C, D...) / V. 9, entendia (b1).—*Falta en a1 y a2; cf. c. 202.

*205

1 Contemplando, deseando,
esperando la tal prueua,
estando por ella orando,
un estrella relumbrando
5 allega con la grand nueua,
y para prueua mayor
de sus hablas y respuestas,
dentro de su resplandor
tray al niño redemptor
10 con su dura cruz a cuestas.

*206

*Exclamacion al niño que traya
la cruz*

1 ¡O paso muy dolorido
mas, por cierto, verdadero!:
no solo rezien nasçido,
mas en syendo conçebido
5 te dio pena este madero,
que en el vientre do yazias
en la tu diuinal luz
manifiestamente veyas
el triste fin de tus dias
10 auer de ser en la cruz.

Copla 205. — V. 4, una (b1, B, D...) / V. 5, llega (b1); allegua (B) / V. 6, major (B) / V. 7, ablas (b1) / V. 9, el (b1).—*Falta en a1 y a2; cf. copla 202.

Copla 206. — Título: "traia" (b1) / V. 4, seyendo (b1) / V. 8, bias (b1).— *Falta en a1 y a2; cf. c. 202.

*207

Compara y prosigue

1   Como haze el despertar
     desparar las fantasyas,
     asy hizo desterrar
     todo el vano ydolatrar
5   destos reys nuestro Mexias
     con la luz esclarescida
     que los alumbra y recrea,
     con la qual el los combida
     que con quexosa partida
10   vayan a verle a Judea.

*208

1   Ya parten con sus presentes   Vinieron con sus presentes
     aquestos grandes señores   con una santa porfia
     a ser entre los vivientes   a ser entre los bivientes
     los tres primeros creyentes   los tres...
5   despues de nuestros pastores,   salvo Josep y Maria,
     trayendo por guiadora   trayendo...
     fasta llegar a Bellem   fasta...
     aquella estrella que agora   aquella...
     se les esconde a desora   se les escondio a desora
10   cerca de Hierusalem.   çercha de Jerusalem.

                                              (—a1, a2)

Copla 207. — V. 2, de esperar (b1) / V. 3, "despertar" por "desterrar" (b1) / V. 5, reyes (b1, C) / V. 8, "les" por "los" (b1) / V. 10, verlo (b1).— *Falta en a1 y a2; cf. c. 202.

Copla 208. — V. 1, "Y" por "Ya" (b1) / V. 3, "a ssi" por "a ser" (a1); viventes (B) / V. 7, Betlem (a1); Bellen (a2) / V. 8, strella (a1) / V. 9, scondio (a1); escondio (b1) / V. 10, cercha (a1); Iherusalem (a1); Jerusalem (b1).

*209

*Pone vna razon del desapares-
cer de la estrella*

1 ¡O caridad tan sedienta,
   que con tres reys excelentes
   no estas harta ni contenta
   mas andas toda hambrienta
5 por tragar los innocentes! :
   escuresçes el estrella
   con vna hambrienta gana
   porque hallados sin ella
   ençiendan nueua querella
10 en la embidia herodiana.

*210

Añade otras dos razones

1 Y porque tus conbidados,
   ¡O sacro niño bendicto!,
   fuesen mas certificados
   escuchando a los letrados
5 lo que de ti era escripto,
   y porque su deuoçion,
   ¡O grand magestad diuinal!,
   fuese muy grand confusion
   a la peruersa naçion
10 que te estaua tan vezina.

Copla 209. — Título: falta (a1, a2); "desaparecer" (b1) / V. 1, "crueldad"
por "caridad" (a1); caridat (a2) / V. 2, falta "que" (a1, a2); reyes (a1, a2,
b1) / V. 3, "ni" por "no" (a2); farta (a1) / V. 4, "antes" por "andas" (a1);
fambrienta (a1) / V. 5, ignoçentes (a1); ynocentes (a2) / V. 6, "escuresces a
la..." (a1); escureçes (a2); "la" por "el" (b1) / V. 7, "barrienta" por "hambrienta" (a1); "avarienta" por "hambrienta" (a2, b1) / V. 8, fallados (a1, a2)
/ V. 9, ençienda (a1); entienda (a2) / V. 10, "la inuidia erodiana" (a1, a2);
inbidia (b1).
Copla 210. — V. 10, staua (b1).—*Falta en a1 y a2; cf. cap. III, página
109, y ap. X.

*211

Comparacion

1 Quales con el mar ayrado
se congoxan los pilotos
descubriendo su cuydado
su temor desordenado,
5 lloros, promesas y votos;
quales andan los guerreros
quando al adalid han muerto
sin tino por los oteros,
estos christianos primeros
10 tales andauan por cierto.

*212

1 Mas ya negada del çielo
la primera claridad,
seyendo forçado consuelo
de remediarse en el suelo,
5 vanse dentro a la çibdad,
porque en grandes poblaçiones
ay quien sepa los caminos,
ay sabidores varones
que declaren las questiones
10 de los misterios diuinos.

Copla 211. — Título: *Comparaciones* (a1) / V. 1, "por" por "con" (b1); yrado (a2, b1) / V. 3, "si esta el cielo estrellado" (a1, —sta, strellado—, a2) / V. 4, "publicando su cuydado" (a1, a2) / V. 5, voto (b1) / V. 7, "...ell adalid es..." (a1); "...al adalid es..." (a2) / V. 10, andan (a2).

Copla 212. — Hay título en a2: *Como les fue forçado entrar en Iherusalem* / V. 2, claridat (a2) / V. 3, siendo (a1, a2); forçado (a1) / V. 4, "del" por "de" (a1, a2); remediar (b1) / V. 5, "entraron en la çibdad" (a1, —çiudad—, a2) / V. 6, porquen (a1) / V. 8, "y asi los sabios barones" (a1, —ansi, savios—, a2) / V. 9, declaran (a1, a2); quistiones (a1) / V. 10, "saberes" por "misterios" (a1, a2).

*213

Comparacion

1   Estauan los moradores
    boca abiertos, alterados,
    como estan los labradores
    quando en cas de los señores
5   miran los paños brocados;
    los menudos se espantauan,
    los letrados se corrian,
    los señores se ensaynauan
    quando los reys les contauan
10   el nueuo rey que tenian.

*213 A

Prosigue

1   Esta nueua nouedad
    de la nueua marauilla
    dos ombres dactoridad
    mando la comunidad
5   que fuesen luego a dezilla
    a la persona real
    en el palaçio do estaua,
    porque la nueua era tal
    que primero y prinçipal
10   a su alteza tocaua.

        (—a1, a2)

Copla 213. — Título: falta (a1); *Conpara* (a2) / V. 2, abiertos y (a1, b1); abierta y (a2) / V. 3, stan (a1); llabradores (a1) / V. 4, casa (a1, a2), que hace el verso imperfecto / V. 5, panyos (a1) / V. 6, sespantauan (a1) / V. 8, "los senyores sensanyaban" (a1) / V. 9, "ellos" por "los reys" (a1, a2); reyes (b1) / V. 10, "del" por "el" (b1).

    Copla 213 A. — Título: falta (a2) / V. 1, nouedat (a2) / V. 3, "dos onores de attoridat" (a2) / V. 4, comunidat (a2) / V. 5, "...lluego dezilla" (a1) / V. 6, reyal (a1) / V. 7, dostaua (a1).—*Cf. ap. X.

*213 B

1 Quando a Herodes le contaron
   estos dos enbaxadores
   como tres reyes entraron
   y a grand priesa demandaron
5 a aquellos mas sabidores
   si por ventura sabian
   el lugar do era nasçido
   un ynfante a quien venian,
   que era, segund que dezian,
10 el Mexias prometido.

                    (—a1, a2)

*214

Comparacion   *Comparacion*

1 Al rey que esta poderoso   Al...
   leuantarsele rey nueuo   leuantarsele...
   ¡quanto le sta doloroso!,   quanto le es muy doloroso,
   ¡quanto le sta peligroso!;   quanto le es peligroso,
5 con nuestro reyno lo prueuo,   con nuestro Enrique lo prueuo,
   que puede ser bien testigo   que...
   desta causa de bollicio: qual es causa de bolliçio;
   ya mirais en lo que digo,   ¿quieres saber lo que digo?:
   que diz que es tu enemigo   que dizen ques tu enemigo
10 el ombre de tu oficio.   el ombre ques de tu ofiçio.

                                        (—a1, a2)

Copla 213 B. — V. 1, "...Erodes recontaron" (a1) / V. 4, gran priessa (a1)
/ V. 5, falta "a" (a1) / V. 7, naçido (a1) / V. 8, infante (a1) / V. 9
segun dezian (a1) / V. 10, Mesias (a1).—*Cf. c. 213A.

Copla 214. — Título: *Conpara* (a2) / V. 1, questa (a1) / V. 2, leuantar
se (a2) / V. 3, "quanto le es doloroso" (a2); "sea" por "sta" (b1) / V. 4
"sea" por "es" (a2); li sea (b1) / V. 5, Enrrique (a2) / V. 6, "buen" po
"bien" (a1, b1) / V. 7, cabsa (a2) / V. 8, "y mirais bien lo que digo" (b1)
V. 9, "que dize quien es tu enemigo" (a2), verso, así, imperfecto; dizen (b1)

*215

1 De aqueste miedo se altera
Herodes y se demuda,
y quiere buscar manera
como el dicho niño muera:
5 por quitar sospecha y duda
y pensando de engañar
a los que yuan buscalle,
enbiolos luego a llamar,
so color de se informar
10 del niño para adoralle.

*216

1 La causa de la passion
deste su temor humano
fue couarde suspeçion
de la real susçepçion
5 de Aristobolo o Yrcano,
temiendo de ser trocado
por legitimo heredero
porque estaua en el reynado
mas por fuerça que por grado,
10 en ser varon estrangero.

Copla 215. — Hay título en a2: *Prosigue* / V. 1, "Deste tal temor se altera" (a1 —desta, saltera—, a2); saltera (b1) / V. 2, Erodes (a1, a2) / V. 4, ninyo (a1) / V. 5, dubda (a2, B) / V. 6, denganyar (a1) / V. 7, buscarle (a1) / V. 8, embios (B); falta "luego" (a1, a2, b1) / V. 10, "del ninyo por adorarle" (a1).

Copla 216. — V. 1, cabsa (A).—*Falta en a1 y a2, así como la copla siguiente; cf. cap. III, pág. 109, y ap. X.

*217

Comparaçion

1   Como haze la candela
quando alumbra las conpañas,
que con su luz les consuela
syn que de su mal se duela,
5   pues se quema sus entrañas,
asy, lector, sy lo veys,
aquestas gentes ebreas
se quemaron en sus leys
dando grand luz a los reys
10   con su propheta Micheas.

*218

Prosigue la ystoria

1   Los quales luego entrando
todos tres en general,
como discretos, mirando
que deuen dexar el mando
5   al gallo en su muradal,
fincaronse de rodillas;
a las cosas preguntadas
començaron a dezillas,
y las nueuas marauillas
10   que les eran reueladas.

Copla 217. — V. 1, aze (b1) / V. 6, letor (b1).—*Falta en a1, a2; cf. copla 216.

Copla 218. — Título: falta (a1, a2) / V. 1, entraron (A, B, C...), que hace mala rima. Utilizo la lectura de a1 y a2 / V. 2, jeneral (a1) / V. 3, "y como..." (a2, A, B, C...), que hace el verso imperfecto / V. 4, deue lexarse (a1); deue dexarse (a2) / V. 7, "y" por "a" (a1) / V. 9, "con las..." (a1, a2).—*Falta en b1, así como las coplas 219-224; cf. cap. III, pág. 113, y ap. X.

*219

1 El vno dellos dizia
a los hijos de Abraan
segund que se contenia
en aquella propheçia
5 del mal propheta Balaan,
ca segund les propheto,
Jacob antes que finase,
la estrella se les mostro,
aquel hebrayco sygno
10 que su pueblo gouernase.

*220

1 Esta sentencia primera
el segundo confirmaua,
diziendo que cierto era
que vna virgen pariera
5 el niño que se esperaua
en el modo que Ysayas
mucho antes escriviera
de vna virgen Ezechias
que pariria al Mexias,
10 la virgen quedando entera.

Copla 219. — V. 1, "Ell uno..." (a1); dezia (a1, a2, C...) / V. 2, figos
a1); fijos (a2); Abram (a1); Abrahan (a2) / V. 4, profecia (a1) / V. 5,
"buen" por "mal" (a1, a2); profeta (a1, a2); Balam (a1); Balan (a2) / V. 6,
lo qual lo profetizo" (a1); "segund les profetizo" (a2) / V. 8, "la strella
amy les mostro" (a1); "y aun" por "se" (a2) / V. 9, "aquell abrayco silo"
a1); "aquel abrayco sino" (a2).—*Falta en b1; cf. c. 218.

Copla 220. — V. 2, confirmara (a1, a2, b1, A, B, C), lo que hace mala
ima. Lectura correcta en D / V. 3, deziendo (a1) / V. 5, ninyo (a1); sespe-
ara (a1); esperara (a2) / V. 7, scriuiera (a1) / V. 8, "de la..." (a1); "de
na virgen que Ezechias" (a2) / V. 9, el Mesias (a1); pariera (a2).—*Falta en
1; cf. c. 218.

*221

1   El tercero y postrimero
     prueualo con Daniel
     ser nascido el Cordero,
     el Mexias verdadero,
5   en el pueblo de Israel,
     el qual sobre esta razon
     prophetizo Zaquaria
     la sacerdotal vnçion
     quando el mas sancto varon
10 al dicho pueblo vernia.

*222

1   Jacob dixo adelante,
     por mas quitarnos de dubda,
     que nasçiendo aquel infante
     no auria verga reynante
5   en todo el tribu de Juda,
     y pues todo enteramente
     asy se falla complido,
     asaz se muestra patente
     a qualquier ombre prudente
10 quel Mexias es venido.

Copla 221. — V. 2, "Dauid" por "Daniel" (a2) / V. 3, "ser naçido ya..."
(a1) / V. 4, "y" por "el" (a1) / V. 5, dIrael (a1); Ysrahel (B) / V. 6, "del
qual sobre sta razon" (a1) / V. 7, "profetitzo" (a1); Çesaria (a2, A, B, C...)
/ V. 8, çerdotal (a2) / V. 10, venia (a1).—*Falta en b1; cf. c. 218.

Copla 222. — V. 2, "la" por "de" (a1, a2) / V. 3, "que en viniendo el
ynfante" (a1 —quen, "ste" por "el"—, a2) / V. 4, verge (B) / V. 5, todol
(a1) / V. 6, "y pues eternamente todo" (a1) / V. 7, ansi (a1) / V. 8, assaz
(a1) / V. 9, qualquiere (a1) / V. 10, Mesias (a1).—*Falta en b1; cf. c. 218.

223

Como se despidieron los Reyes
Magos

1 Hecha su proposiçion
con tan fundada eloquençia,
todos tres, en conclusion,
le hazen suplicaçion
5 que les quiera dar liçencia;
el les respondio que vayan,
pero con tal condiçion
que quando adorado le ayan,
ellos de vista le traygan
10 verdadera informaçion.

224

Conparaçion de quando tornaron
a ver la estrella

1 La madre quel hijo llora
quando le dizen que es muerto,
sy lo vee biuo a desora
esta grand pedaço de ora
5 que no cree ser el de çierto,
y despues de conosçido,
luego el maternal amor,
el lloro quedado a oluido,
haze el gozo tan cresçido
10 quanto primero el dolor.

Copla 223. — Título: falta (a1); falta "magos" (a2) / V. 1, fecha (a1, a2) / V. 2, "finida" por "fundada" (a1) / V. 3, conclosion (a1) / V. 4, fazen (a1) / V. 6, ell (a1) / V. 8, layan (a1); falta "le" (a2).—*Falta en b1; cf. copla 218.

Copla 224. — Título: *Compara quando tornaron a ver la strella* (a1); "*Quando...*" (a2) / V. 1, fijo (a1, a2) / V. 2, ques (a1) / V. 3, "si lo vehe..." (a1) / V. 4, sta (a1); dora (a2) / V. 5, "que no cree ell ser de çierto" (a1); "que no cree el çierto" (a2) / V. 6, conocido (a1) / V. 7, maternacal (a2) / V. 8, quedando a (a1, a2) / V. 9, fazel (a1); faze (a2); hazel (A); hazer (B).—*Falta en b1; cf. c. 218.

225

1 Oyda la prophecia
   de Belen de Efrata,
   tomaron los reys su via
   y la su primera guya
5 se les muestra clara ya,
   con cuya çertinidad
   de no perder el camino
   van con grand seguridad,
   seguiendo la claridad
10 daquel adalid diuino.

De aquesta misma manera
a los reyes conteçio,
quando la estrella primera
cuya luz scureçiera
muy clara se les mostro,
con cuya seguridad
de no...
gozandose de verdad
siguieron la claredad
daquel...

(—a1, a2)

226

1 Con ardientes coraçones
   llegados do deseauan,
   ¡O en quan poquitos dones
   aquestos sabios varones
5 grandes cosas señalauan!
   Alli tu diuinidad
   fue temida y adorada,
   fue tu real magestad
   con tu sancta humanidad
10 conosçida y confesada.

Con...
llegados...
¡O en quan pequeños dones
aquestos santos varones
grandes cosas confesauan!
Alli tu diuinidat
fue...
alli con la humanidad
fue tu real magestad
obedesçida y honrrada.

(—a1, a2)

Copla 225. — V. 1, maña (a2) / V. 2, acaesçio (a2) / V. 3, strella (a1); reyes (b1) / V. 4, "ley" por "luz" (a1); "avia luz y escuresçiera" (a2); guia (b1) / V. 5, "los" por "les" (a1) / V. 6, seguridat (a2) / V. 8, verdat (a2) / V. 9, claridat (a2); siguieron (b1) / V. 10, de aquell (a1); de aquel (b1).

Copla 226. — V. 3, quan pequenyos (a1) / V. 4, barones (a1) / V. 8, umanidat (a2) / V. 9, reyal (a1); "su" por "tu" (B) / V. 10, "obedeçida y onrada" (a1).

*227

1   Pues en el pobre portal
de las ricas marauillas,
la donzella virginal
que su hijo diuinal
5   empañaua en sus rodillas,
entraron supitamente
con el su brocado arreo
las premiçias de la gente,
en sus manos grand presente,
10 en sus almas grand deseo.

*228

*Pone los nombres de los
tres reys*

1   Derrocados a la par   Como los enbaxadores
adoran al ombre Dios;   con grand reposo se miden
al vno llaman Gaspar,   quando vnos enperadores
Melchior y Baltasar   a otros altos señores
5   llaman a los otros dos;   sus enbaxadas espiden,
y despues que adoraron,   tal los reyes se mostraron
mirando su resplandor   delante la tu presencia,
tan grand espanto tomaron   ‒s quales despues que entraron
que grand pieça no hablaron vn grueso rato callaron
10 de reuerençia y temor.   con temor y reuerencia.

                                   (—a1, a2)

   Copla 227. — V. 6, subitamente (B).—*Falta en a1 y a2; cf. cap. III, página 109, y ap. X.

   Copla 228. — Título: "reyes" (b1) / V. 1, embaxadores (a1) / V. 2, gran (a1) / V. 3, emperadores (a1) / V. 4, "...grandes senyores" (a1); Baltesar (B) / V. 5, embaxadas (a1) / V. 6, "asi" por "tal" (a1), que hace imperfecto el verso / V. 7, "su" por "tu" (a1) / V. 8, quentraron (a1) / V. 9, gruesso (a1).

*229

1   Salidos ya del callar
    quel tu temor les ponia,
    començaronse a rogar
    con vn cortes porfiar
5   qual primero hablaria;
    porfiada la quistion
    en el pobre portalejo,
    esta fue su conclusion:
    que deuia, segund razon,
10 de començar el mas viejo.

230

Pone la ofrenda del primero rey

1   El qual despues de rogado,
    nonbrando tu sancto nombre,
    profundamente inclinado,
    propone muy reposado:
5   "Adorote, Dios y onbre,
    confieso tu eternidad,
    llamote fin y comienço,
    y por mas çertinidad
    siruo a tu diuinidad
10 con esta caxa de inçienso".

Copla 229. — V. 1, Sallidos (a1, b1) / V. 2, que (a1) / V. 3, comença-
ronse (a1) / V. 5, primera (B); fablaria (a1, a2) / V. 6, "desqutida la question" (a1); "descutida" por "porfiada" (a2) / V. 7, portaleio (a1) / V. 8, "fallaron en conclusyon" (a1 —conclusion—, a2) / V. 9, deuie (a2) / V. 10,
començar (a1); vieio (a1).

Copla 230. — Título: falta (a1, a2) / V. 2. lloando (a1); loando (a2) por
"nonbrando" / V. 3, ynclinado (a2) / V. 4, "començo" por "propone" (a1,
a2) / V. 6, eternidat (a2) / V. 8, çertenidad (a1); çertenidat (a2) / V. 9,
sieruo (a1); divinidat (a2) / V. 10, dençienso (a1); jnçienso (A).

231

Exclamacion al dicho rey

1 ¡O tu, cuyo entendimiento
   todos los nuestros traspasa!,
   tu alto conosçimiento
   no paresce ser del cuento
5 de aquesta nuestra vil masa,
   que en la caxa que ofreciste
   toda nuestra fe se encierra,
   ¡O quanto que meresçiste!,
   ¡O quanto que tu dixiste,
10 para ser hecho de tierra!

232

1 La natura angelical,
   confirmada en la luz clara
   por vna graçia espeçial,
   con la esencia diuinal
5 se miran cara por cara;
   yo no se que mas pudiera
   confesar con lengua humana;
   ¡O lengua tan verdadera,
   puedete llamar qualquiera
10 synbolo de fe christiana!

Copla 231. — Título: falta (a1); *Exclamacion del actor al dicho rey* (a2); falta "al" (b1) / V. 5, daquesta (a1); massa (a1) / V. 6, quen (a1); oferiste (a1) / V. 7, sençierra (a1); falta "se" (B) / V. 10, pora (a1); fecho (a1, a2, b1).

Copla 232. — V. 2, "que es confirmada..." (a1 —ques—, a2, b1) / V. 3, speçial (a1) / V. 6, "hi no se que mas podiera" (a1) / V. 9, quienquiera (a1, a2, b1) / V. 10, simbolo (a1); sin velo (a2); symbolo (B); sinbolo (C, D...); "fe de" por "de fe" (b1).

*233

Exclamacion

1   ¡O!, quantos pienso hallasen
    si buscasen entre nos
    que si bien los espulgasen
    quando a la prueua llegasen
5   no conoscen sy ay Dios,
    porque sy bien conosciesen
    su bondad y su justicia,
    por endiablados que fuesen
    imposyble es que touiesen
10   tan syn freno su malicia.

Muy pocos pienso fallasen
sy...
si al [......] llegassen
quando bien los espulgasen
que conosçiesen si ay Dios,
porque sy lo conoçiesen
a osadas fuesen en pos
donde çierto lo touiesen
que biuamente lo siruiesen,
pues quel padesçio por nos.

(—a1, a2)

*234

1   Porque la clara verdad,
    tan corrompido esta el mundo
    para siempre enemistad,
    con culpable breuedad
5   pasemos al rey segundo;
    pasemos, tristes, pasemos,
    que en esta nuestra comarca
    los pilotos que tenemos
    enbaraçannos los remos
10   estando rota la barca.

Mas porque esta verdad rasa
nos enemista en el mundo,
callemos el mal que pasa,
y como gato por brasa
pasemos...
pasemos...
que en...
los...
enbaraçannos...
estando...

(—a1, a2)

Copla 233. — V. 1, fallarse (a2) / V. 2, "si buscassen..." (a1) / V. 3, corrupto en a1; imperfecto e incompleto en a2: "si al llegasen"; "les" por "los" (b1) / V. 4, spulgassen (a1) / V. 5, "non consçender" (a2) / V. 6, si (a1); conoçiessen (a1) / V. 7, a usadas (a1) / V. 8, "temiessen" por "touiessen" (a1) / V. 9, sirviessen (a1) / V. 10, "por que ell padeçio..." (a1).

Copla 234. — V. 1, "mas porquesta..." (a1); verdat (a2) / V. 3, passa (a1) / V. 5, passemos (a1) / V. 6, passemos, passemos (a1) / V. 7, quen (a1) / V. 8, pilotes (a1) / V. 9, embarassannos (a1); embaraxannos (B) / V. 10, barcha (a1); "cabeça" por "barca" (b1).

*235

*Comiença la ofrenda del se-
gundo rey*

1 Ofreçido y resçebido
el primer don exçelente,
quando el rey segundo vido
leuantado y despedido
5 al rey anciano prudente
començose de inclinar
con tan gran tiento y reposo,
como suele acostumbrar
al tiempo del consagrar
10 qualquier santo religioso.

236

1 Inclinado por tal via
entretanto que callaua,
alterauase y temia,
contenplaua y comedia
5 quien delante del estaua,
y entre tal admiraçion
descubrio su caxa el rey,
descubrio su discrecion,
descubrio tu encarnacion
10 encobierta so la ley.

Copla 235. — Título: falta (a1); *Ofresçimiento del segundo rey* (a2) /
V. 1, rezebido (a1) / V. 2, exçellente (a1) / V. 6, dinclinar (a1) / V. 7,
aquell (a1); aquel (a2) / V. 8, "qual lo suele..." (a2) / V. 9, "quando quiere
consagrar" (a1, a2); de (b1, B).

Copla 236. — V. 3, "espantauase y veya" (a1, a2) / V. 5, dell staua (a1)
/ V. 6, "con" por "entre" (a1, a2) / V. 7, descobrio (a1): "es" por "el" (B)
/ V. 8, descobrio (a1) / V. 9, "descobrio la incarnacion" (a1); "la" por "tu"
(a1) / V. 10, encubierta (a1).

*237

1   Descubrio mas adelante   Descubrio...
    prophetizando tu pena   prophetizando su pena,
    con vn sañudo semblante,   mostrando todo senblante
    a manera de elefante   a...
5   que se ensaña en sangre age-   que se saña en...
    la tu sangrienta passyon [na,   la...
    que avn estaua por venir,   que...
    y mouido a compassyon   y...
    antepone a su oblacion   con saña de coraçon
10 este lloroso dezir: començo luego a dezir:

                                                              (—a1, a2)

*238

Llantea este rey la advenidera
muerte del infante, la qual con
vn presente figura

1   "Hazed llantos los biuientes,
    lastimad vuestras entrañas;
    ¡O, vos, peccadoras gentes,
    los ojos tornad en fuentes
5   con marauillas tamañas!;
    llorad la muerte primera
    que heredastes del primero;
    llorad la otra que espera
    en sv carne verdadera
10 aqueste Dios verdadero;

Copla 237. — V. 1, descobrio (a1) / V. 2, profetizando (a1); profetizado
(b1) / V. 3, semblante (a1) / V. 4, Jmfante (a1) / V. 5, "que se sangra en
sangre agena" (a1) / V. 6, passion (a1) / V. 7, staua (a1); esta (b1) / V. 8,
"e" por "y" (a1); compassion (a1) / V. 9, sanya (a1); corazon (a1); falta
en A, B...; utilizo b1, cuya lectura es la más completa / V. 10, comienço (a1).

Copla 238. — Título: falta (a1); *Profetiza y llora este rey la advenidera*
muerte del ynfante (a2); *Llantea este rey la muerte advenidera... la qual con*
su... (b1); "su" por "vn" (B) / V. 1, "Llorad, llorad los biuientes" (a1 —"Llorat, llorat..."—, a2) / V. 2, "y romped vostras entranyas" (a1, a2 —vuestras—) / V. 3, pecadoras (a1) / V. 4, oios (a1) / V. 5, "por marauillas ta-
manyas" (a1); "por..." (a2) / V. 7, eredastes (a1) / V. 8, "llorad la muerte
que espera" (a1, a2) / V. 10, aquesto (a1).

*239

1   Llorad la diuinidad
que por nosotros se abaxa
a sufrir tal crueldad;
llorad la moralidad
5   de la mirra de mi caxa,
la qual solo le presento
con piadosa intencion
para despues del tormento,
con que este en el monumento
10   guardado de corrupcion".

240

1   El gemir y sospirar,
que no sufren habla luenga,
con vn secreto atajar
hizo al rey abreuiar
5   el intento de su arenga,
y viendo que no podia
proseguir a su talante,
ofreçio el don que traya,
y entretanto que ofrecia
10   boluio la habla al infante:

Copla 239. — V. 1, diuinidat (a2) / V. 3, sofrir (a1); crueldat (a2) / V. 4, moralidat (a2) / V. 6, "que sola gela presento" (a1, a2); sola (b1) / V. 7, yntençion (a2) / V. 8, tormiento (a1) / V. 9, aunque (a1); "ahunque" (a2, b1) por "con que"; monimiento (a1); monimento (a2, b1) / V. 10, corupçion (a1); corrubçion (a2).

Copla 240. — V. 2, "que no sufre fablar lengua" (a1); sufre (b1); fabla (a2); abla (b1) / V. 3, falta "vn" (b1); ataiar (a1) / V. 4, fizo (a1); "fizo alli..." (a2) / V. 5, yntento (a2); arengua (a1) / V. 8, ofereçio (a1) / V. 10, fabla (a1, a2); abla (b1); ynfante (a2).

241

Ofrece el rey segundo.

1   "Niño humilde y soberano,
    niño justo y piadoso,
    niño diuino y humano,
    padre del pueblo christiano,
5   hijo de Dios poderoso;
    rescebid aquesta oferta,
    entre nos mirra llamada,
    en señal que es cosa cierta
    que la vuestra carne muerta
10 ha de ser y sepultada".

*242

Pone el llanto de nuestra Se-
ñora causado de la prophecia
del segundo rey çerca de la
passyon de su hijo

1   No se quien sepa dezirhos,
    por gran orador que venga,
    no se quien pueda escriuiros
    los entrañables sospiros
5   por suelta mano que tenga
    con que la uirgen Maria
    publicaua su dolor
    mirando la prophecia
    quel segundo rey dezia
10 de la pasyon del Señor.

_____

Copla 241. — Título: falta (a1); *Fabla el rey con el Señor* (a2); *Ofrece*
el segundo rey (C, D...) / V. 1, "Muy" por "Niño" (a1, a2); homilde (a1) /
V. 2, "ninyo iusto y preçioso" (a1) / V. 3, ninyo (a1) / V. 5, fijo (a1, a2,
b1) / V. 6, reçebid (a1) / V. 8, senyas ques (a1) / V. 10, a (a1).

Copla 242. — Título: *Llamentaçion de Nuestra Senyora* (a1); *Planto de*
Nuestra Señora (a2); *Pone llanto... de la passion de su precioso hijo* (b1) /
V. 1, non (a1); deziros (a1, b1) / V. 2, "por eloquente que venga" (a1
—vengua—, a2) / V. 3, scriuiros (a1); escreuiros (a2) / V. 4, entranyables
(a1) / V. 6, quon (a1) / V. 7, poblicaua (a1) / V. 8, "oyendo" por "mirando" (a1, a2); profeçia (a1) / V. 10, "muerte" por pasyon" (a1, a2); passyon
(B, C...); senyor (a1).

*243

1   Mas la alta perfecion
que en ella siempre moraua,
con pesada discreçion
sojuzgaua el coraçon
5   en tanto que el rey hablaua,
mas acabado a desora
este rey su fabla triste,
començo nuestra Señora ;
tu sola triste lo llora ;
10   tu sola, que lo pariste :

*244

Pone las gracias que nuestra
Señora rescibio sola, por las
quales sobre todos quiere llo-
rar la muerte del dador dellas

1   "Yo so la que sola espero
vn dolor tan syn remedio ;
yo sola llorarlo quiero,
que no tengo compañero
5   que tenga en el hijo medio,
ca sola lo conçebi
sin lo que natura ordena,
pues sola, triste de mi,
que sin dolor le pari,
10   con dolor lloro su pena.

Copla 243. — V. 1, "ell" por "la" (a1); perfeccion (a1) / V. 2, quen (a1) / V. 3, discricion (a2) / V. 4, soiusgaua (a1); judgada (a2) / V. 5, demien-tre (a1); "demientra" (a2) por "en tanto"; fablaua (a1, a2) / V. 6, acabada (a1, b1) / V. 7, habla (b1) / V. 8, comienço (a1); senyora (a1) / V. 9, le (a2) / V. 10, le (a2).

Copla 244. — Título : falta (a1, a2) / V. 1, "Yo soy la que sola spero" (a1) / V. 2, sin (a1) / V. 3, llorallo (a2) / V. 4, "pues" por "que" (a1, a2); companyero (a1) / V. 5, fijo (a1, a2, b1) / V. 7, "sin lo que la natura..." (a1) / V. 9, lo (a1) / V. 10, llore (b1).

*245

1   Yo so la que fue formada
    del en mi vientre formado;
    yo sola libre engendrada
    de la carne condenada
5   por el hijo en mi engendrado;
    yo que tan sola espeçial
    por este hijo me hallo
    tener nonbre maternal,
    con pureza virginal,
10 yo sola deuo llorallo.

Yo soy la que fuy formada
deste que fue en mi formado;
yo virgen engendrada
de la carne condepnada
por el fijo...
y yo tan sola espeçial
por este fijo me fallo
ser con parto virginal
sin la culpa original;
yo...

(—a1, a2)

*245 A

1   ¡O fijo muy exçelente,
    Dios del cielo y de la tierra,
    a quien deue çiertamente
    adorar toda la gente
5   y quien no te adora yerra,
    que tal es la caridat
    que en tu muerte obraras,
    quando con su crueldat
    es çierto que, a la verdat,
10 la tu madre mataras!

(a1, a2)

Copla 245. — V. 1, "Yo so la que fue formada" (a1) / V. 3, "yo soy vir-gen..." (a1) / V. 4, condemnada (a1); "enfeçionada" por "condenada" (b1) / V. 5, "...en mingendrado" (a1); fijo (b1) / V. 6, "...sola y espeçial" (a1) / V. 7, fijo (b1) / V. 9, "ser" por "la" (a1) / V. 10, "llorarllo" (a1); llorarlo (b1).
Copla 245 A. — V. 1, exçellente (a1) / V. 5, adorara (a1) / V. 6, "cla-redad" por "caridat" (a1) / V. 7, "quen... cobraras" (a1) / V. 8, crueldad (a1) / V. 9, verdad (a1).—*Cf. ap. X.

*246

```
 1   Yo sola fu[y] concebida
     syn peccado original,
     la qual gracia en esta vida
     no fue jamas recebida
 5   por otra muger mortal;
     pues quien fue tan singular
     en la merced recebir,
     deue serlo en el pesar,
     deue llorando cantar:
10   tan asperas de sofrir.
```

*247

*Glosa de "Tan asperas" en
nombre de nvestra Señora*

```
 1   Yo syento dentro vn ferir
     de penas muy desyguales,
     mas no las puedo dezir;
     tan asperas de sufrir
 5   son mis angustias, y tales,
     que los dolores mentales
     me fuerçan a plañir;
     ¡ay, que son tan prinçipales
     que de mis esquivos males
 0   es el remedio morir!
```

Copla 246. — Hay título en a2: *Prosigue* / V. 1, "fue" (a2, b1, A, B...),
que considero errado, por "fuy" (a1); "Yo sola fuy santificada" (a1): ha sido
raspado "santificada" y sustituido por "concebida" / V. 2, "del peccado..."
a1): ha sido raspado "del" y sustituido por "sin" / V. 3, sta (a1) / V. 4,
jamas non fue resçebida" (a1 —no, rezebida—, a2) / V. 5, mujer (a1) /
V. 7, rezebir (a1); resçebir (a2, b1) / V. 8, esserlo (a1); "llorar" por "pe-
ar" (b1).

Copla 247. — Título: falta (a1); *Canta y glosa la cançion "Tan asperas de
ofrir"* (a2) / V. 1, siento (a1) / V. 2, desiguales (a1) / V. 3, non (a2) /
V. 4, sofrir (a1, a2) / V. 6, "y" por "que" (a1, a2); "mortales" por "men-
ales" (a1, a2) / V. 7, "que me fuerçan a plañir" (a1 —planyir—, b1) /
V. 8, "desiguales" (a2) por "prinçipales"; "ynfernales" (a2) por "prinçipales"
V. 9, falta "de" (A, B), lo cual hace imperfecto el verso; squiuos (a1).

*248

1 La mirra que fue ofrecida
    al infante enbuelto en paños
    y su nueua dolorida
    fatigan mi triste vida
5 y hacen crecer mis daños,
    porque, su muerte sabida,
    biuire yo pocos años
    sufriendo triste, afligida,
    cuytas, afan syn medida,
10 sospiros, lloros estraños.

*249

1 Sera muerte mi beuir,
    y seran sus arrauales
    pensando en lo por venir,
    soledad, graue gemir,
5 dolores, ansyas mortales
    o rauias decomunales;
    ¡quan claro esta de sentir,
    segund aquestas señales,
    que de mis esquiuos males
10 es el remedio morir!

Copla 248. — V. 2, panyos (a1) / V. 4, fatiga (a1) / V. 5, faze (a1, a2) fazen (b1); danyos (a1) / V. 6, "que pues su muerte es sabida" (a1); "qu[e] por su muerte sabida" (a2) / V. 7, "viuire yo poquos anyos" (a1); beuire (b1) / V. 8, sofriendo (a1) / V. 9, afany sin (a1) / V. 10, estranyos (a1).

Copla 249. — V. 1, biuir (a1, a2, b1, C...) / V. 2, arauales (a1) / V. [4], soledat (a2) / V. 5, ançias (a1); ansias (b1); anxias (B) / V. 6, rabias (a[1]) / V. 7, "quan bueno" (a1) por "quan claro"; "quand bueno" por "quan cla ro" (a2) / V. 8, "segund mostrays los senyales" (a1); "segund mostraes se[ñales" (a2) / V. 9, squiuos (a1).

*250

*Torna la habla a Josep, su
esposo*

1   Y tu, viejo tan honrrado,
que meresçiste en el suelo
ser conmigo desposado,
ser tanbien padre llamado
5   del alto Señor del cielo,
llora tras mi tu segundo
y demos gritos los dos
con vn dolor muy profundo:
¡ay por el Señor del mundo!,
10   ¡ay por el hijo de Dios!

*251

1   ¡Ay de la madre cuytada,
de quien esta prophetado
que vera la desastrada
muerte, cruel, desonrrada,
5   del hijo crucificado,
porque enclauado el Señor
por el pueblo cruel, malo,
sofrira muy mas dolor
la madre en la cruz de amor
10   que no el hijo en la de palo!

Copla 250. — Título: *Torna la fabla a Joseff* (a1); "fabla" (a2, b1) /
V. 1, "¡O tu, vieio tan onrado!" (a1); atan (a2, C...) / V. 2, mereçiste (a1)
/ V. 5, senyor (a1) / V. 8, falta en a2, cortado al encuadernar el códice /
V. 9, senyor (a1) / V. 10, fijo (a1, a2, b1).

Copla 251. — Hay título en a2: *Continua su lloro* / V. 1, cuydada (a1)
/ V. 2, sta (a1); prophetizado (a2, C...), que hace imperfecto el verso /
V. 5, fijo (a1, a2) / V. 6, "por quen clauado el senyor" (a1); enclauado (a2,
b1); "en clauando" (A, B...), que no hace correcto sentido / V. 9, damor
(a1, a2) / V. 10, "que no el fijo..." (a1, b1); "que en el..." (a2); del (a1,
a2). En A, B... falta "no", que puede hacer el verso imperfecto, además de
ser más propio de la época la reduplicación negativa con "no".

*252

1 ¡Ay de los tristes oydos
   por do tal nueua recibo!,
   ¡ay de los tristes sentidos,
   abrasados y encendidos
5 en fuego de amor biuo!,
   ¡ay dolor del coraçon!,
   ¡O hijo justo y suaue,
   que sera triste presyon
   do la tu muerte y passyon
10 estaran syempre so llaue!"

*253

Comiença el ofrecer del ter-
çero rey, el qual consuela pri-
mero a Nuestra Señora

1 Como es dulçe al paladar
   tras la purga la mançana;
   como dulçe al nauegar
   quando braua esta la mar
5 tras la noche la mañana;
   como es dulçe grand thesoro
   al que en pobreza se vey,
   asy dulçe tras el lloro
   fue la nueua enbuelta en oro
10 que ofrecio el tercero rey.

Copla 252. — Hay título en a2: *Continua el llanto* / V. 1, oyidos (a1)
/ V. 2, rezibo (a2) / V. 5, damor tan biuo (a1); de amor tan biuo (a2, b1)
/ V. 6, de (a2) / V. 7, fijo (a1, a2, b1); falta "y" (a1, b1) / V. 8, prezion
(a1); prision (b1); "que en esta triste prision" (a2) / V. 9, "do la tu dura
pasyon" (a1 —pasion—, a2 —"de" por "do"—) / V. 10, stara siempre (a1);
estare (a2); estara (b1).

Copla 253. — Título: *Comparaçiones* (a1, a2) / V. 1, "a la" por "al" (a2)
/ V. 3, "como es dulçe..." (a1, b1) / V. 4, esta braua (a1 —sta—, a2); esta
raua (b1) / V. 5, manyana (a1) / V. 6, tesoro (a1, a2, b1) / V. 7, "al que
en grad mengua se vey" (a1 —quen gran—, a2) / V. 8, ansi (a1); "su" por
"el" (a1) / V. 9, "asi es..." (b1); "buelta" por "enbuelta" (a1).

*254

1   Para ablandar el dolor
    en el pecho de la madre,
    este sabio embaxador
    ha traydo vn lamedor
5   de la tienda de Dios padre;
    es, a saber, vna nueua
    desdel cielo reuelada,
    con la qual porfia y prueua
    que la virgen mas no deua
10 llamarse desconsolada.

*255

Comparacion

1   Y porque pueda mejor
    auctorizar su embaxada,
    con muestras de sabidor
    haze como esgremidor:
5   encomienço vna leuada
    con la lengua por espada,
    con la discrecion por mano,
    pintando la muy pintada,
    loando la muy loada
10 madre del muy soberano.

Copla 254. — Hay título en a2: *Prosigue la estoria* (a2) / V. 1, Pora (a1)
/ V. 4, "a" por "ha" (a1).

Copla 255. — Título: falta (a1); *Prosigue y compara* (a2) / V. 1, meyor
(a1) / V. 2, actoritzar (a1); abtorizar (a1) / V. 3, muestra (a2); mustras (A)
/ V. 4, faze (a1, a2, b1); sgrimidor (a1) / V. 5, encomiença (D...); lleuada
(b1) / V. 6, spada (a1) / V. 7, discriçion (a2) / V. 8, "por pintar la..." (a1,
a2) / V. 9, "por loar la..." (a1 —lloar la, lloada—, a2).

*256

1   Y començo con vn canto
mas de angel que de ombre:
"¡O virgen!, da fin al llanto
porque puedas saber quanto
5   es de renombre tu nombre,
porque como la serena
adormece a quien la escucha,
asi con mi nueua buena
hare yo dormir la pena
10 del mal que contigo lucha.

*257

1   ¡O reyna delante quien
las reynas son labradoras!;
tu las hazes almazen;
tu, arca de nuestro bien,
5   nos las desdoras y doras,
porque quantas son nasçidas
delante ti cotejadas
son fusleras conosçidas,
mas por tu causa tenidas
10 deuen ser por muy doradas.

Copla 256. — Hay título en a2: _Prosigue y Compara_ / V. 1, "E" por "Y" (a1); comienço (a1, B) / V. 4, "oyr" por "saber" (a1, a2, b1) / V. 5, "...el tu nombre" (a2) / V. 7, lescucha (a1) / V. 8, ansi (a1); / V. 9, fare (a1, a2); "fare y dormir la pena" (a1).

Copla 257. — Hay título en a2: _Continua la estoria_ / V. 2, llabradoras (a1) / V. 3, fazes (a1) / V. 4, archa (a1) / V. 5, "tu" por "nos" (a1, a2); desdonas (A, B), mejor sentido el evidente "desdoras" / V. 6, naçidas (a1) / V. 7, coteiadas (a1) / V. 8, conoçidas (a1) / V. 9, cabsa (A) / V. 10, "deuen ser mui doradas" (b1).

*258

1 Que sy por muger dezimos
    auer venido las penas
    que en amos mundos sufrimos,
    de ti, muger, resçebimos
5 la paga con las setenas;
    culpa bien auenturada
    por Sant Gregorio doctor
    es esta nuestra llamada,
    por meresçer ser limpiada
10 por tan alto redemptor.

*259

1 Pues sy mal nombre padesçen
    por el daño que nos dieron,
    ¡O virgen!, no lo meresçen,
    pues contigo nos ofresçen
5 mayor bien que mal hizieron;
    asy que por tu respecto,
    por malas que puedan ser,
    a qualquier ombre discreto
    parezca blanco lo prieto
10 por ti, que fueste muger.

Copla 258. — Hay título en a1 y a2: *Prosigue* / V. 1, si (a1, b1); muier
(a1) / V. 3, quen (a1); ambos (a2, b1, C...); sofrimos (a1, a2, b1) / V. 4,
muier (a1); reçebimos (a1) / V. 7, sand (a1) / V. 9, mereçer (a1); "se" por
"ser" (b1) / V. 10, redenptor (a2).

Copla 259. — Hay título en a2: *Continua* / V. 1, si (a2); padeçen (a1) /
V. 2, danyo (a1); dapño (A, B) / V. 3, merecen (a1, b1) / V. 4, ofreçen
(a1) / V. 5, maior (a1); fizieron (a1, a2, b1); hezieron (A) / V. 6, assi (a1);
respeto (b1) / V. 7, males (b1); seer (a1) / V. 8, qualquiere (a1) / V. 9,
paresca (a1) / V. 10, fuste (a2); muier (a1).

260

Ofrece el tercero rey

1   ¡O reyna!, pon la memoria
     en el bien que reçibiste
     y mira, veras que gloria;
     los angeles son estoria
5   del hijo que tu pariste,
     el qual niño diuinal,
     que yo de presente adoro,
     ha de ser rey eternal,
     para en señal de lo qual
10 le ofresco esta caxa de oro.

*261

Prueua su intencion con Ysayas
propheta

1   Hallaras en Ysayas,   Esto mismo te dira
     ¡O sancta virgen y madre!,   aquel profeta Ysayas,
     quel hijo que tu parias   que la virgen parira
     synd ningund cuento de dias vn niño que reynara
5   ha de reynar con su padre;   sin ningund cuento de dias;
     pues por su crucificar,   pues...
     que nos libra del infierno,   que nos libra del ynfierno,
     no deues, virgen, llorar,   no deues tu de llorar,
     pues ha de resuçitar   pues...
10 vniversal rey eterno.   para siempre rey eterno.

                                               (—a1, a2)

Copla 260. — Título: falta (a1); *Prosigue y ofresce* (a2); *Ofreçe este rey*
terçero (b1) / V. 1, "por" por "pon" (B) / V. 2, recebiste (a1, b1); resçebis-
te (a2) / V. 3, "e" por "y" (a1) / V. 4, "que los..." (b1); jstoria (a1) /
V. 5, fijo (a1, a2, b1) / V. 6, ninyo (a1) / V. 8, "a" por "ha" (a1) / V. 9,
"pora en senyal..." (a1) / V. 10, "le ofresco mi caxa doro" (a1, a2).

    Copla 261. — Título: falta (a1, a2, en este último probablemente cortado
al ser encuadernado el códice); "intento" por "intencion" (b1); prophecta (A)
/ V. 2, aquell (a1) / V. 3, fijo (b1) / V. 4, ninyo (a1) / V. 5, ningun
(a1) / V. 7, "que nos deslibra del infierno" (a1), lo cual hace el verso imperfecto / V. 9, "a" por "ha" (a1) / V. 10, pora (a1).

*262

1   Pues reyna en la dignidad
    del infierno, tierra y cielo,
    grandeza con humildad,
    madre con virginidad,
5   no quieras hazer mas duelo,
    porque no tienes razon
    de llantear tus dolores,
    mas llore tu coraçon
    la causa de su pasyon,
10 que somos los peccadores".

*263

Habla el auctor

1   Esta nueua recontada
    con su graciosa oferta,
    nuestra reyna fue tornada
    alegre de apassyonada
5   y biua de medio muerta,
    y por la nueua que oya,
    porque crea que la crey,
    con grand muestra de alegria
    nuestra preciosa Maria
10 dio grandes gracias al rey.

Copla 262. — Hay título en a2: *Contnua* / V. 1, dinidat (a2) / V. 2,
ynfierno (a2); "e" por "y" (b1) / V. 3, "madre segund la verdat" (a1 —verdat—, a2) / V. 4, "sierua segund umilldat" (a1 —homildad—, a2) / V. 5, fazer (a1, a2, b1) / V. 7, sus (a1) / V. 9, cabsa (A); paçion (a1) / V. 10, pecadores (a1).

Copla 263. — Título: *El actor fabla* (a1); falta (a2, b1) / V. 2, "en la
su..." (a1, a2); "con la su..." (b1) / V. 4, alegra (a1); apassionada (a1, a2);
dapasionada (b1) / V. 6, "hi" por "y" (a1); "de" por "por" (a1, a2) / V. 7,
"demostrando que la crey" (a1 —"quien" por "que"—, a2); grey (A, B, C...)
claramente ha de ser "crey", como en a1, a2 y b1 / V. 8, gran (a1); dale-
gria (a1) / V. 10, "fizo asi gracias..." (a1 —ansi—, a2).

*263 A

Hace las gracias al rey tercero

1 "Ayas, rey, por gualardon
   del dolor que me quitaste
   para siempre salvaçion
   por la preçiosa pasion
5 del ynfante que adoraste,
   que si mas se detardara
   la nueua que me has traydo,
   segund me desfigurara
   no fuera cara mi cara
10 ni sentido mi sentido".

                    (—a1, a2)

*263 B

*Oracion en nombre de duenya
Joana*

1 A bueltas de aquesta nueua,
   tan alegre, tan graçiosa,
   ¡O tu, reparo de Eva!,
   yo fallo que agora deua
5 demandar alguna cosa;
   pues yo, señora, demando
   por esta fiesta eçelente,
   que por doquiera que ande
   nunca yo traspase el mando
10 del tu fijo omnipotente.

                    (—a1, a2)

Copla 263 A. — Título: *Faze la señora grazias al rey terçero* (a2) / V. 1,
Hayas (a1) / V. 3, pora (a1) / V. 4, paçion (a1) / V. 5, imfante (a1) /
V. 6, detardaua (a2), que hace imperfecta la rima, cf. 9 / V. 7, "mas"
por "me has" (a1) / V. 8, disfiguraua (a2); cf. verso 6 / V. 9, "ni" por "no"
(a1) / V. 10, my (a1).—*Cf. ap. X.

Copla 263 B. — Título: *Otra oracion en nombre de Doña Juana* (a2) /
V. 1, daquesta (a1) / V. 3, deva (a2) / V. 6, ¡O, Senyora (a1) / V. 7, ec-
çellente (a1) / V. 8, ando (a1) / V. 9, nunqua (a1); trespasel (a1).—*Cf. co-

*263 C

Torna a la estoria

1 Dexemos agora esto
y reboluamos la mano
a escreuir por orden puesto
el fecho muy desonesto
5 de aquel Erodes tirano,
porque en la cruel fazaña
la pena del obrador
a los señores d'España
faga enfrenar su saña
10 con baruada de temor.

(—a1, a2)

*264

Torna a la hystoria	*Comienza la ystoria*
1 Declarados y ofrecidos	Asi fue que ofresçidos
en el dicho portalejo	en el santo portalejo
los dones y rescebidos	los...
y los tres reys despedidos	los tres reyes despedidos
5 de la madre, hijo y viejo,	de la madre, fijo y viejo
y al infante diuino	e ya todos acordados
besados sus sacros pies,	de tornar por do vienieron,
por mejor guardar el tino,	desque fueron acostados
por el su primer camino	por el angel avisados
10 se quieren yr todos tres.	por estas palabras fueron:

(—a1, a2)

---

pla 263A. En esta primera versión aparecen seguidamente tres coplas más, intercaladas entre esta 263B y la 263C; las núm. 360-362, con texto bastante distinto al de la segunda y tercera versiones, y que anoto en las dichas coplas 360-362, pág. 109 y ap. X. Cf. cap. III, pág. 109 y ap. X.

Copla 263 C. — Título: "istoria" (a1) / V. 3, falta "a" (a2); scriuir (a1) / V. 4, "depuesto" por "desonesto" (a2) / V. 5, daquell (a1) / V. 6, porquen (a1); fazanya (a1) / V. 7, "de" por "la" (a1) / V. 8, "...senyores dEspanya" (a1) / V. 9, "faze" por "faga" (a2); sanya (a1) / V. 10, falta "de" (a2).—*Cf. cc. 263A y 263B.

Copla 264. — Título: falta (a1) / V. 1, ofreçidos (a1) / V. 2, portaleio (a1) / V. 3, reçebidos (a1); resçiuidos (b1) / V. 5, fijo (b1); vieio (a1) / V. 6, falta "e" (a2) / V. 7, "boluieron" por "vienieron" (a2) / V. 9, ell (a1) / V. 10, querian (b1).

265

1   Mas aquel grand sabidor
    de los secretos engaños,
    con angel embaxador
    les muestra por do mijor
5   puedan caminar syn dapños,
    el qual, de parte diuina,
    en esa noche syguiente,
    do duermen, tras su cortina
    los auisa y encamina
10 diziendo muy mansamente:

265 A

Fabla el angel a los reyes

1   "¡O muy una trinidad
    de tres reyes con coronas,
    una en la voluntad,
    una en la santidad,
5   aunque tres en las personas!;
    despertad porque sepays
    lo que manda el uno y trino,
    al qual plaze que partays,
    mas manda que no boluays
10 por el primero camino.

(—a1, a2)

Copla 265. — V. 4, "La" por "les" (A, B); mejor (C, D...) / V. 5, daños (b1) / V. 7, seguyente (A, B) / V. 8, cortinja (b1).—*Falta en a1, a2. Cf. cap. III, pág. 109, y ap. X.

Copla 265 A. — Título: *El angel dize a los reyes* (a1) / V. 1, trinidat (a2) / V. 4, santedad (a1) / V. 7, "e" por "y" (a1).—*Como vemos, en la primera versión comienza así el parlamento del ángel, que continúa con dos coplas más, la 265B y la 265C, que corresponde a la 275 de la segunda y tercera versiones con alguna variante. Cf. ap. X.

265 B

Prosigue el angel

1   La causa porquel Señor
    os lo embia a demandar
    es porquel rey matador
    con vn sangriento rigor
5   lo busca por lo matar,
    que aquel rostro amoroso
    con que os despidio aquel dia
    era traydor engañoso,
    era del falso raposo
10 que mata y no desafia.

                (—a1, a2)

*265 C

Prosigue ell angel y compara

1   ¡O quan proprio se compara
    el aracran en aquesto,
    que muestra blanda la cara
    y tiene que no declara
5   ponçoña que mata presto!;
    sola la lombriz se via,
    mas ay estaua el anzuelo;
    tendida la red tenia,
    avnque no se parescia
10 si no tan solo el mochuelo.

                (—a1, a2)

Copla 265 B. — Título: falta (a1) / V. 1, senyor (a1) / V. 2, "os lo enbia asi a mandar" (a2) / V. 6, aquell (a1) / V. 7, dispidio aquell (a1) / V. 8, enganyoso (a1).—*Cf. c. 265A.

Copla 265 C. — Título: falta (a2) / V. 1, quand (a2); propio (a1); / V. 2, "el aranya con aquesto" (a1) / V. 5, poçonia (a1); mate (a2) / V. 6, "solo lombriz se veya" (a2); lumbriz (a1) / V. 7, ayi (a1); "...staua ell..." (a1) / V. 8, ret (a1) / V. 9, pareçia (a1).—*Cf. cc. 265A y 275.

*266

Habla el angel a los Reys
Magos

1   Los misterios ascondidos
    de la alta prouidencia,
    aunque no sean entendidos
    han de ser siempre tenidos
5   en vna grand reuerencia,
    ca la obras diuinales
    de lo justo no exceden,
    que segun los naturales,
    los efectos salen tales
10 qual la causa do proceden.

*267

1   Pues sy toda causa buena
    produze bueno el efecto,
    todo quanto Dios ordena,
    si perdona, sy condempna,
5   todo va medido y recto;
    esto se dize por tanto
    porque reuelaros quiero
    vn gran juyzio de espanto,
    vna crueza de encanto,
10 vn hecho muy carnicero.

Copla 266. — Título: falta (a1); *Dize el angel que los secretos de Dios*
son escuros, mas justos (a2); *Fabla el angel a los reyes* (b1) / V. 1, escondi-
dos (a1) / V. 2, "de la diuinal esencia" (a1 —essnçia—, a2) / V. 4, an (a1) /
V. 5, "en muncha gran..." (a1); "en mucho grand..." (a2) / V. 6, "que las
hobras..." (a1) / V. 7, "nuncha" (a1), "nunca" (a2, b1) por "no" / V. 8,
"ca dizen los..." (a1, a2 —diçen—) / V. 9, "que los..." (a1); "que los efectos
son tales" (a2); efetos (b1) / V. 10, proçeden (a1).

Copla 267. — Hay título en a2: *Declara y aplica* / V. 1, todo (A, B, C),
erróneamente; falta "buena" (A, B, C) / V. 2, efeto (b1) / V. 3, orduena
(a1); hordena (b1) / V. 4, "...o si condena" (a1) / V. 5, "...hi recto" (a1);
"medio" por "medido" (b1, C...) / V. 6, "vos digo" por "se dize" (a1, a2) /
V. 7, reuelar vos (a1, a2); reuelar hos (C...) / V. 8, despanto (a1) / V. 9,
dencanto (a1) / V. 10, fecho (a1, a2, b1).

*268

Prosigue el angel

1 Vn hecho muy desabrido,
mas no va syn justo peso,
porque todo va regido,
muy pesado, muy medido,
5 por aquel diuino seso:
los tiranos en la cumbre
de sus estados reales
sierven de lo que la lumbre
a la diuina costumbre
10 quando cendra los metales.

Un fecho...
mas no va sin...
porque...
muy...
por...
que los malos preualezcan
de muy sañoso lo faze,
y que los buenos padezcan
porque en la gloria florezcan
de sobra de amor le plaze.

(—a1, a2)

*269

1 Acordaos si aueys leydo
en el libro de la Ley
como ouo endurescido,
de pura saña encendido
5 a Pharaon el grand rey
fasta que dentro en la mar
fue sumido por miraglo:
fue dexado porfiar
porque se fuese a penar
10 muy presto con el diablo.

Copla 268. — Título: falta (a1) / V. 5, aquell (a1) / V. 6, preualesquan (a1) / V. 7, sanyoso (a1) / V. 8, padescan (a1); falta (A, B, C, D...): lo tomo de b1 / V. 8 y 9 alternados en b1 / V. 9, porquen (a1) / V. 10, da-mor (a1).

Copla 269. — Título: cortado al ser encuadernado el códice, quedan úni-camente las siguientes palabras: ...*mas enduresçido...y malo...* / V. 3, endu-reçido (a1) / V. 4, "de pura saña mouido" (a1 —sanya—, a2) / V. 5, Faraon (a2) / V. 6, dentron (a1) / V. 7, somido (a1); miraclo (a1) / V. 8, lexado (a1) / V. 9, fuesse (a1); falta "fuese" (A, B, C...), lo cual hace imperfecto el verso / V. 10, "mas" por "muy" (a1).

*270   *Aplica*

1   Por esta cabsa consyente   Asi de saña consiente
    el justo juez soberano   en Erodes el tirano,
    que contra el pueblo inoçente   que pues que no se arrepiente
    de temor se desatiente   su culpa lo descontente
5   el mal Herodes tirano,   a que sea mas umano,
    hasta ser tan inportuno   que pensando mal en vno
    en sus sentençias y modos   y los sus crueles modos
    que por recelo de vno   le fara tan ynportuno
    degollara de consuno   que matara de consuno
10 en Bethleem los niños todos.   en Belen los niños todos".

                                       (—a1, a2)

*271

1   Esta fiera execucion
    porque Dios quiere que aya
    vn año de dilacion;
    vuestra sabia discrecion
5   por otra parte se vaya,
    quel no ser certificado
    enfrenara su rigor
    entretanto que es citado
    para que parta forçado
10 delante el emperador".

Copla 270. — Título: falta (a1) / V. 1, "Ansi de sanya..." (a1) / V. 2, soberanno (A) / V. 3, repiente (a1) / V. 5, inhumano (a1) / V. 8, "le faran tan importuno" (a1) / V. 10, Bellem (a1); ninyos (a1).
    Copla 271. — V. 1, essecucion (b1).—*Falta en a1 y a2. Cf. cap. III, página 109, y ap. X.

*272

Conparacion

1 Como pone demudado
la compassyon natural
el rostro que ha mirado
algund romero llagado
5 del huego de Sant Marçal,
cuyo asco y piedad
haze dentro vn sentimiento
que llaga la voluntad
con vna vescosydad
10 de alterado mouimiento,

Fabla el auctor por comparaçion

Como faze demudado
la natural compassyon
el rostro del que ha mirado
algund onbre muy llagado
del fuego de San Anton,
y de asco y piedad
siente dentro un sentimiento
que causa en la voluntad
contra aquella enfermedad
un triste aborresçimiento,

(—a1, a2)

*273

1 asy las tristes razones
por el angel reueladas
en los blandos coraçones
de los reales varones
5 han las entrañas llagadas
de llagas de caridad
por los que pierden la vida,
de llagas de enemistad
contra la gran crueldad
10 del tan tirano homecida.

Copla 272. — Título: falta (a1) / V. 2, compaçion (a1); compasion (b1)
/ V. 3, "a" por "ha" (a1); "el rostro de que a mirado" (b1) / V. 4, algun
onbre (a1) / V. 5, fuego (b1); "de" por "del" (a1) / V. 6, "...y de piedat"
(a2) / V. 8, enfermedat (a1) / V. 10, auorreçimiento (a1).

Copla 273. — Hay título en a2: *Aplica* / V. 1, ansi (a1); asi (b1) / V. 2,
ell (a1); razonadas (a1, a2) / V. 3, corazones (a1) / V. 4, reyales barones
(a1) / V. 5, "an las entranyas..." (a1) / V. 8, "de llagas enemistad" (a1) /
V. 10, "del cruel rey homiçida" (a1); "del quel rey omeçida" (a2).

*274   *Prosigue la estoria*

1   Y viendo quel angel se yua   Y...
    al cielo do descendiera,   al çielo...
    todos tres mirando arriba   todos...
    con sañosa boz esquiua   con una boz mucho biua
5   comiençan desta manera: comiençan...
    "¡O maldita tirania   "¡O muerte!, ¿como no vienes
    digna de todo tormento,   a dar cabo a tantos males?;
    engañosa ypocresya!,   "¡O tierra!, ¿como sostienes
    ¿quien creyera el alegria   a un Erodes, que tienes
10 de tu buen recibimiento?   el peor de los mortales?

                                              (—a1, a2)

*275

1   ¡O quan proprio se conpara
    al alacran en aquesto,
    que muestra blanda la cara
    y tiene que no declara
5   ponçoña que mata presto!;
    sola la lombriz se veya,
    mas alli estaua el anzuelo;
    tendida la red tenia,
    avnque no se paresçia
10 syno tan solo el mochuelo.

Copla 274. — Título: falta (a1) / V. 1, falta "se" (a1) / V. 2, deçendiera (a1) / V. 3, arriua (a1); a riba (A, B) / V. 5, comiença (b1) / V. 6, non bienes (a2) / V. 9, hun (a2) / V. 10, resceujmjento (b1).

Copla 275. — V. 5, ponçoña (A, B) / V. 6, solo (b1, C...) / V. 7, "esta" por "estaua" (b1) / V. 10, sola (C).—*Para esta copla en a1 y a2 (primera versión), cf. cc. 265A y 265C.

*276

Exclamaçion de los reyes con-   *Exclaman los reyes contra*
tra el tirano rey Herodes   *el tirano rey Erodes*

1   ¡O encubierta tirania,   Encubierta tirania
    digna de todo reproche! ;   dina de todo reproche;
    ¡O tirana ypocresya,   ¡O tirana ypocresia,
    en el rostro muestras dia,   en...
5   en el pecho tienes noche!,   y en...
    ca tu nos dixiste que yrias   al tienes muestras de fuera
    despues de nos adorarlo   con deseo de adoralle,
    y en el coraçon comedias   y en el pecho, bestia fiera,
    que manera podrias   texes secreta manera
10 buscar para matarlo.   por do pudieses matalle.

                                                        (a2)

*277

Prosyguen los reyes

1   ¡O miembro de Sathanas!,
    ¡O fiera bestia rauiosa!,
    pues rauia quanto querras,
    que jamas nunqua podras
5   empecelle alguna cosa,
    ca nuestro niño bendito,
    segund es prophetizado,
    el se pasara en Egipto,
    y tu, tirano maldito,
10 quedaras enponçoñado.

Copla 276. — V. 2, repoche (A).—*Falta en a1, así como la copla siguiente. Cf. cap. III, pág. 109, y ap. X.—**Falta en b1, así como las coplas 277-
279. Cf. cap. III, pág. 113, y ap. X.
Copla 277. — Título: *Siguen los reyes* (a2) / V. 6, bendicto (b1, C...) /
V. 7, profetado (a2) / V. 8, Egibto (a2).—*Falta en a1 y b1; cf. c. 276.

*278

1   ¡O!, quanto mejor fezieras
    sy quando de ti nos partimos
    tras nosotros te venieras,
    adoraras y ofrecieras
5   como nosotros fezimos,
    y fueras luego mudado
    de tu cruel condicion,
    de bestia ombre tornado,
    virtuoso de endiablado
10 y cordero de leon,

¡O!, quanto mejor fizieras
si quando de ti partimos
tras nosotros te vinieras,
adoraras...
como todos tres fezimos,
porque syn dubda escaparas
de la muerte del infierno
y aun aca, quando finaras,
no perdieras, mas trocaras
tu reyno por el eterno,

(—a1, a2)

*279

1   porque syn dubda escaparas
    de la muerte del infierno
    y aun aca, quando finaras,
    no perdieras, mas trocaras
5   tu reyno por el eterno;
    mas pues asy no quisyste,
    sy obras lo que pensaste
    ¡ay de ti, tirano triste,
    que parayso perdiste
10 y que infierno cobraste!".

y fueras luego mudado
de tu cruel condicion;
de bestia ombre tornado,
con virtud de endiablado
y cordero de leon;
mas...
sy...
¡ay...
que...
y que infierno eredaste!".

(—a1, a2)

Copla 278. — V. 1, meior (a1) / V. 4, "y adoraras y ofreçieras" (a1) / V. 5, fizimos (a1) / V. 6, "porque sin duda squaparas" (a1) / V. 8, aqua (a1).—*En a1 y a2 esta copla está formada por la primera quintilla de la número 278 y la primera quintilla de la núm. 279 de la segunda y tercera versión, mientras que la copla siguiente lo está por la segunda quintilla de la copla 278 y la segunda quintilla de la c. 279. Cf. ap. X.—**Falta en b1; cf. c. 276.

Copla 279. — V. 3, bistia (a1) / V. 4, dendiablado (a1) / V. 6, "mas pues ansi no quisiste" (a1) / V. 7, si (a1) / V. 10, "... que heredaste" (a2).—*Para a1 y a2, cf. c. 278.—**Falta en b1; cf. c. 276.

*280

Fin de la hystoria de los reyes *Fabla el actor*

1 Dando gracias y loores   Dando...
 al Señor niño diuino,   al sacro niño diuino,
 estos tres embaxadores,   dando fin a sus clamores,
 puesto fin a sus clamores,   estos tres enbaxadores
5 tomaron otro camino,   tiraron por su camino;
 por el qual, pues han llegado ya ydos en orabuena
 a su primera region,   los tres reyes y partidos,
 demos fin a su tratado   boluamos, mas no sin pena,
 en el modo acostumbrado   la cara, mas no serena,
10 concluyendo en oracion.   al peor de los nacidos,

                                       (—a1, a2)

*280 A

1 y contemos por menudo
 a loor de Ihesu Christo
 aquel rostro tan sañudo,
 aquel fecho tanto crudo
5 qual jamas nunca fue visto,
 porque aya vil renombre
 el que en crueza sobra,
 el que ha de rey el nombre,
 el que tiene cara de onbre
10 y de demonio la obra.

            (—a1, a2)

Copla 280. — Título: falta (a1) / V. 1, lohores (b1) / V. 2, "santo" por "Señor" (b1); ninyo (a1) / V. 4, embaxadores (a1) / V. 9, "a" por "la" (a2).— *Cf. la semejanza de la segunda quintilla en a1 y a2 con la segunda quintilla de la c. 356, que falta en la primera versión. En este caso, Mendoza prepara el final de la historia de los Reyes Magos: en la c. 356 (segunda y tercera versiones) prepara el final de la historia de la Huida a Egipto.—**En a1 y a2 aparecen cinco coplas más —que anoto como 280A-280E— que continúan las invectivas contra Herodes. De ellas, las 280A-280B y 280D-280E son textos nuevos; la 280C coincide con la 387 de las versiones posteriores, que incluyo con las restantes por constituir un todo lógico y homogéneo. Cf. cap. III, pág. 110, y ap. X.

Copla 280 A. — V. 2, lohor (a1) / V. 3, aquell (a1); sanyudo (a1) / V. 4, aquell (a1) / V. 5, nunqua (a1) / V. 7, quen (a1) / V. 8, "a" por "ha" (a1) / V. 9, dombre (a1).—*Cf. c. 280.

*280 B

1   ¡O Herodes!, quanto mas
    te fallas en grand estado
    si bien lo miras veras,
    si bien estudias sabras
5   que has de ser mas templado,
    si non el estado real,
    si tu tienes seso poco,
    en tu mano sera tal
    como el espada o puñal
10 en mano del onbre loco.

(—a1, a2)

*280 C

1   Que la ponposa corona
    de la real celsitud
    es en qualquier persona
    vna señal que pregona
5   como pendon la virtud,
    mas en el onbre malvado
    el estado muy creçido
    pareçe pinto y parado
    pendon que quedo colgado
10 do es el vino vendido.

(—a1, a2)

Copla 280 B. — V. 1, Erodes (a1) / V. 2, "de" por "en" (a1) / V. 4, studias (a1) / V. 5, "que as de ser muy temprado" (a1) / V. 6, no (a1); reyal (a1) / V. 9, "comol espada ho punyal" (a1) / V. 10, "en mano dombre lloco" (a1).—*Cf. cc. 280 y 390 (las versiones segunda y tercera utilizan en la copla 390 algunos elementos de esta 280B).

Copla 280 C. — V. 1, pomposa (a1) / V. 2, reyal (a1) / V. 3, qualquiere (a1) / V. 4, "uno senyal..." (a1) / V. 6, "pues en el hombre..." (a1) / V. 7, stado (a1) / V. 8, pintiparado (a2).—*Cf. cc. 280 y 387.

*280 D

1   Y entre las cosas que fazen
fuerte la real colupna,
con que al mundo satisfazen
los reyes y a Dios aplazen,
5   misericordia es la una,
ca guarda su dignidad
segund que della se ley
do dize l'autoridad:
"misericordia y verdad
10 son la que guardan al rey".

(—a1, a2)

*280 E

1   Mas tu, maluado tirano,
el mas creçido cruel
de todo el linaje vmano
por nombre dicho ynumano
5   en lengua de Aristotel,
mandas a tus seruidores
matar mas niños chiquitos
que por la pascua de flores
en nuestros aderredores
10 suelen degollar cabritos.

(—a1, a2)

Copla 280 D. — V. 2, reyal coluna (a1) / V. 3, "el" por "al" (a2); satisfaze (a2) / V. 4, aplaze (a2) / V. 6, aguarda (a1); dignidat (a1) / V. 7, segun (a1); lee (a2) / V. 8, la abtoridat (a2) / V. 9, verdat (a2).—*Cf. copla 280.

Copla 280 E. — V. 3, linatge umano (a1) / V. 5, dAristotel (a1) / V. 7, ninyos (a1) / V. 8, pasqua (a1).—*Cf. c. 280.

*281

Oracion en nombre de la se-
ñora Doña Juana de Cartajena

1   ¡O diuinal señoria,
    en todo lugar presente,
    saluacion y gloria mia!,
    tu que quisiste ser guia
5   a los tres reyes de Oriente,
    repara mi ceguedad
    con la tu guiadora luz,
    por la sobrada bondad
    que hizo a tu magestad
10 atrauesarse en la cruz.

*282

Comiença la presentacion de
nuestro redemptor en el tem-
plo a los quarenta dias de su
nascimiento

1   No quiero que ciego oluido,
    ¡O perfetissymo enxemplo!,
    el como fueste ofrescido,
    adorado y resçebido
5   por Symeon en el templo,
    por guardar la ordenacion
    de la ley que establesciste,
    por dar la consolacion
    al honrrado Symeon,
10 que tu, Dios, le prometiste.

Copla 281. — Título : falta "de Cartajena" (b1) / V. 9, fizo (b1).—*Falta
en a1 y a2, así como la copla siguiente. Cf. cap. III, pág. 109, y ap. X.
    Copla 282. — V. 1, quiere (b1) / V. 3, fue esto (A, B...), evidente error
por "fueste" (b1) / V. 4, rescibido (C...) / V. 6, ordinacion (b1).—*Falta en
a1, a2; cf. c. 281.

*283

1   El varon anciano en dias
    pero muy mas en virtud,
    conosciendo que venias,
    ¡O nuestro bien y Mexias,
5   alma de nuestra salud!,
    esforçado con tu ayuda
    contra su hedad cansada,
    corriendo sale sin duda,
    y con el Ana biuda,
10 la prophetiza llamada.

El...
pero...
conosciendo...
¡O verdadero Mexias,
dador de nuestra salud!,
esforçado en tu ayuda
aunque su vejez lo priue,
corriendo...
y...
que profetiza y escriue.

(—a1, a2)

284

1   Salieron fasta el portal
    del dicho templo los dos
    a ver, Señor diuinal,
    en nuestra carne mortal
5   ombre Dios y hijo de Dios;
    ¿quien no saliera por ver
    ombre Dios syn padre om-
                        [bre?;
    ¿quien no saliera a saber
    como parto pudo ser
10 sin perder virginal nombre?

Salieron...
del...
por ver Señor general
en...
hombre Dios fijo de Dios;
¿quien no salliera...
ombre...

¿quien...
como parto puede ser
que tenga virginal nombre?

(—a1, a2)

Copla 283. — V. 1, baron (a1) / V. 2, virtut (a1) / V. 3, conoçiendo (a1)
/ V. 4, Mesias (a1) / V. 5, nuestro (a2) / V. 6, esforcado (a1) / V. 7,
"haunque su veiez..." (a1); "su hedad de cansada" (b1) / V. 8, salle (a1) /
V. 9, ell (a1) / V. 10, scriue (a1).—*En a1 y a2 las coplas 283-289 se colocan
a continuación de la 173; cf. esta última.

Copla 284. — V. 1, "sallieron fastal..." (a1) / V. 3, senyor (a1) / V. 4,
"con..." (a2); "humanal" por "mortal" (a1) / V. 5, "en el Dios fijo de Dios"
(a2) / V. 6, falta en a2, cortado al ser encuadernado el códice / V. 7, sin
(a1) / V. 8, "...salliera saber" (a1) / V. 9, "parte" por "parto" (a1); puede
(b1).—*Cf. cc. 173 y 283 para a1 y a2.

285

1   Y entre tantas marauillas   Y...
    quales yo no syento quien   quales...
    podiese saber dezillas,   pudiese...
    finco el viejo las rodillas   finco...
5   y la biuda tanbien,   y la biuda Ana tambien,
    y el viejo fuera de sy   y...
    con la sobra del consuelo   con...
    começo a dezir asy,   puestos los ojos en ti
    puesto los ojos en ti   començo dezir asy,
10 y el coraçon en el çielo: y...

                                                             (—a1, a2)

*286

Pone el canto de "Nunc Di-   *Pone el canto de "Nunch*
mitis" que estonce dixo Sy-   *Dimitis" que compuso*
meon   *Simeon*

1   "Agora dexa, Señor,   "Agora dexas, Señor,
    en tu paz y sosiego   en la tu...
    al tu viejo peccador;   al tu siervo peccador;
    agora ya, redemptor,   agora ya, criador,
5   syquiera me muera luego,   sy quiera muerame luego,
    pues que ya mis ojos vieron,   pues...
    mis potencias adoraron   mis sentidos adoraron
    al que nunca merescieron,   al...
    al que syempre te pedieron,   al...
10 al que fasta aqui esperaron,   al...

                                                             (—a1, a2)

Copla 285. — V. 1, falta "y" (a1) / V. 2, siento (a1) / V. 3, podiera (a1)
/ V. 4, "finquo el vieio..." (a1) / V. 5, falta "Ana" (a1) / V. 6, vieio (a1);
si (a1) / V. 7, "sombra" por "sobra" (a1) / V. 8, "puestos los ojos en ti"
(b1) / V. 9, comienço (a1); ansi (a1) / V. 10, corazon (a1).—*Cf. cc. 173 y
283 para a1 y a2.*

Copla 286. — Título: *Pone el canto de Simeon "Nunc Dimitis Vnum
Tuum"* (a2) / V. 1, dexas (b1); senyor (a1) / V. 2, "en la tu..." (b1); soçiego (a1) / V. 5, muerame (b1) / V. 6, oyos (a1) / V. 8, nunqua (a1) /
V. 9, falta "al" (A, B, C...), cuando de acuerdo con el sentido y con los otros
textos debe llevarlo; pidieron / V. 10, "...qui speraron" (a1).—*Cf. cc. 173
y 283 para a1 y a2.*

*287

1 el qual delante la cara	el...
de todo el pueblo paraste;	de...
el qual sy no encarnara	el qual si no encarnara
la gente no se saluara	la carne no se saluara
5 que en Adan tu condenaste,	que...
mas la luz resplandesciente	mas la lumbre splandeciente
deste nuestro Hemanuel	deste...
alumbra toda la gente	allumbro...
a gloria muy excelente	a...
10 del tu pueblo de Israel.	del tu pueblo de Ysrael.

(—a1, a2)

*288

Prophetiza Symeon a nuestra	*Fabla Simeon a la Virgen profe-*
Señora el cuchillo de dolor	*tizando el primero cuchillo de*
que ha de sentir en la pas-	*dolor*
syon de su hijo	

1 Y tu su madre, escogida	Y...
para tan altas coronas,	para tan grandes coronas,
quales son ser conoscida	quales...
por parienta no fingida	por...
5 de las diuinas personas,	de...
ca eres, ¡O tesorera	ca...
de todo nuestro remedio!,	de...

Copla 287. — V. 2, paresce (A, B...), que hace mala rima : corregido si aceptamos la lectura de a1, a2, b1 / V. 4, "lauara" por "saluara" (b1) / V. 5, "quen Adam tu condemnaste" (a1) / V. 6, "mas la boz resplandesciente" (a1) / V. 7, Emanuel (a1) / V. 8, "alumbrador de la gente" (a2) / V. 9, exçellente (a1); "la..." (a2) / V. 10, "dara a su pueblo de Ysrrael" (a2).— *Cf. cc. 173 y 283 para a1 y a2.

Copla 288. — Título : *Fabla Simeon a la virgen profetitzando el primero articulo* (a1); "fijo" (a1) / V. 1, "O tu madre..." (a1) / V. 2, pora (a1) / V. 6, "car eras..." (a1); "su" por "o" (a2) / V. 9, "y madre de la del medio" (a2) / V. 10, de la de (A, B); "...de en medio" (b1).—*Cf. cc. 173 y 283 para a1 y a2.

la fija de la primera,   tu, fija deste primera,
esposa de la tercera   y el tu fijo despues era
10 y madre de la del medio,   madre del grand remedio,

                                            (—a1, a2)

*289

1   para el tiempo que verna   para el tiempo que venia
    apareja esfuerço fuerte,   apareja...
    porquel niño que aqui esta   porquel niño que nasçia
    tu alma traspasara   tu alma trespassaria
5   con el puñal de su muerte,   el cuchillo de su muerte,
    en el qual tiempo yo se   en...
    que muerto el ombre segundo   que...
    tan sola ternas la fe   tendras tan sola la fe
    como el archa de Noe   como el...
10 los pobladores del mundo.   los...

                                            (—a1, a2)

*290

1   Mas ni por mi prophetar
    no despidas tu alegria,
    que tu gigante pesar,
    ¡O virgen!, no ha de durar
5   mas de fasta el tercer dia;
    mas sy algund amargor
    te queda de mis sentencias,
    ¡O madre de mi Señor!,
    contra vn solo dolor
10 escucha mill excelencias.

Copla 289. — V. 1, vinia (a1) / V. 2, apareia (a1) / V. 3, "porquel ninyo
que nacia" (a1) / V. 4, traspasara (a2), que hace mala rima / V. 5, "con
cuchillo..." (a1) / V. 7, ell (a1) / V. 9, ell (a1); arca (a2); "cara" por "archa" (b1) / V. 10, "a los poblados del mundo" (a1).—*Cf. cc. 173 y 283 para
a1 y a2.—**Cf. c. 176 para la continuación del texto de a1 y a2 con otra
copla más, que confunde presentación con circuncisión.

Copla 290. — V. 6, algun (b1).—*A partir de esta copla sólo aparecen
nueve más en a1 y a2, las núm. 393, 394, 379, 378, 365A, 366, 366A, 373
y 376, y en el orden citado. Cf. cap. III, pág. 110, y ap. X.

*291

Trae Simeon a Nuestra Señora
sus excelencias a la memoria
para en pago y consuelo
del dolor prophetizado

1   Tu eres sacra donzella
    en cuyo vientre apazigua
    la Trinidad su querella
    y mas repara la mella
5   de la hueste mas antigua;
    por ti pierde los enojos
    que tiene Dios contra nos;
    tu eres ricos antojos
    por cuyo medio los ojos
10   podieron mirar a Dios.

*292

1   ¡O pureza syn escoria!,
    ¡O honrrada fermosura,
    fuente de nuestra victoria!,
    no tiene tan alta gloria
5   otra pura creatura:
    alcanço tu dignidad
    al tiempo de tu engendrar
    la cunbre de infinidad,
    lo qual syn diuinidad
10   jamas nunca ouo par".

Copla 291. — *Falta en a1, a2. Cf. c. 290.
    Copla 292. — V. 1, "estoria" por "escoria" (A, B, C...), evidente error o descuido / V. 3, huente (b1) / V. 6, falta "tu" (b1) / V. 9, "la" por "lo" (b1).—*Falta en a1, a2. Cf. c. 290.

*293

*Pone el actor con que humill-
dad recibio nuestra Señora sus
loores y que respondio a ellos*

 1   La mas baxa en humildad,
     la mas alta en nobleza,
     la perla de sanctidad,
     con graciosa honestidad
 5   disymulo su tristeza
     y con cara vergonçosa,
     desdeñando sus honores,
     aquesta diuina rosa
     puso la siguiente glosa
10   asaz crescidos dolores:

*294

*Responde nuestra Señora mos-
trando a Symeon la causa de
sus excelencias*

 1   "La diuinal prouidencia,
     con sus maneras suaues,
     por mostrar su omnipotencia
     con la menor suficiencia
 5   obra las obras mas graues
     por darnos a conoscer
     que de su solo consejo
     nos desciende tal poder,
     pues tanto sabe hazer
10   con tal ceuil aparejo.

Copla 293. — Título: "...con que humilldad respondio nuestra Señora a
sus loores y los reçebio" (b₁); "reçebio" (B) / V. 2, en la (b₁) / V. 10, "loores" por "dolores" (b₁).—*Falta en a₁, a₂. Cf. c. 290.

Copla 294. — V. 5, falta "mas" (b₁) / V. 9, fazer (b₁).—*Falta en a₁, a₂;
cf. c. 290.

*295

1 En aquesta razon mia
   contempla varon anciano
   por que cabsa se os enbia
   en tan pequeña Maria
5 misterio tan soberano,
   porque puedes syn recelo
   creer que nuestra salud
   la hizo el mayor del çielo
   en mi, la menor del suelo,
10 por mostrar mas su virtud".

*296

Torna el auctor a la hystoria

1 Contra platica tal
   de humilde y sancto exemplo,
   con vn dulçor celestial
   se movieron del portal
5 y se entraron en el templo
   a complir lo que es escripto
   de sus antiguos portazgos,
   que deuen al Infinito
   desde la noche de Egipto
10 que mato los mayorazgos.

Copla 295. — V. 3, causa (b1).—*Falta en a1, a2; cf. c. 290.
Copla 296. — Título: "autor" (b1) / V. 5, "y sentaron en el templo" (b1)
/ V. 9, Egito (b1).—*Falta en a1, a2; cf. c. 290.

*297

*Comiença el auctor a declarar
la causa de aquella presentacion y redempcion*

1   En el pueblo egipciano,
    entre los otros rigores,
    Ysrael quedando sano,
    mato la diuina mano
5   todos los hijos mayores
    para que su pueblo sancto
    se librase de captiuo
    por la grandeza de espanto,
    por la tristeza del llanto
10 que quedo en el pueblo biuo.

*298

1   No solo por esta via
    fue su libertad auida,
    mas con rexosa porfia
    antes que veniese el dia
5   aquexauan su partida;
    pues a perpetua memoria
    de aqueste grand beneficio
    quiso la diuinal gloria
    en pago de su vitoria
10 rescibir vn tal seruicio:

Copla 297. — Título: "autor"; "e" por "y" (b₁) / V. 1, egypciano (C)
/ V. 7, catiuo (b₁) / V. 10, "con el" por "en el" (B).—*Falta en a₁, a₂;
cr. c. 290.

Copla 298. — V. 3, rixosa (b₁) / V. 4, viniese (b₁) / V. 8, diuina (b₁) /
V. 10, resçebir (b₁).—*Falta en a₁, a₂; cf. c. 290.

*299

1   Que los primeros nascidos,
    segund en su ley se trata,
    le fuesen syempre ofrecidos
    y despues del redimidos
5   por cinco sueldos de plata;
    en señal de porque vio
    la sangre de su cordero,
    todos sus hijos guardo
    quando en Egypto mato
10 en cada casa el primero.

*300

1   Pues por aquesta razon
    nuestra reyna syngular
    vino a hazer oblacion,
    redempcion, presentacion,
5   de su hijo en el altar,
    esto syn ser obligada
    por el rigor de justicia
    por ser syn ombre preñada
    y parir syn ser quebrada
10 su virginal pudicicia.

Copla 299. — V. 5, "siclos" por "sueldos" (b1) / V. 9, Egito (b1).—*Falta en a1, a2; cf. c. 290.

Copla 300. — V. 2, singular (b1) / V. 3, "obligacion" por "oblacion" (b1).— *Falta en a1, a2; cf. c. 290.

301

Comparacıon

1   Como van fauorecidos
los que lleuan grand presente
esperando ser oydos,
mirados y rescibidos
5   fauorable y dulcemente,
con alto gozo y confiar
aquel viejo venerable
começo de razonar,
começo de presentar
10   su presente incomparable.

*302

*Oracion que hizo Symeon
quando presento a nuestro
redemptor infante*

1   "¡ O alta diuinidad,
de las cabsas cabsa prima,
ineffable magestad,
verdadera Trinidad,
5   grand riqueza syn estima! ;
amansa la indignacion
que por mis culpas merezco
aceptando mi oracion
por reuerencia del don
10   que te presento y ofrezco.

Copla 301. — V. 1, fauoreados (b1, A, B), que hace mala rima / V. 4, rescebidos (C) / V. 6, "con tal gozo..." (b1).—*Falta en a1, a2; cf. c. 290.

Copla 302. — Título : *Oracion que fizo Simeon quando presentaron a nuestro redentor* (b1) / V. 2, "de las causas causa..." (b1) / V. 3, ineflable (A, B, C) / V. 5, tesoro (b1) / V. 6, indinaçion (b1) / V. 8, açetando (b1).—*Falta en a1, a2; cf. c. 290.

*303

1 ¡O nuestro fin postrimero!,
   ¡O soberano Señor!;
   yo te ofrezco el tu cordero,
   el tu hijo verdadero,
5 nuestro dulce redemptor,
   cuya sacra humanidad
   ofrescida por mis manos,
   ¡O diuina caridad!,
   te demanda piedad
10 para todos los humanos.

304

1 ¡O suma magnificencia!,
   ¡O clemencia tan suaue!,
   muy profunda sapiencia,
   la cumbre de la excelencia,
5 infinito bien syn llaue;
   resçibe mis peticiones
   a bueltas del sancto infante,
   y rescibamos tus dones,
   tus fauores, tus perdones,
10 mucho mas de aqui adelante".

Copla 303. — V. 4, fijo (b1).—*Falta en a1, a2; cf. c. 290.
Copla 304. — *Falta en a1, a2; cf. c. 290.

*305

*Concluye la hystoria de la pre-
sentacion de nuestro redemptor*

1   Aquesto todo acabado,
    la virgen muy reuerenda
    y Joseph su desposado
    ofrecieron al untado
5   dos palominos de ofrenda,
    y asi juntos se fueron
    al portal do en la mañana
    a recibirlos salieron,
    y de alli se despidieron
10 de Symeon y de Ana.

*306

*Oracion en nombre de la seño-
ra doña Juana en fin de la presentacion*

1   ¡O hostia sancta, bendicta,
    por Symeon ofrecida!,
    ¡O rica joya infinita,
    por cuyo bien se quita
5   todo el mal de nuestra vida!;
    la persona y coraçon
    y el alma ofrecerte quiero,
    pues por mi saluacion
    tu te tornaste oblacion
10 en el templo y en el madero.

Copla 305. — V. 3, Josep (b₁, B) / V. 4, oferenda (A, B, C), que hace
imperfecto el verso / V. 8, resçibirlos (b₁) / V. 9, despedieron (C).—*Para
esta copla en a₁, a₂, cf. cc. 181C-181D.

Copla 306. — V. 1, "¡O hostria santa, bendita" (b₁) / V. 7, "pues que
por..." (b₁) / V. 10, en b₁ el texto decía: "en el tenplo toda perdida", pero
una mano posterior ha corregido convenientemente la lectura del verso.—*Falta en a₁, a₂; cf. c. 290.

*307

*Comienza la huyda de nuestro
redemptor en Egypto, y en el
prinçipio della el auctor descubre los secretos de las presentes
prosperidades por que mas claro se paresca con quanta razon
nuestro redemptor y sus seguidores les boluieron las espaldas*

Exclamacion

1   ¡O mundo caduco, breue,
    peligrosa barca rota,
    casa que toda se llueue,
    dulçor que presto se beue
5   y eternalmente se escota;
    falso canto de serena
    con que el sentido se oluida;
    hedificio sobre arena;
    mançana de fuera buena,
10 de dentro toda podrida!

*308

Comparacion

1   Como riqueza soñada
    que despierta el soñador
    y al fallarse syn nada
    toda la gloria pasada
5   se le trastorna en dolor,
    asy son, mundo, a mi ver,

   Copla 307. — Título: "Egito", "autor", "e" (b1) / V. 3, lueue (b1) /
V. 8, edificio (b1).—*Falta en a1 y a2; cf. c. 290.

   Copla 308. — V. 2, "al" por "el" (b1) / V. 3, "y al fin allarse sin nada"
(b1) / V. 6, "si son..." (b1) / V. 9, "an" por "ha" (b1).—*Falta en a1 y
a2; cf. c. 290.

tus bienes en esta vida,
como soñado plazer,
pues luego se ha de volver
10   en ansya muy dolorida.

        *309

1   ¡O rueda siempre mudable,
que asy te llama Boecio!,
es tu bien tan deleznable
que en cosa tan poco estable
5   quien quiere sobir es necio,
que tu continuo mouer
es tan rezio que sin dubda
nin tu bien es de querer
nin tu mal es de temer,
10   pues tan de priesa se muda.

        *310

1   A esto vino del cielo
el redemptor y maestro,
a mostrarnos que en el suelo
no estaua puesto el consuelo
5   del verdadero bien nuestro,
y que las cosas presentes
tienen continua mudança,
mas son puestas como puentes
para que pasen las gentes
10   a la firme bienandança.

Copla 309. — V. 4, poca (A, B) / V. 5, subir (b1) / V. 6, contino (b1)
/ V. 8, ni (b1) / V. 9, ni (b1); nim (A).—*Falta en a1, a2; cf. c. 290.
Copla 310. — V. 4, "...en el consuelo" (A, B, C), evidente error.—*Falta
en a1, a2; cf. c. 290.

*311

1 Y para mas condenallas
    por cosas de ciuil precio,
    aunque podiera tomallas,
    quiso luego desechallas
5 con un viril menosprecio,
    sabiendo que tan ronceros
    son los humanos dulçores
    que en sus comienços primeros
    entran por auentureros
10 por quedar mantenedores.

*312

1 Y con cara lisongera,
    como mastin escusero,
    halagan en la carrera
    porque con falsa manera
5 nos muerdan mas de ligero;
    mas el que los entendio,
    por darnos auisacion,
    en el establo nascio,
    como romero biuio
10 y murio como ladron.

Copla 311. — V. 2, ceuil (b1) / V. 3, pudiera (b1) / V. 5, ueril (b1) /
V. 6, sabien (b1) / V. 8, començos (B) / V. 9, aueutureros (A).—*Falta en
a1, a2; cf. c. 290.

Copla 312. — V. 3, crarrera (A) / V. 5, lijero (b1).—*Falta en a1, a2;
cf. c. 290.

*313

Exclamacion contra los grandes

1 ¡O miraglosas tres cosas!,
   ¿quien puede tener el grito?,
   ¡O personas poderosas,
   con uestras glorias ventosas
5 quan lexos days deste hito!;
   ¡O borracho entendimiento!,
   ¡O seso fuera de tino!,
   ¡O tan ciego desatiento,
   los odres llenos de viento
10 tomays por llenos de vino!

*314

1 Tu que tienes por mejor
   el dulçor del grand estado,
   contempla, ciego señor,
   como no esta tal lauor
5 en nuestro sancto dechado,
   porque sy tal mejoria
   tiene tu mando y riqueza,
   dime por que nuestra guia
   rezien nascido huya
10 con tanto miedo y pobreza.

Copla *313*. — V. 3, presonas (b1) / V. 4, ponposas (b1) / V. 5, yto (b1).—
*Falta en a1, a2; cf. c. 290.

Copla *314*. — V. 2, grande (b1) / V. 5, "en este nuestro..." (A, B, C),
que hace imperfecto el verso.—*Falta en a1, a2; cf. c. 290.

*315

1   No miras que su huyda
    por mejor nos encamina
    por la carrera afligida
    haziendo su sacra vida
5   rey d'armas de su dotrina,
    porque puedan conoscer
    los que quieren enseñar
    que quando quiere hazer
    grand torre con su saber,
10 el cimiento es el obrar.

*316

Entra en la hystoria

1   Pues helo do va huyendo
    por fieras syerras fraguosas
    el grand Señor que en queriendo,
    luego deziendo y haziendo,
5   dio ser a todas las cosas;
    ¡O vergonçoso holgar!,
    pues nuestro niño bendicto
    antes que dexe el mamar
    ya trabaja en caminar
10 por las montañas de Egypt.

Copla 315. — V. 4, aziendo (b₁) / V. 5, de armas (b₁) / V. 6, conocer.—
*Falta en a₁, a₂; cf. c. 290.

Copla 316. — V. 2, fragosas (b₁) / V. 3, quen (b₁) / V. 4, diziendo (C,
D...); "...y faziendo" (b₁) / V. 7, bendito (E₂) / V. 8, "de" por "el" (E₂)
/ V. 10, Egito (b₁).—*Falta en a₁ y a₂; cf. c. 290.—**En E₂ falta la pri-
mera quintilla.

3¹7

*Exclamacion a las syerras por
do camino el Señor*

1   ¡O syerras que soys holladas
     por tales caminadores!,
     ¡O montañas consagradas
     con las diuinas pisadas
5   del Señor de los señores!,
        ¡O syerras, quien se tornara
     la tierra de vuestro suelo,
     porque tal don alcançara
     que con sus pies le hollara
10   el alto Señor del cielo!

3¹8

1   Murmuras, sabio lector,
     que paresce cosa dura
     el eternal criador
     huyr y mostrar temor
5   a su misma creatura,
        ca sy el diuinal poder
     sobre todo el universo
     es ygual de su querer,
     ¿que le podra empecer
10   la saña de un rey peruerso?

Copla 317. — V. 1, "¡O sierras que soys halladas" (E2) / V. 6, sierras
(E2) / V. 9, falta "con" (A, B); "a" por "con" (C, D); "lo que con sus
pies le hollara" (E2) / V. 10, falta "alto" (B).—*Falta en a1, a2; cf. c. 290.

Copla 318. — Hay título en b1: *Duda del letor* / V. 2, parece (E2) /
V. 5, criatura (E2) / V. 6, si (E2); diuinar (B) / V. 7, huniuerso (b1) /
V. 8, egual (b1) / V. 9, pudiera (b1); empescer (E2).—*Falta en a1, a2;
cf. c. 290.

*319

Respuesta del auctor

1   Es tu habla muy aguda,
    reboltosa y entricada,
    mas la niebla de su dubda
    con la diuinal ayuda
5   luego sera desatada;
    para creer que asy fue
    la cosa como se cuenta
    la mayor razon que se
    es que nuestra sancta fe
10 es inposyble que mienta.

*320

*Pone por que callan los euan-
gelistas las sotiles intricaciones
de las ystorias*

1   Y despues, es cosa llana
    que mill vezes acaesce
    esta habla castellana:
    "con la que Domingo sana,
5   dizen que Pedro adolesce";
    pues por nuestra sanidad
    callan los euangelistas
    lo sotil de la verdad,
    por que su grand claridad
10 no es para todas uistas.

Copla 319. — Título: "autor" (b1) / V. 1, fabla (b1) / V. 3, "sudada" por "su dubda" (b1) / V. 6, quasi (b1); assi (E2) / V. 9, "muestra" por "nuestra" (E2) / V. 10, impossible (b1, E2).—*Falta en a1, a2; cf. c. 290.

Copla 320. — Título: "...*introduçiones de las hystorias*" (b1); "hystorias" (C...) / V. 4, "con lo..." (b1, E2); "gana" por "sana" (b1) / V. 9, gran (E2); falta "grand" (b1).—*Falta en a1, a2; cf. c. 290.

*321

1   Mas el diuino saber
    que los secretos reuela
    y nuestro flaco entender
    con nueuo resplandecer
5   todos los tiempos consuela
    me mostrara a desatar
    las mañas desta tu lucha,
    y con el tal confiar
    respondo a tu pregunta;
10 por ende, lector, escucha.

322

*Comiença a responder a la
dubda*

1   Es vna guerrera maña
    para mas enteramente
    hazer famosa fazaña
    por despoblada montaña
5   meter secreta la gente,
    porque no syendo sentida
    por los contrarios la entrada,
    al dar de la aremetida
    la gente no apercebida
10 es luego desbaratada.

Copla 321. — V. 4, "nuestro" por "nueuo" (E2).—*Falta en a1, a2; cf. copla 290.

Copla 322. — Título: *Responde a la duda* (b1); "duda" (E2) / V. 3, "fa-zer fermosa fazaña" (b1); hazaña (E2) / V. 6, siendo (b1) / V. 8, remetida (b1); arremetida (C...).—*Falta en a1, a2; cf. c. 290.

*323

1   Asy nuestro redemptor,
    como mañoso guerrero,
    para que pueda mejor
    llagar a ser vencedor
5   en el campo del madero
    quando descendio a la tierra
    a hazer guerra a los diablos,
    su diuinidad encierra
    huyendo por agra syerra,
10 nasçiendo por los establos.

*324

1   Ca sy los diablos supieran
    que Ihesu Christo era Dios,
    todas sus fuerças hicieran
    por estoruar sy pudieran
5   su sancto morir por nos;
    mas el resplandor diuino
    nunca le podieron ver,
    tan ascondido les vino
    por vn secreto camino
10 que se llama padescer.

Copla 323. — V. 1, Assi (E2) / V. 7, falta "a" (E2); fazer (b1) / V. 9, graue sierra (b1) / V. 10, nasciendo (b1, B...).—*Falta en a1, a2; cf. c. 290.
   Copla 324. — V. 1, si (E2) / V. 2, Jesu Christo (E2) / V. 4, si (E2) / V. 7, pudieron (b1, B, E2) / V. 8, escondido (B, E2).—*Falta en a1, a2; cf. c. 290.

325

1   ¿Quien puede mayor celada
    pensar ni mas invisyble
    que traer tan secretada
    entre carne apassyonada
5   diuinidad inpasyble?:
    pues todo su caminar
    huyendo de vn rey mortal
    podemos consyderar
    que fue por desatinar
10 su enemigo principal.

*326

Comparacion

1   Como al buytre caro cuesta
    quando en la buytrera mira
    la carne que alli esta puesta
    y no siente la ballesta
5   ni tanpoco a quien la tira,
    asy toma en la lazada
    al grand buytre del infierno
    aquesta carne sagrada,
    tras la vida trabajada
10 escondiendo el Verbo eterno.

Copla 325. — V. 2, inuisible (b1, E2); en E2 las "y" aparecen transcritas casi siempre como "i".—*Falta en a1, a2; cf. c. 290.

Copla 326. — V. 1, bueytre (E2) / V. 5, "al que" por "a quien" (b1); "quine" por "quien" (E2) / V. 7, gran bueytre (E2).—*Falta en a1, a2; cf. copla 290.

*327

Pone la prophecia del propheta
Ossee

1   Sy quereys por otra via
    prouar la cabsa porque
    nuestro redemptor huya,
    alega la prophecia
5   del sancto propheta Ossee,
    por la persona del qual
    fue mucho antes escripto
    que al niño diuinal
    su alto padre eternal
10 le llamara dende Egypto.

*328

Pone otra prophecia de Ysayas

1   ¡O magestad soberana
    de nuestro sancto Mexias!,
    por cierto tu carne humana
    era la nuue liuiana
5   que prophetizo Ysayas,
    quando dixo que vernia
    en vna nube del cielo
    la diuinal señoria
    en Egypto, do daria
10 con sus ydolos en suelo.

Copla 327. — Título: "Osee" (b1, E2) / V. 1, quieres (b1) / V. 2, causa (b1) / V. 4, allega (b1, C...) / V. 5, Osee (E2) / V. 9, "si al padre eternal" (b1) / V. 10, "lo llamara desde Egito" (b1); llamaria (A, C...), que hace el verso más irregular.—*Falta en a1, a2; cf. c. 290.

Copla 328. — Título: *Pone la profecia de Ysayas* (b1); "...de Ysayas propheta" (B...) / V. 2, Messias (E2) / V. 4, "nueua" por "nuue" (A, B...), que no hace sentido con el texto de Isaías / V. 6, venia (b1) / V. 7, nuue (E2) / V. 10, en el suelo (b1).—*Falta en a1, a2; cf. c. 290.

*329

Prosigue la ystoria

1   Que en llegando a su region,
    salido ya de la sierra,
    sintiendo su perdicion
    cayeron sin dilacion
5   todos sus dioses en tierra
    en señal que tu venida
    era fin de la ydolatria
    y que a ti sola es deuida,
    ¡O diuinidad vestida!,
10 la reuerencia de latria.

*330

Pone donde ouo nasçimiento
la ydolatria

1   Sy preguntas donde vino
    vsurpar tan sin recelo
    los dioses nombre diuino,
    has de saber que de Nino,
5   el que fue hijo de Velo,
    el qual, su padre defunto,
    para consolar su lloro
    hizo hazer en vn punto
    otro paternal trasunto
10 en vna estatua de oro.

Copla 329. — V. 2, çierra (B) / V. 7, del (E2).—*Falta en a1, a2; cf. c. 290.

Copla 330. — Título: "nascimiento" (b1) / V. 4, "es a saber que de Nino" (b1) / V. 5, Belo (E2) / V. 6, defuncto (E2) / V. 8, azer (b1).—*Falta en a1, a2; cf. c. 290.

*331

1   Era del hijo mirado
    con tan homill reuerencia
    aquel bulto asy pintado
    como sy el padre finado
5   estouiera alli en presencia,
    y por dar mayor fauor
    al padre ya fallesçido
    perdonaua por su amor
    a qualquiera malhechor
10 al dicho bulto fuydo.

*332

1   Por este tal beneficio
    aquella gente bestial
    ordenaronle seruicio
    de diuinal sacrificio
5   haziendo dios al metal,
    donde las otras naciones
    tomaron ritos paganos,
    haziendo de sus ficiones
    con necias adoraciones
10 mill dioses entre las manos.

_____

Copla 331. — V. 1, fijo (b1) / V. 2, humil (b1, E2); homil (C, D...) /
V. 3, asi (b1); "mirado" por "pintado" (A, B, C...), evidente confusión;
"aquel vulto assi pintado" (E2) / V. 7, fallecido (b1) / V. 8, falta "su" (b1).—
*Falta en a1, a2; cf. c. 290.
    Copla 332. — V. 5, "el" por "al" (b1) / V. 7, "rectos" por "ritos" (b1).—
*Falta en a1, a2; cf. c. 290.

*333

Exclamacion contra los gentiles

1   ¡O pagano desatiento,
    vergonçoso desuario!,
    ¡O errado entendimiento!,
    quien no tiene sentimiento,
5   ¿como terna poderio?;
    mira con ojos abiertos
    en quien pones tu esperança,
    que sy todos somos ciertos
    que no han poder los muertos,
10 ¿quanto mas su semejança?

*334

1   Sy de mas alto minero
    es la cabsa quel efecto,
    de razon al carpintero,
    pues la hace de vn madero,
5   honrraras por mas perfecto;
    sy coloras tu abusyon
    con los finados humanos,
    es mas loca adoracion
    la que pone su intencion
10 en los tornados gusanos.

Copla *333*. — *Falta en a1, a2; cf. c. 290.

Copla *334*. — V. 2, causa (b1, E2) / V. 3, carpentero (b1) / V. 4, aze
(b1) / V. 5, honrras por mas prefeto" (b1); "effecto" por "perfecto" (E2) /
V. 9, entencion (b1); falta en E2.—*Falta en a1, a2; cf. c. 290.

*335

*Pone la diferencia que ay en-
tre los ydolos de los paganos
y las ymagines de los christianos*

1   Ni por condenar la seta
    de las paganas locuras
    no quiero que se entremeta
    alguna dubda secreta
5   de las christianas figuras,
    que las ymagines tales,
    segund christiana sentençia,
    son solos memoriales
    de los biuos celestiales
10 que tienen biua potencia.

*336

1   Que las pintadas ystorias
    de los que estan en el cielo
    ayudan nuestras memorias
    a remembrar las vitorias
5   que ganaron en el suelo
    porque por esta razon
    se anime a penitencia
    nuestro flaco coraçon,
    contenplando el galardon
10 de la su viril potencia.

Copla 335. — V. 4, duda (b1, E2).—*Falta en a1, a2; cf. c. 290.
  Copla 336. — V. 1, historias (E2) / V. 4, renembrar (E2); victorias (E2)
/ V. 7, "potencia" por "penitencia" (E2) / V. 10, "...veril paçiençia" (b1).—
*Falta en a1, a2; cf. c. 290.

*337

1   Pero no sean llamadas
    nuestros dioses entre nos,
    mas solamente abogados,
    para que nuestros peccados
5   desfagan delante Dios;
    sola da la christiandad
    a Christo la tal corona,
    porque con la humanidad
    contiene diuinidad
10 en vnidad de persona.

*338

*Exclamacion contra los dioses
y torna a la hystoria*

1   ¡O deydades fingidas,
    o lazos de perdimiento,
    en el infierno encendidas!;
    personas muertas, podridas,
5   ni miento ni me arrepiento,
    ¿a do estaua el ser diuino
    que pregonauades ante
    quando llego de camino
    para ser nuestro vezino
10 nuestro chequito infante?

Copla 337. — V. 3, aduogados (b1) / V. 6, "solo de la..." (b1).—*Falta en
a1, a2; cf. c. 290.

Copla 338. — Título: "otra" por "contra" (Λ); "e" por "y" (b1) / V. 2,
perdimientos (E2) / V. 4, "perdidas" por "podridas" (b1) / V. 7, progonaua-
des (b1) / V. 10, "el nuestro..." (b1); chequito (E2).—*Falta en a1 y a2;
des (b1) / V. 10, "el nuestro..." (b1).—*Falta en a1 y a2; cf. c. 290.

*339

1 La falsedad del engaño
    de vuestros diuinos modos
    ya lo dize vuestro daño,
    pues vn niño no de vn año
5 os derrueca en tierra a todos,
    con la qual fuerça nos muestra
    su obrar sobre natura;
    la verdad de la fe nuestra
    y la grand mentira vuestra
10 la condempna ser locura.

*340

Reprehende y declara el ydo-
latrar de los christianos

1 Entre tanto condenar
    los que adoran dioses vanos,
    razon es de reprochar
    el continuo ydolatrar
5 de nuestros falsos christianos,
    que asy por vn rasero
    la mayor parte del mundo
    con amor muy verdadero
    adoran por Dios primero
10 al que llaman Dios segundo.

Copla 339. — V. 1, "enemigo" por "engaño" (A, B, C), que hace mala rima y mal sentido: corregido en la lectura de b1 y E2 / V. 3, "la" por "lo" (b1, E2) / V. 4, falta "no" (b1) / V. 5, falta "a" (A, B, C...): mejor sentido con la lectura de b1 y E2 / V. 6, "lo" por "la" (C, D...) / V. 10, condena (b1, E2).—*Falta en a1 y a2; cf. c. 290.

Copla 340. — Título: "reprende" (b1) / V. 4, contino (b1) / V. 6, "que casi..." (b1).—*Falta en a1, a2; cf. c. 290.

*341

Prueua como muchos tienen
por su Dios al dinero

1   Lo que mas temes perder,
    lo que mas amas hallar,
    lo que mas te da plazer
    en lo auer y poseer
5   se deue tu Dios llamar;
    lo que mas te manda y vieda
    es el mas proprio Dios tuyo,
    de la qual sentençia queda
    que reçiben la moneda
10 muchos ombres por Dios suyo.

*342

1   No se que mas adorar
    ni que mas dar sacrificio
    que mentir y trafagar,
    perjurar y renegar
5   cada dia en su seruiçio,
    nunca dormir syn temor,
    nunca beuir syn sospecha;
    puedote jurar, letor,
    que avnque soy frayre menor
10 no es mi regla tan estrecha.

Copla 341. — V. 7, propio (b1, E2, F1) / V. 8, "...te queda" (b1) /
V. 9, resciben (b1, B, C...); reciben (E2) / V. 10, honbres (F1).—*Falta en
a1 y a2; cf. c. 290.

Copla 342. — V. 3, trasfagar (b1) / V. 5, "cada el dia..." (b1) / V. 6,
sin (b1) / V. 7, biuir (B, E2); sin (b1) / V. 8, lector (C, D...) / V. 9,
frayle (E2).—*Falta en a1, a2; cf. c. 290.

*343

Nota

1 Comportar los omezillos
que todos tienen con ellos;
caminar syempre amarillos,
y al pasar de los castillos
5 erizarse los cabellos;
mill peligros en el mar,
en la tierra mill cohechos;
pues lo sufren por ganar,
ya podeis adeuinar
10 qual Dios tienen en sus pechos.

*344

1 Engordar los caualleros
para despues de engordados
esperar por sus dineros
el fin que los leoneros
5 esperan de sus criados;
los que asy tragan el miedo
de la hambre de los grandes,
adeuina con el dedo
que pueden dezir el credo
10 a lo que viene de Flandes.

Copla 343. — Título: falta (b1) / V. 3, siempre (E2) / V. 5, "herizarse los cauellos" (b1) / V. 6, la mar (b1) / V. 7, coechos (b1) / V. 9, podeys (E2) / V. 10, traen (b1).—*Falta en a1, a2; cf. c. 290.

Copla 344. — V. 3, esperan (A, B...): hace mejor sentido la lectura de b1 y E2 / V. 6, asi (b1); assi (E2) / V. 7, anbre (b1).—*Falta en a1, a2; cf. c. 290.

*345

1 Con temor de ser robados
recelar mill testimonios;
ofrecer los desastrados
mill vezes por dos cornados
5 sus almas a los demonios;
comportar de ser terrero
a las inuidias de todos,
me haze creer, logrero,
que tu Dios es el dinero,
10 avnque traes christianos modos.

*346

1 Que hagan las aficiones
ser tu Dios lo que mas amas
bien lo muestran las passyones
que en sus coplas y canciones
5 llaman dioses a las damas;
bien lo muestra tu seruirlas,
su rauiar por contentarlas,
su temerlas, su sufrirlas,
su continuo requerirlas,
10 su syempre querer mirarlas.

Copla 345. — V. 5, dimonios (b1) / V. 6, "el contino ser terrero" (b1) / V. 7, inbidias (b1); embidias (E2) / V. 8, aze (b1) / V. 10, "traygas" por "traes" (A, B...), imperfecto: correcto en la lectura de b1 y E2.—*Falta en a1, a2; cf. c. 290.

Copla 346. — V. 1, agan (b1) / V. 3, pasiones (b1) / V. 6, "su" por "tu" (b1, C...); seruillas (E2, F1) / V. 7, contentallas (E2, F1) / V. 8, "...y sufrirlas" (b1); suffrillas (E2, F1) / V. 9, contino (b1); requerillas (E2, F1) / V. 10, sienpre (b1); mirallas (E2, F1).—*Falta en a1, a2; cf. c. 290.

*347

1   Bien lo muestra el grand plazer
     que syenten quando las miran;
     bien nos lo da a conosçer
     el entrañal padesçer
5   que sufren quando suspiran;
     bien ofrece a la memoria
     la fe de sus coraçones,
     su punar por la victoria,
     su tener por muy grand gloria
10 el sy de sus petiçiones;

*348

1   su dançar, su festejar,
     sus gastos, justas y galas,
     su trobar, su cartear,
     su trabajar, su tentar
5   de noche con sus escalas,
     su morir noches y dias
     para ser dellas bien quistos;
     sy lo vieses, jurarias
     que por el dios de Macias
10 venderan mill Jhesus Christos.

Copla 347. — V. 1, gran (b1) / V. 2, sienten (b1, E2) / V. 3, falta "nos" (E2); conoçer (b1) / V. 5, sospiran (C, D...) / V. 8, punnar (C...); pugnar (E2, F1); vitoria (b1) / V. 9, gran (E2) / V. 10, si (b1, E2).—*Falta en a1, a2; cf. c. 290.

Copla 348. — V. 6, "e" por "y" (b1) / V. 8, si (b1) / V. 9, "vn" por "el" (E2, F1) / V. 10, vendran (B); Iesus (E2).—*Falta en a1, a2; cf. c. 290.

*349

Conparaçion

1   Como muchas nuezes vanas
    se cubren de casco sano;
    como engañosas mançanas
    que muestran color de sanas
5   y tienen dentro gusano,
    asy por nuestro dolor
    muchos de nuestras Españas
    se dan christiana color,
    que de dentro el dios de Amor
10 ha roydo sus entrañas.

*350

Conparaçion

1   Como el tordo que se cria
    en la jaula de chequito,
    que dize quando chirria
    "Jhesus" y "Sancta Maria"
5   y el querria mas vn mosquito,
    en aqueste mismo son
    muchos estragados fieles
    hablan christiana razon,
    que su alma y afiçion
10 tienen puesta en los fardeles.

Copla 349. — Título: *Comparaçion* (B, C...) / V. 3, maçanas (A, B...): correcto en b1, E2 / V. 6, asi (b1); assi (E2) / V. 10, raydo (b1).—*Falta en a1, a2; cf. c. 290.

Copla 350. — Título: *Comparacion* (B, C...) / V. 2, jaola (b1); chiquito (b1) / V. 3, charria (b1) / V. 4, Jesus (E2); Santa (b1) / V. 8, ablan (b1) / V. 9, afeçion (b1) / V. 10, tiene (C, D).—*Falta en a1, a2; cf. c. 290.

*351

1   ¿Qué vale su christiandad
    ni a la cruz dezir "adoro"
    si con toda voluntad
    adoran mas de verdad
5   las mugeres o el thesoro?;
    que la diuina sentençia,
    al tiempo de los remates,
    no juzgara su conciencia
    por el nombre y aparencia,
10 mas por solos los quilates.

*352

1   Asy que no condenemos
    la sola pagana gente,
    que sy buscarlos queremos
    mill christianos fallaremos
5   paganos secretamente,
    no que sygan los errores
    de los ydolos pasados,
    mas tienen otros peores:
    luxurias, gulas, rencores,
10 inbidias, yras, estados.

Copla 351. — V. 5, "y" por "o" (E2, F1); tesoro (b1) / V. 7, tienpo (b1)
/ V. 10, solo (b1).—*Falta en a1 y a2; cf. c. 290.

Copla 352. — V. 1, Asi (b1); assi (E2) / V. 3, si (b1, E2) / V. 4, ha-
llaremos (E2) / V. 6, sygan (b1, C...); sigan (E2) / V. 9, rancores (E2) /
V. 10, embidias (E2, F1).—*Falta en a1, a2; cf. c. 290.

*353

Exclamacion

1   ¡O uerguença y confusion
    de nuestro christiano nombre!,
    pues con tanta subjecion
    en la pagana nacion
5   fue tenido el Dios y Ombre
    que los dioses de su seta
    en sentiendole vezino
    fuyeron como saeta,
    el syendo niño de teta
10 y ueniendo peregrino.

*354

1   Y nosotros ya creyda
    su diuina magestad,
    nosotros por quien su vida
    fue vendida y ofrecida
5   por comprarnos libertad,
    nosotros que confesamos
    su poder por infinito,
    mas tenemos, mas amamos,
    mas honrramos y adoramos
10 el plazer de vn apetito.

Copla 353. — V. 1, uengança (A, B...): creo más correcto, de acuerdo
con el sentido, "uerguença" (b1, E2, F1) / V. 5, onbre (b1) / V. 7, sintien-
dole (b1, E2) / V. 8, huyeron (E2) / V. 9, siendo (b1, E2) / V. 10, venido
(E2).—*Falta en a1, a2; cf. c. 290.

Copla 354. — V. 2, maiestad (E2) / V. 3, "nosotros que en..." (b1) /
V. 4, bendida (b1) / V. 5, conprarnos (b1) / V. 7, "ser" por "por" (b1) /
V. 8, tememos (b1) / V. 10, "mi" por "vn" (b1).—*Falta en a1, a2; cf. c. 290.

*355

1   Por aquesto en su huyda
    quiso Dios por nuestro exenplo
    que syntiendo su venida
    diese medrosa cayda
5   cada ydolo en su tenplo,
    para que con tal sentencia,
    ¡O christianos contrahechos!,
    delante de su presencia
    deroques de reuerencia
10 los dioses de vuestros pechos.

*356

Fin de la huyda de Egypto

1   Rescebido enseñamiento
    en el huyr del infante,
    pongamos fin a su cuento
    por proseguir el intento
5   del *Vita Christi* adelante;
    pues dexando en ora buena
    en Egypto el redemptor,
    boluamos, mas no sin pena,
    la cara, mas no serena,
10 al cruel rey matador.

Copla 355. — V. 1, falta "en" (b1) / V. 2, enxenplo (b1) / V. 3, "que en sintiendo..." (b1); sintiendo (E2) / V. 7, contraechos (b1) / V. 9, derroques (b1); derroqueys (E2).—*Falta en a1, a2; cf. c. 290.

Copla 356. — Título: "Egito" (b1) / V. 1, recibido (E2) / V. 5, "de la 'Vita...'" (b1) / V. 7, Egito (b1); "al" por "el" (E2).—*Cf. c. 280 para la semejanza de esta copla con el texto de la primera versión, a1, a2.

*357

*Oracion en nombre de la señora
doña Juana en fin de la huyda
de Egypto*

1   ¡O diuinal resplendor
de[l] sancto niño pequeño,
delante cuyo dulçor
desde el menor al mayor
5   todos los otros son sueño! ;
a ti, persona diuina,
suplico por tu passyon
quieras derrocar ayna
quanto en mi alma se empina
10   a hurtar tu adoracion.

*358

*Comiença la hystoria de los
innocentes primeros martires
del pueblo christiano*

1   ¡O!, ¿quien podra recontar
vn cuento tanto cruel? ;
¡O!, ¿quien podra sin llorar
blasonar el gran pesar
5   de aquella triste Rachel,
que con tan justa pasyon
dio rauiosos alaridos,
lastimo su coraçon,
fizo grand lamentacion
10   sobre sus hijos perdidos?

Copla 357. — Título : llega solamente hasta "...Doña Juana" (b₁) / V. 1,
resplandor (b₁, C...) / V. 4, desdel (b₁) / V. 7, passion (E₂) / V. 9, "quando en alma se enpina" (A, B...) : utilizo, como evidentemente más correcta,
la lectura de E₂ : "quando en mi alma senpina" (b₁).—*Falta en a₁, a₂ ;
cf. c. 290.

Copla 358. — Título : "inocentes" (b₁) ; "martyres" (E₂) / V. 3, "quien
pudiesse..." (E₂) / V. 4, "blasonar y grand pesar" (A, B...) / V. 9, hizo (E₂)
/ V. 10, fijos (b₁).—*Falta en a₁ y a₂ ; cf. c. 290. En esta versión, la historia de los Inocentes comienza en la c. 360.

*359

Conparacion

1   Mas como cuenta el herido
    sus golpes ya vencedor,
    y el enfermo guaresçido
    razona lo ya sofrido
5   syn que le cabse dolor,
    asy se deuen hablar
    tales ansyas, tales llantos,
    tal tirano sentenciar,
    tal sañudo degollar,
10 pues que los niños son sanctos.

*360   Comiença la estoria de los
                               ynoçentes. Conparaçion

1   Asy deue platicarse   No pienso deua callarse
    aquesta saña tan biua,   aquella...
    pues fue cabsa de poblarse, que fue causa de alterarse,
    pues fue cabsa de alegrarse que fue causa de poblarse
5   Hierusalen la de arriba,   Iherusalem...
    a do fue el pueblo innocente a do fue el pueblo ynoçente
    con tal grita y correndera con tal grita y corredera
    qual suele lleuar la gente qual suele llamar la gente
    al saltar supitamente   quando algund toro valiente
10 el toro por la barrera.   se bota por la barrera.

                                        (—a1, a2)

Copla 359. — Título: *Comparacion* (b1, C...) / V. 1, erido (b1); ferido
(E2) / V. 4, "razona ya lo..." (b1, B) / V. 6, fablar (b1) / V. 7, ansias (E2)
/ V. 10, niñes (A).—*Falta en a1, a2; cf. c. 290.

Copla 360. — Título: *Comiença la istoria de los ignocentes* (a1) / V. 2,
sanya (a1) / V. 3, dalterarse (a1); causa (b1) / V. 4, causa (b1) / V. 5, Jeru-
salen (b1); Jerusalem (E2) / V. 6, ignoçente (a1) / V. 7, correra (b1) / V. 8,
"qual acostumbra la gente" (a1); suelo (B); leuar (b1) / V. 9, subitamente
(E2); en b1, igual a a1 y a2 / V. 10, en b1 como en a1, a2.

*361

Que los innocentes no entra-
ron en Parayso fasta la muer-
te del redemptor

| | | *Prosigue* |

1 No que rezien degollados
   al partirse de sus madres
   fuesen dentro aposentados,
   mas antes deposytados
5 en el limbo con los padres
   fasta que subio del suelo
   el niño del rey mal quisto,
   el que desçendio del çielo
   a darnos gloria y consuelo,
10 el redemptor Iesu Christo.

Pues los ynfantes llegados
a la puerta con sus cantos
no son dentro aposentados,
mas fueron depositados
en el limbo con los santos,
fasta que suba del suelo
el ques ya nasçido y visto,
el que...
el su reparo y consuelo,
el portero Ihesu Christo.

(—a1, a2)

*362

Pone la cabsa por que no
entraron luego en el cielo

Pone la razon porque les fue
negada la entrada del parayso

1 La razon por do se quita
   y contrasta su entrada,
   es por la culpa infinita
   en nuestra natura escripta
5 avn estar syn ser pagada,
   hasta que crucificado
   el infinito thesoro,
   en la balança colgado,
   fue pesado, fue fallado,
10 de buen peso y de buen oro.

La causa porque se quita
y se contrasta la entrada
de aquesta gente bendita,
es que la culpa ynfinita
avn non la tienen pagada
fasta que diuinidat
del dicho fijo de Dios
con finita umanidat,
ynfinita en la bondat,
faga la paga por nos.

(—a1, a2)

Copla 361. — Título: "...en el parayso hasta la..." (E2) / V. 1, imfantes
(a1); "no que en siendo degollados" (E2) / V. 6, hasta (b1, E2); suba (b1)
/ V. 7, ia naçido (a1); "...del mal rey quisto" (C...) / V. 8, descindio (E2)
/ V. 10, Ihesu-Christo (b1).—*Para a1, a2, cf. c. 360.

Copla 362. — Título: "causa" (b1) / V. 2, lantrada (a1); "y se contrasta..." (b1) / V. 3, daquesta (a1) / V. 4, "es porque la culpa infinita" (a1)
/ V. 5, no (a1) / V. 6, diuinidad (a1) / V. 7, tesoro (b1) / V. 8, humanidad
(a1) / V. 9, "infinita a la verdad" (a2); "fu pesado..." (b1); hallado (E2).—
*Para a1 y a2, cf. c. 360.

*363

 1 Dexados estos primores,
    digamos en que manera
    lleuo las primeras flores
    al Señor de los señores
 5 la christiana primauera,
    quando despues de pasados
    cinco mill años de inuierno
    le florescieron sus prados
    tantos niños laureados,
10 en syntiendo el sol eterno,

*364

 1 quando el diuino claror
    humillado de su altura,
    con nueuos fuegos de amor
    enfluyo su resplandor
 5 en nuestra seca natura
    y le hizo florescer
    tales rosas, tales lirios,
    que merescieron de ser,
    acabando de nascer,
10 trasplantadas por martirios,

Copla 363. — V. 1, primeros (A, B, C, D), con mala rima, corregida aceptando la lectura de b1 y E2 / V. 3, leuo (C...) / V. 10, sentiendo (b1).—
*Falta en a1 y a2; cf. c. 290.

Copla 364. — V. 2, omillado (b1) / V. 3, huegos (E2) / V. 4, influyo (b1)
/ V. 6, "y la fizo..." (b1); yzo (C...) / V. 10, trasplantados (b1).—*Falta en
a1, a2; cf. c. 290.

*365

1   quando la syerpe maldita,
    la tragona bestia fea,
    el hombre todo vindita,
    Herodes Ascalonita,
5   tirano rey de Judea,
    con sañosa crueldad
    mato los sanctos niñitos,
    ¡O tan fiera uoluntad,
    do no fallan piedad
10 niños, mugeres ni gritos!

*365 A

Concluye y conpara

1   Pues todo se sobresea
    y venga la conclusion,
    porque materia tan fea
    como a las caras la tea
5   nos entizna el coraçon,
    y lo dexa en la verdad
    tan sañoso, tan cruel,
    qual dexa la enfermedad
    la boca y la voluntad
10 al que gomita la fiel.

Copla 366. — V. 3, vendita (b1) / V. 4, Ascolonita (A, B) / V. 9, hallan (C, D...).—*Falta en a1, a2; cf. c. 290.—**En b1, la secuencia de coplas 365-382 es la siguiente: 365, 370-373, 366-369, 378-381, 374-377 y 382; cf. capítulo III, pág. 114, y ap. X.

Copla 365 A. — Título: falta (a1) / V. 4, "lutea" (*sic*) por "la tea" (a2) / V. 5, "nos en ti sea..." por "nos entizna" (a2) / V. 6, "la" por "lo" (a2) / V. 7, "tan sanyoso y tan cruel" (a1) / V. 8, emfermedad (a1) / V. 10, "aquel" por "al" (a2).—*Cf. cap. III, pág. 110, y ap. X para el desorden final en que aparecen las nueve últimas coplas de la primera versión.

*366

1 En la qual triste conquista
para hablar verdadero
syguamos al coronista
apostol y euangelista
5 de todos quatro el primero,
al leuita Sant Matheo,
que renuncio por la gloria
la renta del teloneo,
pues en los otros no veo
10 escripta la tal hystoria.

Y desta cruel conquista
para ver lo verdadero,
vayamos al coronista,
apostol euangelista
de todos quatro el primero;
este llaman Sant Mateo,
el qual si lee quien quiera
fallara, segund yo creo,
el tirano fecho feo
pasar por esta manera.

(—a1, a2)

366 A

1 Quando ya pasado vn [año]
Erodes se vio burlado
porque su cruel engaño
non fizo la muerte y daño
5 que tenia deliberado,
con sañosa tirania
en ese punto propuso
de matar dentro de vn dia
todos los niños que auia
10 desde dos años ayuso.

(—a1, a2)

Copla 366. — V. 2, ablar (b1) / V. 3, sigamos (b1, C...) / V. 4, auangelista (b1) / V. 8, "...segunt jo creo" (a1); toloneo (b1); theloneo (E2).—*Para a1 y a2, cf. c. 365A.—**Para b1, cf. c. 365.

Copla 366 A. — V. 1, "Quando ya pasado" (a2); anyo (a1) / V. 2, burlado (a1) / V. 4, danyo (a1) / V. 5, desliberado (a1) / V. 6, sanyosa (a1) / V. 7, esse (a1) / V. 8, dentron vn (a1) / V. 9, ninyos (a1) / V. 10, anyos (a1).—*Cf. c. 365A.

367

1   Es vn uicio acostumbrado
    mayormente en nuestra tierra
    quel que te tiene robado
    con mayor ansya y cuydado
5   te persygue, te destierra,
    y la cabsa deste fecho
    es, al discreto mirar,
    vn temor de tu derecho
    que forja syempre en su pecho
10 sospechas de tu entregar.

*368

1   Asy vista la razon
    de los tres reyes de Oriente
    y el cantar y adoracion
    y ofrecer de Symeon
5   al sacro niño excelente,
    Herodes certificado
    del nueuo rey de Israel,
    como quien tiene forçado
    el ceptro de su reynado
10 le busca muerte con el.

Copla 367. — V. 3, "se" por "te" (b1); falta "te" (B) / V. 4, ansia (b1,
E2) / V. 5, "te persygue y te..." (b1) / V. 6, causa (b1, E2); hecho (b1,
C...) / V. 9, siempre (E2).—*Para b1, cf. c. 365.—**Falta en a1, a2; cf. co-
plas 290 y 365A.

Copla 368. — V. 1, assi (E2) / V. 4, Simeon (E2) / V. 9, çetro (b1).—
*Para b1, cf. c. 365.—**Falta en a1, a2; cf. cc. 290 y 365A.

*369

1   Es su miedo tan syn tiento,
    tan syn seso su querella,
    que por dar contentamiento
    al couarde pensamiento
5   los niños todos degüella
    desde dos años ayuso,
    no perdonado ninguno;
    ¡O fierez que tal propuso
    por solo tomar incluso
10 entre los otros a vno!

*370

Reprehende el avctor a Herodes

1   ¡Quan sin causa desenfrenas,
    Herodes, tu grand locura,
    pues el niño que condepnas
    de tus grandezas terrenas
5   se tiene muy poca cura,
    que quien se puede llamar
    del vniverso monarcha
    es muy claro de mirar
    quan poco deue estimar
10 tu pequeñuela comarca!

Copla 369. — V. 7, perdonando (E2) / V. 8, "feroz" por "fierez" (E).—
*Para b1, cf. c. 365.—**Falta en a1, a2; cf. cc. 290 y 365A.
    Copla 370. — Título: *Reprende el autor...* (b1) / V. 2, Erodes (b1); gran
(E2) / V. 3, condenas (b1, E2) / V. 7, "de todo el mundo monarcha" (b1).—
*Para b1, cf. c. 365.—**Falta en a1, a2; cf. coplas 290 y 365A.

371

1   Es mayor tu desuario
    mirando por otra suerte,
    que piensas, loco sandio,
    condenar por poderio
5   el hijo de Dios a muerte;
    es peligrosa porfia,
    porque su poder eterno
    tiene su grand valentia,
    que sy quisyese podria
10 enpozarte en el infierno.

372

1   Mas su diuinal clemencia,
    con soberana bondad,
    te detiene la sentencia
    esperando a penitencia
5   tu tirana uoluntad,
    pero las entrañas llenas
    de gana de grand exceso,
    como se tornaron buenas
    alla lo dizen sus penas,
10 aca lo cuenta el proceso.

Copla 371. — V. 5, "al" por "el" (E2) / V. 8, "tan" por "su" (b1, E2) /
V. 9, si quisiese (E2) / V. 10, empozarle (E2).—*Para b1, cf. c. 365.—**Falta
en a1, a2; cf. cc. 290 y 365A.
    Copla 372. — V. 6, "llanas" por "llenas" (A, B), erróneamente / V. 7,
gran (E2) / V. 9, "digan" por "dizen" (b1) / V. 10, cuente (b1); prsçeso (b1).—
*Para b1, cf. c. 365.—**Falta en a1, a2; cf. cc. 290 y 365A.—***En la edición facsímil de A hecha por la Real Academia Española, las coplas 372-383
han sido incluidas utilizando el texto de C.

373

Torna a la hystoria

1   La cruel sentencia dada
    por el tirano maluado,
    ¡O yra desmesurada!,
    fueron metidos a espada
5   los infantes syn pecado;
    las madres ronpen el cielo
    con sus messas y alaridos;
    los padres riegan el suelo
    con lagrimas sin consuelo,
10 como padres y maridos.

La...
por...
¡O feroz desmesurada!,
fueron...
los niños tan sin pecado;
las madres rompen el çielo
con doloridas querellas;
los...
con...
como maridos de aquellas.

(—a1, a2)

*374

1   Alli vieras porfiar
    en aquel grand omezillo
    los vnos por degollar,
    los otros por apartar
5   a sus hijos del cochiello,
    fasta que todos tirando
    por las piernas, por los braços,
    los tiranos degollando
    y los padres anparando
10 los niños hazen pedaços.

Copla 373. — V. 5, ninyos (a1) / V. 6, rompen (E2); falta, cortado al ser encuadernado el códice (a2) / V. 7, mesas (b1) / V. 10, marido (A, C), que hace mala rima; daquellas (a1).—*Para b1, cf. c. 365.—**Para a1, a2, cf. copla 365A.—***Cf. también c. 372.

    Copla 374. — V. 2, gran (E2); omizillo (B) / V. 5, cuchillo (b1, B) / V. 9, apartando (E2).—*Para b1, cf. c. 365.—**Falta en a1, a2; cf. cc. 290 y 365A.—***Cf. también c. 372.

*375

1   Vieras madres delicadas
    forcejar con los tiranos,
    rauiosas, desatentadas,
    sus caras todas rasgadas
5   con las vñas de sus manos;
    vieras otras sus heridas
    comportar como amazonas;
    las otras amortecidas;
    las otras enloquecidas,
10 bramando como leonas.

*376

1   Alli vieras reprochar   Non saben a quien se quexen
    a la diuina justicia   que pueda dalles remedio;
    su querer disymular   non saben a do se alexen
    sin punir, syn castigar,   que non los maten y aquexen
5   tan endiablada malicia;   dolores, rauias sin medio;
    alli vieras, llanteando,   endereçan llanteando
    alçar al cielo la vista,   al çielo todos la vista;
    dar alaridos llorando,   dan...
    porque tan tyrano mando   porque...
10 no tiene quien lo resista.   non tienen quien lo resista.

                                              (—a1, a2)

Copla 375. — V. 6, falta "sus" (E2) / V. 10, brameando (b1); leones (B).—
*Para b1, cf. c. 365.—**Falta en a1, a2; cf. cc. 290 y 365.***Cf. también
copla 372.

Copla 376. — V. 1, no (a1); veras (A, B...); vieras, correctamente, en
b1 y E2 / V. 2, "que pueden darles..." (a1) / V. 3, "no saben a do falle-
xen" (a1); disimvlar (b1) / V. 4, no (a1); puñir (b1) / V. 5, rabias (a1) /
V. 6, "endreçan muy llanteando" (a1) / V. 9, tirano (a1, E2).—*Para b1, cf.
c. 365.—**Para a1, a2, cf. c. 365A.—***Cf. también c. 372.

*377

1   No pudiendo resistir
    al cruel tiranizar,
    comiençan de maldezir
    las madres a su parir,
5   los padres a su engendrar;
    alçan vozes doloridas
    contra el tirano cruel;
    procuran muerte a sus vidas
    diziendo a los homicidas
10 mill blasfemias contra el.

378

Comparacion   *Conpara*

1   Porfian por le mouer   Porfian por te tener
    con el llanto a manzilla,   con piedad y manzilla,
    mas el tirano, a mi ver,   y tu tirano, a mi ver,
    quiso mucho parescer   quieres mucho parescer
5   en este caso al anguilla,   en...
    que quanto con mayor gana   que...
    aprietan y la detienen,   la aprietan y la detienen,
    tanto mas es cosa llana   tanto...
    que se desliza y desmana   que...
10 de las manos que la tienen. de...

                                 (—a1, a2)

Copla 377. — V. 4, al su (b1) / V. 5, al su (b1) / V. 6, bozes (E2) /
V. 9, omesçidas (b1) / V. 10, blasffemias (E2).—*Para b1, cf. c. 365.—**Falta
en a1, a2; cf. cc. 290 y 365A.—***Cf. también c. 372.

Copla 378. — Título: falta (a1) / V. 1, porfiar (a1, A, B...); lo (b1) /
V. 4, pareçer (a1); parecer (E2) / V. 5, enguilla (a1) / V. 6, maior (a1) /
V. 7, laprietan (a1); aprieta (b1); apiertan (A, B, C); la aprietan (E2) /
V. 9, "desçusa" por "desliza" (b1); dezmana (E2).—*Para b1, cf. c. 365.—
**Para a1, a2, cf. c. 365A.— ***Cf. también c. 372.

379

Comparacion   *Conparaçion*

1 Como suele acostumbrar   Como...
   el can la presa tomada,   el can fallando la presa,
   que queriendole apartar   que queriendola tirar
   quien tira por el collar   quanto mas por el collar
5 le pone saña doblada,   le tiran mas se da priesa,
   asi el fiero coraçon   asi tu, cruel baron,
   quanto mas la gente tira   quanto mas la razon tira
   por apartar su passyon   por disimular tu pasion,
   tanto mas su indignacion   tanto mas tu coraçon
10 les muestra mayor la yra.   demuestra mayor la yra.

                                                  (—a1, a2)

*380

*Comiença el auctor la crueza
de Herodes*

1 El gran leon de Nemea;
   las fieras syerpes marinas;
   la monstruosa ralea
   de la ydra que pelea
5 con las fuerças hercolinas;
   los centauros del gigante;
   el famoso ladron Caco;
   el puerco de Atalante,
   ya dexen pasar adelante
10 la furia deste vellaco.

Copla 379. — Título: *Compara* (a1) / V. 2, fillando (a1) / V. 3, "queriendo ge la tirar" (a1) / V. 6, falta, cortado al ser encuadernado el códice / V. 8, "por defillar tu paçion" (a1) / V. 9, corazon (a1); indinacion (b1).— *Para b1, cf. c. 365.—**Para a1, a2, cf. c. 365A.—***Cf. también c. 372.

    Copla 380. — Título: *Comiença el auctor a estrañar la crueza de Herodes* (b1) / V. 6, "de" por "del" (B) / V. 8, Talante (b1) / V. 9, dexan (E2); delante (b1, E2).—*Para b1, cf. c. 365.—**Falta en a1, a2; cf. cc. 290 y 365A.—***Cf. también c. 372.

*381

1 Las aspides venenosas,
   los ponçoñosos dragones,
   las almenas peligrosas,
   y en suma todas las cosas
5 de mortales infecciones,
   todos los daños y sañas
   de los fieros animales,
   delante de sus entrañas
   delante sus fieras mañas
10 ya no se llamen mortales.

*382

1 Que despues que fue formado
   por Dios el redondo syglo
   no podra ser demostrado,
   fuera del angel dañado,
5 otro tan fiero vestiglo,
   ni syento lengua que hable
   ni avn hystoria que nos muestre
   saña tan abominable
   ser en ombre razonable,
10 ni en la mas braua syluestre.

   Copla 381. — V. 1, veninosas (b1) / V. 3, armenas (b1) / V. 5, infiçiones (b1) / V. 6, dapños (B) / V. 9, delante de (b1) / V. 10, llaman (E2).—*Para b1, cf. c. 365.—**Falta en a1, a2; cf. cc. 290 y 365A.—***Cf. también copla 372.

   Copla 382. — V. 2, falta "Dios" (b1) / V. 4, dapñado (B) / V. 6, able (b1) / V. 7, estoria (b1).—*Falta en a1, a2; cf. cc. 290 y 365A.—**Cf. también copla 372.

*383

*Reprueua la crueza del rey
Herodes con la piedad del
emperador Constantino*

1   Y para ver mas notoria
su crueza y desatino,
trayamos a la memoria
el hecho digno de gloria
5   del grand Cesar Constantino,
el primer emperador
que tomo nombre christiano,
y por darle mas fauor
hizo iglesia del Señor
10   su palacio laterano.

*384

1   El qual quiso comportar
el quedar leproso antes
que consentir derramar,
a cabsa de le sanar,
5   la sangre de los infantes,
auiendo su enfermedad
por tormento mas liviano
quel perder de la piedad
quel cobrar la sanidad
10   por modo tan inhumano.

Copla 383. — Título : *Prueua la crueza de Herodes con la piedad del emperador Costantino* (b1) / V. 4, "el fecho dino..." (b1) / V. 5, gran (b1, E2)
/ V. 6, enperador (b1) / V. 7, nonbre (b1) / V. 9, yglesia (E2).—*Falta en
a1, a2; cf. cc. 290 y 365A.—**Cf. también c. 372.

Copla 384. — V. 4, causa (b1, E2) / V. 8, que (b1, F1); que el (E2);
falta "de" (b1, F1) / V. 9, "que cobrar..." (b1); "que el..." (E2).—*Falta en
a1, a2; cf. cc. 290 y 365A.

*385

1   Fue seruicio tan acepto
    su muy grand benignidad,
    que por su solo respecto
    le fue mostrado el secreto
5   de la christiana uerdad,
    y no solo fue alumbrado
    en la fe que nunca miente,
    mas en syendo baptizado
    fue de la lepra curado
10 supita y perfectamente.

*386

1   En los tales la grandeza
    tiene su proprio lugar;
    pues la honrra y la proeza,
    el estado y la nobleza
5   todos andan a la par,
    han de dar de su estatura
    a la virtud el honor,
    como el sastre tiene cura
    de nos dar tal vestidura
10 qual le pide nuestro altor.

Copla 385. — V. 1, "Fue su..." (b1), imperfecto; en A, B, C... el texto
dice "Su seruicio tan acepto", que no hace buen sentido con los dos versos
siguientes: debe aceptarse, pues, la lectura de E2, "Fue seruicio..." / V. 2,
beninidad (b1) / V. 3, respeto (b1) / V. 6, alunbrando (b1) / V. 8, siendo
(b1, E2); batizado (b1, B) / V. 10, subita (E2, F1); perfetamente (b1, F1).—
*Falta en a1, a2; cf. cc. 290 y 365A.

Copla 386. — V. 2, propio (E2) / V. 3, pobreza (b1) / V. 6, "has" por
"han" (F1); falta "de" (b1, E2) / V. 7, "verdad" por "virtud" (b1) / V. 9,
"la" por "tal" (b1) / V. 10, "la" por "le" (b1); "auctor" por "altor" (E2,
F1).—*Falta en a1, a2; cf. cc. 290 y 365A.

*387

Comparacion

1 Que la ponposa corona
   de la real celsytud
   es en qualquier persona
   vna señal que pregona
5 como pendon la virtud,
   mas en el ombre maluado
   el estado muy creçido
   paresçe pinto parado
   pendon que quedo colgado
10 do es [el] vino vendido.

*388

1 Es asy quien aposenta
   al uiçioso en el estado
   como quien echando cuenta
   quiere que ualga çincuenta
5 vn miserable cornado,
   mas despues de rematada
   la cuenta del contador,
   es su ley consyderada,
   cada moneda estimada
10 en el su justo valor.

Copla 387. — Título: *Conparaçion* (A) / V. 1, En (b1) / V. 2, çelsitud (b1); celsitud (E2) / V. 3, qualquiera (b1, E2) / V. 4, seña (b1) / V. 6, hombre (F1) / V. 7, crescido (E2) / V. 9, queda (b1, E2, F1) / V. 10, bino (b1); "do el vino es ya vendido" (E2); "do el biuo es ya vencido" (F1); en A-E1 falta "el", lo cual hace imperfecto el verso; cf. con la lectura de a1 y a2 en c. 280C.—*Para a1 y a2, cf. c. 280C.

Copla 388. — Título: *Comparacion* (B) / V. 1, "Y es asy..." (b1) / V. 2, vicio (E2, F1) / V. 3, echado (b1) / V. 6, "reparada" por "rematada" (b1) / V. 8, considerada (b1, E2).—*Falta en a1, a2; cf. cc. 290 y 365A.

*389

*Aplica la comparacion al
proposito*

1   Que pasada breuemente
    por los malos sublimados
    aquesta uida presente,
    a do contando la gente
5   les puso grandes ditados,
    la sentencia diuinal
    les mide su gualardon
    por la ley de su metal,
    no por el nombre real
10 de la falsa estimacion.

*390

1   Segund esto no deuiera
    aquel romano senado
    sublimar tal bestia fiera
    como el rey Herodes era
5   en la cumbre del reynado,
    porque dar cetros reales
    a los crueles tiranos
    es hazer los mismos males
    que los que ponen puñales
10 a los locos en sus manos.

Copla *389.* — Título: *Aplica la conparaçion* (b1); "conparaçion" (A) /
V. 4, contado (B) / V. 7, galardon (b1, C...).—*Falta en a1, a2: cf. cc. 290
y 365A.
   Copla *390.* — V. 1, segun (b1, E2) / V. 3, "sublimar la tal..." (b1), que
hace el verso imperfecto / V. 4, Erodes (b1) / V. 5, cunbre (b1) / V. 8,
azer (b1) / V. 9, "como los que..." (A, B, C...), que hace imperfecto el verso:
adopto la lectura de b1; "como quien pone puñales" (E2).—*Para a1, a2, cf.
copla 280B.

*391

1 Deue ser del rey agena
uindicatiua passyon,
por lo qual natura ordena
que se halle en la colmena
5 solo el rey syn agyjon,
porque puedan abisarse
todos los grandes señores
que no deuen ayudarse
del poder para uengarse,
10 mas sujuzgar sus furores.

*392

1 ¡O quan mortal pestilencia
es a la gente menuda
la real magnificencia
sy le fallesçe clemencia
5 al tiempo que esta sañuda! :
la sobrada indignacion
en los altos gouernalles
es mayor persecucion
que la furia del leon
10 quando brama por las calles.

Copla 391. — V. 2, pasion (b1) / V. 4, alle (b1); bale (*sic,* A); halla (E2, F1) / V. 5, aguijon (b1, C...) / V. 6, "por que pues han auisarse" (A, B, C...); "porque pues han de auisarse" (E2). Considero correcto el verso en b1 y corrupto en las ediciones: "pves han" por "puedan", producto muy probable de una mala lectura, después perpetuada / V. 9, bengarse (b1) / V. 10, sojuzgar (b1); "mas juzgar de sus furores" (E2, F1).—*Falta en a1, a2; cf. coplas 290 y 365A.

Copla 392. — V. 3, manifecencia (b1) / V. 4, "si le fall;e..." (b1) / V. 5, tienpo (A); sañudo (b1), con rima imperfecta / V. 7, gouernales (B) / V. 10, bramea (b1).—*Falta en a1, a2; cf. cc. 290 y 365A.

*393

1 ¿Que osso tan carnicero,	¡O osso tan carniçero!,
que leon tanto hanbriento,	¡O lobo tanto fambriento!,
qual tragon de Canceruero	¿qual leon fuera tan fiero
sy tragara vn niño entero	que tragado vn niño entero
5 no se mostrara contento?	no se fallara contento?
Mas esta bestia sangrienta	Mas en ti, bestia cruenta,
es de furia tan sobrada	es la enbidia tan sobrada
que no se harta ni atienta	que non puede ser contenta
con vno, veynte ni treynta,	con...
10 hasta que no quede nada.	fasta...

(—a1, a2)

*394

1 En los niños la ynoçencia	En...
y los gritos de sus madres,	y los lloros de sus padres,
el llorar y resystencia	el gritar por la clemençia
con paternal impaciencia	con maternal ynpaciençia
5 que hazian los tristes padres,	que fazian las tristes madres,
¿con que saña pelearan	¿con que...
que luego no la uencieran?,	que luego non la vençieran?,
¿a que entrañas llegaran	¿a que entrañas se llegaran
que sy rejalgar hallaran	que si rejalgar fallaran
10 triaca no le boluiesen?	triaca no lo boluieran?

(—a1, a2)

Copla 393. — V. 1, falta en a2, cortado al ser encuadernado el códice; oso (b1) / V. 2, "que lobo tan hanbriento" (a2); "tan" por "tanto" (b1, E2); "y que..." (F1) / V. 3, "que..." (a2); dragon (b1, E2, F1); Cancerbero (b1) / V. 4, tragando (a1); ninyo (a1); si (b1); "si traga vn niño entero" (E2); "si se traga vn niño entero" (F1) / V. 7, lambida (a1); "fueria" por "furia" (b1) / V. 8, no (a1); arta (b1) / V. 8, "contenta" por "atienta" (b1, F1); "que no es harta ni contenta" (E2) / V. 9, trenta (a1); falta el verso en F1 / V. 10, fasta (b1); queda (E2).—*Para a1 y a2, cf. c. 280B.

Copla 394. — V. 1, "En los ninyos la ignoçencia" (a1); inocencia (b1); innocencia (E2) / V. 3, "syn" por "y" (E2, F1); resistencia (b1) / V. 4, impaçiençia (a1); "impotencia" por "impaciencia" (E2, F1) / V. 5, fazian (b1) / V. 6, "gente" por "saña" (a1) / V. 7, "lo" por "la" (E2, F1) / V. 8, "da que entranyas llegaran" (a1); allegaran (E2, F1) / V. 9, si (b1); realgar (a1); allaran (a1); fallaran (F1) / V. 10, "triaqua no la..." (a1); "la" por "le" (b1).—*Para a1 y a2, cf. c. 280B.

Colofón. — Lo hay en b1: *Deo gracias*, y en E2: *Deo gratias*.

NOTAS AL TEXTO DE LA *VITA CHRISTI*

Copla 1. — La utilización de la metáfora iluminista es grande en el poema de Mendoza, pues volvemos a encontrarla con variantes en las coplas 13, 14, 52, 57, 61, 64, 65, 87, 173, 276, 281, 287, 319-321, 324, 357, 363-364 y 385. Para la importancia del símbolo en la Edad Media, cf. H. Flanders Dunbar, *Symbolism in Medieval Thought and Its Consummation in the Divine Comedy*, New Haven, 1929. Para su relación entre su uso y el problema converso, cf. Márquez Villanueva, *Investigaciones sobre Juan Álvarez Gato*, pág. 280; también María Rosa Lida, *Juan de Mena*, págs. 224 y sigs. Para su uso en la mística española, cf. Dámaso Alonso, *La poesía de San Juan de la Cruz*, Madrid, 1942, págs. 71-82 y 262; en esta última hay una referencia a otros autores profanos, como Boscán y Garcilaso. Una notable conexión entre la mística de San Juan de la Cruz y la de la escuela sadilí por medio de la metáfora iluminista (la noche y el día) es estudiada por Jean Baruzi en *Saint Jean de la Croix et le problème de l'expérience mystique*, París, 1924, y M. Asín Palacios, *Huellas del Islam*, Madrid, 1941, págs. 250 y sigs., quien afirma: "*quabd*: aprieto del alma por su negación pasiva y activa; *quabd*: desolación espiritual en que Dios sume al alma para desasirla de todo lo que no es Él; *quabd*: noche oscura en cuyas tinieblas Dios se revela al alma más frecuentemente que en el día de la iluminación y anchura" (*op. cit.*, pág. 261).

En el Viejo Testamento hay innumerables ejemplos "iluministas"; cf. especialmente *Salmos*, 111-4 y 138-11; *Proverbios*, 4, 18-19; *Eclesiastés*, 11, 7-8; *Sabiduría*, 2-3; *Isaías*, 9-2, 26-19, 44-22, 50-10, 60-13; *Daniel*, 2-22; *Miqueas*, 3-6, 7-8, y *Malaquías*, 4-2. Lo mismo

sucede en el Nuevo Testamento: *Mateo*, 4-16, 6-23; *Lucas*, 1, 78-
79, 2-32; *Juan*, I, 1-5, 1-8, 8-12; *Hechos*, 13-47; *Romanos*, 2-19;
Corintios, II, 4-6; *Efesios*, 5, 8-14; *Apocalipsis*, 21-23... De las Sagradas Escrituras proviene, pues, el uso del simbolismo de la contra-
posición de la noche y el día, las tinieblas y la luz, etc. Los Padres
de la primitiva Iglesia cristiana recogen, naturalmente, el apropiado
símil; cf., por ejemplo, San Agustín: "Nox est enim quam diu ista
vita agitur. Quomodo est nox illuminata? Quia Christus descendit in
noctem. Accepit Christus carnem de isto saeculo, et illuminavit nobis
noctem" (cito por Maurice Poulet, *L'exégèse de Saint Augustin prédicateur*, París, 1944, pág. 105); San Ambrosio: "Christe qui lux es
et dies / noctis tenebras detegis, / lucisque lumen crederis / lumen
beatum praedicans. / Praecamur, sancte Domine, / defende nos in
hac nocte: / sit nobis in te Requies / quietam noctem tribue" (*Hym-
nus ad horam completori recitandus*, en *Hymni de opere creationis*,
"Collectio Pisauriensi", V, Pesaro, 1766, pág. 157); San Buenaventura: "El sol que estaua añublado resplandesçido ha claramente"
(*Contenplaçion de la vida de Nuestro Señor Ihesuchristo*, ms. 9560
de la B. N. de Madrid, fol. 17). He citado solamente algunos casos
representativos por no alargar demasiado este comentario.

Tampoco en Boecio podía faltar algo similar; cf., por ejemplo,
De Consolatione Philosophiae, libro 5, metro 2, ms. 8211 de la B. N.
de Madrid, fols. 113-113v, ni en Lodulfo de Sajonia: "E [Cristo] quiso nascer de noche porque vino en secreto y por reduzir a la luz de
la verdad a los que estavan escurescidos en la noche de los errores",
o, "por cuyo resplandor fue alumbrada la noche de nuestras tinieblas..." (*Vita Christi*, traducida por Fr. A. Montesino, I, Alcalá de
Henares, 1503, cap. 9, 3, fol. 54).

Con todos estos antecedentes, el tema había de extenderse por
todas las literaturas. Sin embargo, en Castilla el simbolismo iluminista adquiere durante el siglo XV un significado especial, al que ya he
aludido más arriba, en relación con la situación de los conversos en
el marco de la sociedad castellana. Así, Alonso de Cartagena, tío-abuelo materno de Fr. Íñigo de Mendoza, en su *Defensorium Unitatis Christianae* utiliza los textos "iluministas" bíblicos glosándolos en favor de
la integración de cristianos viejos y nuevos (cf. especialmente I, capítulo 7, y I, cap. 10, págs. 81 y 89-90 de la ed. del P. Manuel Alon-

so, S. J., Madrid, 1943), lo mismo que Fr. Alonso de Oropesa en su *Lumen ad revelationem gentium et gloriam plebis tuae Israel*, donde "en todo él no suena ni se predica sino a Jesuchristo que es *lux vera quae illuminat omnem hominem venientem in hunc mundum*" (según Fr. José de Sigüenza, *Historia de la Orden de San Jerónimo*, NBAE, VIII, pág. 370). El P. Oropesa explica en el mismo lugar la esencia religiosa del problema: "el intento y fin principal de la obra se endereza a que se quite este oprobio y afrenta destos nuestros fieles que vinieron del judaísmo a creer en Christo, pues todos saben que antes que vieniesse al mundo se llamavan pueblo de Dios y que vino para su gloria, y ansí también se muestra que es de su mismo linage y de la casa y familia de David este nuestro legislador...".

Por todas las razones aducidas, los poetas castellanos contemporáneos de Fr. Íñigo usan ampliamente la metáfora iluminista, muchas veces de forma muy semejante a la del franciscano en su *Vita Christi*. Así, Juan de Mena en sus *Coplas contra los Pecados Mortales*: "Como el sol claro relumbra / quando las nuues desecha..."; "Como quien de la teniebra / a nueva lumbre se vino..." (NBAE, XIX, págs. 123 y 124 respectivamente. Mena alude a la Razón); Álvarez Gato: "Adorote, santa cruz / aruol dulçe de verdad / do alumbro la çeguedad / nuestra verdadera luz", "y tu alto Redentor, / nuestra gloria nuestra luz", "Vy ques ya resuçitado / el señor tan deseado, / aquel que nos ha trocado / las tinieblas por el día" (*Obras completas*, ed. J. Artiles, Madrid, 1928; respectivamente, núm. 75, pág. 136; núm. 80, página 139, y núm. 185, pág. 150); Pero Guillén de Segovia: "Al mundo presente no faltan carcomas / offuscan tinieblas las claras auroras..." (*Segunda suplicacion que fizo... al señor Don Alfonso Carrillo, Arzobispo de Toledo, porque de la primera no obo aquel efecto que della esperaba*, ms. 4114, B. N. de Madrid, fol. 35v.); Fr. Ambrosio Montesino (*Coplas sobre diversas devociones y misterios*, ed. cit.): "Del qual el pecado huye / como quando se destruye / del sol grande tiniebra" (fol. a2); "que solo das de contino / luz al çielo cristalino" (fol. a2v); "que nuestras almas alumbras / y desde el çielo acostumbras / hazer nuestra noche dia" (fol. a5); "De profanos / heziste claros christianos, / alunbraste su tiniebra" (fol. b1v)...; el Comendador Román (*Obras*, Toledo, 1468-1494?; ed. facs., Londres, 1936): "seruidores desta luz / que naçio" (fol. b8); "cumpliose de

Ezechiel / lo que dixo dando luz / por contrastar a Luzbel" (folio b8v); "quedo la gente bendita / sin ver a quien les assea / con pena tan infinita / como quando el sol se quita" (fol. e9)...; Juan de Padilla en *Los doze triumphos de los doze apostoles*, refiriéndose a San Pablo: "Era tan viva su luz luminante / que toda la niebla que el monte ofuscaba / subitamente la clarificaba" (NBAE, XIX, copla 13, pág. 292). No falta tampoco en Juan del Encina (cf., por ejemplo, *Copilación*, Burgos, 1505, fol. 48), ni en Gil Vicente: "todo o mundo esta mortal / posto en tam escuro porto / de hunha cegueyra geral", o "Senhora, a meu parecer, / pera esta escuridade / candea nam ha mester, / que o senhor ca de nacer / he a mesma claridade / *lumen ad revelationem gentium,* / he profetizado a nos / e agora se ha de cumplir, / pois pera que he yr e vir / buscar lume pera vos / pois lume aueis de parir" (*Auto de Mofina Mendes*, en *Obras Completas*, Lisboa, 1562, facs. de 1925, fols. 24v y 25, respectivamente). La alusión "sol de justicia" referida a Cristo es común en el teatro del siglo XVI (cf. Torres Naharro, *Diálogo*, ed. Gillet, III, pág. 165, que cita otros casos, por ejemplo el de López de Yanguas, aunque su uso se remonta ya a Lucas Fernández)... La tradición continúa con un corte claramente medievalizante y con semejanzas incluso literales con la *Vita Christi* de Mendoza en el *Cancionero Espiritual* del siglo XVI (Valladolid, 1549, reimpresión de Oxford, 1954); cf. especialmente pág. 56: "quel claro sol diuinal / penetra con mejor vista"; también merecen ser anotados otros ejemplos, como "quanto defiere y disuena / el alua clara serena / del muy escuro nublado" (pág. 57); "sol de rayos excelentes, / sal, alumbra y resplandece" (pág. 59); "luzga e nos tu claridad, / luzero de clara lumbre, / libra nuestra ceguedad" (pág. 60). Con Boscán y Garcilaso, el tema va a ser sistemáticamente utilizado a la manera amorosa y profana (cf. Dámaso Alonso, *La poesía de San Juan de la Cruz*, páginas 82 y 262). Ejemplos pertinentes de Boscán son: "La lumbre del Amor, alumbraria / cien mil gracias que agora escureceys, / como la luz del sol quando amanece / alumbra quanto bien alli parece. / No amando estays en noche tenebrosa / y no espereys jamas que os amanezca..." (*Octava rima*, en *Las obras de Boscán y algunas de Garcilaso*, Barcelona, 1543, fols. 156-156v); "Ya la luz esclarecia, / la tiniebla se quebraba, / aunque el sol no parecia, / do el cielo no se cerraba / se mostraba el claro dia..."; "Assi quede, mas vino / primero que del todo anocheciese / quien con la gracia del poder divino / el error me quito y el desatino" (*Conversión, ibid.,* fol. 72v); "Como despues del tempestuoso dia / la tarde clara suele ser sabrosa / y despues de la noche tenebrosa / el resplandor del sol plazer embia..." (*Soneto, ibid.,* fol. 66). De Garcilaso, la *Cancion cuarta,* versos 61-64: "Los ojos cuya lumbre bien pudiera / tornar clara la noche tenebrosa / y escurecer el sol a mediodia, / me convirtieron luego en otra cosa" (*Obras de Garcilaso,* ed. de T. Navarro Tomás, CC, Madrid, 1958, pág. 188). De F. González de Eslava, *Coloquio XVI* (*apud* Frida Weber de Kurlat, *Lo cómico en el teatro,* pág. 140): "era Dios neblí que andava / entre las nieblas obscuras". De Juan Rufo: "Ya el nuevo sol sus hebras de oro tiende / y quita la tiniebla al aire puro" (*La Austriada,* XIV, Madrid, 1584, fol. 72b). La reacción "divinizadora" comienza con Sebastián de Córdoba, que transforma así los anteriores versos de Garcilaso: "Los ojos cuya lumbre verdadera / suelen tornar la noche tenebrosa / tan clara como el sol a mediodia, / viendome convertido en otra cosa / traspasan la muralla y vidriera / del alma con la lumbre y alegria / de su vista, que en mi se difundia" (*Las obras de Boscán y Garcilasso trasladas en materias christianas y religiosas,* Granada, 1575, fol. 233v). Veamos también cómo Córdoba "purifica" la *Égloga tercera* de Garcilaso, comenzando por una "Invocación a la soberana madre de Dios y dedicación a ella": "Qual suele parecer en asomando / el radiante sol en clara esphera / a aquel que por las olas flutuando / passo la noche tenebrosa y fiera / y con su luz alegre va mostrando / el puerto desseado, en tal manera / alegras, claro sol, sacra Maria, / a el alma que te llama en su agonia" (*Ibid.,* fol. 301v). Como vemos, el simbolismo se refiere aquí a la Madre de Cristo, pero en otro lugar (fol. 45) habla de María como "Del divino sol aurora", con lo cual vuelve Córdoba a acercarse al sentido tradicional de la metáfora, que ahora va a ser recogida y utilizada profusamente por la mística española en prosa y verso (cf. Dámaso Alonso, *op. cit.*). Pedro Malón de Chaide explica: "Así como el sol alumbra los cuerpos y los calienta, así Dios con su rayo divino da a los ánimos el resplandor y la luz de la verdad y el ardor y calor de la caridad. Y así como el sol todo lo vivifica, todo lo actúa y le da ser, todo lo ilustra; da la luz a los ojos para que vean; colores a los cuerpos para que sean vistos, claridad al aire, que es el medio para que se forme el acto de ver..." (*La conversión de la Magdalena,* ed. P. Félix García, III, CC, Madrid, 1947, capítulo 53, pág. 105), y en otro lugar, en verso: "tú, sol de luz eterna por quien viene / el claro resplandor al alma mía" (*Exposición sobre el Salmo 88, ibid.,* pág. 181). Y Fr. Luis de León continúa: "Porque así como el sol es un cuerpo de luz que se derrama por todo, así la naturaleza de Dios inmensa se extiende por todas las cosas... Así como el sol engendra un solo Hijo de sí que reina y se extiende por todo..." (*De los nombres de Cristo,* ed. G. Díaz-Plaja, Madrid, 1931, libro III, 1, pág. 32); Cristo, pues, resucita "hecho luz", lanza "más claros resplandores que el sol", su alma está "rodeada de luz", "trujo consigo a vida de luz y a libertad de alegría las almas puras", y de Él nace "la vida y la luz y reparación de todas las cosas" (todas las citas del libro III, 1, págs. 45 y 47-48. Otras alusiones en libro III, 2, págs. 79, 82 y 83). Llegamos así a San Juan de la Cruz. El comentario en prosa a la estrofa 14 del *Cántico Espiritual* ("La noche sosegada / en par de los levantes de la aurora") dice lo siguiente: "...Y llama bien propiamente aquí a esta luz divina levantes de la aurora, que quiere decir la mañana; porque así como los levantes de la mañana despiden la oscuridad de la noche y descubren la luz del día, así este espíritu sosegado y quieto en Dios es levantado de la tiniebla del conocimiento natural a la luz matutinal del conocimiento sobrenatural de Dios... En este sosiego se ve el entendimiento levantado con extraña novedad sobre todo natural entender a la divina luz, bien assí como el que después de un largo sueño abre los ojos a la luz que no esperaba" (en *Poesías completas y comentarios en prosa a los poemas mayores,* ed. Dámaso Alonso y E. Galvarriato, Madrid, 1959, págs. 164-165). Todo el poema de la *Noche oscura del Alma* no es sino una perfecta aplicación poética y mística de la metáfora iluminista, donde se condensa y llega a su perfección el tema, en el cual se llama "noche oscura con harta propiedad a este camino estrecho", a estas "tinieblas espirituales" (el poema, ed. cit., págs. 43-45; los comentarios, págs. 280 y 309, respectivamente. Cf. también págs. 285, 286 y 319, así como la "glosa a lo divino", págs. 83-84: "y aunque tinieblas padezco / en esta vida mortal...". Cf. asimismo *Aunque es de noche. Cantar de la alma que se huelga de conoscer a Dios por fe,* págs. 61-63). El tema es recogido por Sebastián de Covarrubias en sus *Emblemas morales:* "O verdadero sol, Dios infinito": "Este emblema es para mí espiritual y contemplativo, aunque para otros algunos su invención es amorosa" (Centuria I, emblema 79. Cf. también Centuria III, emblema 74). Cf., para otras referencias a la metáfora iluminista, cap. VI de este trabajo.

Fr. Ambrosio Montesino, *Coplas,* fol. a3v: "El linaje humanal"; Comendador Román, *Obras,* fol. a5 y c7v: la muerte de Cristo tuvo lugar a causa del "linaje humanal"; fol. a7: "porque fuese reparado / todo el linaje humanal".

Copla 2. — El Comendador Román tiene versos muy semejantes: "Aquella muerte y pasion / de nuestro santo cordero / que por nuestra saluaçion / quiso leuar el pendon / de su martirio primero; / aquella vida bendita, / saluaçion de los humanos / y conorte / que del jnfierno nos quita / y nos hace cortesanos / de su corte" (*Obras,* folio d1v).
Cf. caps. IV y VI.

Copla 3. — Para la metáfora de la victoria de Cristo (*Apocalipsis,* 19, 11-21), o de los cristianos, cf. también coplas 92, 292, 298, 323, 336 y 347, esta última "a lo profano". Álvarez Gato tiene algo similar: "Uy nuestro buen capitan / que gano con grande afan / vitoria que gozaran / los de su capitania" (*Obras,* copla núm. 85, página 150).

Copla 4. — La invocación a las musas y dioses paganos al comienzo de los poemas de la época es un lugar común en la poesía prerrenacentista; cf. como ejemplos típicos estos del marqués de Santillana: "O Lucido Jove, la mi mano guia / despierta el engenio, aviva la mente, / el rustico modo aparta e desvia / e torna mi lengua, de ruda eloquente. / E vos las hermanas que cabe la fuente / de Elicon fazedes continua morada, / sed todas conmigo en esta jornada / porquel triste caso denunçie e recuente" (*Comedieta de Ponza,* NBAE, XIX, c. 2, pág. 461); "Mares, tu seas presente, / inflamado, rubicundo, / pagado, no furibundo, / porque tu favor sustente / la mi mano, e represente / el mi caso desastrado / e mi pecho foradado / con espada furiente" (*El Sueño, ibid.*, c. 3, pág. 535); "O vos Musas que en Parnasso / fazedes habitaçion, / alli do fizo Pegasso / la fuente de perfecçion; / en la fin e conclusion, / en el medio e començando / vuestro subsidio demando / en esta proposiçion" (*Infierno de los enamorados, ibid.*, c. 2, pág. 544). Ejemplos similares los hallamos durante todo el siglo XV. Quizá la perfección de este género de invocación, sospechosamente semejante ya a una oración cristiana, la hallamos en Juan del Encina: "A ti muger de Vulcano / y madre de dios Cupido, / a ti ruego y a ti pido / que me ayudes con tu mano, / o beldad de las bellezas, / centella de los amores, / o lindeza de lindezas, / o primor de gentilezas, / no me niegues tus fauores. / No menosprecies mis ruegos, / o Cupido, pues soy tuyo, / que bien sabes que no huyo / de tus encendidos fuegos; / a ti demando licencia; / tu mesmo me da fauor / para contar la ecelencia / de tu gran manificencia, / pues es tuya la lauor" (*Triunfo de amor*, en *Copilación*, fol. 55v). Sin embargo, hay una corriente religioso-moralista que vuelve "a lo divino" estas invocaciones humanísticas, como ocurre en el caso de esta copla, cuyo sentido e ideas continúan en la 5, 7 y 8. Es muy posible que el origen de estas "divinizaciones" se halle en Boecio, en cuya *Consolación* se lee: "E primeramente echa desy aquello que le daua razon de tristeza; conviene saber, las artes poeticas que le estauan de çerca, ca non lo auian desamparado... las quales lo agujauan e non le dexauan tornar al derecho juyzio... Estas putillas suzias, las quales por manera de melezina le dan poçoña" (trad. de Fr. A. de Ginebreda, Toulouse, Enrique Mayer, 1488, fol. a3). Un caso interesante de rechazo de las musas ofrece el condestable Pedro de Portugal: "Yd vos daqui, Musas, vos que en Parnaso / segund los poetas fezistes morada, / yd vos muy allende del monte Caucaso / pues no sodes dignas d'aquesta jornada / nin vuestra ponçoña sera derramada / con la su dulçeza en las venas mias, / ca ser no me plaze de vuestra mesnada, / ni soy omerista nin sigo sus vias" (*Sobre o menospreço das cousas do mundo*, en *Cancioneiro Geral de Garcia de Resende*, II, Stutgart, 1848, páginas 91-92). En relación con esta copla de Fr. Íñigo de Mendoza, es fundamental el comienzo de las de Juan de Mena, *Contra los pecados mortales* (NBAE, XIX, págs. 120-122. Otros casos menos conocidos, en Gómez Manrique, Jorge Manrique, Pérez de Guzmán, Comendador Román..., como veremos especialmente en la copla n. 6). Debo anotar, con todo, cierto parecido literal con el verso 3: "las sus tales niñerias [de las poesías] / vayan con la juuentud" (*ibid.*, pág. 121). Juan de Padilla, "el Cartujano", debe ser incluido aquí por la indudable influencia que las coplas de *Vita Christi* ejercieron en su *Retablo de la Vida de Christo,* donde dice: "Aqui no pintamos las bueltas humanas / ni como las buelue la triste fortuna / ni como se mueven los cielos y luna / ni tus influencias enfermas y sanas. / Callo las cosas del mundo liuianas, / dexo los hechos romanos aparte, / reprueuo los templos de Palas y Marte / y las opiniones de gentes prophanas..." (Sevilla, 1505, fol. c). Malón de Chaide tiene un curioso ejemplo tardío: "Sedme testigos fieles de mi canto, / no tañido en la dulce arpa de Orfeo / mas en la de aquel rey ilustre y santo, / del Cielo nuevo Píndaro y Alceo. / No de algun dios fingido es de quien canto / ni de su fabuloso devaneo..." (*Exposición sobre el Salmo 88,* ed. cit., III, pág. 180). Cf. cap. VI.

Puede consultarse sobre este tema, A. Farinelli, *Italia e Spagna,* I. Turín, 1929, págs. 89 y sigs., 116, 216-217, y F. Lecoy, *Recherches sur le Libro de Buen Amor,* París, 1938, pág. 177.

Copla 5. — Cf. notas a la copla núm. 4 para el tema del rechazo poético; ver notas a las coplas 207 y 308 para el tema del soñador desilusionado. Un texto de Pérez de Guzmán presenta gran semejanza con esta copla: "Aquestas obras baldias / parecen al que soñando / falla oro, e despertando / siente sus manos vazias; / asaz emplea sus dias / en oficio infructuoso / quien solo en fablar fermoso / muestra sus filosofias" (*Loores de los claros varones de España,* NBAE, XIX, c. 49, pág. 712).

Copla 6. — La anécdota ciceroniana de San Jerónimo era popular entre los eruditos religiosos medievales; cf., por ejemplo, la *Legenda Aurea* de Jacobo de la Vorágine, "De Sancto Ieronimo: Plene eruditus est in arte gramatica... Tullium die e nocte, Platonem autem, leget..." (Según ms. 4197, B. N. de Madrid, fol. 170). Sin embargo, es de *La estoria de los quatro dotores de la Sancta Eglesia,* traducción castellana de la obra de Beauvais, de donde Fr. Íñigo de Mendoza tomó, sin duda, sus datos para su versión de la Vita Christi; las semejanzas, incluso literales, entre uno y otro texto son evidentes. San Jerónimo, por leer demasiado a Platón y Cicerón, cuenta que "arrobado a desora en el spiritu era traydo a la catedra del juez. E commo me pregunto de que condeçion era, respondy que era christiano. E aquel que estava por mayoral, dixo: mientes, çiçeroniano eres e non christiano; ca do esta el tu thesoro y sta el tu coraçon. E luego mudiçi e entre los açotes, por los quales me mando açotar, mas me entorçia por fuego de la conçiencia... E dalli adelantre ley por tanto estudio las cosas diuinales, por quanto avia leydo las mortales" (cap. 47, "Que los libros de los sabios e de los philosophos son de menospreçiar por los libros santos", págs. 116-118, ed. F. Lauchert, Halle, 1897). Ecos de esta leyenda pueden hallarse en Pérez de Guzmán: "De los ilustres varones / San Geronimo tratando / non le veo Cicerones / nin Ouidios memorando, / antes se quexa, que quando / fue puesto ante el tribunal / del juez celestial / dixo su culpa llorando" (Loores, c. 50, pág. 712), y en Juan de Padilla, entre otros menos pertinentes: "Callemos el santo que fue presentado / ante el juez de la nuestra conciencia / y como fue dado por el la sentencia / para que fuesse cruel açotado / porque ponia con biuo coydado / la mente en aquella polida licion, / la qual al espiritu de Ciceron / saluar nunqua pudo de ser condenado" (Retablo, fol. c2). Mucho más tarde, Quevedo utilizará todavía el tema aprovechándolo como invectiva contra Pérez de Montalbán: "Grandes azotes le dan / porque a Cicerón leía; / ¡Ira de Dios!, ¿qué no sería / si leyera a Montalbán?" (apud Clara Campoamor, Vida y obra de Quevedo, Buenos Aires, 1945, pág. 213).

Cf. María Rosa Lida, Juan de Mena, pág. 489.

Cf. cap. VI.

Copla 7. — La idea de no rechazar totalmente lo poético, sino de utilizar lo aprovechable desde el punto de vista religioso y moral, proviene, como Fr. Íñigo honradamente indica, de Juan de Mena, quien escribe: "Vsemos de los poemas / tomando dellos lo bueno, / mas fuyan de nuestro seno / las sus fabulosas temas; / sus ficiones y poemas / desechemos como espinas; / por auer las cosas dignas / rompamos todas sus nemas...". "De la esclaua poesia / lo superfluo

asy tirado, / lo dañoso desechado, / syguire su compañia; / a la catholica via / reduziendo la por modo / que valga mas que su todo
/ la parte que fago mia" (*Coplas contra los pecados mortales*, páginas 121-122. Mena dice "dulces poesyas", pág. 121; cf. con verso
n. 8). Cf. María Rosa Lida, *Juan de Mena*, págs. 112-113. Para mi
propósito, entre otros numerosos autores que utilizaran el tema, merecen ser recordados el condestable Pedro de Portugal y especialmente Juan de Padilla. El primero exclama: "Miremos al exçelso e muy
grande Dios, / dexemos las cosas caducas e vanas, / retener deuemos
las firmes con nos, / las utiles muy buenas e sanas..." (*Sobre o menospreço das cousas do mundo, Cancioneiro Geral*, II, pág. 73). El
segundo dice en su *Retablo*: "Ruegote por tu clemencia, / hijo de
Santa Maria, / que tu diuinal essencia / enderece la sentencia / de
mi ruda fantasia. / La mundana poesia, / su mentira y su dulçor, /
hazla tu vera sophia, / diuinal filosophia, / porque pueda sin error
/ tomar dello lo mejor" (*loc. cit.*), y continúa de forma similar a la
Vita Christi con un "Limita lo dicho contra la poesía": "Pero del
todo no quiero dexar / la parte pequeña que en esto yo siento, /
y puesto que sea de poco cimiento / la çanja se puede por algo notar / los vanos poemas que pueden dañar / dexemos aparte tomando
lo sano, / como quien quita la paja del grano / y mas de la cidra
su mal amargar" (*ibid.*).

Cf. comentarios a c. núm. 4.

Cf. cap. VI.

La "carrera" cristiana; cf. cc. 59 y 315, y especialmente 121.

Cf. con *Proverbios*, 25, 4 ("Quita la escoria a la plata y saldrá
purísima la alhaja"), e *Isaías*, 1, 25 ("...y acrisolándote quitaré tu escoria y separaré de ti todo tu estaño"). Todas las citas bíblicas, según
la ed. de J. M. Petisco y F. Torres Amat, Madrid, 1943.

Copla 8. — Cf. comentarios a c. núm. 4.

Copla 9. — En el *Cancionero Espiritual*, ed. cit., pág. 42, aparece un juego de palabras similar: "Pues que pariste la vida / que
dio vida a nuestra muerte".

Copla 11. — La metáfora de la "fuente de beneficios" o "fuente
de la vida" es común en la literatura y en el arte del siglo XV, pero

referida más especialmente a la sangre de Cristo, como indica un himno anónimo del Breviario Romano: "...Jesus / sibi nil reservat sanguinis. / Venite quotquot criminum / funesta labes inficit / in hoc salutis balneo / qui se lavat mundabit"; cf. Émile Mâle, *L'Art religieux de la fin du Moyen Âge en France*, París, 1908, págs. 104-105, de donde he tomado el texto citado. Recordemos en el XVI la *Farsa sacramental de la Fuente de la Gracia*, en la *Colección de autos, farsas y coloquios del siglo XVI*, III, Barcelona-Madrid, 1901, páginas 447-468.

Cf. también c. 292.

Cf. Gómez Manrique, *Continuación de las coplas contra los pecados mortales de Juan de Mena*, NBAE, XIX, pág. 147: "Y como por el Señor, / que nos fizo de no nada".

Cf. cap. VI.

Copla 12. — Montesino: "La Virgen sin mancilla" (*Coplas sobre diversas devociones*, fol. b7v).

Copla 13. — Reminiscencia bíblica: "La mujer virtuosa es corona de su marido" (*Proverbios*, 12, 4). Gillet se refiere al sentido primigenio, con ejemplos de Santillana entre otros, al comentar la *Comedia Jacinta*, de Torres Naharro (*Propalladia*, III, Bryn Mawr, 1951, página 619).

Cf. c. 92.

Las metáforas relativas al freno o a la espuela de los caballos son frecuentes en la obra de Mendoza; cf. coplas 34, 97, 167-170, 233, 263C y las notas en la segunda de las citadas. Cf. también capítulo VI.

Cf. también notas a la c. 1.

Copla 14. — La fuente del episodio de la Anunciación es, naturalmente, *Lucas*, 1, 28-38. Cf. cap. VI.

Cf. también c. 1.

Copla 15. — Para la turbación de María ante la salutación angélica, cf. San Buenaventura: "Asi que como prudente y avisada y vergonçosa y espantada, ninguna cosa respondio; que auia de responder; dos veses oyo el angel primero que le respondiese, porque cosa abonimable es a la virgen ser habladora" (*Contenplaçion de la vida de Nuestro Señor Ihesuchristo*, ms. 9560, B. N., fol. 10v), o San Ambrosio en *Super Lucas*, según Lodulfo de Sajonia: "Por la vergüença que sienpre es anexa a la honestidad virginal, porque (segunt dize Sant Ambrosio) propio es de las virgenes temer e temblar todas las vezes que los varones entran a sus retraymientos, e aver miedo de todas sus hablas" (*Vita Christi*, trad. Fr. A. Montesino, I, capítulo 5, 6, fol. 30). Cf. también coplas 28, 29 y 37, así como capítulo VI.

Copla 16. — Gómez Manrique, *Continuacion de las coplas contra los pecados mortales de Juan de Mena*, ed. cit., pág. 148. Sobre el peligro del enfrentamiento con la lujuria y no huir ante ella: "Si del luxurioso fuego / te sentieres acender, / no lo dexes aprender, / amigo, yo te lo ruego; / mas luego lo mata, luego, / con agua de castidad / no prouando voluntad / ni de veras, ni de juego". Juan de Padilla también contrasta a las jóvenes inquietas con la actitud de la Virgen (*Retablo*, 5, fol. c5, ed. cit.).

Jerónimo Martín Caro y Cejudo explica así este modismo popular: "Vivir la barba sobre el ombro. Dizese de los que no viven descuidados. *Grues lapidem deglutientes*, Aristophanes. Aplicase este adagio a los que tratan algún negocio con grande prudencia" (*Refranes y modos de hablar castellanos con los latinos que les corresponden, juntamente con la glosa y explicación de los que tienen necessidad de ella*, Madrid, 1675, págs. 405-406).

Copla 17. — Ideas expresadas de forma muy similar en Joaquín Romero de Cepeda: "La doncella ventanera, / muy galana y muy compuesta / cuanto mas de fuera honesta / es toque de vidriera; / el amiga de ser vista / y de ver y componerse / es ocasion de perderse, / aunque el padre lo resista" (*Comedia Salvage*, pág. 290, del *Tesoro del Teatro Español*).

Cf. cap. VI.

El ejemplo típico es el del armiño, "que suele la muerte cruel padescer / ante que dexe manchar y perder / su grande blancura por el cenagal" (Padilla, *Retablo*, 3, 8, fol. k5v). Según A. Vilanova, de Ovidio arranca un tema semejante: "Aut lepori qui vepre latens hostilia cernit / ora canum nullosque audet dare corpore motus?" (*Metamorphosis*, V, 628-629; *apud* Vilanova, *Las fuentes y los temas del Polifemo de Góngora*, II, Madrid, 1957, págs. 715-716), pero solamente sobre la cobardía y huida, no sobre "encobarse".

"La muger placera dice de todos y todos della"; "Puesta la muger a vender en tienda o en plaça o en andar comúnmente por lugares públicos, entratanto pierde la vergüença, que es lo mejor que tiene la muger..." (J. de Mal Lara, *Philosophia vulgar*, Sevilla, 1568, folio 291v).

En el *Eclesiastés* (12, 6) aparece un posible origen de este proverbio: "Acuérdate de Dios antes que... se haga pedazos el cántaro sobre la fuente", ya existente en latín según el apéndice del *Glosario de El Escorial:* "Ad fontem vadit urceus donec cadit" (en *Glosarios latino-españoles de la Edad Media*, ed. A. Castro, Madrid, 1936, número 97, pág. 136). Muy popular y utilizado abundantísimamente en literatura. J. Rius Sierra cita una variante del siglo XIV: "tanto va el orço al agua / entro que lexa nel fondo el ansa" (en *RFE*, 1926, página 371). En el *Cancionero de Baena* consta una aplicación ejemplificatoria: "Nin sean asina que se quiebre el assa / porque non rosen algunos malsynes" (núm. 334, de Alfonso Álvarez de Villasandino). Otros usos, Santillana: "Cantarillo que muchas vezes va a la fuente, o dexa el asa o la frente" (cito por J. M. Sbarbi, *El refranero general español*, I, Madrid, 1874, pág. 86); *Caballero Cifar*. "tanto va el cantar a la fuente fasta que dexa alla el asa o la fruente" (ed. de C. P. Wagner, I, Ann Arbor, 1929, pág. 416); Torres Naharro: "...cueste la frente o el asa" (*Comedia Aquilana, Propalladia*, ed. Gillet, III, págs. 719-720. Algunos de los ejemplos citados en este comentario son los mismos presentados por el erudito americano); A. de Villegas (*Comedia llamada Selvagia*, Madrid, 1873, pág. 227, de forma muy similar); Cervantes: "mira Sancho lo que hablas, porque tantas veces va el cantarillo a la fuente ...y no te digo más" (*Quijote*, I, cap. 30, ed. Rodríguez Marín, Madrid, II, 1947, página 409. El comentador añade en nota tres formas del refrán, incluidas en mi lista); Lope de Vega hace una verdadera glosa: "Cántaro, tened paciencia, / vais y venís a la fuente, / quien va y viene siempre a ella / ¿de qué se espanta si el asa / o la frente se quiebra? / Sois barro, no hay que fiar" (*La moza de cántaro*, BAE, XXIV,

página 560); Sebastián de Horozco: "Cualquiera que arregostado /
en una cosa porfía / si alguna vez, mal pecado, / se hallase bien burlado, / no se marauillaría / que el cántaro que contino / y a menudo va a la fuente / no mucho si sobreuino / al fin en tanto camino / que deja el asa o la frente" (*Refranes glosados,* ed. E. Cotarelo, en *BRAE,* 1916, pág. 593); Gonzalo Correas: "...o deja la asa,
o se le quiebra la frente" (*Vocabulario de refranes y frases proverbiales,* Madrid, 1924, "cántaro"); Caro y Cejudo: "Cántaro que muchas veces va a la fuente, o dexa el assa o la frente. Sepius offendes
aliquando vaedit pedeni" (*Refranes y modos de hablar,* pág. 65).
Más ejemplos citados por Sbarbi (*Monografía sobre los refranes, adagios y proverbios castellanos,* Madrid, 1891, pág. 342) y Cejador (*Refranero castellano,* I, Madrid, 1928, pág. 150). Existe una variante
mejicana: "Tanto va el cántaro al pozo hasta que se queda dentro"
(*El español en Méjico, los Estados Unidos y la América Central,* de
varios autores, en *Biblioteca de Dialectología Hispano-Americana,* IV,
Buenos Aires, 1938, pág. 197), y no faltan tampoco los ejemplos sefarditas: "El cántaro va al agua, hasta que no se rompe"; "tanto
va el cantarico a la fuente, hasta que se rompe" (R. Foulché-Delbosc,
"Proverbes Judéo-Espagnols", en *RH,* 1895, núms. 315 y 1182, páginas 323 y 348, respectivamente); "Cuantu va il cantarim a la fuenti, a la fin s'arrompi"; "Va y va la cantarique a la fuenti, a la fin
s'arrompi" (Max A. Luria, "Judeo-Spanish Proverbs of the Monastir
Dialect", en *RH,* 1933, núms. 69 y 429, págs. 259 y 348, respectivamente).

Cf. cap. V.

Copla 18. — En la Biblia se halla, sin duda, el embrión de este
proverbio: *Eclesiástico,* 23, 22-23: "El ánimo fogoso como una ardiente llama, el cual no se calma sin devorar primero alguna cosa, y
el hombre que es esclavo de los apetitos de su carne, el cual no
tendrá sosiego hasta que haya comunicado el fuego"; *Isaías,* 1, 31:
"Y vuestra fortaleza será igual a la pavesa de la estopa arrimada a
la lumbrera y vuestras obras como una chispa; uno y otro arderán
en el fuego que nadie apagará". En la literatura castellana es posible encontrarlo ya en *El Corbacho* del arcipreste de Talavera: "peligroso esta el fuego cabe la estopa" (ed. L. B. Simpson, Berkeley, 1939,

página 79), y en una colección de refranes del siglo XV: "Mal se amata el fuego con la estopa" (el título de la colección, según consta en el ms. de la misma, es *Seniloquium*, ed. F. N. S. en *RABM*, 1904, páginas 434-447. Cita en pág. 441, núm. 261). Otros ejemplos y variantes en Juan del Encina: "A la estopa los tizones / presto muestran sus poderes" (*Cancionero* de 1496, facs. de Madrid, 1928, página 395); Torres Naharro: "que una muger es un fuego", "pues si sabeis reboluer / vuestro fuego con su estopa..." (*Seraphina* y *Jacinta*, respectivamente, cf. Gillet, *Propalladia*, III, págs. 268 y 621); Luis Vives: "como dize aquel dicho que es común, la estopa no está bien con los tizones" (*Libro llamado instrucción de la mujer cristiana*, trad. de I. Justiniano y S. Fernández Martínez, Madrid, *Colección Austral*, 138, pág. 80); J. de Mal Lara: "El hombre es el huego, la muger estopa, viene el diablo y sopla. En este refrán se declara la fragilidad de la carne... Así compara el hombre al fuego, la estopa a la muger y que el demonio en la misma ocasión es el trujamán... San Gregorio declara mejor nuestro refrán diziendo que quien ofrece su cuerpo a continencia no presuma de morar con mugeres porque mientras biue el calor en el cuerpo no tenga entendido que el fuego está enteramente apagado en su cuerpo" (*La philosophia*, fols. 273-273v). Romero de Cepeda, uniendo las ideas de esta copla con rima muy semejante a la de la nota 11: "La mucha conversación / las mas veces hace mal / y es la yesca y pedernal / del fuego desta pasión, / que si con mi madre Albina / encerrada yo estuviera, / a Anacreo nunca viera / ni me engañara Gabrina" (*Comedia Salvage*, pág. 296); Juan de Espinosa: "El hombre es fuego y la mujer estopa, viene el diablo y sopla" (*Dialogo en laude de las mugeres intitulado Ginalpaenos*, Milán, 1580, ed. Sbarbi, en *El refranero general español*, II, Madrid, 1875, pág. 57); Gonzalo Correas: "La estopa cabe el fuego, apréndese luego o cedo", "La estopa de junto al fuego, quítala luego", "La estopa junto al mancebo, dígola fuego" (*Vocabulario de refranes*, pág. 214), "El fuego cabe las estopas, llega el diablo y sopla" (*ibid.*, pág. 336); "No está bien (o "No es segura") la estopa junto al fuego" (*ibid.*, pág. 347); Caro y Cejudo: "El fuego cabe la estopa no está bien... Usamos desta manera de dezir para significar ser imprudencia juntar una cosa con otra que fácilmente la destruye. *In agro surculario capras...*" (*Refranes y modos de hablar*, pág. 113).

Más ejemplos en Sbarbi (*Monografía,* pág. 210; J. M. Sbarbi y M. J. García, *Gran diccionario de refranes,* II, Buenos Aires, 1943, página 100) y Cejador (*Refranero castellano,* II, Madrid, 1929, págs. 309 y 326). Cf. Cap. V.

La fama de las armas de "Misalla" era proverbial en la época; Juan de Mena: "Yrada yendo mi mano, / tan fuertes armas se falla / como las faze Misalla / o las fiziera Vulcano" (*Coplas contra los pecados mortales,* NBAE, XIX, pág. 132); Montesino: las armas de la cruz "mas valen que de Misalla; / guardemoslas del orin..." (*Cancionero,* BAE, XXXV, pág. 451).

Cf. cap. VI.

Copla 19. — Historia de Dina: *Génesis,* 34, 1-31; historia de David y Betsabé: *Samuel, II,* 11. Sobre Betsabé, cf. Beauvais: "E David escogido segund el coraçon del Señor... preso por desnudez de Versabee, fizo el omiçidio con el adulterio..." (*La estoria de los quatro dotores,* cap. 40, pág. 105, "Que la castidad sea a criar por la astinençia". Cf. San Jerónimo, *Epístola XXII a Eustoquio,* ed. J. Labourt, I, París, 1949, pág. 122); Arcipreste de Hita: "Feciste por loxuria al profeta Dauid, / que mato a Urias quando l'mando en la lyd / poner en los primeros, quando le dixo: Yd / levad esta mi carta a Joab e venid. / Por amor de Berssabe, la muger de Urias / fue Dauid omeçida e fizo a Dios fallias..." (*Libro de Buen Amor,* edición citada, coplas 258-259, pág. 97); Fernández de Oviedo: "Si a Berssabe no viera / Dauid no se afiçionara / ni el marido le quitara / por consejo de Cupido" (*Las quinquagenas de la nobleza de España,* ed. V. de la Fuente, I, Madrid, 1880, estancia 49). La historia de Dina ha dado origen a una obra teatral del siglo XVI: *Auto del robo de Digna* (en *Colección de Autos,* I, págs. 136-151). Sobre el pecado de Salomón, cf. también cc. 23 y 119E.

Sebastián de Córdoba une, como Fr. Íñigo, los sucesos de Dina y Betsabé, añadiendo el de Tamar (cf. cc. 20 y 21) y el de la hija del conde don Julián: "O quantas vezes quisiera / vna muger virtuosa / nunca auer sido hermosa, / porque a su virtud no fuera / una arma tan peligrosa. / Bersabé quando lauaba / con lo que a David vencia, / Dina, Thamar y la Cava / y otras mil con quien

podía / mostrar que bien me fundaua" (*Las obras de Boscán y Garcilasso trasladadas*, fol. 24v).
Cf. cap. VI.

Copla 20. — Historia de Tamar, en *Samuel, II,* 13, 1-19. Beauvais: "E porque ninguno non fiase de la allegança de la sangre, el
hermano se enardiçio por ençendimiento non conuenible por amor
de Thamar su ermana" *(loc. cit.).* Tirso de Molina compuso sobre
este asunto su *Venganza de Tamar* (NBAE, IX). Cf. caps. IV y VI.
Copla 21. — Gillet (*Propalladia,* III, págs. 668-669) cita, entre
otros, los siguientes ejemplos sobre este uso desconsiderado del parentesco fingido: Torres Naharro: "entender que eres mi prima"
(en una situación similar, *Comedia Calamita,* ed. Gillet, II, pág. 194);
Luis Vives, en un párrafo que parece una paráfrasis del texto de Fr.
Íñigo: "Tampoco no sufriré que hermanos con hermanas ni primos
con primas retocen... cuanto más que quien me asegurará a mí destos parentescos. Ya no se veen sino desconciertos, ni se oye sino aquel
dicho que anda como un refrán: primo acá, primo acullá" (*Libro llamado instrucción de la mujer cristiana,* ed. cit., pág. 68).
Sbarbi (en *El refranero general español,* II, Madrid, 1875, ed. del
citado *Diálogo* de Juan de Espinosa), anota el siguiente proverbio:
"Aunque tu mujer sea buena, del familiar la recela". Cf. cc. 22 y 24.
Para Tamar, cf. c. 20.

Copla 22. — Cf. R. de Cota, *Diálogo entre el amor y un viejo:*
"Tú ensuciaste muchas camas / con aguda llama fuerte, / tú man-
cillas muchas famas / y tú haces con tus llamas / mil veces pedir la
muerte..." (en *Tesoro,* pág. 58).
Para las "parenteras damas", cf. c. 21.
Cf. cap. IV.

Copla 23: Para David, cf. c. 19.
Para Salomón, *Reyes, I,* 11, 1-8. Cf. Beauvais, *Historia de los
quatro dotores,* cap. XXVII, "De la vida del monge. Sant Jeronimo
al rustico", pág. 66: "¿Qual cosa mas sabidera que Salomon? Em-
pero, loqueçiose por amores de las mugeres", y cap. XL, "Que la cas-
tidat sea a criar por la astinencia", pág. 105: "Salamon el muy sa-

bidor partiose del Señor porque fue amador de las mogeres". Ambos textos, tomados de San Jerónimo, *Epístolas CXXV* y *XXII*, respectivamente; cf. ed. citada de J. Labourt. Contemporáneamente a Mendoza, cf. Pérez de Guzmán, *Continuación de las coplas contra los pecados mortales de Mena*: "Ni fies en tu saber, / pues mas tuuo Salamon / y mas que fueron y son / vencidos de la muger" (ed. cit., página 148) y *Confesión Rimada* (*ibid.*, pág. 639): "Tanto natural es este pecado / et haun vencio a fuertes et a sabios, / que nin a los vnos libros ni estrolabios / nin a los otros armas han guardado; / ¿quien fue en este vicio mas contaminado / quel maravilloso sabio Salamon...?". Cf. también cc. 117 y 119E.
Cf. cap. VI.

Copla 24. — Para la alteración de las doncellas ante los hombres, cf. c. 15.
Para los tratos de las jóvenes con los parientes, cf. c. 21.
Cf. Sebastián de Horozco: "Del malo no fiar / un saco de alacranes", "Del malo siempre huir / y con él nunca amistad / porque según su vivir / se debe de presumir / que siempre hará maldad. / Por eso son de notar / estos antiguos refranes / que nos hacen avisar / que del malo no fiar / aun un saco de ál" (*Refranes glosados*, página 717, núm. 668); Gonzalo Correas: "No fiaría dél un saco de alacranes" (*Vocabulario de refranes*, núm. 348). Sbarbi lo cita y comenta también: "No le fiaría un saco de alacranes. Frase con que se pondera la gran desconfianza que se tiene de alguna persona" (*Florilegio o ramillete alfabético de refranes y modismos comparativos y ponderativos de la lengua castellana*, Madrid, 1873, pág. 21). Para el uso de este proverbio en Sudamérica, cf. J. Calcaño, *El castellano en Venezuela*, Caracas, 1897, pág. 396. Gillet se refiere a otras frases proverbiales semejantes —tales como "sacos llenos de placeres", de ruindades, de maldades, codicias, mentiras... (*Propalladia*, III, pág. 259).

Copla 26. — *Lucas*, 2.
Cf. cap. IV.

Copla 27. — Cf. *Cancionero Espiritual*, pág. 66: "Prometidas en los dias / de los siglos que passaron / por diuersas profecias / que a este nuestro rey Mexias / prophetaron". Mendoza se refiere a tales profecías en coplas 33, 217, 219, 220, 221, 222 y 261.

Copla 28. — "Mañera : La muger que aunque es moça, no conçibe por çierto vicio de la matriz que con la boca della, como con la mano, desvia la simiente del varon" (Sebastián de Covarrubias, *Tesoro de la lengua castellana o española,* ed. M. de Riquer, Barcelona, 1943, pág. 785).
Para la alteración de María, cf. c. 15.
Cf. cap. VI.

Copla 29. — Para la alteración de María cf. c. 15.

Cf. caps. IV y VI.

Copla 30. — La importancia del uso de la metáfora de la vidriera es grande en la literatura religiosa europea, así como en la predicación. En la *Summa Praedicantium* de Juan Bromyard constan algunos ejemplos : "tertio idem per exemplum patet de speculo, quod quidem imago intrat magni hominis, cum sit in se clausum et paruum, sine sui corruptione. Sicut etiam modo secreto lumen intrat vitrum : sic lumen increatum, vitrum corporis virginalis", "Sexto idem ostenditur per exemplum luminis, quia sicut radius seu lumen solis, per vitrum transiiens, non solum lumen et claritatem per vitrum mittit ; sed etiam species colorum sensibiles vitro, per quod transit, similes secum portat et oculis ostendit intuentium, sine vitri corruptione..." (*op. cit.,* II, cap. "Maria", art. 14, pág. 9, y art. 17, pág. 9, respectivamente).
Cf. Dámaso Alonso (*La poesía de San Juan de la Cruz,* págs. 79-80 y 262-263), A. Castro Pires Lima ("No ventre da Virgen Mãe", *Brasilia,* 1943, págs. 394-397), R. Ricard ("Cristal, vidrio, vidriera", *MLR,* 1945, págs. 216-217). Ricard volvió a tratar el asunto en "Paravicino, Rabelais, le soleil et la 'vidriera' ", *BH,* 1955, págs. 327-330, J. Dagens ("La métaphore de la verrière", *Revue d'Ascétique et de Mystique,* 1949, págs. 524-531), Le Gentil (*La poésie lyrique,* I, página 311), E. Asensio ("Nota bibliográfica sobre el libro de Le Gentil" *RFE,* 1950, págs. 286-304), y P. Groult ("Rutebeuf et la Bible. La verrière et le soleil", en *Lettres Romaines,* 1951, pág. 339). A pesar

de que Le Gentil afirma que tal metáfora es prácticamente desconocida en España *(loc. cit.)*, y de que Asensio insiste en que "la poesía castellana emplea para cantar la virginidad de María procesos abstractos y ni siquiera conoce la imagen de la vidriera atravesada por el sol" (reseña citada, pág. 292), se remonta su uso ya a Gonzalo de Berceo: "En el vidrio podria asmar esta razon; / como lo pasa el rayo de sol sin lesion / tu asi engendrastes sin nulla corruption" *(Loores de la Virgen*, BAE, LVII, c. 20, pág. 100. En algunos textos latinos de la Iglesia española aparece la metáfora; cf. Asensio, *op. cit.)*. Otros ejemplos medievales en don Juan Manuel: "El sol, que es criatura, entra et salle por una vedriera et la vedriera siempre finca sana" *(Libro de los Estados*, BAE, LI, pág. 350. En rigor, es un uso profano en este caso); Eiximenis: "ca passo por ella asi como la luz o el rayo passa por el cristal o por la vedriera, sin ningund embargo ni corrucion" *(Vita Christi*, trad. de Fr. H. de Talavera, Granada, Ungut y Nuremberga, 1496, libro 3, cap. 135, fol. 89v); Gómez Manrique: "O Virgo senper yntata, / de la qual nasçio tu padre, / tu quedando tan entera / como sana vedriera / finca del sol traspasada" (NBAE, XXII, pág. 147, *Loores e suplicaciones a Nuestra Señora)*; Juan de Padilla, con varios casos: "...huye cristiano de los que discreen / daqueste misterio de summo consejo: / no rompen los rayos del sol all espejo / pero tus ojos ya dentro lo veen", "Assi hizo el rayo del sol diuinal, / passando las carnes daquesta donzella", "Este es el rayo del sol verdadero, / que passa los cuerpos humanos presentes, / este es el rayo que passa las mentes, / que quedan enteras bien como primero" *(Retablo*, c. 8, fol. dıv). En los siglos XVI y XVII no faltan tampoco autores que utilizan este fácil simbolismo, a veces con diferente propósito. Así, el anónimo del *Cancionero Espiritual*: "Salio de ti el Saluador / como el sol por la vedriera", o "Esta es vedriera rica, / quel sol sin corrompimiento / la traciende, / la que el sol nos comunica / y de las aguas y viento / nos defiende..." (ed. cit., págs. 25 y 41, respectivamente); Fr. Domingo de Valtanás: "por donde salio el principe sin corrupcion como passa el rayo de sol por la vedriera", "como el sol entra y sale por la vedriera sin quebrarla, assi el sol de justicia salio por aquella vedriera del parayso no menoscabando su entereza sino acrecentando su hermosura" *(Vita Christi*, Sevilla, 1557, fols. 13 y 26v, respectiva-

mente); Fr. Luis de León, Al Nacimiento: "Noche serena, clara más
que el día / en que el divino sol, graçia del cielo, / encubriendo su
ser con nuestro velo / del peccado rompió la niebla fría / ...Quedan-
do el claustro virginal muy sano, / qual sol pasa por vidrio traspa-
rente, / del nasçe Dios, de nuestro amor movido..." (cf. soneto de
1578 en *Estudios Literarios* de Menéndez Pidal, Madrid, 1920, página 166); Fr. Agostinho da Cruz: "Quedastes mas sin lesión / quel
cristal del sol herido, / puerta abierta de perdón" (*Obras*, ed. Mendes dos Remedios, Coimbra, 1918, pág. 370. Cf. Dámaso Alonso,
La poesía de San Juan de la Cruz, pág. 79, para la imagen de la vidriera aplicada con otra intención, también religiosa, en Sebastián de
Córdoba y San Juan de la Cruz); Alonso Rodríguez: "también suelen traer un ejemplo natural para declarar esto, aunque ninguno hay
que cuadre del todo. Así como el rayo de sol pasa por la vidriera
sin quebrarla, antes quedando ella muy entera y con mayor resplandor y hermosura, así nació Jesu Cristo Nuestro Señor de la Santísima
Virgen quedando ella muy entera y con mayor resplandor y hermosura..." (*Pláticas de la doctrina cristiana*, plática 8, núm. 63, ed. Félix Puzo, S. J., Barcelona, 1944, pág. 54); Calderón: "No hace, si
miras / que el rayo del sol penetra / la vidriera cristalina / y que
pasando sus rayos / luce, resplandece y brilla, / quedándose la vidriera / clara, pura, intacta y limpia / ... / que si ese sol ilumina /
por un vidrio, sin que el vidrio / se empañe, turbe o resista, / ¿por
qué no iluminará / Cristo, que es sol de justicia, / las entrañas de una
madre...?" (*El gran príncipe de Fez*, BAE, XIV, pág. 341)... El uso
de la metáfora llegó a conseguir cierto carácter popular, como lo demuestra esta copla de un dance aragonés: "El sol pasa con sus rayos / como vemos cada día / por un cristal sin quebrarlo; / ¿pues
qué implicancia hay que Cristo, / divino sol encarnado, / nazca y
que su Madre virgen / se quede después del parto?" (*apud*. A. de
Larrea Palacín: *El dance aragonés y las representaciones de moros y
cristianos*, Tetuán, 1952, pág. 307. La copla citada pertenece al *Dance
de San Antonio Abad*, de la localidad de Fuentes de Ebro. Otro
texto casi exacto, esta vez de una soldadesca de Velilla de Ebro, en
pág. 417). En el famoso *Catecismo* del P. Ripalda se utiliza otra vez esta
explicación: "Pregunta: ¿Cómo pudo [Cristo] nacer de madre Virgen? Respuesta: Sobrenatural y milagrosamente, como fue concebido.

P.: ¿De qué manera fue eso? R.: Saliendo del vientre de la Virgen como el rayo de sol por el cristal, sin romperlo ni mancharlo" (35.ª edición, Jerez, 1951, pág. 22, *Nuevo Ripalda en la Nueva España*). Cf. cap. II, V y VI.

Copla 31. — Zarza de Moisés, *Éxodo*, 3, 2. Puerta cerrada, *Ezequiel*, 44, 1, 2. *Cancionero Espiritual*: "La çarça toda encendida / que Moysen sin ser quemada / vido arder / es esta virgen florida / que nunca contaminada / pudo ser, / encendida del amor / del fuego diuino sancto / y muy llena, / y del mortifero ardor / del original quebranto muy agena. / Esta virgen es la puerta / que Ezechiel vio cerrada, / tan texida / que nunca la sierpe tuerta / pudo en ella dar entrada / ni manida. / Es la torre de Dauid / y la fuente muy sellada, / de tal suerte / que vencio toda la hiel / y astucia falsa callada / de la muerte. / Es la vara de Aaron / sin simiente florecida / y granada, / la era de Gedeón / que quedo sin ser llovida / ni mojada..." (ed. cit., págs. 16-17); Alonso Rodríguez: "Esto significaba aquella puerta del sagrario que vió cerrada el profeta Ezequiel; esto aquella piedra cortada del monte sin manos que vio el profeta Daniel; esto aquella zarza que vio Moisés que ardía y no se quemaba; esto aquella vara de Aarón que sola floreció entre las demás de los príncipes de las tribus de Israel" (*Pláticas*, págs. 54-55); Ana Abarca de Bolea: "La casta y fuerte Iudit, / el bellocino, la zarza, / la hermossisima Raquel, / de Aron floreciente vara..." (*Romance de la Virgen Santísima*, en M. Alvar. *Estudios sobre el Octavario*, pág. 53). Cf. cc. 60, 88, 134 y 150. Cf. cap. VI.

Copla 32. — Historia de Gedeón: *Jueces*, 6, 11-40; 7 y 8, 1-26. Cf. c. 31. Cf. cap. VI.

Copla 33. — Vara de Aarón: *Números*, 17, 8. Fuente y huerto de Salomón, *Cantar de los Cantares*, 4, 12. Profecía de Isaías, *Isaías*, 7, 14-16, y 9, 6-7 (cf. también cc. 220 y 261). Cf. c. 31. Cf. cap. VI.

Copla 34. — Espuelas: cf. cc. 13 y especialmente 167.

Copla 35. — *Juan, Epístola I*, 2, 2: "Y él mismo es la víctima de propiciación por nuestros pecados; y no tan sólo por los nuestros, sino también por los de todo el mundo" (cf. Sto. Tomás, *Summa*, 3, 48, 2. 3; 3, 49, 4ad3). *Génesis*, 3, 1-24; la manzana, 3, 6. Cf. también cc. 57, 60, 84, 86, 88, 101, 134, 171, 177, 179, 180, 258, 263B, 287, 306 y 354. Para "negro" con sentido de malhadado o maldito, cf. Gillet, *Propalladia*, III, pág. 159. Correas explica: "negro y negra se juntan a muchas cosas para denotar en ellas afán y trabajo..." (*Vocabulario*, página 611). Cf. también notas a la c. 187. Cf. Juan de Padilla: "Por la cayda del Padre primero / fueron sus hijos del todo caydos / y somos en tanta miseria venidos / que nunca sanamos jamas por entero...", "O padre que negro bocado comiste, / lleno de triste ponçoña mortal, / y donde touiste tu don razonal / quando sin hambre del fruto mordiste, / o negra mançana mortal y muy triste..." (*Retablo*, c. 4, fol. c4). *Cancionero Espiritual:* "Donde en lloro lastimero / nos ha puesto aquel bocado / que nuestro padre primero / engañado del Ceruero / comio del arbol vedado" (pág. 44); "por el bocado comido" (pág. 101), "su dulce y mortal bocado" (pág. 206); Fernando Díaz: el ángel dice a los pastores de Belén: "Ya avreis sabido del triste bocado" (*Farsa nuevamente trobada por... en loor del nasçimiento de Jesu Christo*, en *Teatro*, ed. Cronan, I, pág. 325). Cf. c. 362.

Copla 37. — Alteración de María, cf. c. 15; cf. cap. VI.

Copla 38. — "La carne humana", cf. cc. 49 y 100.

Copla 39. — *Cancionero Espiritual*, pág. 55: "Tu sola fuiste el señuelo / do de vn buelo / por el tu humil esmalte / se abatio de alla del cielo / hasta dar en este suelo / aquel sacro gerifalte". Cf. también coplas 265C, 275, 326 y 338, especialmente la segunda de las citadas.

Copla 40. — "Metal": "Condicion". Cf. Gillet, *Propalladia*, II, página 138.

Copla 41. — Cf. cap. V. Elogio imposible, cf. también cc. 41, 58
y 162D.

Copla 42. — Santillana: "Refrenevos discreçion, / apartadvos de
tal fanga, / que si entra por la manga / sale por el cabeçon" (*Doctrinal de Privados*, NBAE, XIX, c. 30, pág. 506). Cf. Gillet, *Propalladia*, III, pág. 548. Covarrubias escribe que "cabeçón" es el "cuello
del vestido y de la camisa, en especial los que usan los labradores que
traen escotados los cuellos de los sayos a lo antiguo" (*Tesoro*, "cabeçón").
Cf. caps. V y VI.

Copla 43. — Montesino copia, evidentemente, a Mendoza: "O
muy alto sacramento..." (*Coplas*, fol. e2).
Cancionero Espiritual: "que eres, Señor, cimiento / y principal
fundamento" (pág. 41), "sed por poner el cimento / de la yglesia
muy hermosa" (pág. 99). Cf. cc. 57, 60, 61 y 315; especialmente
la 307.
"Melcocha: una golosina para los niños, de miel tostada. Antonio Nebrissense: *Mel coctile, vel mel coctium.* Melcochero: el que
las vende" (Covarrubias, *Tesoro*, "melcocha", pág. 797).
El proverbio figura ya en colecciones paremiológicas del siglo XV:
"¿Qué sabe el asno qué cosa es melcocha?" (F. N. S. *Una colección*,
número 412, pág. 444) y, naturalmente, en otras posteriores, con variantes: "tal sabe el asno qué cosa son melcochas" (Fernando de Arce
de Benavente, *Adagiarum*, Salamanca, 1533, según Sbarbi, *Monografía*, pág. 57); Hernán Núñez: "No es la miel para la boca del asno" (*Refranes*, fol. 79b; esta misma versión es la que utiliza Cervantes en *Quijote*, I, 52 y II, 28, y la que comenta Caro y Cejudo,
Refranes, págs. 268-269). Sbarbi: "tanto entiende de eso como el
asno de la vihuela" (*Florilegio*, pág. 34). También es utilizado entre
los sefarditas: "Al asno le dieron azúcar; no le agradó" (R. Foulché-
Delbosc, *Proverbes Judéo-espagnols*, núm. 34, pág. 313).
Cf. cap. V.

Copla 44. — La imagen del campesino "metido en real cortina"
está íntimamente relacionada con el tema del vergonzoso en palacio,

de origen popular. Cf. F. de Arce: "Mozo vergonzoso, el diablo lo lleva a palacio" (*Adagios*, en Sbarbi, *Monografía*, pág. 55); Mal Lara: "De moço a palacio, de viejo a beato. En palaçio atreuense los moços y desásnanse para que no se les diga: 'Moço vergonzoso el diablo lo truxo a palacio'" (*La philosophia vulgar*, Sevilla, 1568, folio 24); Juan de Luna: "Al moço vergonçosso, el diablo le llevó a palaçio" (*Refranero*, págs. 241-242). Abundan los ejemplos literarios, que culminan en Tirso de Molina: "cuando se viste el villano / las galas del noble traje, / parece imagen del roble / que ni mueve pie ni mano / ni hay quien persuadirse pueda / sino que es, como sospecha, / pared que de adobes hecha / la cubre un tapiz de seda" (*El vergonzoso en palacio*, ed. Américo Castro, Madrid, 1952, CC, página 32).
Cf. también c. 213.
Cf. cap. V.

Copla 46. — Cf. San Gregorio, *Diálogo*, I-4, c. 1, 3, 6, 7, PL, LXXVII. Cf. también cc. 52-56 y 258. Juan de Padilla: "Y mas dexaremos las altas questiones / que en esta materia se pueden poner, / tomando la fe que nos puede valer / contra las biuas humanas razones..." (*Retablo*, 3, c9, fol. 46; La tabla alfabética inicial dice así en lo referente a esta parte: "Creer se deue el sacramento del altar y no escudriñar"). En el *Cancionero Espiritual* se inserta una canción hecha por Soria a la *Incarnacion con su copla* (págs. 119-120), con una glosa del autor que dice así: "Do no es possible llegar / el humanal intelecto / peligroso es escaruar / y seguro confessar, / dexando a Dios el secreto / y por queste caso veo / ser el mas alto que fue / digo que sin duda creo / el si, si, el como, no se. / Qual hombre osa lançar / su rudo flaco sentido / en este profundo mar / de querer escudriñar / vn misterio tan subido / donde la especulacion / angelica toda junta / queriendo hablar despunta / desta tan ardza (*sic*) quistion. / Quien no puede penetrar / avn lo baxo deste mundo / en tal caso disputar / es vn ponerse a bolar / para dar en el profundo, / assi ques remedio sano / que confiesse el coraçon / aquello de llano en llano / que no alcanza la razon. / El punto del merecer / en la religion christiana / es firmemente creer / lo que no paresce ser / possible a razon humana / y que nuestro entendimiento / no pueda llegar ni este / en aquel alto apossento / adonde sube la fee".

Una muestra popularizada contra el racionalismo en los misterios católicos: "Y en fin, es grande soberbia / del entendimiento huma-no / el querer saberlo todo, / y asi lo mas acertado / es creer y no escudriñar / lo que Dios ha reservado" (A. de Larrea Palacín, *El dance aragonés*, pág. 307; es parte del *Dance de San Antonio Abad*, de Fuentes de Ebro. Variante muy similar en pág. 417, *Soldadesca* de Velilla de Ebro).
Cf. caps. V y VI.

Copla 47. — Definición de la fe: origen en San Pablo, *Hebreos*, 11, 1: "Es pues la fe el fundamento o firme persuasión de las cosas que se esperan, y un convencimiento de las cosas que no se ven". Definición definitiva en el II Concilio de Nicea; cf. G. D. Mansi: *Sacrorum Conciliorum nova et amplissima collectio*, XIII, Gratz, 1960, 398 y ss., y J. Mendham, *The Seventh General Council, the Second of Nicaea*, Londres, s. a.

"La babilonica obra" se refiere, evidentemente, a la torre de Ba-bel (*Génesis*, 11, 1-10), y no a la estatua que en Babilonia ordenó construir Nabucodonosor (*Daniel*, 3, 1-7), cf. cap. VI.

Copla 49. — Para las metáforas e imágenes de hitos, blancos o terreros (también en cc. 313 y 345), cf. San Pablo, *Filipenses*, 3, 14: "Mi única mira es... ir corriendo hacia el hito para ganar el premio a que Dios llama desde lo alto por Jesucristo". Covarrubias (*Emble-mas*, centuria 3, emblema 27) utiliza el mismo símbolo en relación con el hombre y sus acciones. Cf. cap. VI.

Copla 50. — Pérez de Guzmán: "Vno de los actos en que la alteza / de Dios et potencia se muestra et declara, / assi lo vera quien bien mientes para, / et en que paresce mas nuestra flaqueza, / es quando queremos con grand sotileza / sus obras escuras mas escu-druñar, / es como el que quiere mucho al sol mirar, / que pierde del viso su grand agudeza" (*Contra los que dizen que Dios en este mun-do nin da bien por bien nin mal por mal*, NBAE, XIX, c. 54, pági-na 655). *Cancionero Espiritual*, pág. 123: "Y porque mucho cauar /

en un caso tan escuro / es antes para cegar / que para ver ni acer-
tar, / tomare lo mas seguro, / que sera que llanamente / consiento
y consentire / con lo que la Iglesia siente, / y aqui la razon es fee".
Cf. cap. VI.

Copla 51. — Sabelio: Su heterodoxa identificación de Padre e
Hijo fue condenada en el tercer Concilio de Antioquía, año 345, así
como en el de Constantinopla, año 381. Cf. San Basilio el Grande,
Epístola CCX, 3, PG, XXXII, cols. 772 y 776; *Formula Macrosti-
chos* en A. Hahn, *Bibliotek der Symbole und Glaubersrefeln der
alten Kirche*, Breslau, 1897, pág. 159, y J. C. Ayer, *A Source Book
for Ancient Church History*, Nueva York, 1913, págs. 223-224, 300,
309, 352, 354.

Maniqueo: Condenada en el Concilio de Constantinopla su idea
de la divinidad de Jesucristo sin eternidad. Cf. Ayer, págs. 297-320
y 348-356. Cf. *Acta Archelai*, en *The Ante-Nicene Fathers. Translations of the Fathers down to a. d. 325*, V, Buffalo, 1885, págs. 175-
235; San Agustín, *Epistulam Manichaei*, 4, en PL, XLII, col. 175;
Ayer, *op. cit.*, págs. 252-256, 372-376, 454-455 y 559-560.

Cf. también c. 173.

Arriano: cf. Sócrates, *Hist. Eccl.*, I, 6, en PG, LXVII, col. 45;
Ayer, *op. cit.*, págs. 297-320 y 348-356.

Pérez de Guzmán: "En la çibdad de Niçea / vn tal conçilio jun-
te / con que Dios loado sea / su santa fe conserve; estruy y aterre /
a Arrio y su maldad tanta, / como Atanasio canta, / que ally presente fue" (*Requesta fecha al magnifico marques de Santillana*, BAE,
XIX, pág. 679).
Cf. cap. VI.

Copla 52. — Fe y razón, cf. c. 46.
Metáfora iluminista, cf. c. 1.
Cf. caps. III y VI.

Copla 53. — "Cerrada escriptura", metáfora de origen bíblico;
cf. *Daniel* 12, 4: "Pero tú, oh Daniel, ten guardadas estas palabras
y sella el libro hasta el tiempo determinado...".

Ayuda divina al conocimiento humano: cf. San Gregorio, *Morales*, I, c. 32, PL, LXXV, col. 547; Santo Tomás, *Summa*, 2-2, 8, 1ad3.

Apocalipsis, 5, 1, 5: "Después vi en la mano derecha del que estaba sentado en el solio un libro escrito por dentro, y por fuera sellado con siete sellos. Al mismo tiempo vi a un ángel fuerte y poderoso pregonar a grandes voces: ¿quién es el digno de abrir y de levantar sus sellos? Y ninguno podía, ni en el cielo ni en la tierra, ni debajo de la tierra, abrir el libro...".
Cf. cc. 46, 52, 54 y 55.
Cf. cap. VI.

Copla 54. — La blanca original era de plata y apareció bajo el reinado de Juan II de Aragón (1425-1479); llegó a equivaler a medio maravedí con los Reyes Católicos, según las ordenanzas de Medina del Campo, 13 de junio de 1497. Según una pragmática de 14 de diciembre de 1566, todavía en este año conservaba tal valor. Cf. Gillet, *Propalladia*, III, págs. 198-199, y F. Mateu y Llopis, *Glosario histórico de numismática*, Barcelona, 1946, págs. 20 y ss.
Fe y razón, cf. cc. 46, 52 y 53.

Copla 55. — Fe y razón, cf. cc. 46, 52 y 53.

Copla 56. — Fe y razón, cf. cc. 46, 52 y 53.

Copla 57. — Pecado original: cf. c. 35.
Ángeles caídos: *Apocalipsis*, 12, 7-9 y 20-21, y San Juan Damasceno, *De Fide* (1, 2, c. 4, *PG*, XCIV, col. 876). Cf. también cc. 92, 291 y 382. Gómez Manrique, *Loores e suplicaciones...* (NBAE, XXII, página 147): "aquellas sacras moradas / que despobló Lucifer".
Metáfora iluminista, cf. c. 1.
Artillería, cf. Gillet, *Propalladia*, III, pág. 136, con ejemplos de Pero Tafur, Colón y Nebrija, con el sentido de "pertrechos de guerra"; con el actual, ya en Santillana, también Tafur, Díaz Tanco, Torres Naharro y Mendoza.
Cimiento, cf. c. 43.

Copla 58. — Virgen abogada, origen en *San Juan*, I, 2, 1, que se refiere a Cristo, "abogado para con el Padre". Cf. también c. 337.

"Hemanuel", según *Isaías*, 7, 14, y *Mateo*, 1, 23. Cf. también copla 287.

Metáfora del corcho, cf. Gillet, *Propalladia*, III, pág. 367, comentando "como corcho sobrel agua", utilizado por Torres Naharro en *Comedia Jacinta*, V, 251. Otros ejemplos, algunos de ellos citados por Gillet: Vasco Díaz Tanco de Fregenal, "cansado siempre camino / sin tener algun guiador, / como la corcha en el agua, / sin saber puerto mejor" (*Los veinte triunphos*, h. 1530, ed. facs. Rodríguez-Moñino, Madrid, 1945, fol. 139V.); A. Sánchez de la Ballesta: "como corcho sobre el agua... para encarecer una cosa liviana" (*Dictionario de vocablos castellanos aplicados a la propriedad latina*, Salamanca, 1587, fol. 148); Correas, "como corcho sobre el agua..." (*Vocabulario*, pág. 251).

Cancionero Espiritual, pág. 49, "Las sus gracias excelentes / eran vn inmenso mar / tal que no son sufficientes / los pilotos mas prudentes / a lo saber marear". Cf. Le Gentil, *La poésie*, I, págs. 98-99, para el origen profano del tema del elogio imposible de la Virgen. Cf. cc. 41-42, 162D y 181.

Copla 59. — "Carrera", cf. cc. 7 y 121.

Copla 60. — *Lucas*, 1, 48: "...por tanto, ya desde ahora me llamarán bienaventurada todas las generaciones". Cf. c. 181B.
Cancionero Espiritual, pág. 38: "...ques llaue y puerta del çielo"; Fr. Agostinho da Cruz: "puerta abierta de perdon / del yerro de Eua nacido" (*Obras*, pág. 370); Ana Abarca de Bolea: "Ventana del cielo soys / y del parayso puerta / que, no franqueandola vos, / ninguno en su gloria entra" (*Octavario*, pág. 57).
Cf. cc. 31, 35 y 43.
Cf. cap. VI.

Copla 61. — Metáfora iluminista, cf. c. 1.
Para el dolor de la Virgen ante los sufrimientos de Cristo, cf. capítulo V.
Cf. cc. 43, 66, 163, 180-181E, 198, 242-256, 262 y ss. y 288-290.

Copla 62. — Historia de la Natividad, *Lucas*, 2, 5-7.

El asno y el buey. Quizá, posible origen en *Isaías*, 1, 3 : "El buey reconoce a su dueño y el asno el pesebre de su amo...". Cf. G. Duriez, *La théologie dans le drame liturgique en Allemagne*, París-Lila, 1914, pág. 239, y M. Rudwin, "The Origin of the Legend of 'Bos et Asinus'", en *The Open Court*, 1915, págs. 57, 126 y 191-192. Cf. también cc. 64, 73, 76, 95 y 115K. Para ejemplos, Gillet, *Propalladia*, III, págs. 183-184.
Cf. cap. VI.

Copla 63. — Montesino : "No me curo de tu frio, / que yo ardo en caridad, / por la qual el Padre mio / me vestio de humanidad" (*Coplas*, fol. b4). *Cancionero Espiritual:* "El fuego viuo de amor" (página 77), "spiritual fuego de amor" (pág. 106). Cf. también coplas 101 y 115.
Cf. cap. VI.

Copla 64. — Metáfora iluminista, cf. c. 1.
"Los animales dos", cf. c. 62.

Copla 65. — Metáfora iluminista, cf. c. 1.
Cristo nacido miserablemente, cf. cap. VI.

Copla 66. — Dolor de la Virgen, cf. c. 61.
Ancianidad de José. *Evangelios Apócrifos, passim* (ed. A. de Santos Otero, BAC, Madrid, 1956). Huizinga escribe : "Cuando la veneración de los santos ha alcanzado su perfecta expresión plástica, tiene su puesto en la superficie de la vida religiosa. La corriente del pensar cotidiano se apodera de ella y la hace perder más de una vez su dignidad. Es característica en este respecto la veneración que siente por San José la última Edad Media... El irrespetuoso interés por San José es como el reverso de todo el amor y culto que se tributan a la virginal Madre de Dios. Cuanto más alto ascendía María, tanto más se convertía José en una caricatura. Las artes plásticas prestábanle ya un tipo que se acercaba peligrosamente al del villano tosco y ridiculizado... José era para la fantasía popular una figura semicómica. Todavía el doctor Juan Eck ha tenido que recomendar que, en Nochebuena, o no se le represente, o al menos se le represente de un modo

conveniente, y no guisando papillas, *ne ecclesia irrideatur"* (*El otoño de la Edad Media*, Madrid, 1945, págs. 241-243). Cf. también coplas 80, 181D, 208, 250, 264 y 305.

Copla 69. — Pureza de María, cf. San Anselmo, *De conceptu virginali* (PL, CLVII, col. 451). Cf. también cc. 70-72.

Copla 70. — El Hijo nacido eternamente de la mente del Padre, cf. Santo Tomás, *Summa* (1, 27, 2c y 3c; 28, 4ad1...). Cf. c. 69.

Copla 71. — Metáfora medicinal. *Eclesiástico*, 15, 3: "...le dará a beber el agua de ciencia saludable". *Juan*, 4, 10: "...puede ser que tú le hubieras pedido a él, y él te hubiera dado agua viva". Las metáforas "a lo divino" son tan abundantes como "a lo profano" y amoroso. Cf. entre las primeras el ejemplo típico del Arcipreste de Hita: "Virgen, del çielo Reyna / e del mundo melezina" (*Libro de Buen Amor*, I, copla 33, pág. 20), o el de Alonso de Cartagena: "dicit esse aliqua que Christus non posset purgare suo sanguine et tam profundas scelerum suorum pristinorum uniri corporibus ac animis cicatrices ut medicina illius attenuari nequeant" (*Defensorium Unitatis Christianae*, ed. M. Alonso, S. J., Madrid, 1943, pág. 183). Cf. ejemplos predicatorios en Bromyard, *Summa*, I, "Abstinentia", 3, pág. 3, o II, "Visitatio", 25, pág. 449. Para el uso profano, aparte del *Remedia Amoris* ovidiano y de la utilización abundantísima en Francia, cf. como ejemplo perfecto la *Recepta de Amor* publicada por C. B. Bourland, cuya parte final, "La cura perfecta et vltima", dice: "Puesto a parte menospreç, / cojeres, grado primero, / hastanchir un almireç, / y poco mas duna nuez, / dun querer muy verdadero; / cojereys de lealtad / ensemble con affection / duna libra la metad / y a lexos de crueldat, / cojed mucho galardon". (En "The Unprinted Poems of the Spanish Cancioneros in the Bibliothèque Nationale, Paris", *RH*, 1909, pág. 485).
Cf. cc. 69, 74-76, 78, 115T, 157, 166, 178, 283, 295 y 320.
Cf. cap. V.

Copla 72. — Medio y extremos, cf. Santo Tomás, *Summa* (1, 54, 1ad3).

Cf. c. 69.
Cf. cap. IV.

Copla 73. — Cf. c. 62.
Cf. cap. VI.

Copla 74. — Cf. c. 71 para la metáfora medicinal. En relación con
ella, la idea de Cristo-Médico; para Padilla, por ejemplo, el Mesías
viene "bien como medico mucho famoso" (*Retablo*, c. 7, fol. c6).
Cf. también cc. 75 y 181.

Copla 75. — Cf. c. 71 para metáfora medicinal, y c. 74 para
Cristo-Médico.
Cf. cap. V para la exclamación contra las riquezas a propósito del
humilde nacimiento de Cristo. También en cc. 76-79 y 104-121.

Copla 76. — "Hambre de honras mundanas", cf. c. 118 y especialmente c. 195.
Cristo "entre bestias", cf. c. 62.
Metáfora medicinal, cf. c. 71.
Pobreza del nacimiento de Cristo, San Buenaventura: "Estos paños le aplasen a el, en estas sedas se deleyta el ser enbuelto; non
consuelan la ynfança de Christo y sus lagrimas y el pesebre y el
establo a los verbosos y escarnidores nin a los que andan en las es-
cuelas buscando sus onrras y catredas, mas a los pobres atribulados
y trabajados; como dice Sant Bernardo, esta pobreça es la que guardaron la Madre Virgen y el hijo de Dios..." (*Contenplaçion*, folios
XV-XVI). Cf. también c. 75.

Copla 77. — Pobreza de Cristo, cf. cc. 75 y 76. *Celestina*: "Ten-
go por onesta cosa la pobreza alegre. E aun mas te digo, que no los
que poco tienen son pobres, mas los que mucho desean" (ed. Cejador,
CC, I, pág. 103), "mucho segura es la mansa pobreza" (*ibidem*, 104).
Flores de Lucio Anneo Seneca. Cf. Epistola XVIII, pág. 14:
"Quan mejor aparejo sea para bien vivir la pobreza que la riqueza".
Cf. cap. V. (También para cc. 78 y 79.)

Copla 78. — Metáfora medicinal, cf. c. 71.

Pobreza de Cristo, cf. cc. 75-77.

"La peligrosa carga", *Mateo*, 11, 28 : "Venid a mí todos los que andáis agobiados con trabajos y cargas, que yo os aliviaré". Cf. cap. VI.

Copla 79. — Cf. cc. 75-78.

Copla 80. — La tradicional clasificación de los ángeles en nueve órdenes, agrupados en tres jerarquías, proviene del Seudo-Dionisio Areopagita, *De Caeleste Hierarchia* (cf. ed. P. Hendrix, Leiden, 1959). Entre otros autores que tratan del tema, merecen citarse Santo Tomás (*Summa*, 1, 108, "De ordinatione angelorum secundum hierarchias et ordines"); Dante (*Divina Commedia, Paradiso*, XXVIII, 97-139, edición Società Dantesca Italiana, Milán, 1955, págs. 871-874); Bromyard (*Summa*, I, "Angelus", 22, págs. 59-62)... Dentro de la Edad Media peninsular es digno de mención el tratado de Fr. Francesç Eiximenis titulado *Libre dels Angels* (cf. libro II, "Delur orde reuerent", Barcelona, Johan Rosenbach, 1494), y las *Coplas en español de la çelestial jerarchia conpuestas por un religioso de San Francisco*, según el *Regestrum* de Fernando Colón, núm. 3994. Cf. Eiximenis : "E aun es de creer que cantassen alli algunas canciones desiendo unos y respondiendo todos los otros, como canta el invitatorio a los maytines y que en esta manera cantarian esta cancion y otras semejantes..." (*Vita Christi*, libro 3, cap. 137, fol. 90v). Montesino : "Los coros del parayso / a Dios dan gloria y loores, / los serafines muy altos / aqui sirven de cantores, / gloria dizen *in excelsis* / en concertados primores; / la primera gerarchia / lo seruia de tenores, / la otra de contras altas, / la tercera de menores, / otros tiples de armonia / enxerian en bemoles..." (*Coplas*, fol. d6v). Álvarez Gato, *A Nuestra Señora*, NBAE, XIX, pág. 255. Cf. también cc. 85-102. Cf. cap. V y VI.

San José, cf. c. 66.

Copla 81. — Cf. c. 80.

Copla 82. — *Lucas*, 1, 48 : "Porque ha puesto sus ojos en la bajeza de su esclava; por tanto, ya desde ahora me llamarán bienaventurada todas las generaciones".

Cf. cc. 181A y 181B. Cf. cap. IV para las canciones de las coplas 82-84, 86-88, 92-94 y 97-98.

Copla 83. — Cf. c. 82.

Copla 84. — Cf. cc. 35 y 82.

Copla 85. — Cf. c. 80.

Copla 86. — *Cancionero espiritual*, pág. 146: "Estas son las marauillas...".
Cf. cc. 35, 80 y 82.
Poblar la gloria, Gómez Manrique: "O tu, bendita muger, / por la qual seran pobladas / aquellas sacras moradas / que despoblo Lucifer..." (NBAE, XXII, pág. 147, *Loores*); Montesino: "Por esta donzella sola / el çielo claro se puebla, / despoblado con la cola / del varon de la tiniebla" (*Coplas*, fol. b6, entre otros ejemplos). Cf. también cc. 87 y 88. Cf. cap. VI.

Copla 87. — Cf. cc. 1, 80, 82 y 86.

Copla 88. — La puerta abierta: cf. cc. 31 y 134. En esta segunda copla, el mismo Mendoza escribe: "Y vuestra muerte primera / con su muerte sera muerta, / y luego que aqueste muera, / sabe quel çielo os espera / a todos a puerta abierta". Álvarez Gato: "Tu eres del çielo puerta / y quan franca" (*Obras*, fol. 7v). Comendador Román, refiriéndose a Cristo, en *Obras*, fols. a4, c7v y d3v.
Cf. cc. 35, 80 y 82. Cf. cap. VI.

Copla 89. — Cf. cc. 80, 11, 194. Cf. cap. IV.

Copla 90. — Cf. c. 80.

Copla 91. — San Miguel Arcángel, *Daniel*, 10-13 y 12, 1, donde se le llama "príncipe grande, que es el defensor de los hijos de tu pueblo"; *Apocalipsis*, 12, 7-9 y 20, 2.
Manso cordero, origen en *Isaías*, 16, 1: "Envía, oh Señor, el cordero dominador de la tierra"; cf. también *Juan*, 1, 29: "He aquí el cordero de Dios"; también *Apocalipsis*, 5, 6. Cf. cc. 179 y 303.
Cf. c. 80.

Copla 92. — *Cancionero Espiritual,* pág. 16: "Claramente se paresce / ser su sagrado concepto sin escoria".
Cf. cc. 3, 13, 57, 80 y 82.

Copla 93. — Gozo accidental y esencial: cf. Santo Tomás, *Summa* (1-2, 3, 3c; Sup. 92, 1, 2).
Cf. cc. 80 y 82.

Copla 94. — Cf. cc. 80 y 82.

Copla 95. — Por rima ha de ser "Alemania". Para *ni* con valor
de *ñ* actual, cf. A. M. Espinosa, *Estudios sobre el español de Nuevo
Méjico, Biblioteca de Dialectología Hispano-Americana,* I, Buenos Aires, 1930, § 150 y nota.
Cf. cc. 62 y 80.

Copla 96. — Cf. c. 80.

Copla 97. — Cf. cc. 13, 80 y 82. Cf. cap. IV.

Copla 98. — Santo Advenimiento, cf. San Agustín, *Sermo CLX,
De Passione* (PL, XXXIX, col. 2060); también Santo Tomás, *Summa*
(3, 52, 2ad4; Sup. 69, 5c y 69, 6, 7c).
Cf. cc. 80, 82, 86 y 361-362.

Copla 99. — Cf. c. 80. Cf. cap. VI.

Copla 100. — Cf. *Cancionero Musical* (núm. 284, pág. 145): "Tierra y cielos se quejaban, / el sol triste sescondia, / la mar sañosa bramando / sus ondas turbias volvia / cuando el Redemptor del mundo / en la cruz puesto moria; / palabras dignas de lloro / son aquestas que dezia: / "Ya, señor, en las tus manos / encomiendo ell alma
mia" / ¡Oh mancilla inestimable! / ¡Oh dolor sin compañia!, /
¡quel criador no criado / criatura se fazia / por dar vida a aquellos
mismos / de quien muerte recebia!". Álvarez Gato (ed. Artiles, número 5 Aa, págs. 78-79): "Misterios de marauillas: / ¿quien podra,
Señor, dezillas?" (cf. los versos 15-16 en a1).
El tema de la silla preciosa (vv. 29-30, a1) es de origen bíblico;
cf. *Reyes,* I, 18-20; *Cantar de los Cantares,* 3, 10. Aparece usado

generalmente en la literatura; cf. Mena, Santillana, Diego de Burgos, López de Yanguas...
Cf. c. 80. Cf. caps. III, IV, V y VI.

Copla 101. — Cf. cc. 35 y 63. Cf. cap. IV y V.

Copla 102. — Cf. c. 80.

Copla 103. — Cf. c. 66.

Copla 104. — *Corintios, I*, 15, 45: "el postrer Adán, Cristo...".
Nacimiento humilde de Cristo, cf. c. 75.
El "sendero" recto o "carrera de salud", cf. cc. 115S, 315 y espe-
cialmente 121.
Cf. caps. V y VI.

Copla 105. — San Buenaventura: "Non aborreçieron el establo,
no las bestias, non el feno, non las otras cosas viles..."; "Y entre
las otras [angustias] ovo tanbien esta que quando la madre lo puso
en el pesebre puso vna piedra por cabeçera puesto por ventura algund heno entre ella y la cabeça y segund yo he sabido de aquel
nuestro frayre aun alli pareçe aquella piedra dentro de vn muro por
memoria" (*Contenplaçion*, fols. 16 y 17v). Lodulfo de Sajonia:
"Como su madre lo acostasse en el pesebre e no tuuiese cabeçal ni
almohada... pusole debaxo de la cabeça una piedra dura... entrepo-
niendo por ventura algund heno entre la piedra e la cabeça" (*Vita
Christi, I*, cap. 9, 3, fol. 55v). Padilla: "Ved lo que hizo la Virgen
entera / despues que ya tuvo su hijo emboluido: / toma del heno
de fuera nacido / y ponelo encima de la pesebrera / y por almohada
de la cabecera / puso la piedra, la qual por memoria / siempre se
halla no poco notoria / en la pared del pesebre frontera" (*Retablo*,
copla 14, fol. d6).
Pobreza, cf. c. 104.

Copla 106. — Hay antecedentes bíblicos de crítica social, tan abundante en el poema de Mendoza; cf., por ej., *Salmo* 49; *Proverbios*,
11, 4; *Miqueas*, 2; *Mateo*, 6, 20-21; *Lucas*, 12, 20-21; *Santiago*, 5.
Para la crítica a propósito del nacimiento de Cristo, cf. cc. 106-
121.

Cf. San Bernardo (Sermonibus nativitati Christi, 3, 5, PL, CLXXXIII); San Buenaventura (Contenplaçion, fols. 15v-16); Lodulfo de Sajonia, Vita, I, cap. 9, 3, fols. 54-56); Eiximenis (Vita, capítulo 138, fol. 15v-16); Padilla (Retablo, fols. d6v, 14; en fol. e4v utiliza la rima "emperadores/señores"). Cf. c. 104. Cf. caps. III, IV, VI y VII.

Copla 107. — Cf. cc. 104, 106 y 110. Cf. caps. IV, VI y VII.

Copla 108. — Contra los prelados, cf. cc. 111-113 y 115L. Cf. cc. 104 y 106. Padilla: "Aqui se condenan los muy esmalta-dos / jaezes sembrados de piedras preciosas, / aqui se condenan las sillas famosas / y caparaçones de oro chapados..." (Retablo, fol. k). Cf. también exenplo 152 de C. Sánchez de Vercial (ed. Keller y Zahn, Madrid, 1961, pág. 128), cuya copla inicial dice así: "Los obispos tienen mal pensar / que en deleytes se creyen salvar". Cf. cap. VII. "Carrilla" dice el texto de a1 erróneamente; es el famoso arzobispo de Toledo y primado de España. Cf. Pulgar, Claros varones de Castilla, ed. cit., págs. 127 y 131, y las crónicas de la época, todas ellas llenas de noticias sobre Carrillo. También es útil El cronista Alonso de Palencia, de Paz y Melia, Madrid, 1914, passim, y Enrique IV y la excelente señora, de J. B. Sitges, Madrid, 1912, passim.

Copla 109. — Cf. cc. 104 y 106. Cf. cap. I, III, VI y VII. Juan de Padilla escribe en su Retablo (fol. kv): "Escusase de re-prehender: Si me dexasse mi simple biuir / soltar las razones segun lo que siento, / cierto mi lengua de mal sufrimiento / no cessaria cortar y herir, / pero no quiero dexar de dezir / como caualgan algunos perlados / a costa de los patrimonios sagrados: / con pompa mayor que se puede soffrir".

Copla 110. — Cf. Pérez de Guzmán (Confession Rimada, NBAE, XIX, c. 147, pág. 645): "Los grandes señores et los caballeros / trahen sus cauallos emparamentados / de paños de seda et muy bien

obrados / et a sus azemilas tales reposteros / que podrian por cierto
con tantos dineros / a algunos pobres desnudos vestir : / en lo que
un cauallo cuesta cobrir / se podrian vestir çient pobres enteros...".
Cf. cc. 104 y 107.
Cf. cap. III (también para cc. 111-121 y 183-196).
Cf. caps. VI y VII.

Copla 111. — Cf. sobre los "truhanes" identificados como locos,
Primera Crónica General (I, Madrid, 1955, cap. 453, pág. 255b, líneas 37-43): "Pero diz aqui ell arçobispo don Rodrigo quel non fi-
rio si non uno que se metie por aluardan et sandio; et fue desta
guisa: el rey Theudio estando un dia en su palacio, llegose a ell
aquel sandio et diol un colpe tan grand que a pocos dias fue muerto". Sobre la protección dispensada por los nobles a tales truhanes,
Juan de Padilla (*Retablo*, fol. f6): "Mirad la pobreza del rey de la
gloria / que tuuo en el mundo con mucha bondad, / hablad de su
vida, la vida callad / de grandes señores con su vanagloria, / aued
de los pobres contina memoria / cubriendo sus carnes y cuerpos llagados, / dexad los juglares andar despojados, / pues dalles la ropa
es locura notoria". Torres Naharro (*Capítulo III, Propalladia*, III, página 100): "Y a los truhanes la seda / y a los buenos los piojos".
Rodrigo de Reynosa (*Coplas de como un pastor fue a la corte*, en
Nueva Colección de Pliegos Sueltos, ed. V. Castañeda y A. Huarte,
Madrid, 1953, pág. 137): "Vistense estos palaciegos / de brocado y
de seda / y otros traen peojos rabudos / blanqueando en el tercio-
pelo". Cervantes (*El licenciado Vidriera*, ed. F. Rodríguez Marín,
Novelas Ejemplares, II, Madrid, 1917, pág. 82): "¡Oh corte, que...
sustentas abundantemente a los truhanes desvergonzados, y matas de
hambre a los discretos vergonzosos!". Covarrubias (*Emblemas*, centuria III, emb. 66, fol. 77): "Ay hombres monstruos en naturaleza /
por su mucha locura o bobería / y tienen los señores por grandeza /
celebrar su furor o tontería: / quanto mejor estaua a la nobleza /
honrar al bueno y su sabiduría, / que criar una bestia maliciosa, /
suzia perjudicial, / puerca y viciosa...". Diego López (*Declaración*,
emb. 91, fols. 241-241v): "Tomando ocasión de la gula, habla aquí
contra los truhanes...". Cf. para otras semejanzas, Arcipreste de Hita
(*Libro de Buen Amor*, ed. Cejador, II, c. 1724, pág. 292): "Deles mu-

cho pan e vino, / que de al pobre mesquino, / deles algos e dineros, / que de a pobres rromeros, / deles paños e vestidos, / que de
a çiegos tollidos". Padilla *(Retablo,* fol. k): "Aqui se condena la
seda y brocados...". Fr. Francisco de Ávila *(La Vida y la Muerte,*
Salamanca, 1508, *Ensayo* de Gallardo, I, col. 343): "Ensanchais vuestros estados / con palacios mundanales, / en gastos desordenados, /
sobrados y curiales, / magnanimos, liberales / en grandezas y que
sobre, / y aculla que muera el pobre / triste por los hospitales".
Cf. cc. 104, 108 y 110. Cf. caps. III, IV, VI y VII.

Copla 112. — "Religiones", con sentido de "órdenes religiosas",
cf. Torres Naharro, *Romance I* y *Soldadesca, Propalladia,* II, páginas
69 y 202.

"Passyones", con el primario sentido de "sufrimientos", y en esta
época sin duda fuertemente influido por su uso en conexión con la
pasión de Cristo. (Cf. Gillet, *Propalladia,* III, pág. 36).

Padilla *(Retablo,* fol. k): "Aqui se condenan... / los paramentos
de hilo de oro / de los pomposos cauallos colgados".
Cf. cc. 104, 108 y 110; cf. caps. III y VI.

Copla 113. — J. Rubió y Balaguer, en *Vida española en la época
gótica,* Barcelona, 1943, pág. 79, cita el *Libro de Alexandre* (versos
1956 y sigs.): el palacio de Poro tenía "el techo pintado a laços e
a redes, todo d'oro fino". Cf. también José F. Ráfols, *Techumbres y
artesonados españoles,* Barcelona, 1945.
Cf. cc. 104 y 110. Cf. caps. III y VI.

Copla 114. — *Lucas,* 16, 19-31.
Cf. c. 104. Cf. caps. III y VI.

Copla 115. — Cf. cc. 63 y 104. Cf. cap. III.

Copla 115 A. — Cf. San Francisco de Asís *(Carta 2, Letras que
envió a todos los fieles,* en *Escritos Completos,* ed. Fr. Juan R. de
Legísima y Fr. Lino Gómez Canedo, BAC, Madrid, 1945, pág. 54):
"Pensáis poseer por largo tiempo las cosas vanas de este siglo, pero
estáis engañados, porque vendrán el día y la hora en que no habéis
pensado... Y todas las riquezas y poder, ciencia y sabiduría que juz-

gaba tener le serán arrebatadas. Y los parientes y amigos toman sus bienes y los repartirán... Los gusanos roerán su cuerpo. Y así pierde el alma y el cuerpo...". Arcipreste de Hita (*Libro de Buen Amor*, edición citada, II, cc. 1534-1535, págs. 234-235): "Llega ome thesoros por allegar apodo; / viene la muerte luego e dexalo con lodo. / Pierde luego la fabla e el entendimiento: / de sus muchos thesoros e de su allegamiento / non puede leuar nada nin faser testamento; / los aueres llegados lievagelos mal viento", y más adelante (c. 1543, página 237): "Allega el mesquino e non ssabe para quien; / e maguer cada dia esto asi avien, / non ha ome que faga su testamento byen, / fasta que ya por ojo la muerte ve que vien". Juan de Mena (*Razonamiento con la Muerte*, NBAE, XIX, pág. 206): "So la tierra dura yazen / para siempre sepultados, / desnudos todos, robados, / caydos son en pobreza; / no les vale la riqueza / ni tesoros mal ganados"; y algo más adelante (pág. 208): "No aprouechan los saberes, / nin las artes nin las mañas, / nin proezas, nin fazañas, / grandes ponpas, nin poderes, / grandes casas, nin aueres, / pues que todo a de quedar, / saluo el solo bien obrar, / Muerte, quando tu vinieres". Gómez Manrique (*Continuación de las coplas contra los pecados mortales de Mena*, NBAE, pág. 139): "Esto lieuan auantajadas / esos que tienen thesoros, / que con muy mayores lloros / los dexan en las tinajas...". Cf. c. 115B y 115U. Cf. cap. VII.

Copla 115 B. — El Maestre es el de Calatrava, Pedro Girón, muerto en 1466 (cf. bibliografía cit. en c. 108), hermano del marqués de Villena, Juan Pacheco, muerto en 1474 (cf. la repetida bibliografía, y Pulgar, *Claros varones*, págs. 58-66). Cf. c. 115A. Cf. cap. VII.

Copla 115 C. — Maestre de Calatrava, cf. c. 115B. El duque de Alburquerque es Beltrán de la Cueva, favorito de Enrique IV. Cf. bibliografía de c. 108, y A. Rodríguez Villa, *Bosquejo biográfico de don Beltrán de la Cueva*, Madrid, 1881. Cf. cap. VII.

Copla 115 D. — Álvaro de Estúñiga. Cf. bibliografía cit. en copla 108 y Pulgar, *op. cit.*, págs. 93-94. Cf. cap. VII.

Copla 115 E. — Mendoza alude otra vez al Maestre de Calatrava.
Cf. c. 115B.
Cf. caps. VI y VII.

Copla 115 F. — La referencia a Santillana procede de la *Comedieta de Ponza* (NBAE, XIX, c. 16, pág. 463): "Benditos aquellos que con el açada / sustentan su vida e viven contentos, / e de quando en quando conosçen morada / e sufren paçientes las lluvias e vientos! / Ca estos non temen los sus movimientos, / nin saben las cosas del tiempo passado, / nin de las presentes se fazen cuydado / nin las venideras do han nasçimientos". Cf. caps. VI y VII.

Copla 115 G. — Álvaro de Luna, Condestable de Castilla, muerto en 1453. Cf. crónicas, particular y generales. Fr. Íñigo se refiere a él de nuevo en cc. 115M y 115N.

El tema de la "caída de príncipes" procede de Boccaccio, *De Casibus*, cuya traducción castellana fue ya comenzada por el canciller Ayala y continuada por Alonso de Cartagena y Alonso de Zamora. En el prólogo a su traducción dice el ilustre pariente de fray Íñigo: "¿Que otra cosa contiene en si el libro de las caydas sy no mostrar por exemplos de los antiguos quan flacos y mudables son estos bienes que se llaman de fortuna?". Cito por Farinelli, *Italia e Spagna*, I, Turín, 1929, pág. 112. Cf. caps. IV, VI y VII.

Copla 115 H. — Cf. cap. VII.

Copla 115 J. — Cf. c. 115G.

Copla 115 K. — El tema de la igualdad de los nacidos es muy importante en la última Edad Media; basta recordar las populares *Danzas de la Muerte*. Los ejemplos son innumerables en la época: "la idea del poder igualitario, arrasador, de la muerte, que a todos convoca a su siniestro festival, al papa, al mercader, a la dama de la corte y al ermitaño, para ponerles a todos al mismo ras, no había encontrado en la Edad Media más feliz traslación imaginativa. Todos iguales. Es la justicia final, que sin aparato judicial, so capa de si-

niestra fantasía y de juego espeluznante, viene a borrar las distincio-
nes y desigualdades que a los hombres se les imponen en esta tierra. De seguro que el anhelo de mejor trato social, de humana equi-
dad que sordamente debía de latir en muchas almas, se lanzó sobre
esta gran metáfora con un gozo un tanto vindicativo" (Pedro Salinas,
Jorge Manrique o tradición y originalidad, Buenos Aires, 1947, páginas 51-52).
Cf. c. 62.

Copla 115 L. — Cf. cap. VII.

Copla 115 M. — Fr. Íñigo habla, evidentemente, de don Álvaro
de Luna, como en cc. 115G y 115N. Cf. Gómez Manrique (NBAE,
XXII, núm. 375, pág. 63): "El otro testigo que dixe daria / es el
Maestre e gran Condestable, / a quien la Fortuna fue tan fauorable / que todo le vino segun lo pedia. / A toda Castilla mandaua e
regia, / sin otro mayor tener nin ygual...". Cf. caps. VI y VII.

Copla 115 N. — Mendoza continúa hablando del Condestable;
cf. cc. 115G y 115M. Cf. cap. VII.

Copla 115 P. — *Mateo*, 12, 25: "Todo reino dividido en faccio-
nes contrarias será desolado; y cualquiera ciudad o casa dividida en
bandos, no subsistirá". Cf. también *Marcos*, 3, 24, y *Lucas*, 11, 17.
Gonzalo Martínez de Medina (*Pregunta, Cancionero de Baena*, número 333, págs. 378-380): "El santo Evangelyo nos nota e declara /
el rreyno diuiso de ser destroydo...". "E tanto padesçe este Reyno
cuytado / que es marauilla no seer asolado / si el señor Rey non
quiebra estas lias." Pérez de Guzmán (*De vicios y virtudes*, NBAE,
XIX, c. 426, pág. 622): "Todo regno en si diuiso / sera estruydo
et gastado, / assi lo dixo et lo quiso / el santo Verbo encarnado...".
Cf. J. A. Maravall, "Cómo se forma un refrán. Un tópico medieval
sobre la división de reinos", RABM, 1960, págs. 5-13.
Cf. c. 119A. Cf. caps. II, III, VI y VII.

Copla 115 Q. — *Isaías*, 1, 19-20: "Como queráis y me escuchéis,
seréis alimentados de los frutos de vuestra tierra. Pero si no quisie-

reis y provocareis mi indignación, la espada de los enemigos traspa-
sará vuestra garganta...".
Cf. caps. II y VII.

Copla 115 S. — Lugar común en la época; cf., por ej., *Celestina*
(ed. Cejador, I, acto IV, págs. 166-168): "Aquel es rico que esta
bien con Dios... Las riquezas no hazen rico, mas ocupado; no hazen
señor, mas mayordomo. Mas son los poseydos de las riquezas que no
los que las poseen...".
Cf. c. 121.

Copla 115 T. — Ángel de la guarda. Cf. *Hebreos*, 1, 14; San
Jerónimo, *Super Mateo* (PL, XXVI, col. 130); Santo Tomás, *Summa*
(1, 113, 2ad1 y 3c; 1, 113 4c-6).
Cf. cc. 71 y 122.

Copla 115 U. — Cf. Hita (*Libro de Buen Amor*, ed. cit., I, copla
249, pág. 94): "Mesquino, ¿que faras el dia de la afruenta, / quando de tus aueres e de tu mucha rrenta / te demandare Dios de la
despensa cuenta? / Non te valdran thesoros, nin reynos çinquenta".
Cf. c. 115A.

Copla 115 V. — Cf. Jorge Manrique y su famosa metáfora: "Despues de puesta la vida / tantas vezes por su ley / al tablero..." (*Coplas por la muerte de su padre*, NBAE, XXII, c. 33, pág. 233).

Copla 116. — Cf. c. 104. Cf. cap. III.

Copla 117. — Camello y aguja, *Mateo*, 19, 24; *Marcos*, 10, 25;
Lucas, 18, 25.
Cf. Gillet, *Propalladia*, III, pág. 3, para ejemplos de buenas cua-
lidades humanas convertidas simbólicamente en carbón o en ceniza.
Cf. c. 104. Cf. caps. III y VI.

Copla 118. — "En ora mala", cf. Gillet, *Propalladia*, III, pág. 477.
Arcipreste de Talavera (*Corbacho*, ed. Bibliófilos Españoles, Ma-
drid, 1900, pág. 260): "Desta materia fablar es muy abominable a
Nuestro Señor, en tanto que los aires se corrompen de la sola fabla

dellos...". J. Roig (*Lo Spill,* ed. R. Miquel y Planas, Barcelona, 1936-1942, pág. LVIII): "La sodomia / peccat no poch / digne de foch, / del mundanal / e infernal / ... / de podridura, / dumos corruptos...". Sodoma, *Génesis,* 19, 13-29. Cf. cc. 76, 104, 195, 380. Cf. caps. III, IV, VI y VII.

Copla 119. — Alfonso el Sabio, *Cantigas de Santa María* (I, Madrid, 1889, c. CX, pág. 168): "Se purgameo foss'o ceo estrelado / et o mar todo tinta, que grand'é prouado, / et uiuesse por sempr'un ome enssinado / de scriuer, ficar-ll'-ía a mayor partida". Montesino (*Cancionero,* BAE, XXXV, pág. 420): "Si el mar oceano / fuese la tinta, / y el sol escribano, / que el verano pinta, / no puede mi mano / de pluma distinta / loarte, Señora". Cf. Le Gentil, *La poésie lyrique,* I, pág. 319.
Cf. cc. 19, 23, 104. Cf. caps. III, VI y VII.

Copla 119 A. — Cf. c. 115P. Cf. caps. VI y VII.

Copla 120. — Cf. c. 104; cf. cap. III.

Copla 121. — "Carrera de salud" (cf. también cc. 104, 115S y 315), por ej. *Hebreos,* 12, 1; Lodulfo de Sajonia (*Vita,* I, cap. 9, 3, folio 55v): "Esta es carrera especial de la salud, bien asi como cimiento de la humildad...".
Cf. caps. I, III y VI.

Copla 122. — Adoración de los pastores, *Lucas,* 2, 8-20. Fray Iñigo desarrolla el tema en las cc. 122-157. Cf. caps. II, IV, V y VI.
"Ayna: palabra bárbara, muy usada, con que damos priesa a que se haga alguna cosa; vale lo mismo que presto..." (Covarrubias, *Tesoro,* "ayna").
Cf. c. 115T.

Copla 123. — Cf. la *Farsa nueuamente trobada por Fernando Díaz... en loor del Nascimiento de Jesu Christo* (Cronan, *Teatro,* I, página 323), que presenta semejanzas indudables con esta copla y con la 124 y 129: "Juan: ¡Válame Dios!, y ¿qué será aquello? / Yo nunca vi tan gran marauilla; / dezí compañeros, ¿no veys qué quadrilla / va por el soto? / Antón: Yo tiembro de vello, / todo se me ha erizado el cabello. / Juan: Y ¿quién es aquel que viene bolando? / ¿cómo que no mos aurá de assombrar? / Antón: Dexa, carillo, tu vano habrar, / y atina que dulce viene cantando; / tanto me abucho de estallo escuchando, / que juria la grulla por mas agradalle / quijera tener mill cosas que dalle, / para seruirlo luego en llegando".

"Juro a mí", cf. Gillet, *Propalladia*, III, págs. 360-361; cf. también cc. 130, 143, 144 y 150.

Cf. c. 122.

Copla 124. — "Somo" equivalente a "encima" o "sobre", cf. Gillet, *Propalladia*, III, pág. 589; cf. también cc. 152 y 154.

"Purre: el labrador por dar dize purre" (Hernán Núñez, *Refranes o proverbios,* fol. 126).

"Para Sant...", cf. Gillet, *Propalladia*, III, pág. 549; también coplas 139 y 144.

"Greña: cabellera rebuelta y mal compuesta...; vocablo español antiguo" (Covarrubias, *Tesoro,* "greña"); cf. Gillet, *Propalladia,* III, página 705.

"Reuellada", vale por "reverencia", como resultado de un cambio "sayagués": "reverencia" > "revelencia" > "revellencia". Cf. Gillet, *Propalladia*, III, págs. 542-543; compárese con c. 144.

Cf. cc. 122 y 123.

Copla 125. — "Aquellotrar": cf. Gillet, *Propalladia*, III, páginas 239-244, que estudia su origen "sayagués" y anota abundantísimos ejemplos literarios. Tiene tres significados principales: entender o comprender (como en este caso), enredar o "hacer un lío" (cf. c. 130), y alegrar (cf. c. 150). Cf. también Mal Lara, *Philosophia vulgar*, número 65; M. Romera Navarro, "Quillotro y sus variantes", *HR*, 1934, páginas 217-225; M. García Blanco, "Algunos elementos populares en el teatro de Tirso de Molina", *BRAE*, 1949, pág. 415.

Cf. c. 122.

Copla 126. — "A la he": Gillet, *Propalladia*, III, pág. 347, afirma que los juramentos rústicos con "fe" son los favoritos ("a fe", "mía fe", "mi fe"...). El significado básico es afirmativo.

Cf. c. 122.

Copla 127. — "Garzón": Gillet, *Propalladia*, pág. 321. También coplas 141, 144 y 153.
Cf. c. 122. Cf. cap. IV.

Copla 128. — Cf. c. 122.

Copla 129. — Cf. cc. 122 y 123.

Copla 130. — Cf. cc. 122, 123 y 125.

Copla 131. — "Asmar", creer. También en cc. 139, 144, 153 y 155. Sobre juramentos neutralizados, cf. Gillet, *Propalladia*, III, páginas 439, 477-478, 489, 673 y 740.
Un estudiante o "escolar" aparece a las veces en el teatro pastoril inmediatamente posterior a Mendoza. Así, Torres Naharro, *Trophea*, ed. Gillet, *Propalladia*, IV, págs. 33-34: "Sí, que so medio studiante, / que por eso me arremeto"; *Adicción del Diálogo del Nascimiento, ibid.*, págs. 123-124: "¿qu'es aquesso, cómo, qué? / Yo he sido medio escolar"; *Jacinta, ibid.*, V, pág. 133: "Sé mil cosas aspeciales / d'achaque d'astrología, / sé como el Ave María / las siete Artes Liberales...".
Cf. c. 122.

Copla 132. — *Lucas*, 1, 11-20, historia de Zacarías y el ángel.
Cf. cc. 122 y 131.

Copla 133. — El ángel y los pastores, *Lucas*, 2, 9-15 (cf. también coplas 134-137). Lodulfo de Sajonia (*Vita*, I, c. 9, 5, fol. 56v): "aparecio el angel lleno de resplandor...". Gómez Manrique (*La representación del Naçimiento de Nuestro Señor*, NBAE, pág. 54): "Yo vos denunçio, pastores, / que en Bellen es oy naçido / el señor de los señores / sin pecado conçebido / y porque non lo dudedes, / yd al pesebre del buey...". Enrique de Oliva (*Coplas*, fol. a3v): "Dicho me han los pastores / quel señor de los señores / por saluar los pecadores / nasçio oy en vn portal...". *Aucto de la Circuncisión de Nuestro Señor*, anónimo (*Teatro*, ed. Cronan, II, pág. 364): "Ya no lo puedo sufrir, / que, pardiós, dezillo quiero, / questando allá en el apero vi un enjambre rebullir / con un cantar praçentero. / ¡Groria

y excelsis! dezíen, / y corré presto, pastores, / que el señor de los señores / está nacido en Belén / por saluar los pecadores...".
Cf. c. 122. Cf. cap. VI.

Copla 134. — *Cancionero Espiritual*, pág. 41 : "Hazes la paz y concordia / entre los hombres y Dios".
Cf. cc. 35, 122, 133 y 361.

Copla 135. — Lodulfo de Sajonia (*Vita*, I, c. 9, 5, fol. 57): "E tomad esto por señal: hallareis al infante enbuelto en paños e puesto en el pesebre".
Cf. cc. 122 y 133. Cf. cap. VI.

Copla 136. — Cf. cc. 122 y 133. Cf. también c. 100 (tema de la silla preciosa).

Copla 137. — Cf. cc. 122 y 133.

Copla 138. — Cf. cc. 122 y 132.

Copla 139. — *Cancionero Espiritual*, pág. 75: "Esta puesto cabe el suelo / nuestro Dios hecho moçuelo".
Cf. cc. 122, 124 y 131.

Copla 140. — *Cancionero Espiritual*, pág. 75: "Sopla huerte el caramillo, / tu el albogue, Bernabe, / tu, Pedruelo, silua y hurria, / tu, Gil, tañe tu rabe..." (cf. también c. 146). "Albogues son unas chapas a modo de candeleros de azófar, que dando una con otra por lo vacío y hueco, hace un son que si no muy agradable ni armónico, no descontenta, y viene bien con la rusticidad de la gaita y del tamborín" (*Quijote*, II, 67).
Cf. c. 122.

Copla 141. — Enrique de Oliva (*Coplas*, fol. a4v): "Y tu lieua en la cestilla, / yo te pido, Juan Llorente, / a la Virgen excellente, / algun queso o mantequilla...".
Cf. cc. 122 y 127.

Copla 142. — "Collaço", "compañero de servicio en casa, o en el campo", según Cejador, *Vocabulario medieval castellano*, Madrid, 1929, pág. 103. Cf. también Gillet, *Propalladia*, III, pág. 727. Cf. c. 122.

Copla 143. — "Tejo" : cf. Gillet, *Propalladia*, III, págs. 598-599, quien cita algunos ejemplos, y la explicación del *Diccionario de Autoridades*: "juego que se executa tirando al que llaman hito con tejos, y gana el que le derriba o queda con el suyo más cerca dél, u del dinero que suelen poner encima del hito". Cf. cc. 122 y 123.

Copla 144. — "Reuellado", vale por "rebelado", esto es, "reacio". Cf. Gillet, *Propalladia*, III, pág. 542. Comp. con c. 124. Cf. cc. 122-124, 127 y 131.

Copla 145. — La expresión "Fi de..." o "Hi de..." es de tipo arcaico popular. Cf. María Rosa Lida, *Juan de Mena*, págs. 241-242, quien cita ejemplos medievales; al anotar éste, escribe: "parece sustitución piadosa en un juramento y pertenece al lenguaje de rústicos, en el cual, como se sabe, la fórmula 'hi de...' es muy frecuente". "Puchas: son de harina y agua" (Mal Lara, *Philosophia*, fol. 18). Cf. c. 122.

Copla 146. — Cf. cc. 122 y 140.

Copla 147. — "M'acuetro" vale por "me acuetro", "me confundo", "me maravillo". Cf. Gillet, *Propalladia*, III, pág. 243. "Çapateta : baylar dando con las palmas de las manos en los pies, sobre los çapatos, al son de algún instrumento, y el tal se llama çapateador ; çapatetas los tales golpes en los çapatos" (Covarrubias, *Tesoro*, "zapateta"). Cf. ejemplos del teatro pastoril en Gillet, *Propalladia*, III, pág. 347. Cf. c. 122.

Copla 148. — "Matiegas", rústicas. Cf. Gillet, *Propalladia*, III, página 326. Cf. c. 122.

Copla 149. — Cf. c. 122.

Copla 150. — "En conçejo", en público, cf. Gillet, *Propalladia*, III, página 466.
Álvarez Gato (*Obras*, pág. 160): "En vn pobre portalejo". Ana Abarca de Bolea (*Octavario*, pág. 59): "Por un pobre portalejo / donde brutos le acompañan". Cf. cc. 122-125. Cf. cap. VI.

Copla 151. — "So": cf. Gillet, *Propalladia*, III, pág. 312. Cf. cc. 122 y 124.

Copla 152. — "Rodeando": aparejando, disponiendo. Cf. Gillet, *Propalladia*, III, pág. 290. Cf. cc. 122 y 124.

Copla 153. — Enrique de Oliva (*Coplas*, fol. a4v): "Alla he mi çamarron / aqui luego lo despoje / porque nada no me enoje / fasta verme en el jubon..."; "Aqui en estos escobares / yo desnude mi çamarra...". Cf. cc. 122, 127, 131 y 154.

Copla 154. — *Cancionero Espiritual*, pág. 192: "Cantan dulces melodias / con bozes muy sonorosas, / singulares, / concertadas armonias / muy mas dulces y sabrosas / que panares". Cf. cc. 122, 124, 126 y 153.

Copla 155. — "Abondar" equivale a "bastar ya". Cf. Gillet, *Propalladia*, III, pág. 68: expresión propia del salmantino y del bable occidental. Cf. cc. 122 y 131; cf. cap. IV.

Copla 156. — La metáfora del arco (cf. también c. 157) aparece en la literatura cristiana referida a San Juan Evangelista. Cf. Santo Tomás (*Summa*, 2-2, 168, 2), quien a su vez la toma de Casiano (*Collationibus Patrum*, 24, c. 21, PL, IV, col. 1312): "Et ideo oportet remedium contra fatigationem animalem adhibere per aliquam delectationem, intermissa intentione ad insistendum studio rationi. Sicut in *Collationibus Patrum* legitur quod beatus Evangelista Ioannes, cum quidam scandalizarentur quod eum cum suis discipulis ludentem invenerunt, dicitur mandasse uni eorum, qui arco gerebat, ut sagittam traheret. Quod cum pluries fecisset, quaesivit utrum hoc continue facere posset. Qui respondit quod, si hoc continue faceret, arcus frangeretur. Unde beatus Ioannes subintulit quod similiter animus hominis frangeretur, si nunquam a sua intentione relaxaretur".

François Villon recoge también el tema (Balada III de *Le jargon ou jobelin de maistre François Villon*, en *Oeuvres Complètes*, ed. P. L. Jacob, París, 1854, pág. 239): "Souvent aux arques, / a leures marques, / se laissant tousjours desbouser / pour ruer, / et enterver / pour leur contre que lors faisons. / La fée aux Arques vous respond, / et rue deeux coups, ou bien troys, / aux gallois: / deux, ou troys / mineront trestout aux frontz, / pour les sires que son si longs". Le Gentil, tan ansioso de buscar posibles fuentes francesas a la poesía de la época en España, cita a Mendoza y nombra estas "chufas de pastores", pero no se da cuenta de la utilización semejante que ambos poetas, Mendoza y Villon, hacen de la metáfora, ni siquiera de que aparece en la paremiología francesa: "L'arc tousiours ou trop ne doibt estre tendu car il romproit" (según el Comendador Núñez, *Refranes*, pág. 283, que lo traduce así: "El arco no ha de estar todo el día frechado, porque el se quebraría"). En Cataluña, cf. *Doctrina Compendiosa*, atribuido a Eiximenis, ed. P. Martí de Barcelona, Barcelona, 1929, págs. 49-51. Omito ejemplos del Siglo de Oro. Cantera Burgos, por su parte (*Álvar García de Santa María*, página 565), asegura, de una forma muy simplista, lo siguiente: "El nieto del valeroso don Pedro [de Cartagena], cuya armería conocemos en algún modo por don Álvar [García de Santa María], no extraña use comparaciones como ésta de objetos que debían de serle harto familiares".

La técnica de romper la monotonía ideológica y severa de un texto o de un sermón (cf. también c. 157) es recomendada ya por San Agustín (*De Catequizandis Rudibus*; he utilizado la traducción de F. Restrepo, *San Agustín. Sus métodos catequísticos. Sus principales catequesis*, Madrid, 1925, págs. 43-108): "Sucede también a veces que el que había empezado a oír con gusto, cansado ya de escuchar o de estar de pie, da muestras de fastidio, y bosteza y muestra ganas de quererse ir. Cuando esto advirtiéramos, debemos excitar su ánimo con alguna hilaridad que venga a propósito, o con alguna cosa maravillosa o con alguna cosa terrible..." (*op. cit.,* XIII-19, página 67; sobre este mismo asunto, cf. también Maurice Pontet, *L'exégèse de Saint Augustin prédicateur,* París, 1944, págs. 77-80).

Parte de la literatura medieval castellana pertenece a esta corriente comprensiva y, en el fondo, popularista. Así, el Arcipreste de Hita (*Libro de Buen Amor,* ed. cit., I, cc. 44-45, págs. 24-25): "Palabras es del sabio e diselo Caton: / que ome a sus cuydados que tiene en coraçon, / entreponga plazeres e alegre la rrazon, / ca la mucha tristeza mucho pecado pon. / E porque de buen seso non puede ome reyr, / abre algunas burlas aqui a enxerir: / cada que las oyeres non quieras comedir / saluo en la manera de trobar e dezir" (cf. la nota de Cejador a estos versos para la referencia a Catón; tenemos así una corriente clásica que confluyó con la religiosa). *Celestina* (ed. Cejador, páginas 213-214, "Concluye el autor aplicando la obra al proposito por que la acabo"): "No dudes ni ayas vergüença, lector, / narrar lo lascivo que aqui se te muestra: / que siendo discreto veras qu'es la muestra / por donde se vende la honesta lauor. / De nuestra vil massa con tal lamedor / consiente coxquillas de alto consejo / con motes e trufas del tiempo mas viejo: / escriptas a bueltas le ponen sabor. / Y assi no me juzgues por esso liuiano; / mas antes zeloso de limpio biuir, / zeloso de amar, temer y seruir / al alto Señor y Dios soberano. / Por ende si vieres turuada mi mano, / turuias con claras mezclando razones, / dexa las burlas, qu'es paja e grançones, / sacando muy limpio d'entriellas el grano...". Para ejemplo similar en Juan del Encina, cf. Andrews, *Juan del Encina,* págs. 30-31 y 40-43; el texto de Encina, en *Copilación,* fols. 31-31v. Algún tiempo después, Alonso Enríquez de Guzmán escribiría de forma semejante: "Por dar apetito a los leedores y por tomallo yo para escrebillo..." (*Libro de la vida y costumbres de...,* caballero noble desbaratado, en CODOIN, LXXXV, Madrid, 1886, pág. 231). El tema fue discutido violentamente por los predicadores españoles de los siglos XVI y XVII; cf. O. H. Green, "Se acicalaron los auditorios: An Aspect of the Spanish Literary Baroque", en *HR,* 1959, págs. 413-422. Cf. otros ejemplos en Frida Weber de Kurlat, *Lo cómico en el teatro,* páginas 13-14.

Juan de Padilla, contemporáneo de Mendoza, ataca a éste violentamente en su *Retablo* a propósito, precisamente, del uso de las "chufas de pastores" que el franciscano hace: cf. cap. VI. Cf. cc. 122 y 157; cf. caps. V y VI.

Copla 157. — Arcipreste de Hita (*Libro de Buen Amor*, ed. cit., II, cc. 947-948, págs. 27-28): "De toda esta laseria e todo este coxixo, / fiz cantares caçurros de quanto mal dixo; / non fuyan dellos las dueñas, nin los tengan por lixo, / ca nunca los oyo dueña, que dellos mucho non rrixo. / A vos, dueñas señoras, por vuestra cortesia, / demandouos perdon: sabed que non querria / auer saña de vos, ca de pesar morria, / conssentyd entre los ssesos una tal bauoquia".

Mano derecha, mano izquierda, cf. *Mateo*, 6, 3: "Mas tú, cuando das limosna, haz que tu mano izquierda no perciba lo que hace tu derecha...". Mena (*Las trescientas*, NBAE, XIX, c. 32, pág. 165): "...si soys trabajados de aquella sospecha, / nunca vos sienta la vuestra derecha...".

Cf. cc. 71, 122 y 156; cf. cap. VI.

Copla 158. — Para el uso de oraciones tras las partes diversas de las obras, cf. caps. III y VI. Fray Íñigo utiliza estas oraciones en las coplas 158, 198, 263B, 281, 306 y 357.

Copla 159. — Historia de la circuncisión de Cristo, *Lucas*, 2, 21. Ley judaica de la circuncisión, *Génesis*, 17, 10-14, y *Levítico*, 12, 3 (cf. también cc. 164, 171, 175-176 y 182).

"Esgamocho: lo que sobra en los platos de carne y huessos roydos. Algunos quieren se aya dicho assi, *quasi aescae morsus*, por ser lo mordido y bocadeado del manjar; alárganlo a sinificar lo que queda en el jarro o vaso que ha sobrado de otro que ha beuido. Pudo tener origen de las escamas y espinas que dexamos comiendo los pezes" (Covarrubias, *Tesoro*, "escamochos"). Ejemplo en Fernández de Oviedo (*Las quinquagenas de la nobleza de España*, pág. 208): "E el beuio tantas vezes como vno de los que beuian e vna mas, e los esgamochos que dexauan algunos, que no acabauan de beuer...". Hay también un refrán, "No arriendo tus escamochos" (Núñez, *Refranes*, fol. 336), utilizado en *La Celestina* (ed. cit., I, pág. 255):

"No quiero arrendar tus excamochos", y por Feliciano de Silva en la *Segunda comedia de Celestina* (Amberes, s. a., cena 22, fol. 04v): "Pues yo no te arriendo los escamochos".
Cf. cap. VI.

Copla 160. — María Inmaculada, cf. cc. 161-163, 172 y 246.

Copla 161. — Salomón, *Cantares*, 4, 7: "Toda eres hermosa, amiga mía; no hay defecto en ti". Cf. Gil Vicente (*Mofina Mendes*, ed. cit., fol. 21v): "Aqui a chama Salamão / tota pulchra amica mea..." (cf. también para cc. 162 y 162C).
Para razones de la perfección de María, cf. Santo Tomás (*Summa*, 2, 81, 5ad3; 3, 27, 3-4).
Cf. caps. III, V y VI.

Copla 162. — *Cancionero Espiritual*, pág. 10: "Justo es que confessemos / ser tu sancta concepcion / sin centella"; y pág. 55: "Sola eres la donzella / sin centella".
Cf. cc. 161, 162A-163, 172 y 246; cf. cap. VI.

Copla 162 A. — Cf. c. 162.

Copla 162 B. — "La Santísima Virgen María fue exaltada sobre todos los coros de los ángeles, y, por tanto, no puede ser mejor" (Santo Tomás, *Summa*, 1, 25, 6ad4; cf. también 1-2, 81, 5ad3).
Cf. cc. 69-72 y 162.

Copla 162 C. — Cf. cc. 161 y 162.

Copla 162 D. — Cf. c. 162. Para otros "elogios imposibles", cf. coplas 41-42, 181, y especialmente 58.

Copla 162 E. — *Romancero General* (ed. A. González Palencia, I, Madrid, 1947, núm. 264, pág. 398): "Cuando el noble está ofendido / es resolución discreta / por satisfacer su agrado...".
Cf. c. 162.

Copla 163. — La sangre de Cristo vertida en la circuncisión y el dolor causado por ésta: cf. Lodulfo de Sajonia, *Vita*, I, 10, fol. 47a.
Cf. cc. 61, 162 y 176-182.

Copla 164. — San Agustín, *De Praesentia Dei* (PL, XXXIII, columna 845): "Circumcisio baptismi vicem aolim tenuit". Cf. Lodulfo de Sajonia, *Vita* (I, 10, 5, fol. 64v-65), para las razones de la circuncisión de los judíos (cf. también cc. 164-169, especialmente 165). Cf. cc. 159 y 175; cf. caps. V y VI.

Copla 165. — K. Whinnom explica de esta manera (en "The Supposed Sources of Inspiration of Spanish Fifteenth-Century Narrative Religious Verse", *Symposium*, 1963, págs. 282-284) las semejanzas entre las razones que fray Íñigo ofrece para aclarar el motivo de la circuncisión judaica y las que presenta Lodulfo de Sajonia en su *Vita Christi*: Razones de Lodulfo: 1) Recuerdo de Abraham; 2) Señalar especialmente al pueblo hebreo de los restantes; 3) Mostrar a los gentiles que los judíos son de estirpe santa y escogida por Dios; 4) Remedio del pecado original y de la concupiscencia; 5) Cumplimiento de la Ley Mosaica, con función de bautismo. Fray Íñigo recoge estas razones del cartujo de Sajonia; así, en c. 164 la núm. 5; en c. 165 la núm. 2 y la núm. 3; en cc. 166-170 la núm. 4; en c. 171 la núm. 1.
Cf. también c. 164, además de las citadas; cf. cap. V.

Copla 166. — Lodulfo, *Vita*, I, 10, 6, fol. 65v: "Pues luego razon demandaua que en aquella parte de carne que propiamente era carrera del pecado, que alli se señalase e celebrase para el mesmo pecado el remedio e la melezina". También, entre otros, en San Agustín; cf. San Próspero de Aquitania, *Liber Sententiarum ex Operibus Sancti Augustini Delibatarum* (PL, LI, col. 472).
Cf. cc. 71, 164 y 165.

Copla 167. — Gómez Manrique (*Exclamación e querella*, NBAE, XXII, pág. 51): "En el cauallo sin freno / va su dueño temeroso; / sin el gouernalle bueno / el varco va peligroso". Covarrubias (*Emblemas*, cent. 5, emb. 64): "El mancebo y el potro son briosos / y más han menester freno que espuela, / con poca edad loçanos y furiosos, / en su carrera el uno y otro, buela, / fatigados, no estén jamás ociosos, / domaldos, en el campo y en la escuela, / el hombre con razón y con dotrina / y al cauallo con uara y disciplina / ... / Notorio es del hombre moço, especialmente si es rico y heredado,

los que le gouernaren, deuen templarle con prudencia, no coadiuuan-
do sus impitus, sino refrenándole sus desembolturas: porque desto
tiene mas necessidad que de espuela. Como el potro nueuo y fogoso...". Caro y Cejudo (*Refranes*, pág. 372): "Sin el espuela y freno,
¿qué cavallo ay bueno?", o "¿Quién será bueno sin espuela y freno?" (cf. también cc. 13, 34, 68-70, 233 y 263C).
Cf. cap. VI.

Copla 168. — Cf. cc. 164-165 y 167; cf. cap. VI.

Copla 169. — Santo Tomás, *Summa*, 1-2, 101, 30.
Cf. cc. 164-165 y 167; cf. cap. VI.

Copla 170. — Cf. cc. 164-165 y 167.

Copla 171. — Cf. cc. 35, 159, 164, 165 y 173; cf. cap. VI.

Copla 172. — San Bernardo de Claraval, *Sermo I in Circumcisione
Domini* (PL, CLXXXIII, col. 133).
Cf. c. 162.

Copla 173. — K. Whinnom ("The Supposed", págs. 280-284) anota así las semejanzas entre la *Vita Christi* de Lodulfo de Sajonia y
la de fray Íñigo de Mendoza en cuanto a las razones para justificar
la circuncisión de Cristo: c. 173, igual a la razón núm. 8 de Lodulfo ("Hereticos... confonderet"); c. 174, razón 4 (obediencia a la
Ley), 3 (aprobar la ley establecida) y 1 de Lodulfo (demostrar descender del pueblo elegido); c. 175, razón 6 (la carga librada) y 7 de
Lodulfo (para que Cristo "fuese ya" redimiendo a la Humanidad
con su dolor). En otros autores aparecen también algunas de las "razones" citadas: San Máximo de Turín, *Homilia XXXV de Baptismo
Christi* (PL, LVII, col. 299); cf. cc. 173 y 175. Alcuino, *De Divinis
Officiis* (PL, CI, col. 1176); cf. c. 174. San Hildeberto de Tours,
Sermo XII De Tempore (PL, CLXXI, col. 399); cf. cc. 174 y 175.
San Bernardo de Claraval, *Sermones I-III in Circumcisione Domini*
(PL, CLXXXV, cols. 131, 138 y 153), presenta exactamente las cin-
co razones de Mendoza. Cf. también Eiximenis, *Vita Christi*, ed. cit.,
caps. 149-154, fols. 99-102v, y Padilla, *Retablo*, c. 17, fol. e2.

Para el "descomulgado error" de Valentino, cf. Tertuliano, *De Praescriptione Haereticorum* (PL, II, col. 21); San Ireneo, *Adv. Haereticorum* (PG, VII, cols. 517, 528 y 545); San Clemente de Alejandría, *Strom.* (PG, VIII, cols. 972, 1057, 1151 y 1296).
Para Maniqueo, cf. c. 51.
Cf. c. 1; cf. cap. VI.

Copla 174. — Cf. c. 173.

Copla 175. — Cf. cc. 78, 159 y 173; cf. cap. VI.

Copla 176. — Cf. cc. 159 y 163; cf. cap. VI.

Copla 177. — Cf. cap. III.

Copla 178. — Cf. cc. 35, 71 y 74.

Copla 178 A. — Cf. c. 177; cf. cap. III.

Copla 179. — Cf. cc. 35 y 91.

Copla 180. — Cf. cc. 35 y 61.

Copla 181. — *Cancionero Espiritual*, pág. 52: "Que no ay lengua que lo diga", refiriéndose a la Virgen María.
Cf. cc. 58 y 61.

Copla 181 A. — *Celestina* (ed. cit., II, pág. 201): "¡Ay, noble muger! Nuestro gozo en el pozo". Caro y Cejudo (*Refranes*, página 296): "Usamos deste refrán quando queremos significar frustrarse nuestra esperança y contento, sucediendo al revés lo que teníamos por cierto". También en Sbarbi, *El refranero español*, I, pág. 125.
Cf. cc. 61 y 81; cf. cap. III.

Copla 181 B. — *Lucas*, 1, 48: "...por tanto, ya desde ahora me llamarán bienaventurada todas las generaciones". *Cancionero Espiritual*, pág. 27: "Siempre bienauenturada / me diran todas las gentes / desde aqui".
Cf. cc. 60 y 61; cf. cap. III.

Copla 181 C. — Cf. c. 61; cf. cap. III.

Copla 181 D. — Levítico, 12, 6-8; Lodulfo de Sajonia, Vita, I, capítulo 12, 2, fol. 78v.
Cf. cc. 61 y 66; cf. cap. III.

Copla 181 E. — Cf. c. 61; cf. cap. III.

Copla 182. — "Desconosçidos" : ingratos, desagradecidos (cf. Gillet, Propalladia, III, págs. 88-89). Cf. c. 159.
Para la circuncisión cristiana, cf. c. 184.

Copla 183. — Mateo, 21, 13: "Mi casa será llamada casa de oración; mas vosotros la tenéis hecha una cueva de ladrones". También en Marcos, 11, 17, y Lucas, 19-45. Origen en Jeremías, 7, 11 : "Pues qué, ¿este templo mío, en que se invoca mi nombre, ha venido a ser para vosotros una guarida de ladrones?".
Cf. caps. III y VII.

Copla 184. — Circuncisión espiritual del cristiano: Hechos, 7, 51 : "Hombres de dura cerviz y de corazón y oído incircuncisos...", y Romanos, 2, 29: "Así como la verdadera circuncisión es la del corazón, que se hace según el espíritu y no según la letra de la Ley". Cf. San Agustín, De Praesentia Dei, XII (PL, XXIII, col. 1845); San Bernardo, Sermo III in Circumcisione Dei (PL, CLXXXIII, col. 136); San Hildeberto de Tours, In festo Circumcisione Domini (PL, CLXXI, col. 401) y Sermo XII De Tempore (ibid., col. 399); Alcuino, De Divinis Officiis, II (PL, CI, col. 1176); San Máximo de Turín, Homilia XXXV De Baptismo Christi (PL, LVII, col. 299); San Bernardo de Claraval, Sermones I-III in Circumcisione Dei (PL, CLIII, cols. 131-138).
Lodulfo de Sajonia, Vita (10, 7, fols. 65v-66): "Nota que por la circuncision de la carne es significada la circuncision de la voluntad, por la qual es alinpiada de los vicios. E desta cavsa devemos ser circuncisos en el espiritu de dentro e de fuera en todas las cosas, de manera que esta circuncision comprehenda todos nuestros vicios, ca vna de las razones porque fue circuncido Christo fue por enseñar que el hombre deve cortar de si mesmo las superfluidades e demasias de las passiones desordenadas...". Eiximenis, Vita Christi (ed. cit., caps. 155-156, fols. 102v-103). Padilla, Retablo (c. 17; fol. e2v): "Asy que

deuemos los males y vicios / circuncidarlos por ser reprouados / y
no los prepucios que son deuedados / con todos los otros judaycos
officios".
Cf. caps. V, VI y VII.

Copla 185. — Cf. c. 184; cf. cap. VII.

Copla 186. — Las "fojas de la higuera", *Génesis*, 3, 7.
Cf. c. 184; cf. caps. VI y VII.

Copla 187. — Gillet (*Propalladia*, III, págs. 742-743) considera este
uso de "aquel... aquel..." o "aquella... aquella..." como eco de un
tradicional tipo de repetición (anáfora) que ha dejado otras huellas
en la literatura española. El ejemplo típico es el anónimo "Aquel si
viene o no viene, / aquel si sale o no sale..." (Cejador, *La verdadera
poesía castellana*, VII, Madrid, 1923, núm. 2244, págs. 157-158). Posteriormente (*ibid.*, pág. 743), Gillet sugiere: "a medieval love song,
built on a felicitous anaphora... hauntingly describing the anxious
delights of love; and a parallel strain, often 'a lo divino', pessimis-
tic, and recalling by the same device, to the devout, the perils of
love, of old age, of death". (Cf. también cc. 35 y 189.)
Cf. c. 184; cf. cap. VI.

Copla 188. — Cf. c. 184; cf. caps. II y VII.

Copla 189. — Padilla, *Retablo* (c. 5, fol. c5), contra las monjas.
Cf. cc. 184 y 187; cf. caps. VI y VII.

Copla 190. — Hernán López de Yanguas, en *Farsa nuevamente
compuesta... sobre la felice historia de la concordia y paz a concierto
de nuestro felicisimo emperador semper augusto y del cristianisimo
rey de Francia* (ed. Cronan, *Teatro*, I, pág. 479), dice de la justicia
que se vende al poderoso: "Los capones, / las gallinas y ansarones,
/ y tambien garcisobaco; / como tienen el palo flaco, / hazente hazer cediuones".
Para el comercio con Flandes, cf. cap. VII (también cc. 343-344).
Cf. c. 184.

Copla 191. — Cf. c. 184; cf. caps. IV, VI y VII.

Copla 192. — La alegoría del buen o mal pastor y sus ovejas aparece por extenso en *Ezequiel*, 34, y *Zacarías*, 11, 4-17, y es recogida en *Mateo*, 9, 36, *Marcos*, 6, 34, y *Juan*, 10-11, 14 y 16. En rigor, ya consta en *Reyes*, I, 22, 17 y *Crónicas*, II, 18, 16. Para la alegoría política del pastor en Castilla, básicamente a partir de las *Coplas de Mingo Revulgo*, cf. Gillet, *Propalladia*, III, pág. 120, y capítulos II y VII (también para las cc. 193-196). Algunos ejemplos: Martínez de Medina, *Dezir que fue fecho sobre la justiçia e pleytos e de la gran vanidad deste mundo* (*Baena*, núm. 340): "Qualquier oveja que vien desarrada / aqui la acometen por diversas partes / çient mil engaños, malicias e artes / fasta que la fazen yr bien trasquilada / ... / Mas las ovejas que han de gouernar / del todo las dexan al lobo leuar / e non fazen dellas ninguna memoria". Álvarez Gato (ed. cit., c. 55, pág. 91): "No se curan de la grey / por derramada que va". Encina, *Egloga I* (cf. Gillet, *loc. cit.*): "Es tan justo y tan chapado, / tan castigador de robos, / que los mas hambrientos lobos / huyen mas de su ganado". *Celestina* (ed. cit., II, página 117): "Del buen pastor es propio tresquillar sus ovejas e ganado, pero no destruyrlo y estragarlo". Fr. Francisco de Ávila, *La Vida y la Muerte* (Gallardo, *Ensayo*, I, núm. 304, col. 343): "Es vuestra cura muy mala, / pastores malos prelados, / que llevais la leche y lana / sin curar de los ganados; / teneislos muy trasquilados / hasta no quedar vedija / por casar sobrina, hija, / crudamente desollados". Diego López, *Declaración magistral* (emb. 145, fol. 349v): "El buen pastor ha de trasquilar las ovejas, y no destruyrlas...".
Cf. c. 184.

Copla 193. — Cf. cc. 184 y 192.

Copla 194. — Cf. cc. 184 y 192; cf. cap. IV.

Copla 195. — *Eclesiastés*, 5, 9: "El avariento jamás se saciará de dinero". Cf. María Rosa Lida, *Juan de Mena*, págs. 243-244. Algunos ejemplos (pues la utilización de esta idea llegó a ser un tópico en los siglos XV y XVII: Padilla (*Retablo*, c. 20, fol. e5): "Las grandes riquezas que Craso llegaua / ¿que le montaron despues de vencido / quando furinas el oro molido / echar en su boca ya muerto mandaua?". *Celestina*: "¡O cobdiciosa e avarienta garganta!" (ed.

cit., I, pág. 198); "¡O vieja avarienta, garganta muerta de sed por dinero!" (II, pág. 103); "E como sea de tal calidad aquel metal [el oro], que mientra mas bevemos dello mas sed nos pone..." *(ibid.,* página 136). *Proverbios de Séneca* (Sevilla, 1500, fols. LV y LI): "El dinero no harta al auariento, antes le pone mas cobdicia". Diego López, *Declaración magistral* (emb. 84, págs. 228v-229): "Avemos de saber que la avaricia tiene cierta conveniencia con la hydropesia, la qual quanto más bebe tanta mas sed tiene, y assí el rico quanto más tiene más desea...". Un refrán recogido por Lorenzo Palmireno y anotado por Sbarbi guarda relación real con la metáfora que da motivo a esta nota: "Borrachez de agua, nunca se acaba" *(Refranes de mesa, salud y buena crianza,* Valencia, 1569, ed. Sbarbi en *El re-franero general español,* I, pág. 283). Cf. también cc. 76 y 118. Cf. cc. 184 y 192; cf. caps. I y VI.

Copla 196. — Cf. cc. 184 y 192.

Copla 197. — Cf. c. 184; cf. cap. IV.

Copla 198. — Cf. cc. 61 y 158; cf. caps. III y V.

Copla 199. — Historia de los Reyes Magos, *Mateo,* 2, 1-12. Cf. cap. IV (también para cc. 201-202, 207, 209, 213, 217, 253, 263 y 264); cf. caps. V y VI.

Copla 201. — Cf. c. 199.

Copla 202. — Lodulfo de Sajonia, *Vita Christi* (ed. cit., I, c. 11, 1, fol. 67v): "Llamabanse tambien reyes [y magos] porque en aquel tiempo los philosophos e los sabios acostumbrauan reynar...". Posiblemente, esta idea, como en el caso de Mendoza, sea también un recuerdo del sabio rey Salomón *(Reyes, I,* 3, 3 sigs. y 4, 29-34; *Crónicas, II,* 1, 10-12).
Platón, *De Republica,* Libro V, 20, VI, 3, ed. F. Zadock y H. Davis, Washington-Londres, 1901, págs. 193-203.
Pérez de Guzmán, *De vicios e virtudes* (NBAE, XIX, c. 197, página 597): "Aquel reyno es bien reglado / en que los discretos man-

dan...". Covarrubias, *Emblemas morales* (cent. I, emb. 16): "Dixo Platón que entonces sería la República bien gobernada, quando los Filosofos reynassen y los Reyes filosofassen".
Cf. cc. 199 y 203; cf. cap. VI.

Copla 203. — *Mateo*, 2, 1, 7. La identificación que Mendoza hace de "magos" con "sabios ombres" (en caldeo) puede ser un posible recuerdo de *Daniel*, 2, 2: "Y mandó el rey convocar los adivinos y los magos, y los hechiceros y los caldeos o astrólogos..."; *ibidem*, 5, 7-8: "Gritó, pues, en alta voz el rey que hiciesen venir los magos, y los caldeos y los adivinos... Vinieron, pues, los sabios del reino..."; *ibidem*, 5, 11: "le constituyó jefe de los magos, de los encantadores, caldeos y agoreros...". Santo Tomás escribe (*Summa*, 3, 36, 3c, ad2): "Hay quienes dicen que estos magos no fueron maléficos, sino astrólogos, sabios, que entre los persas o los caldeos eran llamados magos". Cf. también San Jerónimo, *In Daniel*, 2, 2 (PL, XXV, col. 521).
Cf. cc. 202 y 208.

Copla 204. — Profecía de Balaam, *Números*, 24, 17.
Cf. cap. VI (también para c. 219).

Copla 205. — Cf. mi trabajo "Leyendas cristianas primitivas en las obras de Fr. Íñigo de Mendoza", de próxima publicación en *HR*.
Cf. c. 206; cf. cap. VI.

Copla 206. — Cf. c. 205.

Copla 207. — Cf. Pérez de Guzmán, *Loores de los claros varones* (NBAE, XIX, c. 49, pág. 712): "Aquestas obras baldías / parecen al que soñando / falla oro, / e despertando / siente sus manos vazias...". Juan de Padilla, *Retablo* (c. 2, fol. n5v): "Bien assi como los hombres soñantes / quando recuerdan se hallan burlados / de los thesoros por ellos soñados / o de las cosas que son semejantes...". Comendador Román, *Obras* (ed. cit., fol. e6v): "Como quien se sueña rey / y se falla mendicante". (Cf. también c. 308.)
Cf. c. 199; cf. cap. VI.

Copla 208. — San Agustín, *Sermo CC*, I (*PL*, XXXVIII, col. 1028): "Primitiae gentium". Eco en Santo Tomás, *Summa* (3, 36, 3ad1 ; 3, 36, 8ad1).
Cf. c. 203.

Copla 209. — Razones de la desaparición de la estrella, cf. Santo Tomás, *Summa* (3, 8ad3).
Cf. cc. 199 y 210.

Copla 210. — Cf. c. 209.

Copla 211. — Símiles náuticos, cf. también cc. 234 y 307. Cf., por ejemplo, Boecio (*De Consolatione*, l. 4, metro 2, B. N. de Madrid, Ms. 8211, fols. 83v-84v); Bromyard (*Summa*, I, cap. "Gratia", 5). Es útil la obra de Ch. R. Post, *Mediaeval Spanish Allegory*, Cambridge, Mass., 1915, págs. 271-273.
Cf. Gillet, *Propalladia*, III, págs. 618-619, a propósito de "La gente sin capitán / es la casa sin muger" (pertenece a *Comedia Jacinta*, de Torres Naharro), quien anota algunos casos paremiológicos. Cf. también Santillana (NBAE, XIX, pág. 558, *Otro dezir*): "Gentil dama, tal paresçe / la çibdad do vos partistes / como las compañas tristes / do el buen capitan fallesçe". Gómez Manrique, *Esclamaçion e querella* (NBAE, XXII, pág. 51): "Las gentes sin los caudillos / muy flacamente guerrean…" y a don Fernando, *Quando partió de Alcalá a socorrer al Rey de Aragón su padre… en Perpiñán* (ibid., página 111): "Estamos como galea / careçiente de patrón, / como gente syn pendón, / e syn capitán varón / en la dudosa pelea". Diego del Castillo (*ibid.*, c. 57, pág. 221, *Vision sobre la muerte del Rey don Alfonso*): "Como se falla muy desbaratada / sin el capitan la hueste e vencida, / e donde segura defienda su vida / fuye e aguija por ser reparada…".
Cf. cap. VI.

Copla 212. — Cf. Eiximenis, *Vita*, ed. cit., cap. 175, fol. 113.

Copla 213. — *Mateo*, 2, 3.
Cf. cc. 44 y 199.

Copla 213 A. — *Mateo*, 2, 4.

Copla 213 B. — Santo Tomás, *Summa* (3, 363c ad2): "La turbación que se siguió a la manifestación del nacimiento de Cristo fue
conveniente: primero, porque con esto se ponía de manifiesto la dignidad celeste de Cristo. Dice San Gregorio (*In Evang.*, l. 1, homilia 10, PL, LXXVI, col. 1110): 'Al nacer el rey del cielo, se turba
el rey de la tierra, porque la alteza terrena se siente confundida
cuando se revela la majestad celestial...' ". Cf. San León Papa, *Sermo XXXIV* (PL, LIV, col. 1246), que exclama contra Herodes:
"No cabe Cristo en tu palacio, ni el señor del mundo se puede con-
tentar con la estrechez de tu imperio".
Cf. cc. 214-216.

Copla 214. — Álvarez Gato (ed. cit., fol. c4v): "Que en vida
del rey / buscar otro nuevo / al tal por la ley / le dan / muerte
luego" (pertenece al poema titulado *A reuerencia y honra de los tres
reyes que vinieron a adorar al Saluador*).
El proverbio citado por fray Íñigo es típico de la paremiología
sefardita: "¿Quién es tu enemigo? El hombre de tu oficio" ("Proverbes judéo-espagnols", núm. 965; también en Sbarbi, *Monografía*,
página 56, tomado del *Adagiorum* de Fernando de Arce de Benavente);
"¿Quén es tu inimigu? Il di tu ofiçiu" ("Judeo-Spanish Proverbs of
the Monastir Dialect", ed. Max A. Luria, *RH*, 1933, núm. 330);
"¿Quién es tu enemigo? El de tu ofiçio" ("Judeo-Spanish Proverbs.
Their Philosophy and their Teaching", ed. H. V. Besso, *BH*, 1948,
número 190). Cf. también Caro y Cejudo, *Refranes*, pág. 346.
Cf. cc. 216 y 368; cf. caps. III, VI y VII.

Copla 215. — *Mateo*, 2, 3.
Cf. cc. 213 y 213B.

Copla 216. — Aristóbulo e Hircano, grandes personajes que podían disputar el trono a Herodes, nombrado por los romanos. Cf.
Paulo Orosio, *Historiarum Adversum Paganos* (1. VI, 6, 1-4, en
Corpus Script. Ecclesiasticorum Latinorum, V, Viena, 1882); Paulo
Diácono, *Historia miscella ab incerto auctore consarcinata* (PL, XCV,
col. 834). Para Herodes "varón extrangero", cf., por ejemplo, Eusebio, *Chronica* (Berlín, 1866, págs. 138-139); Sulpicio Severo, *Chronica* (II, 27, en *Corpus Script. Ecclesiasticorum Latinorum*, I, Viena,

1866). La *Primera Crónica General de España* (cap. 130, pág. 101a) dice así a este respecto: "Et era fijo de Antipatro et de Ciprida de Arauia, et no auie linage ni natura ninguna con Judea". Cf. F. Prat, S. J., *Jesu Christ. His Life, His Teaching and His Work* (I, Milwaukee, 1963, págs. 486-489).
Cf. c. 213B.

Copla 217. — Hugo de San Víctor, *De bestiis et aliis rebus* (PL, CLXXVII, col. 139): "Candela: Ceram habet et stupam, lumen praebet, se ipsam consumit". Bromyard, *Summa* (I, cap. "Gloria", 12, 337): "Et sicut candela que aliis lucet, sed se ipsam consumit...". Cf. también la respuesta de Juan de Mazuela a Gómez Manrique (NBAE, XXII, pág. 6): "No seays vos la candela / que alunbra, como sabes, / a todos, pero despues / quemase fasta la tela", y la *Crónica de don Álvaro de Luna* (ed. Mata Carriazo, pág. 252): "que ansí como de la candela se suele dezir, y es assí verdad, que alumbrando a otros se quema a sí mesma...".
La profecía aludida, *Miqueas*, 5, 2-4 (cit. en *Mateo*, 2, 6, y *Juan*, 7, 42).
Cf. c. 199; cf. cap. VI.

Copla 218. — "Bien escarva el gallo en su muladral. Prevalet in pugna galus in ede sua" (en *Glosarios latino-españoles de la Edad Media*, apéndice al *Glosario de El Escorial*, ed. Américo Castro, Madrid, 1936, núm. 244, pág. 144). "Hernán Cortés tenía estos dos refranes en la boca: 'El rey sea mi gallo' y 'Por tu ley y por tu rey morirás' " (cit. por Sbarbi, en *Monografía*, pág. 322, que lo toma de un manuscrito de Álvar Gómez de Toledo de la B. N. de Madrid, antiguo FF-102). "Cada gallo canta en su muladar" (Covarrubias, *Tesoro*, página 289). "Cada gallo canta en su muladar. Gallus in suo sterquilinio multum potest" (Caro y Cejudo, *Refranes*, pág. 59).

Copla 219. — Profecía de Balaán, *Números*, 24, 17.
Cf. c. 204; cf. cap. VI.

Copla 220. — Cf. c. 33; cf. cap. VI.

Copla 221. — *Daniel,* 9, 24-26; *Zacarías,* 9, 9 (cit. en *Mateo,* 21, 5 y *Juan,* 12-15).
Cf. c. 217; cf. cap. VI.

Copla 222. — *Génesis,* 49, 10-11.
Cf. cap. IV.

Copla 228. — Santillana, *Comedieta de Ponza* (NBAE, XIX, c. 21, páginas 463-464) : "E como varones de noble senado / se honran e ruegan, queriendo fablar, / asy se miraron, de grado en grado ; / non poco tardaron en se convidar. / Mas las tres callaron e dieron logar / a la mas antigua que aquella fablase...". Gómez Manrique, *Planto de las Virtudes* (NBAE, XXII, pág. 74) : "Amansando sus clamores / todas siete se miraron, / e bien como senadores / o cientificos dotores, / a fablar se conbidaron...".
Cf. c. 229; cf. cap. VI.

Copla 229. — Cf. c. 228.

Copla 233. — Cf. cap. VI.

Copla 234. — "Como gato sobre ascuas. Aplícase este adagio a los que levemente y como de passo tocan y gustan algo, particularmente si esto lo hazen temiendo no les venga algún daño si se detienen" (Caro y Cejudo, *Refranes,* pág. 70). Álvarez Gato hizo un juego de palabras con su propio apellido (NBAE, XIX, pág. 234) : "Avnque pasastes por ellas / como yo sobre la brasa".
Cf. c. 211 ; cf. caps. VI y VII.

Copla 235. — "Quando quiere..." : arcaico, ya en el *Poema de Mio Cid,* v. 682; cf. comentario de Menéndez Pidal en tal lugar; también K. Pietsch, *Spanish Grail Fragments,* II, Chicago, 1924, páginas 114-115, por ejemplo.

Copla 237. — *Macabeos, I,* 6, 34 : "Mostraron a los elefantes vino tinto y zumo de moras a fin de incitarlos a la batalla". Bromyard (*Summa,* I, cap. "Eucharistia", 7, pág. 255) : "Elephantibus ostenderunt sanguinem suae ad exacuendum eos in bello, ne in eo deficerent, sed fortiter agerent...". Padilla (*Retablo,* c. 23, fol. fv) :

"Aquella braveza que los elephantes / muestran mirando la sangre
reziente / mostraua la cruda compaña presente...".
Cf. cap. VI.

Copla 238. — Cf. Gillet, *Propalladia*, III, pág. 913, que cita varios
ejemplos de la metáfora de los ojos "tornados fuentes".

Copla 239. — "Monumento", esto es, "sepulcro". Cf., por ejemplo, Román (*Obras*, fol. d3v; también fols. d4, d5 y d5v): "Como
omilde padeçio / siendo sv poder sin cuento / como Dios se leuanto / quando la vida torno / al cuerpo en el monimento".

Copla 242. — Cf. c. 61; cf. cap. V.

Copla 243. — Cf. cc. 61 y 242.

Copla 244. — Álvarez Gato (ed. cit., c. 103): "Yo soy la que lo
miraua / y la que mas lo sentia; / lo que su carne sofria, / dentro
en mi alma llagaua". *Cancionero Musical* (ed. F. Asenjo Barbieri, Madrid, 1890, pág. 145): "¡Oh madre excelente suya, / sagrada Virgen
Maria! / uos sola desconsolada / cantareis sin alegria".
Cf. cc. 61 y 242; cf. cap. VI.

Copla 245. — Cf. cc. 61 y 242.

Copla 245 A. — Cf. cc. 61 y 242.

Copla 246. — *Tan asperas de sofrir* (también cc. 247-249), cf.
capítulo V.
Cf. cc. 61, 162 y 242.

Copla 247. — Cf. cc. 61, 242 y 246.

Copla 248. — "Fatigar", cf. Gillet, *Propalladia*, III, pág. 51.
Cf. cc. 61, 242 y 246.

Copla 249. — Cf. cc. 61, 242 y 246.

Copla 250. — Cf. cc. 61, 66 y 242.

Copla 251. — *Lucas,* 2, 35.
Cf. cc. 61 y 242.

Copla 252. — Cf. cc. 61, 63, 101, 112 y 242; cf. cap. IV (también cc. 274 y 360).

Copla 253. — Cf. cc. 61, 199 y 242.

Copla 254. — Cf. cc. 61 y 242.

Copla 255. — Cf. cc. 61, 156 ("lamedor", cf. cita de *Celestina*) y 242.

Copla 256. — Boecio, *De Consolatione* (I, prosa 1, fol. a3v, traducción de Ginebreda, ed. cit.): "Serenas son en el mar, e dizen que son en forma de fembras, e tiran las naues e fazen dormir los marineros por el dulçor del su canto e como duermen, matanlos todos et los afogan". Cf., entre numerosísimos ejemplos, Hugo de San Víctor, *De bestiis et aliis rebus* (PL, CLXXVII, col. 78).
Cf. cc. 61 y 242.

Copla 257. — Sería tarea inacabable citar ejemplos literarios del antifeminismo, que hallamos ya en el *Eclesiastés,* 19, 2. Anoto únicamente algunos trabajos fundamentales que deben consultarse sobre este fértil tema: A. Campaux, *La question des femmes au XV*ème *siècle,* París, 1865; A. Farinelli, *Italia e Spagna,* I, Turín, 1929, páginas 146-186 y 264-330; P. Bach y Rita, *The Works of Pere Torroella,* Nueva York, 1930, págs. 51-59 y 192-215; B. Matulka, "An Antifeminist Treatise of Fifteenth-Century", en *RR,* 1931, págs. 49-126; I. Siciliano, *François Villon et les thèmes poétiques du Moyen Âge,* París, 1934, págs. 349-399; J. Ornstein, "La misoginia y el profeminismo en la literatura castellana", en *RFH,* 1941, págs. 219-232; Le Gentil, *La poésie lyrique,* I, págs. 419-420; R. Lapesa, *La obra literaria del marqués de Santillana,* Madrid, 1957, pág. 129.
Reinas comparadas con la madre de Dios, cf. Padilla, *Retablo* (NBAE, XIX, c. 9, pág. 429): "¡O reinas humanas!, mirad a María, / la serenisima reyna del cielo, / como sin pompa los pies en el suelo / fue muy humilde por aspera via".
Cf. caps. III, VI y VII.

Copla 258. — *Cancionero Espiritual,* pág. 101 : "Lo que yo nunca comi / lo pago con las setenas...". Caro y Cejudo (*Refranes,* página 307): "Pagareis alguna vez con las setenas. Dizese esto a los
que hazen muchas burlas y no hay quien los castigue...". Cervantes
(*Quijote,* I, 4): "...y que se lo habia de pagar con las setenas".
"Foelis culpa, quae talem meruit habere Redemptorem", de San
Anselmo según Damián de Vegas (en *Romancero y Cancionero Sagrados,* NBAE, XXXV, pág. 539), que glosa así: "Porque Adan
peco / ha Dios encarnado; / ¡dichoso pecado que tal merecio!".
Cf. cc. 35, 46 y 257.

Copla 259. — Parecer o hacerse "blanco lo prieto", o a la inversa,
de uso común en la época de Mendoza. Cf. por ejemplo, entre otros
muy numerosos, Mena, *Contra los Pecados Mortales* (NBAE, XIX,
página 129); Álvarez Gato (ed. cit., c. 55, pág. 87; c. 62, pág. 107;
copla 70, pág. 120).
Cf. c. 257.

Copla 261. — Cf. c. 33; cf. cap. VI.

Copla 262. — Cf. cc. 61 y 242; cf. cap. V.

Copla 263. — Cf. cc. 61, 199 y 242.

Copla 263 A. — Cf. cc. 61 y 242.

Copla 263 B. — Cf. cc. 35 y 158.

Copla 263 C. — Cf. cc. 13 y 167; cf. cap. VII.

Copla 264. — Cf. cc. 66 y 199.

Copla 265 C. — *Proverbios,* 7, 23 : "Hasta que la saeta le traspasa las entrañas; como vuela el ave hacia las redes, así va él, sin
advertir que corre a perder la vida" (cf. también cc. 39, 326 y 338).
Cf. c. 275.

Copla 266. — La tesis de esta copla y de su continuación en las
267-270 se contiene en el Salmo 62, 13 : "Y que tú, Señor, eres mi-
sericordioso, porque a cada uno remuneras conforme a sus obras",

y en *Romanos*, 2, 2 : "Sabemos que Dios condena según su verdad a los que cometen tales [malas] acciones". Cf. también, por ejemplo, Santo Tomás, *Summa* (2-2, 108, 4c). Pérez de Guzmán, *Loores de los claros varones* (NBAE, c. 333, pág. 743) : "Las causas porque acaescen / Dios es el sabidor dellas, / e los juyzios de aquellas / a el solo pertenescen : / quien sabe porque florescen / los malos e indiscretos, / e por escuros secretos / buenos e justos padescen". Cf. también "exenplo" 105 de Sánchez de Vercial ; los versos introductorios dicen así : "Los joyzios grandes de Dios / muy abscondidos son a nos".

Causa y efecto, cf. Santo Tomás, *Summa*, 1, 33, 1ad1 ; 1, 49, a2, 3 ; 1, 65, 2 y 3c ; 1, 104, 1, 2c.
Cf. cap. VI.

Copla 267. — *Sabiduría*, 12, 13 : "Porque no hay otro Dios sino tú : que de todas las cosas tienes cuidado, para demostrar que no hay injusticia alguna en tus juicios" ; 12, 18 : "...juzgas sin pasión y nos gobiernas con moderación suma...". Cf. también *Job*, 21. Pérez de Guzmán, *Contra los que dizen que Dios en este mundo nin da bien por bien nin mal por mal* (NBAE, XIX, págs. 650-656).
Cf. c. 266 ; cf. cap. VI.

Copla 268. — Las tribulaciones como medio de perfeccionamiento, cf. *Romanos*, 5, 3 ; 12, 12 y 14 ; *Corintios, I*, 4, 12 ; *Corintios, II*, 6, 4-5 ; *Tesalonicenses, II*, 1, 7 ; *Hebreos*, 2, 14. Ejemplificación por medio de los metales cendrados por el fuego, cf. *Proverbios*, 27, 21 : "Como en el crisol se prueba la plata y en la hornaza el oro..." ; Séneca, *De Providentia*, V, 10 (según los *Cinco libros de Seneca*, traducidos y comentados por Alonso de Cartagena, Sevilla, 1491, Ungut y Polono). Pérez de Guzmán, *De vicios y virtudes* (NBAE, XIX, copla 105, pág. 587) ; *Contra los que dizen* (*ibid.*, c. 41, pág. 654) ; *Loores* (*ibid.*, c. 114, pág. 719) ; cito este último caso como ejemplo típico : "Señor, tu fieres e sanas, / tu adoleces e curas, / tu das las claras mañanas / despues de noches escuras ; / tu en el fuego apuras / los metales muy preciados, / e purgas nuestros pecados / con tribulaciones duras". Padilla, *Retablo* (II, c. 6, fol. g5v, ed. cit.) : "Y bien assi como se halla limpiado / el oro passando las calidas fraguas, / assi el coraçon por los fuegos y aguas / de las tentaciones se halla purgado". Los ejemplos son numerosos; cf. también Encina (*Obras*, fol. 54v); *Cancionero Espiritual*, pág. 91; Covarrubias, *Emblemas* (cent. II, emb. 18; cent. III, emb. 44). Cf. cc. 266-267; cf. cap. VI.

Copla 269. — Historia de Faraón, *Éxodo*, 14, 23-31. Cf. cc. 266-268; cf. caps. IV, VI y VII.

Copla 270. — Cf. cc. 266-269.

Copla 271. — Herodes ante el César, cf. Santo Tomás, *Summa* (3, 6ad3), que escribe: "Según se dice, en ese intervalo partió para Roma a defenderse de las acusaciones presentadas contra él"; cf. también Pedro Comestorem, *Historia Scholast. In Evangelium* (PL, CXCVIII, col. 1543).

Copla 272. — El nombre más común de la enfermedad aludida en la Edad Media es el de "fuego de San Antón", aunque, como señala Gillet (*Propalladia, III*, pág. 272), también se usaban los de fuego de San Marcial, de la Virgen, invisible, infernal, "salvatge" (en Cataluña; cf. *Lo Spill* de Jaume Roig, ed. R. Chabás, Barcelona, 1905, 3265), "ardente" (en Portugal; cf. *Revista Lusitana*, 1916, pág. 101). Gil Vicente lo denomina también "de San Marçal": "¡Oh!, não praza a San Marçal" (*Obras*, ed. J. V. Barreto y J. G. Monteiro, Hamburgo, 1834, I, pág. 240). J. Huizinga escribe (*El otoño*, págs. 246-247): "Un gran número de nombres de santos estaban ligados a determinadas enfermedades; así, el de San Antonio, con diversas enfermedades gangrenosas de la piel... Aquí acechaba otro peligro de degeneración de la fe popular. La enfermedad llevaba el nombre del santo: fuego de San Antonio, mal de Saint Maur... De este modo, al pensar en la enfermedad, el santo figuraba desde un principio en el primer término del pensamiento. Pero éste hallábase cargado de vehemente emoción de temor y repulsión, sobre todo tratándose de la peste. Los santos abogados de la peste eran celosamente honrados en el siglo XV: con oficios en las iglesias, con procesiones, con cofradías, como si todo esto fuese, por decirlo así, un seguro espiritual contra la enfermedad... Entre los ignorantes son considerados muchas veces los santos como los verdaderos autores de la enfermedad. 'Que Saint Antoine me arde' es una maldición usual".

Para la importancia del culto a San Antón en el sur de Francia, donde tuvo su origen, cf. E. Mâle, *L'art religieux*, pág. 195. También Cejador, en su ed. del *Libro de Buen Amor*, II, n. a copla 1240, página 148, el cual afirma que los frailes de la cofradía hospitalaria de San Antón, dedicada a los enfermos, entran en España en el siglo XII.

Para el aspecto médico de la enfermedad, cf. D. Riesmann, *The History of the Medicine in the Middle Ages*, Nueva York, 1935, páginas 243 y siguientes.

Cf. c. 273.

Copla 273. — Cf. c. 272.

Copla 274. — Las invectivas contra Herodes, "el peor de los mortales", van a ser casi continuas a partir de esta copla (por ejemplo, 275-280E). Cf. c. 252; cf. cap. IV.

Copla 275. — Cf. cc. 265C y 274.

Copla 276. — Juan de Mena, *Contra los pecados mortales* (NBAE, XIX, pág. 126): "¡O vil triste ypocresya, / o doble cara dañosa, / red de sombra religiosa, / encubierta tirania! ; / del ypocrita diria / ser momo de falsa cara, / que la encubre y la declara / so simple filosomia".

Cf. cc. 1 y 274; cf. cap. VI.

Copla 277. — La profecía es la de *Oseas*, 11, 1 : "Como pasa el crepúsculo de la mañana, así pasó el rey de Israel. Al principio era la casa de Israel un niño: yo le amé y yo llamé de Egipto a mi hijo". Aparece citada en *Mateo*, 2, 14-15: "...y se retiró a Egipto, donde se mantuvo hasta la muerte de Herodes; de suerte que se cumplió lo que dijo el Señor por boca del profeta: Yo llamé de Egipto a mi hijo". (Cf. también c. 327.)

Cf. c. 274; cf. cap. VI.

Copla 278. — Cf. c. 274.

Copla 279. — Cf. c. 274.

Copla 280. — Cf. caps. V y VI (también para cc. 280A-280E y 386-392).
Cf. c. 274.

Copla 280 A. — Cf. cc. 274 y 280.

Copla 280 B. — Para estas ideas sobre el "regimiento de príncipes" y las siguientes (cc. 280C-280E y 386-392), cf., por ejemplo, Séneca, Cinco Libros (ed. cit., fols. p1v-p4v); Boecio, De Consolatione, "En que la Filosofía enseña que los Reyes más poderosos si son criminosos, son impotentes..." (l. 4, metro 2, pág. 138, ed. cit.); Bromyard, Summa (II, cap. IV, "Regimen", págs. 304-308); Eiximenis, Vita (l. 3, caps. 182-186); Mena, Laberinto (NBAE, cc. 81-83, página 160); Pérez de Guzmán, Loores de los claros (ibid., cc. 91, 144 y 247).

Séneca, De Ira, con glosa del doctor Pedro Díaz de Toledo (en Proverbios y sentencias de Lucio Anneo Seneca y de don Yñigo López de Mendoza, Amberes, 1552, núm. 114, fols. 57v-58): "Al ayrado mejor esta tirarle las armas que no dargelas... es verdad que menos mal podra fazer el ayrado sin armas que con armas". Ya en La estoria de los quatro dotores de la Sancta Eglesia, de Vicente de Beauvais, aparece una glosa de Séneca: "O si non niegues al loco el cochiello que te dio, con el qual si el mate a alguno, non es contra el ofiçio auergelo dado?" (ed. cit., cap. 9, pág. 27). Incluso hay refrán tomado de la idea de Séneca; así, el que cita Cejador en su Refranero Castellano (II, Madrid, 1929, pág. 305): "Espada en mano de loco, a daño es del que se la dio". Diego López, Declaración magistral (emb. 174, pág. 401): "Porque la espada del loco no daña solamente a los contrarios, sino a si proprio...". Cf. cc. 280 y 390; cf. caps. VI y VII.

Copla 280 C. — Bromyard, Summa (I, cap. "Anima", 26, página 65): "Et sunt similes cuidam de quo sertur esset in taberna, et non haberet, quod poneret pro symbolo suo" (ibidem, cap. "Luxuria", 5, pág. 479): "Sicut tabernarius signa vini venalis extra taberna ostendendo, vel arras a transeuntibus et sitibundis accipiendo, quos praesumere potest, ideo ei arras, vel pecuniam dare ei, ut postea bibant, quantumqunque; ore hoc minime dicant...". Cf. cc. 274, 280, 280B y 387; cf. cap. VII.

Copla 280 D. — *Proverbios*, 20, 28: "La misericordia y la justicia guardan al rey, y hace estable su trono la clemencia". Séneca, *De Clementia, I* (en *Flores de Lucio Anneo Seneca*, 1555, fol. 145v): "Es pues segun dezia la clemencia necessaria a todos los hombres y segun la naturaleza dellos, pero mucho mas y mucho mas honrra a los Emperadores... No conviene a un Rey la ira cruel y inexorable...". Bromyard, *Summa*, cf. II, "Misericordia", 18, pág. 41. Pérez de Guzmán, *De vicios y virtudes* (NBAE, c. 386, pág. 618): "De aqui cuydo yo fundar / misericordia e clemencia / ser de mayor excellencia / que la justicia; e prouar / me pienso, e haun affirmar, / por la Escriptura Santa / que lo reza, escriue e canta, / ved como e en que lugar". Cf. cc. 274, 280 y 280B; cf. caps. VI y VII.

Copla 280 E. — Cf. cc. 274, 280 y 280B.

Copla 281. — Cf. cc. 1 y 158.

Copla 282. — Historia de la presentación en el templo: *Lucas*, 2, 22-39. Ley mosaica de la presentación, *Éxodo*, 13, 2; *Levítico*, 12; *Números*, 3, 46-47 y 8, 16. Cf. cc. 296-300; cf. cap. VI.

Copla 283. — Cf. c. 71.

Copla 286. — (También para c. 287.) Las paráfrasis del *Nunc Dimittis* constan ya en San Buenaventura, *Contenplaçion*, ms. B. N. de Madrid, cap. XIII, fol. 22, por ejemplo. Otros, en Lodulfo de Sajonia, *Vita* (I, cap. 12, 4, fols. 80-80v): "Agora dexas, señor, a tu siervo segund tu palabra en paz, pues que han visto mis ojos a tu fijo mi Saluador, el qual aparejaste ante la presencia de todos los pueblos, ca el solo es lumbre para reuelacion e alumbramiento de las gentes e para gloria de tu pueblo de Ysrrael". Encina, *Copilación* (folio 26): "Agora que ya cumpliste / tu palabra mi Señor / dexas a tu servidor / en la paz que tu dexiste, / porque mis ojos miraron /

tu salud muy saludable, / a tu hijo perdurable / mis ojos le con-
templaron...".
Cf. Le Gentil, *La poésie lyrique*, I, págs. 332-334.

Copla 287. — Cf. c. 286.

Copla 288. — Mendoza alude a lo expresado en la c. 21 sobre los
"parientes fingidos" de las mujeres livianas.
Cf. cc. 61 y 242; cf. cap. V.

Copla 289. — Arca de Noé, *Génesis*, 6, 14-22; 7, 1-19; 9, 1-7,
18-19; 10, 1-32.
Cf. cc. 61 y 242.

Copla 290. — Cf. cc. 61 y 242.

Copla 291. — Gómez Manrique, *Loores e suplicaciones a Nuestra
Señora* (NBAE, XXII, pág. 147): "¡O pura virginidad / sin pecado
concebida, / para ser templo escogida / de la Santa Trenidad! /
¡Cuyas personas en vna / syn diferencia ninguna, / y la vna en tres
e dos, / en ti, mas clara que luna / que reynas sobre fortuna / son
fechas ombre con Dios!".
Quijote, II, 19: "Que el amor, según he oído yo decir, mira con
unos antojos que hacen parecer oro al cobre, a la pobreza riqueza y
a las lagañas perlas".
Apocalipsis, 20, 2: "Y agarró al dragón, a aquella serpiente antigua que es diablo, y Satanás...".
Cf. c. 57; cf. cap. VI.

Copla 292. — Cf. c. 3, 11.

Copla 293. — Cf. Le Gentil, *La Poésie lyrique*, I, págs. 106-108,
para la comparación de la Virgen María o de las mujeres en general
con flores, piedras preciosas, etc.

Copla 294. — "Ceuil": simple, modesto. Cf. Gillet, *Propalladia*,
III, pág. 41. Con significado de ruin, grosero, miserable, cf. c. 311.

Copla 295. — Gillet, *Propalladia*, III, págs. 789-790, afirma que
"el menor", "la menor", "with variations, was a traditional formula

of deprecation, based on a general social convention...", citando multitud de ejemplos literarios (de Ayala, Rodríguez del Padrón, Diego de Valera, Álvarez Gato...), pero no de fray Íñigo. Cf. c. 71.

Copla 296. — Ley mosaica de la presentación, cf. c. 282 (también 297-300). Muerte de los primogénitos egipcios, *Éxodo*, 11, 1-6 y 12, 29-36 (también cc. 297-299). Cf. cap. VI.

Copla 297. — "Los otros rigores", las nueve plagas previas a la muerte de los primogénitos: *Éxodo*, 7, 14-25, y 8, 11. Cf. cc. 282 y 296.

Copla 298. — Cf. cc. 3, 282 y 296.

Copla 299. — Cf. cc. 282 y 296.

Copla 300. — *Levítico*, 12, 1-8. Cf. también cc. 282 y 296.

Copla 302. — "De las causas, causa prima": Santo Tomás, *Summa* (1, 44, a3; 1, 65, 4c, etc.).

Copla 303. — Cf. c. 91.

Copla 305. — *Levítico*, 12, 8. Cf. cc. 181C y 181D; cf. cap. VI.

Copla 306. — Cf. cc. 35, 158 y 293.

Copla 307. — Historia de la huida a Egipto, *Mateo*, 2, 13-15. El tema del menosprecio del mundo es importantísimo en la segunda mitad de la Edad Media, como es bien sabido; cf. especialmente c. 309 para su relación con el inseparable tema de Fortuna. "Casa que toda se llueve", cf. *Eclesiastés*, 10, 18: "Por pereza en retejar se desplomará la techumbre, y por falsedad en obrar será toda la casa una gotera". *Celestina* (ed. cit., I, págs. 164-165): "Choça sin rama, que se lleue por cada parte" —la vejez, en este caso.

"Hedificio sobre arena", cf. *Mateo*, 7, 26-27: "...será semejante a un hombre loco que fabricó su casa sobre arena: y cayeron las lluvias y los ríos salieron de madre, y soplaron los vientos, y dieron con ímpetu contra aquella casa, la cual se desplomó, y su ruina fue grande". También en Boecio; cf. Gillet, *Propalladia*, I, 364, que cita otros casos. Gómez Manrique, *A Diego Arias de Ávila* (NBAE, XXII, página 91): "E non fundes tu morada / sobre tan feble cimiento, / mas elige con gran tiento / otro firme fundamento / de mas eterna durada...". Hernando de Ludueña, *Dotrinal de Gentileza* (*ibid.*, página 720): "A la casa los cimientos, / anchos, firmes, bien fraguados, / cierto es que la sostienen, / pero sin encasamientos, / sin paredes, sin tejados, / pequeño prouecho tienen: / e la casa fabricada / sin cimientos, es menguada...". Pérez de Guzmán, *Confession Rimada* (NBAE, XIX, c. 84, pág. 639): "Ca nunca se acaba obra sin cimiento". Jerónimo Bermúdez, *Nise Laureada* (en *Tesoro*, pág. 336): "El edificio grande gran cimiento / ha de llevar, señor". Caro y Cejudo, *Refranes*, pág. 106: "Edificar sobre arena. Dezimos esto del que trabaja en vano en algún negocio, por el arena, inconstantíssima para el edificio".

La comparación del mundo con un edificio es habitual en la literatura moralista o religiosa; cf. también Francisco de Madrid (editado por Gillet en *HR*, 1943, pág. 275): "O mundo caduco, mesón de mortales..."; Malón de Chaide, *La conversión* (I, c. III, página 136): "Había el soberano maestro compuesto esta mundana casa...".

Para el ejemplo de la falsa manzana, cf. Padilla, *Retablo* (I, c. 4, folio c4): "O negra mançana mortal y muy triste / aunque de fuera gentil y florida / pero de dentro muy mas que podrida, / pues que la vida muy sana podriste...".

Cf. cc. 43, 211, 256 y 308-312; cf. cap. VI.

Copla 308. — Cf. cc. 207 y 307.

Copla 309. — Cf. cap. VI. Añádase Ítalo Siciliano, *François Villon*, págs. 281-311; Le Gentil, *La poésie lyrique*, I, págs. 351-376; Pedro Salinas, *Jorge Manrique*, págs. 95-111. Sería inútil citar ejemplos literarios cuando se trata de un tema tan universalmente utilizado; cf. la bibliografía citada aquí y en cap. VI.

Cf. cc. 115G y 307.

Copla 310. — Metáfora derivada de San Proclo, quien escribe que María es "único puente de Dios a los hombres" *(Orationes,* I, n. 1; VI, n. 19, PG, LXV, cols. 679-681 y 753-757, respectivamente). Cf. c. 307.

Copla 311. — "Ciuil": ruin, grosero; cf. c. 294. Cf. c. 307.

Copla 312. — Álvarez Gato (c. 51, pág. 71): "Sy me vo, sales m'a ver; / paresçes perro escusero". Cf. c. 307; cf. cap. VI.

Copla 313. — Cf. c. 49; cf. caps. III, VI y VII.

Copla 314. — Cf. c. 313.

Copla 315. — Cf. cc. 104, 115S, 121, 307, 313; cf. cap. VI.

Copla 316. — Lodulfo de Sajonia, *Vita* (I, c. 13, 4, fol. 90v-91): "Pues leuauan la madre muy tierna e moça e el Sancto Joseph ya viejo a Egypto al diuino infante por carrera siluestre, escura, llena de montes, e toda desierta e inabitable e muy prolixa...". Cf. cap. III.

Copla 319. — Cf. c. 1 (también cc. 320-321).

Copla 320. — Este refrán, con variantes, es muy común literaria-mente ya desde los tiempos de Sem Tob de Carrión, quien en sus *Proverbios Morales* (ed. cit., pág. 72) lo utiliza así: "Con lo que Lope gana / Rodrigo enpobresçe; / con lo que Sancho sana, / Domingo adolesçe". Cf. también Santillana, *Refranes que dizen las vie-jas tras el huego* (ed. U. Cronan, RH, 1911, pág. 150, núm. 149): "Con lo que Sancho sana, Domingo adoleçe". Cejador, *Refranero castellano,* anota varios casos más: "Con lo que Pedro sana y con-valece, Domingo adolece" (III, pág. 150; procede del *Diálogo de la lengua,* de Juan de Valdés); "Con lo que Juan adolece, Sancho [y Domingo] sana" (II, pág. 413; de la *Celestina,* de F. de Silva)... Hernán Núñez, *Refranes* (Salamanca, 1578, fol. 69v): "Con lo que Sancho sana, Marta cae mala". Sebastián de Horozco, *Refranes Glo-sados* (ed. E. Cotarelo, BRAE, 1916, núm. 590, pág. 602): "Con lo que Sancho sana, Pedro adolece", cuya glosa dice: "La fraterna corrección / que al bueno vence el malino / al malo hace un león / para seguir su opinión / y más le enoja y indina. / Lo que de una fuente emana, / a mí ablanda, a ti endurece / y así no es opinión vana / que con lo que Sancho sana / con eso Pedro adolece". Por último, también en J. Bastús, *La sabiduría de las naciones* (II, Barcelona, 1863, núm. 4, pág. 40): "Con lo que Sancho sana, Domingo adolece".

Cf. cc. 1, 71 y 319; cf. cap. VI.

Copla 321. — Cf. cc. 1, 319.

Copla 323. — Cf. c. 3.

Copla 324. — Cf. c. 1.

Copla 326. — Montesino, *Cancionero* (BAE, XXXV, pág. 449). Cf. *Celestina* (ed. cit., II, pág. 80): "Porque soy cierto que esta donzella ha de ser para el como ceuo de anzuelo o carne de buytrera, que suelen pagar bien el escote los que a comerla vienen". Mal Lara, *La philosophia* (fols. 129-129v): "Pan de boda, carne de buytrera. Llámase carne de buytrera porque ceuo puesto para tomar las como llaman buytreras, en donde se vsa armar a lobos, ossos, zorras y otros animales".

Cf. cc. 39 y 265C.

Copla 327. — Profecía de Oseas, cf. c. 277.

Copla 328. — *Isaías*, 19, 1: "Duro anuncio contra Egipto. He aquí que el Señor montará sobre una nube ligera y entrará en Egipto, y a su presencia se conturbarán los ídolos de Egipto..." (cf. también c. 329).
Cf. cc. 339, 353 y 355; cf. cap. VI.

Copla 329. — Latría: cf. Santo Tomás, *Summa* (2-4, 94, 1ad2...). Cf. c. 328.

Copla 330. — En *Sabiduría*, 14, 15-20, aparece una teoría sobre el origen de la idolatría similar a la expuesta por Mendoza, pero distinta en cuanto al "inventor" de tal culto, que esta vez es un padre y no un hijo legendario. El bachiller Juan Pérez de Moya en su *Philosophia secreta de la gentilidad* (Madrid, 1585, l. I, cap. 7, páginas 7v-8) coincide exactamente con fray Íñigo: "Otros como Eusebio y Trogo Próspero, Nino, hijo de Belo, primero rey de los Assirios, nieto de Nemrod, descendiente de Cham el mal hijo de Noé, fue el primero, y el maestro de la *Historia Eclesiástica,* dize que hizo Idolo porque amando mucho a su padre Belo, después que murió, mandando hazer su retrato, o estatua muy al natural, y puesta en vn aposento, passando por delante le hazía reberencia y acatamiento como si estuuiera viuo, y mandó a sus criados que la honrrasen, començando primero a manera de obediençia, y como en esta imbención el demonio halló ocasión, hizo que diesse respuestas de todo lo que le preguntaua, como si viuo estouiera, y assí el que viuo era hombre muerto fue... deificado. Ayudó mucho biendo que Nino al padre muerto tanto amaua, se començaron a fauorecer, retrayéndose quando algún delito cometían en el aposento donde estaua el retrato, de lo qual Nino holgaua, y no sólo les perdonaua por ello sus errores, mas aún concediéndoles lo que más le demandauan. De esto vino el començarse a humillar delante de la imagen y el adorarla, hasta que la mala costumbre lo conuirtió en ley general, de lo qual Nino muy contento de que la honrra de su imagen crecía, ordenó sacerdotes que le hiziesen sacrificios allí, y por toda su tierra generalmente, y assí començó Belo ser tenido por Dios, y llamáronle el Dios Belo, y siguióse de este principio que las imágines o retratos que de los muertos al principio se hazían para memoria de ellos y no para adorarlas, si eran de gente común eran particularmente veneradas, y si eran de grandes señores, generalmente de todos. Receuido Belo por Dios de todas las gentes que eran de la señoría de Nino, que sojuzgaua toda Asia, y hasta Libia, hizo a todas aquellas tierras benerarle por tal". Santillana se refiere ocasionalmente en *La Comedieta de Ponza* a Belo y a Nino (NBAE, XIX, c. 95, pág. 472), así como Padilla en *Los Doze Triumphos* (ibid., c. I, c. 9, pág. 291 y c. II, c. 5, pág. 293). Diego López presenta un origen distinto de la idolatría en su *Declaración magistral* (emb. 5, pág. 23): "Este Cécrope fue el primero que corrompió a toda Grecia con el culto de los Idolos, y inuocó a Iuppiter... Dió principio a la Idolatría".

Cf. cc. 331-332; cf. cap. VI.

Copla 331. — "Bulto significa algunas vezes la efigie puesta sobre la sepultura de algún príncipe, y algunas vezes la mesma tumba cubierta. Figura de bulto, la que haze el entallador o escultor, por ser figura con cuerpo, a diferencia de la pintura, que es en plano" (Covarrubias, *Tesoro*, fol. 245).
Cf. c. 330.

Copla 332. — Cf. c. 330.

Copla 333. — *Sabiduría*, 15, 4-5: "Y así no nos ha inducido a error la humana invención de un arte mal empleada ni el vano artificio de las sombras de una pintura, ni la efigie entallada y de varios colores, cuya vista excita la concupiscencia en el insensato, que ama la compostura de un retrato muerto e inanimado"; *ibid.*, 15, 15: "Porque creen dioses todos los ídolos de las naciones, los cuales ni pueden usar de los ojos para ver, ni de las narices para respirar, ni de las orejas para oír, ni de los dedos de las manos para palpar, ni aun sus pies son capaces de menearse". Otros pasajes bíblicos con referencias a la idolatría y a su falsedad: *Éxodo*, 20, 3-5; 34, 17; *Levítico*, 19-4; 26, 1; *Deuteronomio*, 4, 28; 28, 36; *Salmos*, 115 y 135, 15-19; *Jeremías*, 10; *Isaías*, 44, 6-20; 46, 1-7; *Baruc*, 6, 1-72...
Cf. cc. 334-339; cf. cap. VI.

Copla 334. — Causa y efecto, cf. Santo Tomás, *Summa* (1, 4, 2c; 1-2, 66, 6ad3, etc.).
Comp. con *Sabiduría*, 15, 7-11.
Cf. c. 333.

Copla 335. — Cf., para la defensa de las imágenes cristianas, San Juan Damasceno (PG, XCIV, col. 1227). También Santo Tomás, *Summa* (2-2, 94, 2ad1).
La "christiana sentençia" fue dada por el Concilio II de Nicea, año 787; cf. Mansi, *Concilia*, XIII, págs. 398 y sigs.
Cf. c. 333; también cc. 336-337; cf. cap. VI.

Copla 336. — Cf. cc. 3, 333 y 335.

Copla 337. — Cf. cc. 58, 333 y 335.

Copla 338. — *Sabiduría,* 15, 17 : "... [el fabricante de ídolos] forma con sus manos una cosa muerta...".
Cf. cc. 39, 265C, 326 y 333; cf. cap. VI.

Copla 339. — Cf. cc. 328 y 333; cf. cap. VI.

Copla 340. — *Colosenses,* 3, 5 : "Haced morir, pues, los miembros del hombre terreno que hay en vosotros : la fornicación, la impureza, las pasiones deshonestas, la concupiscencia desordenada y la avaricia, que viene a ser una idolatría".
Cf. caps. III (también para cc. 341-345) y VI (también para coplas 341-355).

Copla 341. — *Mateo,* 6, 22 : "Porque donde está tu tesoro, allí está también tu corazón". Lodulfo de Sajonia, *Vita* (I, fol. 238) : "E quiso tanto dezir como si dixesse : a do esta la cosa mas amada e desseada de ti, alli estan tus sentidos". Álvarez Gato, *A Hernán Mexia* (NBAE, XXII, pág. 246) : "No hagamos Dios del oro". Torres Naharro (*Capítulo* III, 64, ed. Gillet) : "El oro siempre su Dios, / la plata Sancta Maria". Malón de Chaide, *La Conversión* (ed. cit., II, cap. 18, págs. 171-172) : "Querrán acudir a los dioses que adoraron, a pedirles socorro, esto es, a su dinero y hacienda y amigos, y todo les fallará". Cf. también *exenplo* 39 de Sánchez de Vercial, cuyos versos introductorios dicen : "El avariento es mal artero / que por Dios adora el dinero".
Cf. c. 340; cf. cap. IV.

Copla 342. — Sem Tob, *Proverbios* (ed. cit., pág. 92) : "Quanto cumple a omre / del su algo se syerbe : / de lo demas el syempre / es syerbo, quanto bieve. / Todo el dia lazrado, / corrido, por traerlo, / e la noche cuytado, / por miedo de perderlo".
Cf. c. 340.

Copla 343. — Mena, *Contra los Pecados Mortales* (NBAE, XIX, página 121) : "Amarillo faze el oro / al que sygue su minero...". Diego López, *Declaración* (emb. 37, pág. 128v) : "Pero el que lleva dineros, camina y aun está en su propria casa con peligro...".
Gómez Manrique, *A Diego Arias de Ávila* (NBAE, XXII, pág. 90) : "Si miras los mercadores / que ricos tratan brocados, / no son menos

de cuydados / que de joyas abastados / ellos y sus fazedores; / pues
no pueden reposar / noche ninguna, / recelando la fortuna / de la
mar". Padilla, *Retablo* (T. 1, c. 1, fol. cv, ed. cit.): "El mar y peligros de todo el austral / pospone la gente buscando thesoros / tro-
cando con africos negros y loros / sus bienes por oro, muy rico metal. / Pues que no haremos señor diuinal / viendo la forma de te
conseguir, / quando los nautas su dulce beuir / posponen buscando
lo no natural". Covarrubias, *Emblemas* (cent. 3, emb. 89): "Buscáis
las perlas en el mar profundo, / el oro y plata, abriendo las entrañas / de vuestra madre, rodeando el mundo / por mil naciones bár-
baras y extrañas...".
     Cf. cc. 190, 340 y 342; cf. caps. VI y VII.

     Copla 344. — Cf. cc. 76, 340 y 342; cf. caps. VI y VII. Cf. María
Goyri de Menéndez Pidal, "Leones domésticos", *Clavileño*, 9, páginas 16-18.

     Copla 345. — Cf. cc. 49, 313, 340 y 342.

     Copla 346. — Sobre la hipérbole amoroso-sacrílega, cf. Puymagre,
La cour littéraire de Don Juan II (II, París, 1873, págs. 201-204);
María Rosa Lida, *La hipérbole sagrada* (ya citado); Pedro Salinas,
Jorge Manrique (págs. 10-13); Huizinga, *El otoño*, (págs. 163, 176-
177, 225-227) dice en págs. 158-159: "El círculo poético del delicado
Carlos de Orleáns cubría el amor desgraciado con las formas del ascetismo monástico, de la liturgia y del martirio. Aludiendo a la reciente
reforma de la Orden de San Francisco, hacia 1400, llámanse *Les amo-
reux de l'observance*. ¿No es como si la erótica hubiese tenido que
buscar, incluso por un camino perverso, el contacto con lo sagrado, que
había perdido hacía tiempo?". Algunos ejemplos castellanos: Álvarez
Gato, entre otros numerosos casos, *A vn romero tollido* (NBAE, XIX,
página 222): "Tu, pobrezico romero, / que vas a ver a mi dios..."
Alfonso Enríquez, *Testamento en nombre del dios d'Amor* (*Cancionero de Palacio*, ed. F. Vendrell de Millás, Barcelona, 1945, núm. 311).
Diego López, *Testamento de Amores* (*Vergel de Amores*, ed. facs.
Rodríguez-Moñino, Valencia, 1950, núm. 10): "O muy alto Dios de
amor, / por quien yo viuo penando...". Torres Naharro, *Himenea*
(ed. Gillet, *Propalladia*, I, págs. 149-150): "Y en vos tal gracia ha-

llaron / que de cuantas os miraron / los mas os tienen por Dios / y no digo / lo que sois para conmigo". El ejemplo típico lo hallamos en *La Celestina,* cuyo título prefatorio dice así: "Siguese la Comedia o tragicomedia de Calisto y Melibea, compuesta en reprehension de los locos enamorados, que, vencidos en su desordenado apetito, a sus amigas llaman e dizen ser su Dios..." (ed. cit., I, pág. 27), y, efectivamente, el texto de la obra está empedrado de exclamaciones tales; cf., por ejemplo, acto II, pág. 124; VI, 220; XXI, 210, y especialmente I, 32-33, donde Calisto dice de Melibea: "Por Dios la creo, por Dios la confesso e non creo que ay otro soberano en el cielo, aunque entre nosotros mora".

Sobre los sufrimientos del amante, cf. A. Piaget, "La belle dame sans merci et ses imitations" *(Romania,* 1901, págs. 22-48 y 317-351; 1902, págs. 315-349; 1904, págs. 179-208; 1905, págs. 375-428 y 559-602); A. Pagès, "Le thème de la tristesse amoureuse en France et en Espagne du XIVème au XVème siècle" *(Romania,* 1932, páginas 29-43); Pedro Salinas, *Jorge Manrique* (págs. 13-18); Le Gentil, *La poésie lyrique* (I, págs. 134-139). Es tema tan generalmente utilizado por la poesía cortesana del siglo XV, que es inútil tratar de reproducir aquí ejemplo alguno. Recordemos únicamente que una de sus últimas cristalizaciones es el famoso poema a lo divino que empieza "Vivo sin vivir en mí".

Cf. cc. 340 y 342; cf. cap. VII.

Copla 347. — Cf. cc. 3, 340, 342 y 346.

Copla 348. — Cf. la descripción que fray Íñigo hace del oficio de amador con la similar de *La Celestina* (ed. cit., I, pág. 107): "¡O que fabla!, ¡O que gracia!, ¡O que juegos!, ¡O que besos! Vamos alla, boluamos aca, ande la musica, pintemos los motes, cantemos canciones, inuenciones, justemos, que cimera sacaremos o que letra".

En la literatura castellana hay alusiones continuas al trovador gallego. Sobre Macías espejo de enamorados, cf. Gonzalo Argote de Molina, *Nobleza de Andalucía* (ed. M. Muñoz y Garnica, Jaén, 1866, páginas 553-555); Puymagre, *La cour* (I, págs. 55-71); B. Sansiventi, *Apuntes sobre la leyenda biográfica de Macías,* Bérgamo, 1904; A. Maseda, *Estudios de crítica literaria,* Bilbao, 1915; Menéndez Pelayo,

Antología de poetas líricos castellanos (I, Santander, 1944, págs. 386-390); Gillet, *Propalladia* (III, págs. 78-79). Cf. cc. 340, 342 y 346; cf. caps. IV y VII.

Copla 349. — Gillet (*Propalladia,* III, págs. 793-796) hace un exhaustivo recuento del uso literario de la expresión "las Españas" y de otros plurales geográficos. El uso parece basarse inicialmente en la división romana de las provincias ibéricas. Cf. c. 340.

Copla 350. — Plinio, *Naturalis Historia* (l. X, 59-2, ed. E. Littré, I, París, 1855, pág. 410): "Agrippina Claudii Caesaris turdum habuit (quod nunquam ante) imitantem sermones hominum, quum haec proderem". Ejemplo similar en Lodulfo de Sajonia, *Vita* (ed. cit., I, 40 y 77). Garci Sánchez de Badajoz es autor de un poema titulado *A una señora que enseñaba a vn tordo dezir no* (en "Der Spanische Cancionero des British Museum", *Romanischen Forschungen,* 1895, número 14). *Celestina* (ed. cit., II, pág. 27): "¿Quien mostro a las picaças e papagayos ymitar nuestra propia habla con sus harpadas lenguas nuestro organo e boz?". Lope de Rueda, *Eufemia* (en *Tesoro,* I, pág. 162): "Pardiez, señora, las noches por la mayor parte en leuantándose de la mesa, no había pega ni tordo en gavia que tanto chirlase". Covarrubias, *Emblemas* (cent. I, emb. 78): "El papagayo, el tordo, la picaça, / perciben lo que oyen, enseñados / del ocioso maestro, que con traça / les tiene sutilmente amaestrados: / tal es el charlatán hombre de plaça, / que con papeles de otros, bien limados, poniendo de su parte la memoria / sola, pretende ganar fama y gloria... / Son estos semejantes a los papagayos y a las demás aues vocales, que aprenden lo que les enseñan, y no tienen más que el sonido...".

Copla 351. — Cf. cc. 340 y 352; cf. cap. VI.

Copla 352. — Cf. cc. 340 y 351.

Copla 353. — Cf. cc. 328 y 340; cf. cap. VI (también para coplas 354-355).

Copla 354. — Cf. cc. 35, 340 y 353.

Copla 355. — Cf. cc. 328, 340 y 353.

Copla 356. — Cf. c. 280.

Copla 357. — *Hebreos*, 1, 3 : Cristo "es el resplandor de su gloria". Cf. cc. 1 y 158.

Copla 358. — Historia de los Inocentes, *Mateo*, 2, 16-18. "Raquel", es decir, "la tierra de Belén", *Mateo*, 2, 18. Cf. cap. VI.

Copla 359. — Cf. c. 267.

Copla 360. — Jerusalén "la de arriba", *Isaías*, 65, 18-19 y 66, 22 ; *Apocalipsis*, 3, 12 y 21. Cf. c. 352; cf. cap. VI.

Copla 361. — Román, *Retablo* (t. 4, c. V, NBAE, XIX, pág. 444). Cf. cc. 93, 98 y 134.

Copla 362. — Cf. cc. 35 y 93.

Copla 363. — Gillet, *Propalladia* (III, pág. 202) : desde la caída de Adán hasta el nacimiento de Cristo, según cronistas medievales, trans-currieron 4.089, 3.960 ó 5.096 años ; 5.500 según los Evangelios Apó-crifos ; unos 6.000 según San Jerónimo... En textos españoles, el cómputo suele ser de unos 5.000 años, aunque a veces oscila de 4.000 a 6.000. Así, Pero Mexía en su *Silva de Varia Lección* (Amberes, 1603, pág. 145) se refiere a los 3.952 años que afirman los hebreos, a los 5.199 de Eusebio y otros muchos, a los 5.020 de Paulo Orosio, a los 5.021 de San Isidoro... Gillet anota también algunos ejemplos literarios, como los de Diego Sánchez de Badajoz ("Cinco mil y tan-tos años...") y Torres Naharro ("Cinco mil o seis mil años"; "cinco mil años").

La *Primera Crónica General de España* (I, cap. 151, pág. 109b) dice : "E sabet que aqueste anno en que Nuestro Sennor Ihesu Cristo nascio et en que se començo la sexta edat, fue a cinco mil et nouenta et nueue annos que el mundo fue criado et Adam fecho". Pablo de

Santa María, por su parte, cuenta 3.958 años (*Las Edades del Mundo*, NBAE, XXII, págs. 158-188).
Cf. cc. 1 y 364.

Copla 364. — Cf. c. 363.

Copla 366. — "La renta del teloneo", *Mateo*, 9, 9; *Marcos*, 2, 14; *Lucas*, 5, 27-28.
Cf. c. 358; cf. cap. VI.

Copla 368. — Cf. cc. 214 y 216; cf. cap. VII.

Copla 369. — *Primera Crónica General* (I, cap. 153, pág. 110a): "Mando Herodes Escalonita llegar todos quantos ninnos auie en tierra de Judea que de dos annos ayuso fuessen, et fizo los matar, por cuydar que matarie entrellos aquel ninno de quel dixieran los Reyes Magos que auie a seer rey daquella tierra".

Copla 370. — Cf. cap. VII (también para c. 390).

Copla 374. — Cf. cap. VI (también para cc. 375 y 394).

Copla 375. — Cf. c. 374.

Copla 376. — Lodulfo de Sajonia, *Vita* (c. 13, 7, fol. 92): "El gran planto que alli andaua, segun el llorar de los niños e los grandes alaridos quanto a la lamentacion de las madres, adonde tanbien tantos hombres e mugeres (vista tan grand crueldad) no podian refrenar las bozes aunque las quisieran encobrir, ca en los infantes pequeñuelos la muerte fazia fin del dolor, mas en sus padres e en sus madres la muerte causaua dolor sin fin e memoria sin oluido".
Cf. cc. 377 y 394.

Copla 377. — Cf. c. 376.

Copla 380. — Sobre los "trabajos" de Hércules, cf. cap. VI.
Cf. Ariosto, *Orlando Furioso* (c. XVI, 23, ed. Bolonia, 1960, página 470): "Quel che tigre dell'armamento imbelle / ne' campi ircani o là vicino al fange, / o'l lupo delle capre e dell'agnelle / nel monte

che Tifeo sotto si frange; / quivi il crudel Pagan facea di quelle / non dirò squadre, non dirò falange...".

Copla 381. — Padilla dice de Herodes en su *Retablo* (t. I, c. 23, folio fv): "O mucho mas crudo que no la crueza, / o bestia saluaje e feroz e cruenta".
Cf. c. 380.

Copla 382. — "Redondo syglo", cf. Gillet, *Propalladia*, III, páginas 186 y 611.
Cf. c. 57.

Copla 383. — (Y también cc. 384-385.) Cf. mi artículo "Leyendas cristianas primitivas en las obras de Fr. Íñigo de Mendoza", de próxima publicación en *HR*.

Copla 384. — Cf. c. 383.

Copla 385. — Cf. cc. 1, 383.

Copla 386. — Sem Tob, *Proverbios Morales* (ed. cit., págs. 152-153): "Es meatad muy fea / poder con desmesura: / ¡non quiera Dios que sea / luenga la tal vestidura!, / que sy muy luenga fuesse, / muchas acortaria, / e el que la vistiese, / muchos despojaria".
Cf. cc. 280 y 280B-280E; cf. caps. V, VI y VII.

Copla 387. — Cf. cc. 280C y 386; cf. cap. VII.

Copla 388. — Cornado: equivalente a un tercio de una blanca en 1505, según Pedro de Alcalá (*Arte para ligeramente saber la lengua arábiga*, facs. de Nueva York, 1928). Según Mateu y Llopis (*Glosario*, pág. 31), en el siglo XV 6 cornados equivalían a un maravedí. Cf. c. 54 para bibliografía.

Sbarbi, *Florilegio* (pág. 81), cita la frase "No valer un cornado", explicando que "manifiesta el poco precio o valor que tiene alguna cosa por su inutilidad. El cornado era una moneda de vellón que circuló en tiempo del rey Don Sancho el IV de Castilla y sucesores, hasta los Reyes Católicos, y que se llamaba así por llevar grabada una corona...".
Cf. c. 386; cf. cap. VII.

Copla 389. — Cf. cc. 40, 386 y 388; cf. cap. IV.

Copla 390. — Cf. cc. 280B, 370, 386 y 388.

Copla 391. — Séneca, *Flores* (pág. 74, *Epístola XCI*): "Naturaleza hizo el rey, y que sea esto verdad de los otros animales es cosa
facil conocerlo, y aun de las auejas, cuyo rey tiene vna casa mucho
mayor que todas las otras y esta en medio y guardado por todas las
demas... Son muy iracibles y segun la grandeza del cuerpezillo muy
peleadoras; tambien dexan sus agujones en las llagas que hazen,
pero el rey no tiene tal. No quiso Naturaleza que este fuesse cruel,
ni que pudiesse tomar gran vengança de sus subjectos, quitole las
armas y dexo su ira desarmada. Grande exemplo es este para los Reyes...". La patrística recoge el útil ejemplo, a veces con variantes;
cf. San Ambrosio, *Hexameron* (5, 68, 21, ed. C. Schenkl, Leipzig,
1897); San Basilio, *Homilia VIII in Hexameron*: "Regi apum acu-
leus est, sed eo ad ulciscendum non utitur" (cito por Diego López,
Declaración, emb. 147, págs. 351-351v). Cf. también, por ejemplo,
Bruneto Lattini, *Li Liures dou Tresor* (ed. F. J. Carmody, Berkeley,
1948, I, 154, pág. 143): "Et ja soit il rois et graindres il en est plus
humles et de grant pité, nés son aguillon n'use il en vengance de
nule chose". Cf. *exenplo* 381 de Sánchez de Vercial. Forma parte,
incluso, de la paremiología española: "El rey de las abejas no tiene
aguijón y tiene orejas" (Cejador, *Refranero Castellano*, III, pág. 218,
quien comenta: "Atiendan reyes"). Otras alusiones al gobierno de
los monarcas basadas en el ejemplo de las abejas: Canciller Ayala,
Crónica de Enrique III (BAE, LXVIII, pág. 239): "E aun naturalmente vemos que de las abejas uno solo es principe e regidor...";
Saavedra Fajardo, *República Literaria* (ed. V. García de Diego, Madrid, 1922, CC, pág. 208): "De las abejas aprendimos la política...".
    Sobre la mesura en los monarcas, cf. también Sem Tob, *Prover-
bios...* (ed. cit., pág. 153): "El poder con mesura / es cosa muy
apuesta, / commo en rrostro blancura / con bermejura buelta: /
mesura que leuanta / sympleza e cordura, / e poder que quebranta /
soberuia e locura". Diego de Valera, *Doctrinal de Príncipes* (B. N.
de Madrid, ms. 1341, fol. 130): "Deue mucho el rrey escusar la yra
porque della muchos ynconujinientes se siguen. Ca los rreyes todo lo
que quieren pueden, e quien con yra castiga no puede tener el medio

que se deue guardar entre mucho e poco e las cosas que con turba-
çion se fasen ni pueden ser bien fechas ni de los presentes pueden
ser aprouadas". Cf. también *Exenplos* 219 y 220 de Sánchez de
Vercial. Cf. asimismo Gillet, *Propalladia,* IV, págs. 275-278.
Cf. cc. 280, 280B, 280C y 386; cf. caps. III, VI y VII.

Copla 392. — *Proverbios,* 16, 14: "la indignación del rey anuncio es de muerte..."; *ibidem,* 28, 15: "león rugiente y oso ham-
briento es un príncipe impío que reina sobre un pueblo pobre".
Cf. cc. 280, 280B, 280D y 386; cf. cap. VII.

Copla 393. — Cf. Gillet, *Propalladia,* III, pág. 143.
Cf. c. 381.

Copla 394. — Cf. cc. 374, 376 y 381.

BIBLIOGRAFÍA

Las abreviaturas bibliográficas deben entenderse de la siguiente
forma :

AIA   *Archivo Ibero-Americano*
BAE   Biblioteca de Autores Españoles
BH   *Bulletin Hispanique*
BHS   *Bulletin of Hispanic Studies*
BRAE   *Boletín de la Real Academia Española*
BRABLB   *Boletín de la Real Academia de Buenas Letras de Barcelona*
CC   Clásicos Castellanos
CHE   *Cuadernos de Historia de España*
CODOIN   Colección de Documentos Inéditos para la Historia de España
HR   *Hispanic Review*
MLJ   *Modern Languages Journal*
MLN   *Modern Language Notes*
MPh   *Modern Philology*
NBAE   Nueva Biblioteca de Autores Españoles
NRFH   *Nueva Revista de Filología Hispánica*
PG   Patrologia Graeca
PL   Patrologia Latina
RABM   *Revista de Archivos, Bibliotecas y Museos*
RFE   *Revista de Filología Española*
RFH   *Revista de Filología Hispánica*
RR   *Romanic Review*

Abarca de Bolea, Ana, *Octavario*, ed. M. Alvar, Zaragoza, 1945.

Adank, H., *Essai sur les fondements psychologiques de la métaphore affec-tive*, Ginebra, 1939.

Aguilar i Fuster, Mariano, *Diccionari Aguiló*, II, Barcelona, 1916.

Agustín, San, *De Praesentia Dei*, PL, XXIII.

— *Sermones*, PL, XXXVIII.

— *Epistulam Manichaei*, PL, XLII.

— *De Catequizandis Rudibus*, en F. Restrepo, *San Agustín. Sus métodos ca-tequísticos. Sus principales catequesis*, Madrid, 1925.

Alba, Duque de, "Un ejemplar de la primera edición del *Retablo de la Vida de Cristo* desconocido de los bibliófilos", BRAE, 1950, págs. 7-10.

Alcuino, *De Divinis Officiis*, PL, CI.

Alexandre, Libro de, ed. BAE, LVII.

Alfonso X el Sabio, *Las Siete Partidas*, ed. G. López, Barcelona, 1843.

— *Cantigas de Santa María*, I, Madrid, 1889.

Alonso, Dámaso, "El hidalgo Camilote y el hidalgo Don Quijote", RFE, 1933, páginas 391-397.

— *La lengua poética de Góngora*, Madrid, 1935.

— *La poesía de San Juan de la Cruz. (Desde esta ladera)*, Madrid, 1942.

— *Poesía española. Ensayo de métodos y límites estilísticos*, Madrid, 1950.

— "Un poeta madrileñista, latinista y francesista en la mitad del siglo XVI: Juan Hurtado de Mendoza", BRAE, 1957, págs. 213-298.

— *De los siglos oscuros al de Oro*, Madrid, 1958.

— "La fragmentación fonética peninsular", en *Enciclopedia Lingüística Hispá-nica*, I, Suplemento, Madrid, 1962.

Alonso, Dámaso, y Blecua, José Manuel, *Antología de la poesía española. Poe-sía de tipo tradicional*, Madrid, 1956.

Álvarez Gato, Juan, *Obras Completas*, ed. J. Artiles, Madrid, 1928.

Amador de los Ríos, José, *Estudios históricos, políticos y literarios sobre los judíos de España*, Madrid, 1848.

— *Historia crítica de la literatura española*, VIII, Madrid, 1865.

Amaro, Fr. Alejandro, "Una poesía inédita de Fr. Íñigo de Mendoza", *AIA*, 1915, págs. 127-130.

— "Dos cartas de Fr. Íñigo de Mendoza a los Reyes Católicos", *AIA*, 1917, páginas 459-463.

Ambrosio, San, *Hymni de opere creationis, Collectio Pisauriensis*, V, 1766.

— *In Expositionem Evangelii secundum Lucam*, PL, XV.

— *Hexameron*, ed. C. Schenkl, Leipzig, 1897.

— *De Fide*, en *Corpus Scriptorum Ecclesiasticorum Latinorum*, LXXVIII, Parte VIII, Viena, 1962.

Andrews, J. Richard, *Juan del Encina. Prometheus in Search of Prestige*, Berkeley, 1959.

Anjos, Frey Luis dos, *Tercera parte de las chronicas de la Orden de los frayles menores del seraphico padre San Francisco*, Lisboa, 1615.

Anónimo, *Coplas de ¡Ay Panadera!*, ed. M. Artigas en *Estudios In Memoriam de A. Bonilla y San Martín*, I, Madrid, 1927.

— *Espéculo de los legos*, B. N. de Madrid, ms. 18465.

— *Facet*, ed. A. Morel-Fatio, *Romania*, 1886, págs. 192-236.

— *Hechos del Condestable Miguel Lucas de Iranzo*, ed. J. de Mata Carriazo, Madrid, 1940.

— *Libro Nuebo de Becerro. San Pablo de Burgos*, Archivo Histórico Nacional, códice 265.

— *Meditationes Vitae Christi*. En *Opera Omnia* de San Buenaventura, XIII, Venecia, 1756.

— *Memorial para el Rey Nuestro Señor de el linage y oficios de el Patriarcha Don Pablo de Santa María, de los de sus descendientes y hermanos; las fundaciones que hicieron y con los que emparentaron, y de los servicios echos a los Reyes y Reynos y a la Cristiandad*, B. N. de Madrid, mss. 1892 y 2821. También en Biblioteca de la Real Academia de la Historia, Colección Salazar, C-11.

— *Papeles relativos a las riñas y disputas que tubieron en Valladolid los frailes franciscos con los dominicos acerca de la Inmaculada Concepción y en especial el guardián de San Francisco, Fray Martín de Alva, con el prior de San Pablo a principios del siglo XVI*, Archivo Histórico Nacional, Universidades y Colegios, libro 1196.

— *Vida de Don Pablo de Cartagena, Obispo de Burgos*, B. N. de Madrid, manuscrito 18996.

Anselmo, San, *De Conceptu Virginali*, PL, CLVIII.

Antonio, Nicolás, *Bibliotheca Hispana Nova*, I, Madrid, 1783.

Ariosto, *Orlando Furioso*, ed. S. Debenedetti y C. Segre, Bolonia, 1960.

Asensio, Eugenio, "El erasmismo y las corrientes espirituales afines", *RFE*, 1952, págs. 31-99.

Asín Palacios, Manuel, *Huellas del Islam*, Madrid, 1941.

Aubrun, Charles V., "Álvar García de Santa María", en *Cuadernos de Historia de España*, 1948, págs. 140-146.

— "Inventaire des sources pour l'étude de la poésie castillane au XVème siècle", en *Estudios dedicados a Menéndez Pidal*, IV, Madrid, 1953.

Ávila, Fray Francisco de, *La Vida y la Muerte*, Salamanca, 1508, *apud* Gallardo, *Ensayo*, I, Madrid, 1863.

Ayer, J. C., *A Source Book for Ancient Church History*, Nueva York, 1913.

Babelon, J., *Le connétable Luna*, París, 1938.

Bach y Rita, P., *The Works of Pere Torroella*, Nueva York, 1930.

Baeza, Gonzalo de, *Cuentas*, ed. A. y A. E. de la Torre, I (1477-1491) y II (1492-1504), Madrid, 1955-1956.

Baron, Hans, "Franciscan Poverty and Civic Wealth", *Speculum*, 1938, páginas 1-37.

Barrantes, Vicente, *Índice de la biblioteca extremeña de don...*, Madrid, 1881.

Barrientos, Lope, *Refundición de la Crónica del Halconero*, ed. Mata Carriazo, Madrid, 1946.

Bartheolomaeis, V. de, "La giostra delle virtù", en *Studi Medievali*, 1942, páginas 191-206.

Baruzi, Jean, *Saint Jean de la Croix et le problème de l'expérience mystique*, París, 1924.

Basilio el Grande, San, *Epístolas*, PG, XXXII.

Bastus, J., *La sabiduría de las naciones*, 2 vols., Barcelona, 1862-63.

Bataillon, Marcel, "Chanson pieuse et poésie de dévotion", *BH*, 1925, páginas 228-236.

— *Erasmo y España*, 2 vols., México, 1950.

Beauvais, Vicente de, *La estoria de los quatro dotores de la Sancta Eglesia*, traducción castellana; ed. F. Lauchert, Halle, 1897.

Benítez Claros, R., "El diálogo en la poesía medieval", en *Cuadernos de Literatura*, 1949, págs. 171-187.

Bernáldez, Andrés, *Historia de los Reyes Católicos*, BAE, LXX.

Bernardo de Claraval, San, *Sermonibus Nativitati Christi*, PL, CLXXXIII.

— *Sermonibus in Circumcisione Dei*, PL, CLIII.

Bernis Madrazo, Carmen, *Indumentaria medieval española*, Madrid, 1956.

Besso, Henry V., "Judeo-Spanish Proverbs. Their Philosophy and their Teaching", *BH*, 1948, págs. 370-387.

Blecua, José Manuel, "Los grandes poetas del siglo xv", en *Historia General de las Literaturas Hispánicas*, dirigida por G. Díaz-Plaja, II, Barcelona, 1951.

Bodenstedt, Sor María Inmaculada, *The Vita Christi of Ludolphus the Cartusian*, Wáshington, 1944.

Boecio, Severino, *De consolatione philosophiae... cum anonymi glossa*, B. N. de Madrid, ms. 8211.

— *La consolación de la filosofía*, trad. de Fr. A. de Ginebreda, Toulouse, 1488.

Bonilla y San Martín, Adolfo, *Las Bacantes o del origen del teatro*, Madrid, 1921.

Borao, Jerónimo, *La imprenta en Zaragoza*, Zaragoza, 1860.

Bordoy Torrents, P. M., "Les escoles dominicana i franciscana en *Lo Somni* de Bernat Metge", *Criterion*, 1925, págs. 60-94.

Boscán, Juan, *Las obras de Boscán y de Garcilaso de la Vega repartidas en quatro libros*, Barcelona, 1543.

Bourland, C. B., "The Unprinted Poems of the Spanish Cancioneros in the B. N., Paris", *RH*, 1909, págs. 460-566.

— "La Dotrina que dieron a Sarra", *RH*, 1910, págs. 648-686.

Bouterwek, F., *History of Spanish Literature*, Londres, 1847.

Bover, J. M., *Teología de San Pablo*, Madrid, 1946.

Bromyard, Juan, *Summa Praedicantium. Omnibus dominis gregis pastoribus divini verbi praeconibus...*, 2 vols., Amberes, 1614.

Brunet, J. Ch., *Manuel du libraire et du amateur des livres*, III, Berlín, 1921.

Buenaventura, San, *Contenplaçion de la vida de Nuestro Señor Ihesuchristo segun el serafico dotor...*, B. N. de Madrid, ms. 9560.

Caballero, Diosdado, *De Prima Typographiae Hispanicae aetate specimen*, Roma, 1793.

Caballero, Fermín, *Noticias de la vida, cargos y escritos del doctor Alonso Díaz de Montalvo*, Madrid, 1877.

Calcaño, J., *El castellano en Venezuela*, Caracas, 1897.

Calderón de la Barca, Pedro, *El gran príncipe de Fez*, BAE, XIV.

Campaux, A., *La question des femmes au XVème siècle*, París, 1865.

Campoamor, Clara, *Vida y obra de Quevedo*, Buenos Aires, 1945.

Cancionero de Baena, ed. M. de Pidal, Madrid, 1851, y Buenos Aires, 1949.

Cancionero castellano del siglo XV, ed. R. Foulché-Delbosc, NBAE, XIX y XXII.

Cancionero Espiritual, reimpresión de la ed. de Valladolid, 1549, por B. W. Wardropper, Oxford, 1954.

Cancionero de Juan Fernández de Ixar, ed. J. M. Azáceta, 2 vols., Madrid, 1956.

Cancionero general de Hernando del Castillo, ed. de Madrid, 1882, y ed. facs. de la de Valencia, 1511, por A. Rodríguez-Moñino, Madrid, 1958.

Cancionero de Ramón de Llavia, ed. Benítez Claros, Madrid, 1945.

Cancionero musical de los siglos XV y XVI, ed. F. Asenjo y Barbieri, Madrid, 1890.

Cancionero de Palacio, ed. F. Vendrell de Millás, Barcelona, 1945.

Cancionero llamado vergel de enamorados, ed. facs. de A. Rodríguez-Moñino, Valencia, 1950.

Cancionero geral de Garcia de Resende, II, Stuttgart, 1848.

Cantera Burgos, Francisco, *La conversión del célebre talmudista Salomón Leví (Pablo de Burgos)*, Santander, 1933.

— *Álvar García de Santa María, cronista de Juan II de Castilla*, Madrid, 1951.

— *Álvar García de Santa María. Historia de la judería de Burgos y de sus conversos más egregios*, Madrid, 1952.

Carlé, María del Carmen, "Mercaderes en Castilla", *CHE*, 1954, págs. 146-328.

Caro y Cejudo, G. M., *Refranes y modos de hablar castellanos con los latinos que les corresponden, juntamente con la glosa y explicación de los que tienen necessidad della*, Madrid, 1675.

Carrière, A., *Nouvelles sources de Moisé de Khorene*, Viena, 1893.

Carrión, Luis, O. F. M., *La Custodia de Domus Dei y Scala Coeli, o sea La Aguilera y El Abrojo*, Madrid, 1915.

— *Historia documentada del convento de Domus Dei de la Aguilera*, Madrid, 1930.

Cartagena, Alonso de, *Propositio super altercatione praeminentia sedium...*, B. N. de Madrid, ms. 2347. También la versión castellana del P. F. Blanco García en *La Ciudad de Dios*, 1943, págs. 352 y sigs.

— *Defensorium Unitatis Christianae*, ed. M. Alonso, S. J., Madrid, 1943.

Casiano, *Collationibus Patrum*, PL, IV.

Castro, Américo, *Glosarios latino-españoles de la Edad Media*, Madrid, 1936.

— *España en su historia. Cristianos, moros y judíos*, Buenos Aires, 1948.

— *La realidad histórica de España*, México, 1954.

— *Origen, ser y existir de los españoles*, Madrid, 1959.

— *Cervantes y los casticismos españoles*, Madrid, 1967.

Castro Pires Lima, A., "No ventre da Virgen Mãe", *Brasilia*, 1943, págs. 394-397.

Cejador y Frauca, J., *La verdadera poesía castellana*, V, Madrid, 1921; VII, Madrid, 1923.

— *Historia de la lengua y literatura castellanas*, I, Madrid, 1927.

— *Refranero castellano*, I, Madrid, 1928; II y III, Madrid, 1929.

— *Vocabulario medieval castellano*, Madrid, 1929.

Cervantes, Miguel de, *Novelas ejemplares*, ed. F. Rodríguez Marín, Madrid, 1917.

— *El ingenioso hidalgo Don Quijote de la Mancha*, ed. F. Rodríguez Marín, 10 vols., Madrid, 1947-1949.

Clarke, Dorothy C., "The Spanish Octosyllabe", en *HR*, 1942, págs. 1-11,
— *Morphology of Fifteenth Century Castilian Verse*, Pittsburgh, 1964.
Clemente de Alejandría, San, *Strom.*, PG, VIII.
Colección de cortes de los reynos de León y de Castilla, Madrid, 1836.
Coleman, C. B., *Constantine the Great and Christianity*, Nueva York, 1914.
Colón, Fernando, *Regestrum Librorum*, ed. facs., Nueva York, 1905.
Comestor, Pedro, *Historia Scholast. In Evangelium*, PL, CXCVIII.
Córdoba, Sebastián de, *Las obras de Boscán y Garcilasso trasladadas en ma-terias christianas y religiosas*, Granada, 1575.
Corominas, Joan, *Breve diccionario etimológico de la lengua castellana*, Madrid, 1961.
Correas, Gonzalo, *Vocabulario de refranes y frases proverbiales*, Madrid, 1924.
Cortes de Cataluña, I, Madrid, 1896.
Cortina, Augusto, Prólogo a su ed. del *Cancionero de Jorge Manrique*, CC, Madrid, 1929.
Cossío, José María de, *Rodrigo de Reinosa*, Santander, 1950.
Covarrubias, Sebastián de, *Emblemas morales*, Madrid, 1610.
— *Tesoro de la lengua castellana o española*, ed. M. de Riquer, Barcelona, 1943.
Crisóstomo, San, *In Mateo*, PG, LVI.
Crónica de Juan II, BAE, LXVIII.
Crónica incompleta de los Reyes Católicos, ed. J. Puyol, Madrid, 1934.
Cruz, Fray Agostinho da, *Obras*, ed. Mendes dos Remedios, Coimbra, 1918.
Cruz, San Juan de la, *Poesías completas y comentarios en prosa a los poemas mayores*, ed. Dámaso Alonso y Eulalia Galvarriato, Madrid, 1959.

Chacón, Gonzalo, *Crónica de Don Álvaro de Luna*, ed. J. de Mata Carriazo, Madrid, 1940.
Charland, T. M., *Artes Praedicandi: Contribution à l'histoire de la rhétorique au Moyen Âge*, París-Ottawa, 1936.

Dagens, J., "La métaphore de la verrière", en *Revue d'Ascétique et de Mys-tique*, 1949, págs. 524-531.
Damasceno, San Juan, *De Fide*, PG, XCIV.
Dante Alighieri, *La Divina Commedia*, Società Dantesca Italiana, Milán, 1955.
Danza de la Muerte, BAE, LVII.
Darbord, Michel, *La poésie religieuse espagnole dès Rois Catholiques à Phi-lippe II*, París, 1965.
Deyermond, Alan D., "El hombre salvaje en la novela sentimental", *Filología*, 1964, págs. 97-111.
Diácono, Paulo, *Historia miscella ab incerto auctore consarcinata*, PL, XCV.

Díaz de Games, Gutierre, *El Victorial o Crónica de don Pero Niño, Conde de Buelna*, ed. J. de Mata Carriazo, Madrid, 1940.

Díaz Tanco de Fregenal, Vasco, *Los veinte triunphos*, ed. facs. de h. 1530, A. Rodríguez-Moñino, Madrid, 1945.

Díaz de Toledo, Pedro, *Prouerbios y sentencias de Lucio Anneo Seneca y de Don Yñigo López de Mendoza, Marqués de Santillana. Glosados por el doctor...*, Amberes, 1552.

Dionisio Areopagita, *De Caeleste Hierarchia*, ed. P. Hendrix, Leiden, 1959.

Döllinger, J. J. I. von, *Papstfabeln des Mittelalters*, ed. J. Friendrich, Stuttgart, 1890.

Domínguez Ortiz, A., "Los cristianos nuevos. Notas para el estudio de una clase social", *Boletín de la Universidad de Granada*, 1949, págs. 249-297.

— "Los conversos de origen judío después de la expulsión" en *Estudios de la historia social de España*, dirigidos por C. Viñas Mey, III, Madrid, 1955.

Duriez, G., *La théologie dans le drame liturgique en Allemagne*, París-Lila, 1914.

Eiján, Samuel, *La poesía franciscana en España, Portugal y América (siglos XIII-XIX). Historia y antología*, Santiago de Compostela, 1935.

Einghen, Jorge de, Barón de Rosmithal, *Viaje por España*, ed. A. M. Fabié, Madrid, 1879.

Eiximenis, Fray Francesç, *Libre dels Angels*, Barcelona, 1494.

— *Libro de la Vida de Nuestro Señor Jhesu Christo... Emendado e añadido por Fray Hernando de Talavera*, Granada, 1496.

— *Ars Praedicandi*, ed. P. Martí de Barcelona en *Homenatge a Rubió*, II, Barcelona, 1936.

— *Doctrina Compendiosa*, ed. P. Martí de Barcelona, Barcelona, 1929.

Encina, Juan del, *Cancionero*, facs. de la ed. de 1496, Madrid, 1928.

— *Copilación de todas sus obras con otras añadidas*, Burgos, 1505.

Enríquez del Castillo, Diego, *Crónica de Enrique IV*, BAE, LXX.

Enríquez de Guzmán, *Libro de la vida y costumbres*, CODOIN, LXXXV.

Espinosa, A. M., *Estudios sobre el español de Nuevo Méjico*, Biblioteca de Dialectología Hispano-Americana, I, Buenos Aires, 1930.

Espinosa, Juan de, *Diálogo en laude de las mugeres intitulado Ginaepaenos*, ed. J. M. Sbarbi en *El refranero general español*, II, Madrid, 1875.

Eusebio, *Chronica*, Berlín, 1866.

Evangelios apócrifos, ed. A. de Santos Otero, BAC, Madrid, 1956.

Faral, Edmond, *Les Arts poétiques du XIIème et du XIIIème siècles*, París, 1923.

Farinelli, Arturo, *Italia e Spagna*, 2 vols., Turín, 1929.

Fernández, P. Benigno, "Real Biblioteca de El Escorial (Notas y Comunicaciones)", *La Ciudad de Dios*, 1901, págs. 22-23 y 64-65; 1902, págs. 699-705; 1904, págs. 586-593; 1911, págs. 56-60.

Fernández Suárez, Álvaro, *España, árbol vivo*, Madrid, 1961.

Ferrario de Orduña, Lilia, "La adoración de los pastores", *Filología*, 1964, páginas 153-178.

Fink, F. N., *Die Litteraturen des Östens*, Leipzig, 1907.

Fitzmaurice-Kelly, J., *Historia de la literatura española desde los orígenes hasta el año 1900*, trad. y anotada por A. Bonilla y San Martín, Madrid, 1901.

Flanders Dunbar, H., *Symbolism in Medieval Thought and Its Consummation in the Divine Comedy*, New Haven, 1929.

Flórez, P. Enrique, *España Sagrada*, XXVI, Madrid, 1771; XXVII, Madrid, 1772.

Fons Rius, J. M., *Instituciones medievales españolas*, Madrid, 1949.

Foulché-Delbosc, Raymond, "Proverbes judéo-espagnols", *RH*, 1895, páginas 312-352.

— "Deux chansonniers du XVème siècle", *RH*, 1903, págs. 321-334.

Francisco, San, *Escritos completos*, ed. Fr. Juan R. de Legísima y Fr. Lino Gómez Canedo, BAC, Madrid, 1945.

Frontingham, A. L., *L'omelia di Giacomo di Sarug sul battesimo di Costantino imperatore*, Roma, 1883.

Galíndez de Carvajal, *Crónica de Enrique IV*, ed. J. Torres Fontes, Murcia, 1946.

Gallardo, Bartolomé José, *Ensayo de una biblioteca española de libros raros y curiosos*, 4 vols., Madrid, 1863-1889; ed. facs, Gredos, Madrid, 1968.

García Blanco, Manuel, "Algunos elementos populares en el teatro de Tirso de Molina", *BRAE*, 1949, pág. 415-426.

García de Diego, Vicente, Introducción a su ed. de *Canciones y decires* del Marqués de Santillana, CC, Madrid, 1913.

García de Santa María, Álvar, *Defensorium Unitatis Christianae*, ed. P. M. Alonso, Madrid, 1943.

García de Santa María, Gonzalo, *Evangelios e Epistolas con sus exposiciones en romance*, en *Postilla super epistolas et evangelia*, ed. I. Collijn y E. Staaf, Upsala, 1908.

García Matamoros, Alfonso, *De academiis litteratisque uiris Hispaniae apologetica narratio*, ed. J. López de Toro, Madrid, 1943.

García Rojo, D. y Ortiz, G., *Catálogo de incunables de la Biblioteca Nacional de Madrid*, Madrid, 1945.

Garcilaso de la Vega, *Obras*, ed. T. Navarro Tomás, CC, Madrid, 1958.
    Cf. también Boscán, Juan.

Gayangos, Pascual de, *Catalogue of the Manuscripts in the Spanish Language in the British Museum*, I, Londres, 1875.

Gazulla, F. D., "Los reyes de la Corona de Aragón y la Purísima Concepción de María", *BRABLB*, Barcelona, 1905-1906, págs. 49-60.

Gil de Zárate, A., *Resumen histórico de la literatura española*, Madrid, 1862.

Gillet, J. E., "Notes on the Language of the Rustics in the Drama of the Sixteenth-Century", *Homenaje a Menéndez Pidal*, I, Madrid, 1925.

— *Propalladia and Other Works of Bartolomé de Torres Naharro*, I-III, Bryn Mawr, 1943-1951; IV, Filadelfia, 1961. Cf. también Torres Naharro, B. de.

Gómez de Cibdarreal, Fernán, *Centón epistolario*, BAE, XIII.

Goyri de Menéndez Pidal, María, "Leones domésticos", *Clavileño*, 9, páginas 16-18.

Green, O. H., "Se acicalaron los auditorios: An Aspect of the Spanish Literary Baroque", *HR*, 1959, págs. 413-422.

Gregorio, San, *Morales*, trad. del canciller Ayala, B. N. de Madrid, ms. 10136.

Groult, P., "Rutebeuf et la Bible. La verrière et le soleil", *Les Lettres Romaines*, 1951, págs. 339-341.

Guardia, J. M., Introducción a su edición de *Lo Somni* de Bernat Metge, París, 1889.

Guix, J. M., "La Inmaculada y la Corona de Aragón en la Baja Edad Media", *Miscelánea Comillas*, 1954, págs. 193-326.

Haebler, Conrad, *Tipografía ibérica del siglo XV*, I, Leipzig, 1904.

Hahn, A., *Bibliotek der Symbole und Glaubersrefeln der alten Kirche*, Breslau, 1897.

Hauser, Arnold, *Historia social de la literatura y el arte*, 3 vols., Madrid, 1957.

Hefelé, C. J. von, *Le Cardinal Ximénès, franciscain, et la situation de l'Église en Espagne à la fin du XVème et au commencement du XVIème siècle, avec une dissertation sur l'Inquisition*, París, 1856.

— *Der h. Bernardin von Siena und die Franciskanische Wanderpredigt in Italien*, Friburgo, 1912.

Henríquez Ureña, Pedro, *La versificación irregular en la poesía castellana*, Madrid, 1920.

Heredia, R. de, *Catalogue de la Bibliothèque de...*, París, 1891-1894.

Hildeberto de Tours, San, *Sermo XII De Tempore*, PL, CLXXI.

Hita, Arcipreste de, cf. Juan Ruiz.

Honorio, *Liber Pontificalis*, ed. L. M. O. Duchesne, I, París, 1886.

Horozco, Sebastián de, *Refranes glosados*, ed. E. Cotarelo, BRAE, 1915, páginas 696-706; 1916, págs. 399-428, 591-604 y 710-721.

Huidobro y Serna, Luciano, "Hacia el centenario de Francisco de Vitoria. Historia del convento de San Pablo de Burgos", *Boletín de la Comisión Pro-*

vincial de Monumentos Históricos y Artísticos de Burgos, 1945-1946, 18-23, 71-75, 133-140 y 307-309.

Huizinga, J., *El otoño de la Edad Media,* Madrid, 1930; también ed. de Madrid, 1945.

Hurtado, Juan, y González Palencia, Ángel, *Historia de la literatura española,* Madrid, 1949.

Hurtado de Mendoza, Antonio, *Vida de Nuestra Señora.* Sin l. ni a. Impreso encuadernado con el ms. titulado *Papeles relativos a la Purísima Concepción,* en Archivo Histórico Nacional, Universidades y Colegios, libro 1196.

Ireneo, San, *Adv. Haereticorum,* PG, VII.

Janer, Hans, "La glosa española. Estudio histórico de su métrica y de sus temas", *RFE,* 1943, págs. 181-232.

Jerónimo, San, *In Daniel,* PL, XXV.

— *Super Mateo,* PL, XXVI.

— *Epístolas,* 2 vols., J. Labourt, París, 1949-1951.

Jiménez de la Espada, M., cf. Tafur, Pedro.

Juliá Martínez, Eduardo, "La literatura dramática peninsular en el siglo XV", en *Historia General de las Literaturas Hispánicas,* dirigida por G. Díaz-Plaja, II, Barcelona, 1951.

Klein, Julius, *La Mesta. Estudio de la historia económica española,* 1273-1836, Madrid, 1936.

Lacarra, J. M., *Ideales de la vida en la España del siglo XV: el caballero y el moro,* Zaragoza, 1949.

Lambert, André, "Les origines de l'imprimerie à Saragosse", *RABM,* 1915, páginas 15-36.

Lang, H. R., "The So-called Cancionero de Pero Guillén de Segovia", *RH,* 1908, págs. 51-81.

— "The Cancionero de la Colombina at Seville", *Transactions of the Connecticut Academy of Arts and Sciences,* 1909, págs. 87-108.

Lapesa, Rafael, *La obra literaria del marqués de Santillana,* Madrid, 1957.

Larrea Palacín, A., *El dance aragonés y las representaciones de moros y cristianos,* Tetuán, 1952.

Lattini, Bruneto, *Li Liures dou Tresor,* ed. F. J. Carmody, Berkeley, 1948.

Lea, H. Ch., *A History of the Inquisition of Spain,* 4 vols., Nueva York, 1922.

Lecoy, Félix, *Recherches sur le Libro de Buen Amor,* París, 1938.

Le Gentil, Pierre, *La poésie lyrique espagnole et portugaise à la fin du Moyen Âge,* 2 vols., Rennes, 1949-1952.

León, Fray Luis de, *De los nombres de Cristo*, ed. G. Díaz-Plaja, Madrid, 1931.

Libro del caballero Cifar, ed. C. P. Wagner, Ann Arbor, 1929.

Lida, María Rosa, "La hipérbole sagrada en la poesía castellana", *RFH*, 1946, págs. 121-130.

— *Juan de Mena, poeta del prerrenacimiento español*, México, 1950.

— *La idea de la fama en la Edad Media castellana*, México, 1952.

Lisboa, Fray Marcos de, *Parte segunda das chronicas da orden dos frades menores... e das outras ordẽs segunda e terceira instituidas na Igreja per o sanctissimo P. Sam Francisco*, Lisboa, 1615 (colofón de 1614).

— *Tercera parte de las chronicas...*, Lisboa, 1615.

Livermore, H. V., "El caballero salvaje. Ensayo de identificación de un juglar", *RFE*, 1950, págs. 166-183.

Logroño, Fray Antonio de, *Libro de la fundación, sitios, rentas, juros, heredades, enterramientos, sepulturas del convento de Sant Pablo de Burgos, de la orden de predicadores*, Archivo Histórico Nacional, códice 88.

López, Diego, *Declaración magistral sobre las emblemas de Andrés Alciato con todas las Historias, Antigüedades, Moralidad y Doctrina tocante a las buenas costumbres*, Nájera, 1615.

López, Fray A., "Recensión del *Catálogo de manuscritos de la Real Biblioteca de El Escorial* del P. Zarco", *AIA*, 1927, págs. 251-258.

López, Fray Juan, *Historia general de Santo Domingo y de su Orden de Predicadores*, Madrid, 1613.

López de Ayala, Pero, *Crónicas de Enrique II, Juan I, Enrique III y Juan II*. *BAE*, LXVIII.

López Estrada, Francisco, "La retórica en las *Generaciones y Semblanzas* de Fernán Pérez de Guzmán", *RFE*, 1946, págs. 310-352.

— *Introducción a la literatura medieval española*, Madrid, 1952.

López Martínez, Nicolás, *Los judaizantes castellanos y la Inquisición en tiempo de Isabel la Católica*, Burgos, 1954.

— "Don Luis de Acuña, el cabildo de Burgos y la Reforma (1458-1495)", *Burguense*, 1961, págs. 185-317.

López de Mendoza, Íñigo, marqués de Santillana, *Refranes que dizen las viejas tras el huego*, ed. J. M. Sbarbi en *El refranero general español*, I, Madrid, 1874, y U. Cronan en *RH*, 1911, págs. 134-219.

López de Villalobos, Francisco, *Algunas obras del doctor...*, ed. A. M. Fabié, Madrid, 1886.

Luna, Juan de, *Diálogos familiares*, ed. J. M. Sbarbi, *El refranero*, I, Madrid, 1874.

Luria, Max A., "Judeo-Spanish Proverbs of the Monastir Dialect", *RH*, 1933, páginas 256-273.

Llamas, José, *Biblia medieval romanceada judío-cristiana. Versión del Antiguo Testamento en el siglo XIV, sobre los textos hebreos*, Madrid, 1950.

Macías y García, M., *Poetas religiosos inéditos del siglo XVI*, La Coruña, 1890.

Mal Lara, Juan de, *La philosophia vulgar*, Sevilla, 1568.

Mâle, Émile, *L'art religieux de la fin du Moyen Âge en France*, París, 1908.

Malón de Chaide, Pedro, *La conversión de la Magdalena*, ed. P. Félix García, CC, I y II, Madrid, 1930; III, Madrid, 1947.

Manrique, Jorge, *Coplas a la muerte de su padre*, ed. R. Benítez Claros en *Cancionero de Ramón de Llavia*.

Mansi, Giovanni Domenico, *Sacrorum Conciliorum nova et amplissima collectio*, Gratz, 1960-1961.

Maravall, José A., "Cómo se forma un refrán. Un tópico medieval sobre la división de reinos", *RABM*, 1960, págs. 5-13.

Mariana, Juan de, *Historia General de España*, II, Madrid, 1852.

Marichal, Juan, *La voluntad de estilo*, Barcelona, 1957.

Márquez Villanueva, Francisco, "Conversos y cargos concejiles en el siglo XV", *RABM*, 1957, págs. 503-540.

— *Investigaciones sobre Juan Álvarez Gato. Contribución al conocimiento de la literatura castellana del siglo XV*, Madrid, 1960.

Martínez Añíbarro, M., *Intento de un diccionario biográfico y bibliográfico de autores de la provincia de Burgos*, Madrid, 1889.

Martínez Burgos, M., "Don Alonso de Cartagena, obispo de Burgos. Su testamento", *RABM*, 1957, págs. 81-110.

Martínez de Toledo, Alfonso, *El Corbacho*, ed. Bibliófilos Españoles, Madrid, 1900, y L. B. Simpson, Berkeley, 1939.

Maseda, A., *Estudios de crítica literaria*, Bilbao, 1915.

Matamoros, García, *Pro adserenda Hispanorum eruditione*, ed. J. López de Toro, Madrid, 1943.

Mateu y Llopis, Francisco, *Glosario histórico de numismática*, Barcelona, 1946.

Matulka, B., "An Antifeminist Treatise of Fifteenth Century", *RR*, 1931, páginas 99-126.

Máximo de Turín, San, *Homilia XXXV De Baptismo Christi*, PL, LVII.

Mayans y Siscar, Gregorio, *Rhetorica*, Valencia, 1757.

Medina, Fray Antonio de, *Coplas contra los vicios y deshonestidades de las mugeres*, B. N. de Madrid, ms. 4114.

Méndez, Francisco, *Typographia española o Historia de la introducción, propagación y progreso del arte de la imprenta en España*, I, Madrid, 1796.

Mendham, J., *The Seventh General Council, the Second of Nicaea*, Londres, sin año.

Menéndez Pelayo, Marcelino, *Antología de poetas líricos castellanos*, IV, Madrid, 1918; V, Madrid, 1911; XI, Madrid, 1914. También II y III, Santander, 1944.

— *Historia de los heterodoxos españoles*, III, Santander, 1947.

— *Bibliografía hispano-latina clásica*, I, Santander, 1950.

Menéndez Pidal, Ramón, "El dialecto leonés", *RABM*, 1906, págs. 128-172 y 294-311.

— *Estudios literarios*, Madrid, 1920.

— *Poesía juglaresca y juglares*, Madrid, 1924.

— "Introducción" a la *Historia General de las Literaturas Hispánicas*, dirigida por G. Díaz-Plaja, I, Barcelona, 1949.

— *Poesía juglaresca y orígenes de las literaturas románicas*, Madrid, 1957.

Meseguer Fernández, Fray Juan, "Íñigo de Mendoza y Antonio de Marchena en un documento de 1502", *Hispania*, 1952, págs. 401-411.

Metge, Bernat, *Lo Somni*, ed. M. de Riquer en *Obras*, Barcelona, 1959.

Mexía, Ferrant, *Libro intitulado nobiliario*, Sevilla, 1492.

Mexía, Pero, *Silva de varia lección*, Amberes, 1603.

Milá y Fontanals, Manuel, *Obras Completas*, II, Barcelona, 1889.

Mombritius, *Vita Silvestri*, ed. L. M. O. Duchesne en *Liber Pontificalis*, I, París, 1886.

Montesino, Fray Ambrosio, *Coplas sobre diversas devociones y misterios de nuestra sancta fe catholica*, Toledo, hacia 1485, ed. facs. de Sir H. Thomas, Londres, 1936.

— *Cancionero*, BAE, XXXV.

Montoliu, Manuel de, *Manual de historia de la literatura castellana*, Barcelona, 1947.

Morel-Fatio, A., *Catalogue des manuscrits espagnols et des manuscrits portugais de la Bibliothèque Nationale de Paris*, París, 1892.

Morley, S. Griswold, "Chronological List of Early Spanish Ballads", *HR*, 1945, páginas 273-287.

Muntaner, Ramón, *Crónica catalana*, ed. A. de Bofarull, Barcelona, 1860.

Mussafia, Albert, *Per la bibliografia dei "Cancioneros" spagnuoli*, en *Denkschriften der kaiserlichen Akademie der Wissenschaften*, Philologische-historische Klasse, XLVII. Viena, 1900.

N. S., F., "Una colección de refranes del siglo xv", *RABM*, 1904, páginas 434-447.

Novísima Recopilación de Leyes, V, Madrid, 1805.

Núñez, Hernán, *Refranes o Proverbios en romance que coligió y glosó el comendador...*, Salamanca, 1578.

Oliva, Enrique de, *Coplas nuevas fechas por... de la Natividad de Nuestro Señor Jesuchristo, y cántanse al tono de "Ábrasme tú el hermitaño"*. Sin l. ni a.

Ornstein, J., "La misoginia y el profeminismo en la literatura castellana", *RFH*, 1941, págs. 219-232.

Orosio, Paulo, *Historiarum adversum paganos*, en *Corpus Script. Ecclesiasticorum Latinorum*, V, Viena, 1882.

Ortega, Fray Ángel, *La Inmaculada Concepción y los franciscanos*, Loreto, 1904.

Ortiz, Ramiro, *Fortuna labilis: Storia di un motivo poetico da Ovidio al Leopardi*, Bucarest, 1927.

Ortiz de Montalván, Gonzalo, *Registro General del Sello (años 1435-1477)*, Catálogo XIII del Archivo General de Simancas, Valladolid, 1935.

Owst, G. R., *Literature and Pulpit in Medieval England*, Cambridge, 1933.

Padilla, Juan de, *Retablo de la Vida de Christo*, Sevilla, 1505.

Pagès, Amédée, "Le thème de la tristesse amoureuse en France et en Espagne du XIVème siècle au XVème siècle", *Romania*, 1932, págs. 29-43.

Palau y Dulcet, Antonio, *Manual del librero hispano-americano*, IV, Barcelona, 1926.

Palencia, Alonso de, *Décadas*, trad. y ed. de A. Paz y Melia, I, Madrid, 1904.

Pauwells, Fray Pedro, *Los franciscanos y la Inmaculada Concepción*, Jerusalén, 1905.

Parisiensis, Guillermo, cf. García de Santa María, Gonzalo.

Patch, H. R., *The Godess Fortuna in the Mediaeval Literature*, Harvard, 1927.

Paz y Espejo, Julián, "Castillos y fortalezas del Reino. Noticias de su estado y de sus alcaides y tenientes durante los siglos XV y XVI", *RABM*, 1912, páginas 396-475.

Paz y Melia, A., "La Biblia puesta en romance por Rabí Mosé Arragel de Guadalfaxara (1422-1433)", *Homenaje a Menéndez Pelayo*, II, Madrid, 1899.

— *El cronista Alonso de Palencia*, Madrid, 1914.

Pedraza, Juan de, *Easter Play*, ed. J. E. Gillet, *RH*, 1933, págs. 576-585.

Pérez Gómez, Antonio, "Notas para la bibliografía de fray Íñigo de Mendoza y de Jorge Manrique", *HR*, 1959, págs. 30-41.

Pérez de Guzmán, Fernán, *Generaciones y Semblanzas*, ed. J. Domínguez Bordona, CC, Madrid, 1924; también ed. R. B. Tate, Londres, 1965.

Pérez de Moya, Juan, *Philosophia secreta de la gentilidad*, Madrid, 1585.

Piaget, A., "La belle dame sans merci et ses imitations", *Romania*, 1901, páginas 22-48 y 317-351; 1902, págs. 315-349; 1904, págs. 179-208; 1905, páginas 375-428 y 559-602.

Pidal, Marqués de, *Estudios literarios*, II, Madrid, 1890.

Pietsch, K., *Spanish Grail Fragments*, II, Chicago, 1924.

Pinedo, Luis de, *Liber Facetiarum et Similitudinum*, E. Barriobero y Herrán en *Los viejos cuentos españoles*, Madrid, 1930.

Pinel y Monroy, Francisco, *Vida y hechos de Andrés de Cabrera, primero marqués de Moya*, Madrid, 1677.

Platón, *De Republica*, ed. F. Zadock y H. Davis, Wáshington-Londres, 1901.

Plinio, *Naturalis Historia*, 5 vols., Leipzig, 1892-1909.

Poema de Mio Cid, ed. R. Menéndez Pidal, Madrid, 1944.

Pontet, Maurice, *L'exégèse de Saint Augustin prédicateur*, París, 1944.

Portalegre, Fray Antonio de, *Paixão de Christo metrificada*, Coímbra, 1548.

Post, Ch. R., *Mediaeval Spanish Allegory*, Cambridge, Mass., 1915.

Prat, Ferdinand, *Jesus Christ. His Life, His teaching and His Work*, Milwaukee, 1963.

Primera Crónica General de España, ed. R. Menéndez Pidal, 2 vols., Madrid, 1955.

Proclo, San, *Orationes*, PG, LXV.

Próspero de Aquitania, San, *Liber Sententiarum*, en *Operibus Sancti Augustini Delibatarum*, PL, LI.

Puiggarí, J., *Estudios de indumentaria española*, Barcelona, 1890.

Pulgar, Hernando del, *Claros varones de Castilla*, ed. J. Domínguez Bordona, CC, Madrid, 1923.

— *Crónica de los Reyes Católicos*, ed. J. de Mata Carriazo, Madrid, 1943, y también ed. BAE, LXX.

Puymaigre, Conde de, *Les vieux auteurs castillans*, 2 vols., París, 1861-1862.

— *La cour littéraire de Juan II, roi de Castille*, 2 vols., París, 1873.

Puyol y Alonso, Julio, *Las Hermandades de Castilla y León*, Madrid, 1913.

Ráfols, José F., *Techumbres y artesonados españoles*, Barcelona, 1945.

Ramos Oliveira, Antonio, *Historia de España*, II, México, s. a.

Recio, Fray Alejandro, "La Inmaculada Concepción en la predicación franciscano-española", AIA, 1955, págs. 105-200.

Rennert, H. A., *Macías O Namorado, A Galician Trobador*, Filadelfia, 1900.

Reynosa, Rodrigo de, *Coplas de como un pastor fue a la corte*, en *Nueva colección de pliegos sueltos*, ed. V. Castañeda y A. Huarte, Madrid, 1933.

Ricard, Robert, "Cristal, vidrio, vidriera", MLR, 1945, págs. 216-217.

— "Paravicino, Rabelais, le soleil et la 'vidriera'", BH, 1955, págs. 327-330.

Riesmann, D., *The History of the Medicine in the Middle Ages*, Nueva York, 1935.

Roca Franquesa, J. M., *Historia de la literatura española e hispanoamericana*, Madrid, 1960.

Rodríguez, Alonso, *Pláticas de la doctrina cristiana*, ed. F. Puzo, S. J., Barcelona, 1944.

Rodríguez-Moñino, Antonio, y Brey Mariño, María, *Catálogo de los manuscritos poéticos castellanos existentes en la biblioteca de The Hispanic Society of America (siglos XV, XVI y XVII)*, 3 vols., Nueva York, 1965-1966.

Rodríguez-Puértolas, Julio, "Sobre el autor de las *Coplas de Mingo Revulgo*", en *Homenaje a Rodríguez-Moñino*, II, Madrid, 1966, págs. 131-142.

Rodríguez Villa, A., *Bosquejo biográfico de don Beltrán de la Cueva*, Madrid, 1881.

Roig, Jaume, *Lo Spill*, ed. R. Chabás, Barcelona, 1905, y ed. con trad. de R. Miquel y Planas, Barcelona, 1936-1942.

Rojas, Fernando de, *La Celestina*, 2 vols., ed. J. Cejador, CC, Madrid, 1945-1949.

Román, Comendador, *Obras*, ed. facs. de la de Toledo, 1486-1494?, por Sir H. Thomas, Londres, 1936.

Romancero General, ed. A. González Palencia, I, Madrid, 1947.

Romancero y Cancionero Sagrados, BAE, XXXV.

Romera Navarro, Manuel, "Quillotro y sus variantes", *HR*, 1934, págs. 217-225.

Romero, *Coplas que fizo... a fray Yñigo porque un dia le convido el Abad de Vall[adare]s que comiese con el y no lo acebto porque estaba en casa de doña Maria Manrique fablando con su hija doña Elvira*, B. N. de Madrid, manuscrito 4114.

Rouanet, Leo, *Colección de autos, farsas y coloquios del siglo XVI*, 4 vols., Madrid-Barcelona, 1901.

Rubió y Balaguer, J., *Vida española en la época gótica*, Barcelona, 1943.

— "Literatura catalana", en *Historia General de las Literaturas Hispánicas*, dirigida por G. Díaz-Plaja, I, Barcelona, 1949.

Rudwin, M., "The Origin of the Legend of 'Bos et Asinus' ", *The Open Court*, 1915, págs. 57-192.

Rufo, Juan, *La Austríada*, Madrid, 1584.

Ruggieri, Iole, *Poeti del tempo dei Re Cattolici*, Roma, 1955.

Ruiz, Juan, *Libro de Buen Amor*, ed. J. Cejador, 2 vols., CC, Madrid, 1951.

Saavedra Molina, Julio, *El octosílabo castellano*, Santiago de Chile, 1945.

Saint Amour, Sister Mary Pauline, *A Study of the Villancico up to Lope de Vega. Its Evolution from Profane to Sacred Themes and Specifically to the Christmas Carol*, Wáshington, 1940.

Sajonia, Lodulfo de, *Vita Christi*, trad. catalana de Juan Ruiz de Corella, Valencia, 1495; trad. portuguesa de Fr. Bernardo de Alcobaça, Lisboa, 1495; trad. castellana de Fr. Ambrosio Montesino, Alcalá de Henares, 4 volúmenes, 1502-1503.

Salazar, Fr. Pedro de, *Corónica y Historia de la Fundación y progreso de la provincia de Castilla de la Orden del Bienaventurado Padre San Francisco*, Madrid, 1612.

Salinas, Pedro, *Jorge Manrique o tradición y originalidad*, Buenos Aires, 1947.

Salucio, Fray Agustín, *Discurso acerca de la justicia y buen gobierno de España en los estatutos de limpieza de sangre y si conviene o no alguna limitación en ellos*, ed. A. de Valladares y Sotomayor en *Semanario Erudito*, Madrid, 1788.

Salvá y Mallén, Pedro, *Catálogo de la Biblioteca de don...*, I, Valencia, 1872.

Sánchez, Juan Manuel, *Bibliografía zaragozana del siglo XV*, Madrid, 1908.

Sánchez Albornoz, Claudio, *España. Un enigma histórico*, 2 vols., Buenos Aires, 1956.

Sánchez de la Ballesta, A., *Dictionario de vocablos castellanos aplicados a la propriedad latina*, Salamanca, 1587.

Sánchez de Vercial, Clemente, *Libro de los exenplos por A B C*, ed. J. E. Keller y L. J. Zahn, Madrid, 1961.

San Pedro, Diego de, *Passion Trobada*, Salamanca, hacia 1496.

Sansiventi, B., *I primi influssi di Dante, del Petrarca e del Boccaccio sulla letteratura spagnuola*, Milán, 1902.

— *Apuntes sobre la leyenda biográfica de Macías*, Bérgamo, 1904.

Santa Cruz Dueñas, Melchor de, *Floresta española de apotegmas o sentencias sabia y graciosamente dichas de algunos españoles*, 2 vols., Valencia, 1580.

San Víctor, Hugo de, *De bestiis et aliis rebus*, PL, CLXXVII.

Sarmiento, Fray Martín, *Memorias para la historia de la poesía y poetas españoles*, Madrid, 1775.

Sbarbi, José María, *Florilegio o Ramillete alfabético de refranes y modismos comparativos y ponderativos de la lengua castellana*, Madrid, 1873.

— *El refranero general español*, I, Madrid, 1874; II, Madrid, 1875.

— *Monografía sobre los refranes, adagios y proverbios castellanos y las obras o fragmentos que expresamente tratan de ellos en nuestra lengua*, Madrid, 1891.

— y García, M. J., *Gran diccionario de refranes*, Buenos Aires, 1943.

Schack, Conde de, *Historia de la literatura y del arte dramático en España*, I, Madrid, 1885.

Schiff, Mario, *La Bibliothèque du Marquis de Santillane*, París, 1905.

Séneca, Lucio Anneo, *Cinco libros*, Sevilla, 1491.

— *Proverbios con glosa*, Sevilla, 1500.

— *Flores de... traduzidas de latin en romance castellano por Juan Martin Cordero*, Amberes, 1555.

Serís, Homero, *Manual de bibliografía de la literatura española*, I, Syracuse, 1948.

Serra i Baldó, A., "Els goigs de la Verge Maria en l'antiga poesia catalana", en *Homenatge a Rubió*, Barcelona, 1936.

Serrano, Luciano, "Traducciones castellanas de los *Morales* de San Gregorio", *RABM*, 1911, págs. 389-405.

— *Los Reyes Católicos y la ciudad de Burgos*, Madrid, 1943.

Severo, Sulpicio, *Chronica*, en *Corpus Script. Ecclesiasticorum Latinorum*, I, Viena, 1866.

Siciliano, Ítalo, *François Villon et les thèmes poétiques du Moyen Âge*, París, 1934.

Sicroff, Albert A., *Les controverses des status de "pureté de sang" en Espagne du XVème au XVIIème siècle*, París, 1960.

Sigüenza, Fray José de, *Historia de la Orden de San Jerónimo*, BAE, VIII.

Silió, César, *Don Álvaro de Luna y su tiempo*, Madrid, 1935.

Silva, Feliciano de, *Segunda comedia de Celestina*, Amberes, s. a.

Simón Díaz, José, *Bibliografía de la literatura hispánica*, III, Madrid, 1953.

Sitges, J. B., *Enrique IV y la excelente señora*, Madrid, 1912.

Sobejano, Gonzalo, *El epíteto en la lírica española*, Madrid, 1956.

Sócrates, *Historia Eccles.*, PG, LXVII.

Soldevila, Ferrán, *Historia de España*, II y III, Barcelona, 1952-1954.

Stern, Charlotte, "Fray Íñigo de Mendoza and Medieval Dramatic Ritual", *HR*, 1965, págs. 197-245.

Suárez Fernández, Luis, "Nobleza y Monarquía en la política de Enrique III", *Hispania*, 1952, págs. 323-400.

— "Problemas políticos en la minoridad de Enrique III", *Hispania*, 1952, páginas 163-231.

— *Nobleza y Monarquía. Puntos de vista sobre la historia castellana del siglo XV*, Valladolid, 1959.

— "Los Trastamaras de Castilla y Aragón en el siglo XV (1407-1474)", en *Historia de España*, dirigida por R. Menéndez Pidal, XV, Madrid, 1964, páginas 1-318.

Tafur, Pero, *Andanzas e viajes por diversas partes del mundo auidos*, ed. M. Jiménez de la Espada, Madrid, 1874.

Talavera, Fray Gabriel de, *Historia de Nuestra Señora de Guadalupe*, Toledo, 1597.

Teatro Español del siglo XVI, ed. U. Cronan, I, Madrid, 1913.

Teresa de Jesús, Santa, *Camino de perfección*, BAE, LIII.

Tertuliano, *De Praescriptione Haereticorum*, PL, II.

Tesoro del Teatro Español, ed. E. de Ochoa, I, París, 1838.

Teysier, P., *La langue de Gil Vicente*, París, 1959.

Thaon, Philippe de, *Bestiaire*, ed. E. Walbery, París, s. a.

Ticknor, G., *A History of Spanish Literature*, eds. de Londres, 1849 y 1863, y trad. española de P. de Gayangos y E. de Vedia, I, Madrid, 1851.

Tirso de Molina, *La venganza de Tamar*, NBAE, IX.

— *El vergonzoso en palacio*, ed. Américo Castro, CC, Madrid, 1952.

Tob, Rabí Sem, *Proverbios morales*, ed. I. González Llubera, Cambridge, 1947.

Tomás de Aquino, Santo, *Summa Theologiae*, 16 vols., BAC, Madrid, 1957-1960.

Torre, Fernando de, *Cancionero y obras en prosa*, ed. A. Paz y Melia, Dresde, 1907.

Torres Naharro, Bartolomé de, *Propalladia and Other Works of...*, ed. J. E. Gillet, 4 vols., I-III, Bryn Mawr, 1943-1951; IV, Filadelfia, 1961.

Torrubia, J., *Chronica Seraphica*, Roma, 1756.

Uhagón, Francisco R. de, *Órdenes Militares*, discurso de ingreso en la Real Academia de la Historia, Madrid, 1898.

— *Un cancionero del siglo XV con varias poesías inéditas*, Madrid, 1900.

Valbuena Prat, Ángel, *Historia de la literatura española*, I, Barcelona, 1953.

Valenzuela, Fray Antonio de, *Doctrina christiana para los niños y para los humildes. Compuesta por..., predicador general de la orden de Sant Francisco de la Observancia*, Salamanca, 1556.

Valera, Mosén Diego de, *Defenssa de virtuosas mugeres*, B. N. de Madrid, manuscrito 1341.

— *Doctrinal de príncipes*, B. N. de Madrid, ms. 1341.

— *Corónica de España*, Burgos, 1487.

— *Crónica de los Reyes Católicos*, ed. J. de Mata Carriazo, Madrid, 1927.

— *Memorial de diversas hazañas*, BAE, LXX.

Valtanás, Fray Domingo de, *Vita Christi, en que se tracta la historia de la encarnación con las prophecías y sentencias de los sanctos doctores cerca del sancto mysterio. El nascimiento del Hijo de Dios, su doctrina y predicación. Especialmente la conversión de la Magdalena y lo que con la sancta passó. El pater noster y las bienauenturanças y las palabras que en la Cruz habló. Y al cabo su passión*, Sevilla, 1554.

— *Apología sobre ciertas materias morales de que hay opinión*, Sevilla, 1557.

Vanderford, K. H., "Macías in Legend and Literature", MPh, 1932-1933, páginas 35-63.

Vargas Zúñiga, A., y Cuartero, B., *Índice de la Colección de don Luis de Salazar y Castro*, 28 tomos, Madrid, 1949-1961.

Varios, *The Ante-Nicene Fathers. Translations of the Writings of the Fathers Down to A. D. 325*, 5 vols., Buffalo, 1885-1896.

— *El español en Méjico, los Estados Unidos y la América Central*, en Biblioteca de Dialectología Hispano-Americana, IV, Buenos Aires, 1938.

— *Introducción a los orígenes de la Observancia en España*, AIA, 1957, número especial.

Vega, Lope de, *La limpieza no manchada,* ed. Real Academia Española, V, Madrid, 1895.

— *La moza de cántaro,* BAE, XXIV.

Velázquez, Luis Joseph, *Orígenes de la poesía castellana,* Málaga, 1754.

Vendrell de Millás, Francisca, *La corte literaria de Alfonso V,* Madrid, 1934.

— "Los cancioneros del siglo XV", en *Historia General de las Literaturas Hispánicas,* dirigida por G. Díaz-Plaja, II, Barcelona, 1951.

Vicens Vives, Jaume, *Els Trastamaras (Segle XV),* Barcelona, 1956.

— *Historia social y económica de España y América,* II, Barcelona, 1957.

Vicente, Gil, *Obras,* ed. J. V. Barreto y J. G. Monteiro, I, Hamburgo, 1834.

— *Obras completas,* ed. facs. de Lisboa, 1562; Lisboa, 1925.

Vilanova, Antonio, *Las fuentes y los temas del Polifemo de Góngora,* 2 vols., Madrid, 1956-1957.

Vilaragut, Antoni de, *Tragedies de Séneca,* ed. M. Gutiérrez del Caño, Valencia, 1914.

Villegas, A. de, *Comedia llamada Selvagia,* Madrid, 1873.

Villena, Marqués de, *Los doze trabajos de Hércules,* ed. M. Morreale, Madrid, 1958.

Villena, Sor Isabel de, *Vita Christi,* Valencia, 1497.

Villon, François, *Oeuvres Complètes,* ed. P. L. Jacob, París, 1854.

Vindel, Pedro, *El arte tipográfico en España durante el siglo XV,* IV, Madrid, 1949.

Viñas Mey, Carmelo, *Los Países Bajos en la política y en la economía mundiales de España,* Madrid, 1944.

Vorágine, Jacobo della, *Legenda Aurea,* B. N. de Madrid, ms. 4197.

Vyver, A. van der, "Les traductions du *De Consolatione Philosophiae* de Boèce", *Humanisme et Renaissance,* 1939, págs. 268-279.

Wadding, Lucas, *Annales Minorum ab origine ad annum 1540,* I, Roma, 1731; XV, Quaracchi, 1933.

Wardropper, B. W., *Historia de la poesía lírica a lo divino en la cristiandad occidental,* Madrid, 1958.

Weber de Kurlat, Frida, "Latinismos arrusticados en el sayagués", *NRFH,* 1947, págs. 166-170.

— "El dialecto sayagués y los críticos", *Filología,* 1949, págs. 43-50.

— *Lo cómico en el teatro de Fernán González de Eslava,* Buenos Aires, 1963.

Whinnom, Keith, "The Religious Poems of Diego de San Pedro: Their Relationship and Their Dating", *HR,* 1960, págs. 1-15.

— "Ms. Escurialense K-III-7: el llamado *Cancionero de fray Íñigo de Mendoza*", *Filología,* 1961, págs. 161-172.

— "The Printed Editions and the Text of the Works of fray Íñigo de Mendoza", *BHS*, 1962, págs. 137-152.
— "The First Printing of San Pedro's *Passion Trobada*", *HR*, 1962, páginas 149-151.
— "The Supposed Sources of Inspiration of Spanish Fifteenth-Century Narrative Religious Verse", *Symposium*, 1963, págs. 268-291.
Wickersham Crawford, J. P., *Spanish Drama Before Lope de Vega*, Londres, 1937.

Zapata, Luis, *Carlo Famoso*, Valencia, 1556.
Zarco, P. Julián, *Catálogo de los manuscritos castellanos de la Real Biblioteca de El Escorial*, II, Madrid, 1926.

ÍNDICE DE NOMBRES PROPIOS
Y DE LUGARES QUE APARECEN EN LA *VITA CHRISTI* [1]

---

[1] Los números remiten a las coplas. Modernizo los nombres anotados en este índice.

ÍNDICE GENERAL

SEGUNDA PARTE

BIBLIOTECA ROMÁNICA HISPÁNICA

Director: DÁMASO ALONSO

I. TRATADOS Y MONOGRAFÍAS

1. Walther von Wartburg: *La fragmentación lingüística de la Romania*. Agotada.
2. René Wellek y Austin Warren: *Teoría literaria*. Con un prólogo de Dámaso Alonso. Cuarta edición. 432 págs.
3. Wolfgang Kayser: *Interpretación y análisis de la obra literaria*. Cuarta edición revisada. 594 págs.
4. E. Allison Peers: *Historia del movimiento romántico español*. Segunda edición. 2 vols.
5. Amado Alonso: *De la pronunciación medieval a la moderna en español*.
   Vol. I: Segunda edición: 382 págs.
   Vol. II: En prensa.
6. Helmut Hatzfeld: *Bibliografía crítica de la nueva estilística aplicada a las literaturas románicas*. Segunda edición, en prensa.
7. Fredrick H. Jungemann: *La teoría del sustrato y los dialectos hispano-romances y gascones*. Agotada.
8. Stanley T. Williams: *La huella española en la literatura norteamericana*. 2 vols.
9. René Wellek: *Historia de la crítica moderna (1750-1950)*.
   Vol. I: *La segunda mitad del siglo XVIII*. 396 págs.
   Vol. II: *El Romanticismo*. 498 págs.
   Vol. III: En prensa.
   Vol. IV: En prensa.
10. Kurt Baldinger: *La formación de los dominios lingüísticos en la Península Ibérica*. 398 págs. 15 mapas. 2 láminas.
11. S. Griswold Morley y Courtney Bruerton: *Cronología de las comedias de Lope de Vega (Con un examen de las atribuciones dudosas, basado todo ello en un estudio de su versificación estrófica)*. 694 págs.

II. ESTUDIOS Y ENSAYOS

1. Dámaso Alonso: *Poesía española (Ensayo de métodos y límites estilísticos)*. Quinta edición. 672 págs. 2 láminas.
2. Amado Alonso: *Estudios lingüísticos (temas españoles)*. Tercera edición. 286 págs.